Le Fléau
2

STEPHEN KING

Carrie	*J'ai lu* 835/3
Shining	*J'ai lu* 1197/5
Danse macabre	*J'ai lu* 1355/4
Cujo	*J'ai lu* 1590/4
Christine	*J'ai lu* 1866/4
L'année du loup-garou	
Salem	
Creepshow	
Peur bleue	*J'ai lu* 1999/3
Charlie	*J'ai lu* 2089/5
Simetierre	*J'ai lu* 2266/6
La peau sur les os	*J'ai lu* 2435/4
Différentes saisons	*J'ai lu* 2434/7
Brume – Paranoïa	*J'ai lu* 2578/4
Brume – La Faucheuse	*J'ai lu* 2579/4
Running man	*J'ai lu* 2694/4
Ça-1	*J'ai lu* 2892/6
Ça-2	*J'ai lu* 2893/6
Ça-3	*J'ai lu* 2894/6
Chantier	*J'ai lu* 2974/6
Misery	*J'ai lu* 3112/6
La tour sombre-1	*J'ai lu* 2950/3
La tour sombre-2	*J'ai lu* 3037/7
La tour sombre-3	*J'ai lu* 3243/7
Le Fléau-1	*J'ai lu* 3311/6
Le Fléau-2	*J'ai lu* 3312/6
Le Fléau-3	*J'ai lu* 3313/6
Les Tommyknockers-1	*J'ai lu* 3384/4
Les Tommyknockers-2	*J'ai lu* 3385/4
Les Tommyknockers-3	*J'ai lu* 3386/4
La part des ténèbres	
Minuit 2	
Minuit 4	

STEPHEN KING

Le Fléau

2

ÉDITION INTÉGRALE

TRADUIT DE L'AMÉRICAIN
PAR JEAN-PIERRE QUIJANO

ÉDITIONS J'AI LU

Titre original :

THE STAND

SUITE DU PREMIER VOLUME

LIVRE II

43

Un cadavre gisait en travers de la grand-rue de May, dans l'Oklahoma.

Nick n'en fut pas surpris. Il avait vu bien des cadavres depuis qu'il avait quitté Shoyo, mais sans doute pas le millième de ceux qui avaient dû jalonner sa route. Par moments, la riche odeur de mort qui flottait dans l'air était assez forte pour vous donner envie de tourner de l'œil. Un cadavre de plus, un cadavre de moins, quelle importance ?

Mais, quand le cadavre s'assit, Nick eut si peur qu'il lâcha son guidon et tomba brutalement sur l'asphalte, s'éraflant les mains et le front.

– Eh ben, pour un gadin, c'est un gadin, dit le cadavre qui s'avançait vers Nick d'une démarche plus que vacillante. Putain ! Quel gadin !

Nick ne l'entendait pas. Il regardait un endroit sur l'asphalte, entre ses mains, où il voyait tomber des gouttes de sang. Quand une main se posa sur son épaule, il se souvint du cadavre et voulut s'enfuir à quatre pattes, fou de terreur.

– T'énerve pas, dit le cadavre.

Et Nick vit que ce n'était pas du tout un cadavre, mais un jeune homme qui le regardait fort gentiment. Dans une main, le type tenait une bouteille de whisky. Nick comprit ce qui s'était passé. L'autre était tombé ivre mort en travers de la route.

Nick fit un cercle avec son pouce et son index pour lui dire que tout allait bien. Juste à ce moment, une goutte de sang chaud tomba de l'œil que Ray

Booth avait si bien travaillé. Il souleva son bandeau et s'essuya avec le dos de la main. Il voyait un peu mieux de ce côté-là aujourd'hui, mais lorsqu'il fermait son bon œil, le monde disparaissait encore dans une sorte de brouillard multicolore. Il remit en place le bandeau, s'approcha du trottoir et s'assit à côté d'une Plymouth immatriculée dans le Kansas dont les pneus étaient à moitié dégonflés. Dans le pare-chocs de la Plymouth, il vit l'entaille qu'il s'était faite au front. Une belle entaille, mais pas trop profonde. Un petit tour à la pharmacie du coin, pour désinfecter la plaie, un sparadrap, et on n'en parlerait plus. Il avait tellement pris de pénicilline qu'il devait lui en rester suffisamment pour combattre pratiquement n'importe quoi. Mais cette vilaine blessure à la jambe lui avait flanqué une frousse de tous les diables. Alors, inutile de prendre des risques. Minutieusement, Nick enleva les gravillons qui s'étaient incrustés dans ses paumes.

L'homme à la bouteille de whisky le regardait faire, sans aucune expression. Si Nick avait levé les yeux, il l'aurait certainement trouvé très bizarre. Dès qu'il avait tourné la tête pour regarder sa blessure dans le pare-chocs, le visage de l'autre s'était aussitôt comme vidé. L'homme était vêtu d'une salopette usée mais propre. Il mesurait environ un mètre soixante-quinze et ses cheveux étaient si blonds qu'ils paraissaient presque blancs. Ses yeux bleus, très clairs, accusaient ses origines nordiques. Il ne semblait pas avoir plus de vingt-trois ans, mais Nick découvrit plus tard qu'il devait avoir pas loin de quarante-cinq ans puisqu'il se souvenait de la fin de la guerre de Corée et du retour de son père en uniforme, un mois plus tard. Il n'aurait jamais pu inventer cette histoire. L'invention n'était pas le fort de Tom Cullen.

Il était donc là, debout, le visage vide, comme un robot dont on a débranché la prise. Puis, petit à petit, son visage s'anima à nouveau. Ses yeux rougis par le whisky se mirent à papilloter. Il souriait. Il venait de se souvenir de ce qu'il devait faire.

– Nom de Dieu, vous avez pris un beau gadin !
Le sang sur le front de Nick parut l'impressionner.
Nick avait un bloc-notes et un Bic dans la poche de sa chemise. Il se mit à écrire :
– *Vous m'avez fait peur. J'ai cru que vous étiez mort. Ce n'est pas grave. Il y a une pharmacie par ici ?*
Il tendit le bloc-notes à l'homme qui le regarda, puis le lui rendit en souriant.
– Je m'appelle Tom Cullen. Je ne sais pas lire. J'ai été jusqu'en dixième, mais j'avais seize ans. Et mon papa a trouvé que ça suffisait comme ça. Que j'étais trop grand.
Un retardé, pensa Nick. Je ne peux pas parler et il ne sait pas lire. On est bien partis.
– Putain, quel gadin ! Mais putain, quel gadin !
Nick hocha la tête, remit le bloc-notes et le stylo Bic dans sa poche, colla la main sur sa bouche et secoua la tête, se boucha les deux oreilles et secoua encore la tête, fit le geste de se trancher la gorge et secoua la tête pour la troisième fois.
Cullen souriait, mais ne comprenait rien.
– Mal aux dents ? Moi aussi, j'ai eu mal aux dents une fois. Ouf, ça fait mal. Putain que ça fait mal !
Nick secoua la tête et recommença sa mimique. Cette fois, Cullen crut qu'il avait mal aux oreilles. Finalement, Nick renonça et s'avança vers sa bicyclette. À part la peinture, la machine ne semblait pas avoir souffert. Il l'enfourcha pour l'essayer. Oui, tout allait bien. Cullen courait à côté de lui, un large sourire sur les lèvres, sans le quitter des yeux. Il y avait près d'une semaine qu'il n'avait vu personne.
– T'as pas envie de parler ? demanda-t-il.
Mais Nick ne parut pas entendre. Tom le tira par la manche et reposa sa question.
L'homme sur la bicyclette mit la main sur sa bouche et secoua la tête. Tom fronça les sourcils. Et maintenant, il posait sa bicyclette sur sa béquille et regardait les vitrines des magasins. Il a sans doute trouvé ce qu'il cherchait, car il monte sur le trottoir et s'arrête devant la pharmacie de M. Norton. S'il veut rentrer, pas de chance, parce que la pharmacie

est fermée. M. Norton est parti. Presque tout le monde est parti, sauf maman et son amie, Mme Blakely. Mais elles sont mortes toutes les deux.

Maintenant, l'homme qui ne parle pas essaye d'ouvrir la porte. Tom aurait pu lui dire que ce n'était pas la peine, même si la pancarte dit OUVERT. La pancarte ment, c'est tout. Dommage, parce que Tom aurait bien voulu des pastilles au miel pour la gorge. Bien meilleures que le whisky. Au début, il avait aimé ça, puis il avait eu envie de dormir, et ensuite il avait eu vraiment mal à la tête. Il s'était endormi pour oublier son mal de tête, mais il avait fait des tas de rêves complètement dingues : un homme en costume noir, comme celui du révérend Deiffenbaker. L'homme en costume noir le poursuivait dans les rêves. Il avait l'air vraiment très méchant. Et s'il avait bu du whisky, c'était parce que son papa le lui avait défendu, et sa maman aussi, mais maintenant tout le monde était parti, pourquoi pas ? Il pouvait faire ce qu'il voulait.

Mais qu'est-ce qu'il fabrique, l'homme qui ne parle pas ? Il prend la boîte à ordures sur le trottoir et il va... quoi ? Casser la vitrine de M. Norton ? Crac ! Merde alors ! Il vient de la casser ! Et maintenant, il passe la main à l'intérieur, il ouvre la porte...

– Hé, monsieur ! Vous avez pas le droit ! C'est pas permis ! Vous savez pas que...

Mais l'homme était déjà à l'intérieur. Il ne s'était même pas retourné.

– Est-ce que vous êtes sourd ? Ben merde ! Est-ce que...

Sa voix s'éteignit. Les traits de son visage retombèrent. Il était redevenu le robot dont on avait débranché la prise. Les habitants de May l'avaient souvent vu dans cet état. Tom marchait dans la rue, regardait les vitrines avec son expression perpétuellement hilare, puis s'arrêtait tout à coup, se figeait comme une statue. Quelqu'un criait : « *Voilà Tom !* » Et les gens se mettaient à rire. Si son papa était avec lui, il le grondait, lui donnait un coup de coude, ou même le tapait sur l'épaule, dans le dos, jusqu'à ce qu'il se réveille. Mais le papa de Tom n'était pas souvent là depuis 1988, parce qu'il sortait avec une serveuse rousse qui travaillait au Grill Boomer. La fille s'appelait DeeDee Packalotte (son nom faisait rigoler tout le monde). Son père avait fini par foutre le camp avec elle. On les avait vus une seule fois. Dans un petit motel, pas très loin, à Slapout, dans l'Oklahoma. Ensuite, plus de nouvelles.

Pour la plupart des habitants de May, Tom était complètement idiot. En réalité, il lui arrivait de penser presque normalement. La pensée humaine procède par déduction et induction (c'est du moins ce que nous disent les psychologues), et le retardé est incapable de faire ces sauts inductifs et déductifs. Quelque part dans sa tête, les plombs ont sauté, les fils se sont mélangés. Tom Cullen n'était pas trop gravement atteint et il était capable de faire des rapprochements simples. De temps en temps, pendant ses passages à vide, il parvenait même à réfléchir un peu. Quand cela lui arrivait, il se sentait comme quelqu'un qui a un mot « sur le bout de la langue ». Tom se coupait alors du monde réel, qui n'était pour lui qu'une succession d'images décousues, pour s'enfermer dans son monde intérieur. Comme un homme qui avance dans le noir, dans une pièce qu'il ne connaît pas, une lampe à la main, et qui cherche à tâtons la prise électrique en se cognant contre tout ce qui l'entoure. S'il trouve la prise – ce qui n'arrivait pas toujours à Tom –, c'est alors l'illumination soudaine. Tom était une créature qui vivait de sensations. Certaines choses lui plaisaient tout particulièrement : sucer les pastilles au miel de M. Norton, regarder une jolie fille en jupe courte passer au coin de la rue, respirer l'odeur du lilas, toucher de la soie. Mais surtout, il aimait ce moment où tout s'éclairait, où pour quelque temps il ne faisait plus noir dans la pièce. Souvent, il ne trouvait pas la prise. Mais, cette fois-ci, elle ne lui échappa pas.

Il avait dit : *Vous êtes sourd peut-être ?*

Tout à l'heure, l'homme n'avait pas semblé l'entendre, sauf lorsqu'il le regardait. Et l'homme n'avait pas dit un mot, même pas bonjour. Certaines personnes ne répondaient pas quand Tom leur posait des questions, car quelque chose sur son visage leur disait qu'il avait une araignée au plafond. Mais ces gens-là qui refusaient de répondre avaient toujours l'air tristes, ou un peu fâchés, ou un peu gênés. Cet homme-là n'était pas comme eux – il avait fait un cercle avec son pouce et son index, et Tom savait que ça voulait dire O.K, tout va bien... Mais il n'avait pas dit un mot.

Les mains sur les oreilles, il secoue la tête.

Les mains sur la bouche, et il fait la même chose.

Les mains sur le cou, et il fait encore la même chose.

La lumière s'allume : compris.

– Putain ! fit Tom dont le visage s'anima à nouveau.

Ses yeux injectés de sang s'éclairèrent. Il se précipita dans le drugstore de M. Norton, oubliant que c'était interdit. L'homme qui ne parlait pas versait quelque chose qui ne sentait pas très bon sur un bout de coton. Puis il se frottait le front avec le bout de coton.

– Eh, monsieur !

L'homme qui ne parlait pas ne se retourna pas. Tom en fut un peu surpris. Puis il se souvint. Il donna une petite tape sur l'épaule de Nick, et Nick se retourna.

– Vous êtes sourd-muet, c'est ça ? Vous entendez pas ! Vous parlez pas ! C'est ça ?

Nick lui fit signe que oui et, stupéfait, vit Tom sauter en l'air en battant des mains.

– J'ai trouvé ! Bravo ! J'ai trouvé tout seul ! Bravo, Tom Cullen !

Nick ne put s'empêcher de sourire. C'était la première fois que son infirmité causait tant de plaisir à quelqu'un.

Il y avait un petit square devant le tribunal et, dans ce square, une statue d'un soldat de la Deuxième

Guerre mondiale. Une plaque rappelait que ce monument était érigé à la mémoire des fils du comté : MORTS POUR LA PATRIE. Nick Andros et Tom Cullen étaient assis à l'ombre du soldat. Ils étaient en train de manger du jambon en boîte, du poulet en boîte et des chips. Deux sparadraps dessinaient une croix sur le front de Nick, au-dessus de son œil gauche. Il lisait sur les lèvres de Tom (ce qui n'était pas très facile, car Tom continuait à s'empiffrer en parlant) et se disait qu'il commençait à en avoir marre de ne manger que des conserves. En fait, ce dont il avait vraiment envie, c'était d'un gros steak bien juteux.

Tom n'avait pas cessé de parler depuis qu'ils s'étaient assis. Un discours plutôt répétitif, assaisonné de nombreux *bordel !* et *putain de putain !* Mais Nick ne s'en plaignait pas. Il n'avait pas vraiment compris à quel point la compagnie de ses semblables lui manquait jusqu'à ce qu'il rencontre Tom, à quel point il avait eu secrètement peur d'être le seul survivant sur terre. L'idée lui avait même traversé l'esprit que la maladie avait peut-être tué tout le monde, sauf les sourds-muets. Et maintenant, rien ne lui interdisait de penser que la grippe avait tué tout le monde, sauf les sourds-muets et les arriérés mentaux. Cette idée, qui lui parut amusante sous le beau soleil de ce début d'après-midi, allait revenir le hanter la nuit venue, et cette fois elle lui parut beaucoup moins drôle.

Il était curieux de savoir où Tom pensait que tout le monde était parti. Tom lui avait déjà parlé de son père qui avait filé avec une serveuse quelques années plus tôt. Tom lui avait aussi expliqué qu'il faisait des petits travaux pour M. Norbutt, un fermier, et que deux ans plus tôt M. Norbutt avait décidé que Tom « s'en tirait assez bien » pour lui confier une hache. Et puis, un soir où des types lui avaient sauté dessus, Tom leur avait cassé la gueule. Ils étaient presque morts. Il y en a un qui a dû aller à l'hôpital avec des fractures, *putain !* Et puis Tom avait trouvé sa mère chez Mme Blakely. Elles étaient toutes les deux mortes dans le salon. Alors, Tom avait foutu le camp. Parce que Jésus ne peut pas venir chercher les morts quand quelqu'un regarde (et Nick s'était dit que le Jésus de Tom était une espèce de père Noël à l'envers, qui venait prendre les morts par la cheminée au lieu d'apporter des cadeaux). Mais Tom ne semblait pas avoir compris que la petite ville était déserte, qu'il n'y avait pas une voiture sur la route. Nick posa doucement la main sur la poitrine de Tom et le flot de paroles s'interrompit.

– Quoi ? demanda Tom.

Nick montra les maisons qui entouraient le petit square, fronça les sourcils, pencha la tête, se gratta le crâne. Puis il fit marcher ses doigts sur le gazon et regarda Tom d'un air interrogateur.

Ce qu'il vit l'inquiéta beaucoup. On aurait dit que Tom était mort tout d'un coup, assis sur la pelouse. Plus aucune expression sur son visage. Ses yeux, qui brillaient l'instant d'avant quand il avait tant de choses à dire, étaient maintenant perdus dans le vague. Deux billes bleues. Il avait la bouche ouverte et Nick pouvait voir des miettes de chips sur sa langue. Ses mains reposaient sur ses genoux, complètement inertes.

Inquiet, Nick tendit la main pour le toucher. Mais Tom eut un sursaut. Ses paupières battirent et la lumière revint peu à peu dans ses yeux, comme de l'eau qui remplit un seau. Il se mit à sourire. Nick n'aurait pas été autrement surpris s'il avait vu apparaître une bulle de bande dessinée au-dessus de la tête de Tom, avec ce mot : EURÊKA.

– Vous voulez savoir où sont partis les autres ?

Nick hocha vigoureusement la tête.

– Sans doute à Kansas City. Sûrement. Tout le monde dit que c'est une petite ville ici. On s'amuse pas. Rien à faire. Ils ont même fermé la salle de patins à roulettes. Il y a plus que le ciné et les films sont pas bons. Ma maman dit toujours que tout le monde s'en va et que personne ne revient. Comme mon papa, il a foutu le camp avec une serveuse, elle s'appelait DeeDee Packalotte. Alors, ils en ont eu marre et ils sont tous partis. À Kansas City, sûrement, putain de putain, non ? Sûrement là qu'ils sont partis. Sauf Mme Blakely et ma maman. Jésus va venir les emmener au ciel, il va bien s'occuper d'elles, toujours.

Tom avait repris son monologue.

Partis à Kansas City, pensa Nick. Après tout, peut-être bien. Tous ont quitté cette pauvre planète, emportés par la main de Dieu, ce bon Jésus qui s'occupera d'eux, toujours, toujours.

Il se coucha et sentit ses paupières s'alourdir, tandis que les mots s'alignaient sur les lèvres de Tom, équivalents visuels d'un poème surréaliste, sans majuscules, un peu confus :

maman m'a dit
pas le droit d'aller
mais je leur ai dit
se faire foutre

Il avait fait de mauvais rêves la nuit dernière, dans la grange où il avait dormi, et maintenant, le ventre plein, tout ce qu'il voulait...

putain
PUTAIN de bordel
sûr que

Et Nick s'endormit.

Quand il se réveilla, engourdi comme lorsqu'on fait une sieste en plein après-midi, il se demanda pourquoi il transpirait tant. Mais il ne tarda pas à comprendre lorsqu'il s'assit. Il était cinq heures moins le quart ; il avait dormi plus de deux heures et demie et le soleil n'était plus caché par le monument aux morts. Mais ce n'était pas tout. Tom Cullen, plein de sollicitude, l'avait couvert pour qu'il ne prenne pas froid. Deux couvertures et un édredon.

Il se leva et s'étira. Tom n'était pas dans les parages. Nick s'avança vers l'entrée du square, se demandant ce qu'il allait faire avec Tom... ou sans lui. Le pauvre type se nourrissait au supermarché, à l'autre bout du square. Il n'avait pas hésité à y entrer et à se servir sur les étagères en choisissant les boîtes de conserve qui lui plaisaient d'après les illustrations des étiquettes, parce que, lui avait expliqué Tom, la porte du supermarché n'était pas fermée.

Et Nick se demandait ce que Tom aurait fait si elle l'avait été. Sans doute aurait-il oublié ses scrupules lorsqu'il aurait eu suffisamment faim. Mais que serait-il devenu lorsque le supermarché aurait été vide ?

En fait, ce n'était pas vraiment ce qui le dérangeait à propos de Tom. Ce qui le dérangeait, c'était la joie pathétique avec laquelle le pauvre type l'avait accueilli. Attardé comme il l'était, pensa Nick, il ne l'était pas suffisamment pour ne pas souffrir de la solitude. Sa mère et la femme qu'il appelait sa tante étaient mortes. Son père était parti depuis longtemps. Son patron, M. Norbutt, et tous les autres habitants de May avaient fichu le camp un soir à Kansas City pendant que Tom dormait. Il était resté là à errer dans la grand-rue, comme un gentil fantôme. Et il prenait des initiatives qui n'étaient sans doute pas les meilleures – comme cette histoire de whisky. S'il se saoulait encore, il risquait de se faire du mal. Et s'il se faisait du mal sans personne pour s'occuper de lui, ce serait peut-être la fin de Tom.

Mais... un sourd-muet et un arriéré mental ? Qu'est-ce qu'ils pourraient bien fabriquer ensemble ? Un type qui ne peut pas parler, un autre qui ne peut pas penser. C'était injuste. Tom pouvait penser un peu cependant, mais il ne savait pas lire, et Nick ne se faisait pas d'illusions. Il se fatiguerait vite de jouer aux devinettes avec Tom Cullen. Le pauvre Tom ne s'en fatiguerait sûrement pas, lui. Putain, non.

Il s'arrêta sur le trottoir à l'entrée du jardin public, les mains dans les poches. Bon, décida-t-il, je peux passer la nuit ici avec lui. Une nuit de plus ou de moins, quelle importance ? Je vais pouvoir lui préparer quelque chose de convenable à manger.

Et Nick partit à la recherche de Tom.

Cette nuit-là, Nick dormit dans le square, sans avoir revu Tom. Quand il se réveilla le lendemain matin, trempé de rosée mais en pleine forme, la première chose qu'il vit lorsqu'il traversa le square, ce fut Tom en train de jouer avec des petites voitures, accroupi devant une énorme station-service Texaco en plastique.

Tom avait sans doute jugé que, si l'on pouvait entrer dans la pharmacie de Norton, rien n'empêchait d'entrer ailleurs. Il était assis sur le trottoir, devant le Prisunic, le dos tourné. Une quarantaine de petites voitures étaient alignées au bord du trottoir. À côté de lui se trouvait le tournevis dont il s'était servi pour forcer la vitrine des jouets. Son choix n'était pas si mauvais : des Jaguar, des Mercedes, des Rolls-Royce, une Bentley d'un vert criard, une Lamborghini, une Ford, une Pontiac Bonneville, une Corvette, une Maserati et le clou de la collection : une Moon 1933. Tom se donnait beaucoup de mal, faisait entrer et sortir ses petites voitures du garage, faisait le plein à la pompe. Le pont de graissage fonctionnait. Nick vit que Tom soulevait de temps en temps une voiture et faisait semblant de travailler dessous. S'il n'avait pas été sourd, il aurait pu entendre dans le silence presque total qui les entourait le bruit que faisait l'imagination de Tom Cullen lorsqu'elle se mettait en branle – *brrrr* avec les lèvres quand les voitures arrivaient à la station-service, *tchic-tchic-ding !* quand il faisait le plein d'essence, *ccchhhhhhhhh* quand le pont de graissage montait ou descendait. En fait, il parvenait à saisir des bribes de conversations échangées entre le propriétaire de la station-service et les petits bonshommes dans leurs petites voitures : *Le plein, monsieur ? Super ? C'est parti ! Je vais nettoyer le pare-brise, madame. Je crois que c'est le carburateur. On va regarder dessous pour voir ce que c'est. Les toilettes ? Juste à côté, à droite !*

Et au-dessus du crétin et de ses jouets, sur des

kilomètres et des kilomètres, aux quatre coins de l'horizon, le ciel que Dieu avait donné à ce petit trou perdu de l'Oklahoma.

Nick se dit : *Je ne peux pas le laisser. Je ne peux pas faire ça.* Et, tout à coup, une énorme vague de tristesse s'empara de lui, une tristesse si déchirante qu'il crut un instant qu'il allait pleurer.

Ils sont partis à Kansas City, pensait-il. *Ils sont tous partis à Kansas City.*

Nick traversa la rue et donna une tape sur le bras de Tom qui sursauta et se retourna. Rouge de confusion, il souriait d'un air coupable.

– Je sais que c'est pour les petits, pas pour les grands. Je sais ça, papa me l'a dit.

Nick haussa les épaules en souriant. Tom parut soulagé.

– C'est à moi maintenant. Si je veux. Parce que si vous pouvez entrer dans la pharmacie, moi je peux entrer dans le Prisunic. C'est vrai, non ? Je suis pas obligé de les remettre ?

Nick fit signe que non.

– Alors, les autos sont à moi, dit Tom, tout content.

Et il se remit aussitôt à jouer avec son garage. Mais Nick lui donna une petite tape sur l'épaule.

– Quoi ?

Nick le tira par la manche de sa chemise et Tom se releva sans se faire prier. Nick le conduisit à l'endroit où il avait laissé sa bicyclette. Il pointa l'index sur sa poitrine, puis montra la bicyclette. Tom fit signe qu'il avait compris.

– Je comprends. C'est votre bicyclette. Le garage est à moi. Je ne prend pas votre bicyclette et vous ne prenez pas mon garage. Compris !

Nick secoua la tête. Il se montra du doigt, puis montra la bicyclette, la grand-rue et fit un petit signe d'adieu.

Tom ne bougeait plus. Nick attendait.

– Vous vous en allez, monsieur ? demanda Tom d'une voix hésitante.

Nick acquiesça.

– Non, je ne veux pas !

Tom ouvrait de grands yeux, très bleus, remplis de larmes.

– Je vous aime bien ! Je veux pas que vous partiez à Kansas City !

Nick attira Tom contre lui et lui passa le bras autour du cou. Puis il reprit son manège : lui, Tom, la bicyclette, s'en aller.

– Je comprends pas.

Patiemment, Nick recommença. Mais cette fois, il saisit la main de Tom et l'agita comme pour dire au revoir.

– Vous voulez que je parte avec vous ? demanda Tom avec un sourire incrédule.

Nick fit signe que oui.

– Chouette ! Tom Cullen s'en va ! Tom...

Il s'arrêta tout à coup et lança un regard inquiet à Nick.

– Je peux emporter mon garage ?

Nick réfléchit un instant, puis hocha la tête.

– Alors c'est parti ! fit Tom dont le visage s'éclaira aussitôt. Tom Cullen s'en va !

Nick le fit s'approcher de la bicyclette, montra Tom, puis la bicyclette.

– Je suis jamais monté sur un vélo comme ça, dit Tom qui regardait la manette du dérailleur, la selle haute et étroite. Je crois que vaut mieux pas. Tom Cullen va tomber sur un vélo comme ça.

Nick se sentit soulagé. *Je suis jamais monté sur un vélo comme ça,* donc il savait faire de la bicyclette. Il suffisait d'en trouver un modèle plus simple. Tom allait le ralentir, c'était inévitable, mais peut-être pas tant que ça après tout. Et rien ne pressait de toute façon. Les rêves ne sont que des rêves. Pourtant, il sentait un besoin profond de se dépêcher, quelque chose de fort et d'indéfinissable, un ordre de son inconscient.

Ils revinrent à l'endroit où Tom avait laissé sa station-service. Nick la montra, sourit à Tom, puis lui fit un signe de tête. Sans se faire prier, Tom s'accroupit aussitôt mais, au moment où il allait prendre deux petites voitures, il s'arrêta et regarda Nick avec des yeux méfiants et inquiets.

– Vous n'allez pas partir sans Tom Cullen ?

Nick s'empressa de lui répondre que non.

– Alors tant mieux, dit Tom qui se mit aussitôt à jouer avec ses petites voitures.

Sans trop savoir ce qu'il faisait, Nick passa la main dans les cheveux de l'homme. Tom leva les yeux et lui fit un sourire timide. Nick lui rendit son sourire. Non, il ne pouvait pas le laisser là. Sûrement pas.

Il était près de midi lorsqu'il trouva une bicyclette qui lui parut convenir à Tom. Il n'aurait pas cru qu'il lui faudrait si longtemps pour en dénicher une, mais la plupart des gens avaient fermé à clé leur maison et leur garage avant de s'en aller. Il avait donc passé trois bonnes heures à chercher de rue en rue, trempé de sueur, car le soleil tapait déjà dur.

Finalement, il avait trouvé ce qu'il cherchait dans un petit garage à la sortie sud de la ville. Le garage était fermé, mais il y avait une fenêtre assez grande pour qu'il puisse se faufiler à l'intérieur. Nick cassa la vitre avec une pierre et détacha soigneusement les éclats de verre qui tenaient encore au vieux mastic. À l'intérieur, l'air étouffant sentait l'huile et la poussière. La bicyclette, un vieux vélo de garçon, était appuyée contre une station-wagon aux pneus complètement lisses.

Avec la chance que j'ai, elle sera sûrement fichue, pensa Nick. Pas de chaîne, les pneus à plat, quelque chose en tout cas. Mais cette fois, la chance était avec lui. Les pneus étaient bien gonflés et pas trop usés ; la chaîne semblait suffisamment tendue. Accrochée sur le mur, entre un râteau et une pelle, une trouvaille inespérée : une pompe presque neuve.

En cherchant un peu, Nick découvrit une petite burette d'huile. Il s'assit sur le sol de ciment craquelé et, sans se soucier de la chaleur, huila méticuleusement la chaîne et les deux pignons. Il ficela la pompe sur le cadre de la bicyclette, puis ouvrit la porte du garage. L'air frais n'avait jamais senti aussi bon. Il ferma les yeux, prit une profonde respiration, poussa la bicyclette jusqu'à la rue, l'enfourcha et se mit à pédaler lentement. La bicyclette roulait bien, exactement ce qu'il fallait à Tom... à condition qu'il sache vraiment faire de la bicyclette.

Il laissa la bicyclette près de la sienne pour refaire un tour au Prisunic. Au fond du magasin, dans un fouillis d'articles de sports qui traînaient un peu partout, il découvrit une splendide trompe chromée avec une grosse poire de caoutchouc rouge. Tom allait être content. Nick alla chercher un tournevis et une clef à molette au rayon des outils, puis il ressortit. Tom faisait la sieste dans le square, tranquillement installé à l'ombre du monument aux morts.

Nick installa la trompe sur le guidon de la bicyclette de Tom. Puis il alla chercher au Prisunic un grand fourre-tout et revint au supermarché remplir son sac de conserves. Il était arrêté devant des boîtes de haricots quand il aperçut une ombre filant devant la vitrine. S'il n'avait pas été sourd, il aurait déjà su que Tom avait découvert son vélo. Le *pouet pouet* asthmatique de la trompe résonnait dans la rue déserte, entre les éclats de rire de Tom Cullen.

Nick sortit du supermarché et le vit qui descendait à toute vitesse la grand-rue, ses cheveux blonds et sa chemise flottant au vent, écrasant de toutes ses forces la poire rouge de la trompe. Un peu plus loin, il fit demi-tour, un sourire triomphant sur les lèvres. Son garage Fisher-Price était installé sur le porte-bagages. Les poches de son pantalon et de sa chemise étaient bourrées à craquer de petites voitures. Le soleil jetait des éclats fugitifs sur les rayons des roues. Et Nick pensa qu'il aurait aimé entendre le son de la trompe, juste pour voir s'il lui plaisait autant qu'à Tom.

Tom lui fit un grand signe en passant devant lui, continua à fond de train, fit demi-tour un peu plus loin et revint vers lui en appuyant frénétiquement sur la poire de caoutchouc. Nick leva la main pour lui faire signe de stopper, comme un agent de police. Tom freina et s'arrêta en dérapant juste devant lui. Haletant, jubilant, il transpirait à grosses gouttes.

Nick tendit la main dans la direction de la sortie de la ville et fit un signe d'adieu.

– Je peux toujours emporter mon garage ?

Nick lui fit signe que oui.

– On s'en va tout de suite ?

Signe de tête.

– À Kansas City ?

Signe de tête.

– Où on veut ?

Oui. Où ils voulaient, pensa Nick, mais sans doute dans la direction du Nebraska.

– Chouette ! Chouette ! On y va !

Ils prirent la 283 en direction du nord. Ils ne roulaient que depuis deux heures et demie quand des nuages d'orage commencèrent à grossir à l'ouest. Presque tout de suite, il se mit à pleuvoir des cordes. Nick ne pouvait entendre les coups de tonnerre, mais il voyait les éclairs zébrer le ciel sous les nuages noirs. La lumière était si forte qu'elle lui faisait cligner les yeux. Alors qu'ils approchaient de Rosston, où Nick voulait prendre la 64 en direction de l'est, la pluie cessa tout à coup et le ciel prit une étrange couleur jaunâtre. Le vent, qui soufflait de plus en plus fort de la gauche, tomba d'un seul coup. Nick commençait à se sentir extrêmement nerveux, sans savoir pourquoi. Personne ne lui avait dit que l'un des rares instincts que l'homme partage encore avec les animaux inférieurs est précisément cette réaction à une chute brutale de la pression barométrique.

Tom le tirait frénétiquement par la manche. Nick regarda de son côté. Tom était livide. Il faisait des yeux gros comme des soucoupes.

– Une tornade ! hurla Tom. *La tornade arrive !*

Nick ne voyait rien. Il se retourna vers Tom, essayant de trouver un moyen de le rassurer. Mais

Tom n'était plus là. Il pédalait à toute vitesse à travers champs, sur le côté droit de la route, fauchant les herbes hautes sur son passage.

Quelle andouille, pensa Nick. Il va bousiller sa bécane !

Tom fonçait vers une grange qui se trouvait au bout d'une route de terre longue d'environ cinq cents mètres. Nick, toujours nerveux, continua sur la route goudronnée, s'arrêta devant la barrière qui fermait la route de terre, fit passer sa bicyclette par-dessus, puis repartit en direction de la grange. Le vélo de Tom était couché par terre, devant l'entrée. Il n'avait pas pris la peine de la poser sur sa béquille. Nick n'y aurait pas prêté attention s'il n'avait pas vu Tom se servir plusieurs fois de la béquille. Il a peur, pensa Nick, tellement peur qu'il a perdu ce qu'il lui reste de cervelle.

Mais il se sentait inquiet lui aussi et il jeta un dernier coup d'œil derrière lui. Ce qu'il vit le figea sur place.

À l'ouest, tout l'horizon était bouché. Ce n'était pas un nuage, plutôt une absence totale de lumière, une sorte d'entonnoir qui s'élevait à trois cents mètres de hauteur, plus large au sommet qu'à la base ; la base ne touchait pas tout à fait le sol. Au sommet, l'entonnoir chassait les nuages qui s'enfuyaient à toute allure.

Nick vit l'entonnoir toucher la terre à un peu plus d'un kilomètre et un long hangar bleu couvert d'un toit de tôle ondulée explosa comme s'il avait été touché par une bombe. Il ne pouvait entendre le bruit, naturellement, mais les vibrations étaient si fortes qu'elles le firent basculer sur ses pieds. Et le hangar parut exploser *vers l'intérieur* comme si l'entonnoir avait aspiré tout l'air qu'il contenait. L'instant d'après, le toit de tôle se cassait en deux. Les deux morceaux montèrent en l'air en tournant comme deux toupies devenues folles. Fasciné, Nick les suivait des yeux.

Je suis en train de voir mon pire cauchemar pensa Nick, *et ce n'est pas du tout un homme même si on dirait parfois un homme. C'est en fait une tornade. Une énorme tornade noire qui vient de l'ouest, qui aspire tout sur son passage, tous ceux qui ont le malheur de se trouver sur son chemin. C'est...*

Deux mains l'empoignaient par les épaules, le soulevaient littéralement, le projetaient dans la grange. C'était Tom Cullen. Fasciné par la tornade, Nick avait oublié Tom.

– En bas ! hurlait Tom. Vite ! Vite ! Oh ! Putain de bordel ! Une tornade ! *Une tornade !*

Nick sortit enfin de sa transe et comprit où il se trouvait. Alors que Tom lui faisait descendre un escalier qui menait dans une sorte de cave, il sentit une étrange vibration, presque un bourdonnement, presque un bruit. Comme un mal de tête lancinant en plein centre de son cerveau. Puis, alors qu'il descendait les marches derrière Tom, il vit quelque chose qu'il n'allait jamais oublier : les planches de la grange qui s'envolaient en pirouettant dans le ciel, comme des dents cariées arrachées par une pince invisible. Le foin répandu sur le sol s'éleva en l'air, formant une douzaine de petits entonnoirs qui avançaient, reculaient, vacillaient. Et la vibration, de plus en plus forte.

Tom ouvrait une lourde porte de bois, le poussait dans la cave. Nick sentit une odeur de moisi et de pourriture. Avant que l'obscurité ne devienne totale, il vit qu'ils partageaient l'abri avec une famille de cadavres rongés par les rats. Puis Tom referma d'un coup la porte et ils se retrouvèrent dans le noir. Les vibrations étaient moins fortes, mais il les sentait encore.

Une terreur panique s'empara de lui. Dans l'obscurité, les signaux que lui envoyaient ses sens du toucher et de l'odorat n'avaient rien de rassurant. Les planches continuaient à vibrer sous ses pieds. Et l'odeur était celle de la mort.

Tom lui prit la main et Nick attira le pauvre idiot contre lui. Tom tremblait et Nick se demanda s'il pleurait ou s'il essayait peut-être de lui parler. Cette idée lui fit oublier sa peur et il prit Tom par les épaules. Tom l'enlaça de ses deux bras et ils restèrent ainsi tous les deux, debout dans le noir.

Les vibrations étaient de plus en plus fortes sous les pieds de Nick ; même l'air semblait trembler légèrement contre son visage. Tom le serrait de toutes ses forces. Aveugle et sourd, Nick attendait la suite des événements et se disait que, si Ray Booth lui avait crevé les deux yeux, toute sa vie aurait été ainsi. Non, il n'aurait pas pu le supporter. Il se serait certainement tiré une balle dans la tête.

Plus tard, quand il allait regarder sa montre, il allait avoir du mal à croire qu'ils n'étaient restés qu'un quart d'heure dans l'obscurité de cette cave, même si la logique lui disait qu'il devait bien en être ainsi puisque sa montre fonctionnait encore. Jamais auparavant il n'avait compris à quel point le temps est subjectif, plastique. Il croyait être là depuis au moins une heure, plus probablement deux ou trois. Et, à mesure que le temps passait, une certitude grandissait en lui : Tom et lui n'étaient pas seuls dans l'abri. Oh, il y avait les cadavres – un pauvre type était descendu là avec sa famille vers la fin, croyant peut-être que cet abri où ils avaient trouvé refuge tant de fois les protégerait une fois encore – mais ce n'était pas à ces cadavres qu'il pensait. Dans l'esprit de Nick, un cadavre n'était qu'une chose, pas différente d'une chaise, d'une machine à écrire ou d'un tapis. Un cadavre n'était qu'une chose inanimée qui occupait un certain espace. Ce qu'il ressentait, c'était la présence d'un autre être vivant, et il était de plus en plus sûr de savoir de qui il s'agissait.

Il s'agissait de l'homme noir, de l'homme qui vivait dans ses rêves, de cette créature dont il avait senti l'esprit dans l'œil noir du cyclone.

Quelque part... dans un coin ou peut-être juste derrière eux... *il* les regardait. Et il attendait. Le moment venu, il allait les toucher et ils... quoi ? Ils deviendraient fous de terreur, naturellement. Tout simplement. Il pouvait les voir. Nick était sûr qu'il pouvait les voir. Il avait des yeux qui voyaient dans le noir comme les yeux d'un chat, comme les yeux de ces monstres au cinéma. Oui... c'était bien ça. L'homme noir voyait des choses invisibles pour les yeux humains. Pour lui, tout était lent et rouge, comme si le monde entier était plongé dans un bain de sang.

Au début, Nick comprit qu'il ne s'agissait que d'une illusion mais, plus le temps passait, plus cette illusion devenait la réalité. Au point qu'il crut sentir l'haleine de l'homme noir sur sa nuque.

Il allait se précipiter vers la porte, l'ouvrir, sortir de cette cave. Mais tout à coup les bras qui lui tenaient les épaules disparurent. L'instant d'après, la porte de l'abri s'ouvrait, laissant entrer un flot de lumière éblouissante, une lumière si crue que Nick dut lever la main pour se protéger l'œil. Il ne vit qu'un fantôme, la silhouette chancelante de Tom Cullen qui montait l'escalier. Puis il remonta lui aussi, à tâtons dans ce halo de lumière. Quand il arriva en haut, il voyait déjà mieux.

La lumière n'était pas aussi vive quand ils étaient descendus, et il comprit aussitôt pourquoi. Le toit de la grange s'était envolé, nettoyé avec une précision chirurgicale ; pas de poutres cassées, à peine quelques débris sur le sol. Trois poutres pendaient sur les côtés du grenier. Presque toutes les planches des murs avaient disparu. Nick eut l'impression de se trouver debout à l'intérieur du squelette d'un monstre préhistorique.

Tom n'avait pas demandé son reste. Il s'enfuyait comme si le diable était à ses trousses. Il ne se retourna qu'une fois et Nick vit ses yeux agrandis par la peur, presque comiques. Il ne put s'empêcher de jeter un dernier coup d'œil dans la cave. Le vieil escalier aux marches branlantes, usées au centre, s'enfonçait dans l'ombre. Il vit de la paille par terre et deux mains qui sortaient du noir. Les rats avaient rongé les doigts jusqu'à l'os.

S'il y avait quelqu'un en bas, Nick ne le vit pas.

Mais il ne voulait pas le voir.

Il suivit Tom.

Tom grelottait à côté de sa bicyclette. Nick s'étonnait des caprices de la tornade qui avait pratiquement démoli la grange mais n'avait pas daigné toucher à leurs bicyclettes, quand il vit que Tom pleurait. Il s'approcha de lui et passa le bras autour de son cou. Les yeux vides, Tom regardait fixement la grange. Avec le pouce et l'index, Nick lui fit signe que tout allait bien. Tom regarda son geste, mais le sourire que Nick avait espéré n'apparut pas sur son visage. Tom regardait toujours la grange, avec un regard de bête traquée.

– Il y avait quelqu'un.

Nick voulut sourire, mais ses lèvres étaient comme glacées. Il montra Tom, se toucha la poitrine avec le doigt, puis fit un geste sec de la main, pour dire toi et moi, c'est tout.

– Non, pas simplement nous deux. Quelqu'un d'autre. Quelqu'un qui est venu avec la tornade.

Nick haussa les épaules.

– On s'en va ? S'il vous plaît.

En suivant le sentier que la tornade avait tracé sur son passage, ils revinrent jusqu'à la route. La tornade avait frôlé la sortie ouest de Rosston, avait traversé la route 283 en direction de l'est, arrachant les fils électriques comme des cordes à piano, avait évité la grange sur la gauche et avait frappé de plein fouet la maison de ferme qui se trouvait – qui s'était trouvée – devant la grange. Quatre cents mètres plus loin, le sillage qu'elle avait laissé dans le champ s'interrompait brusquement. Déjà les nuages se dispersaient et les oiseaux recommençaient à chanter paisiblement.

Tom faisait passer sa bicyclette par-dessus le garde-fou qui bordait la route. Ce type m'a sauvé la vie, se dit Nick. Je n'avais jamais vu de tornade. Si je l'avais laissé à May, je serais mort maintenant.

Il s'avança vers Tom et lui donna une bonne tape dans le dos en lui faisant un grand sourire.

Il faut trouver d'autres gens, pensa Nick. Il faut, pour que je puisse lui dire merci. Pour que je puisse lui dire mon nom. Il ne sait pas lire. Je ne peux même pas lui dire mon nom.

Ils campèrent cette nuit-là sur le terrain de base-ball de Rosston. Le ciel s'était complètement dégagé. Nick s'endormit très vite et passa une nuit paisible. Il se réveilla à l'aube le lendemain matin, heureux d'être à nouveau avec quelqu'un.

Il existait vraiment un comté de Polk dans le Nebraska. Il en fut d'abord très surpris, mais il avait beaucoup voyagé ces dernières années et sans doute quelqu'un lui avait-il parlé du comté de Polk sans qu'il en ait gardé le souvenir. Et il existait aussi une route 30. Mais il ne pouvait pas vraiment croire, au moins pas dans la lumière éclatante du petit matin, qu'ils allaient vraiment trouver une vieille femme noire assise sous sa véranda, au beau milieu d'un champ de maïs, en train de chanter des psaumes en s'accompagnant à la guitare. Il ne croyait pas aux rêves prémonitoires ni aux visions. Mais il fallait bien aller quelque part, trouver des gens. Et d'une certaine manière, Nick partageait le désir de Fran Goldsmith et de Stu Redman. Il fallait se regrouper, sinon tout était hostile, disloqué. Le danger rôdait partout, invisible mais bien réel, comme la présence de l'homme noir dans l'abri, hier. Oui, le danger était partout, dans les maisons, au prochain tournant de la route, peut-être caché sous les voitures et les camions qui encombraient les grandes routes. Et s'il n'était pas là, c'est qu'il se cachait quelque part dans le calendrier, deux ou trois feuillets plus loin. Son corps tout entier paraissait flairer le danger. PONT COUPÉ. SOIXANTE KILOMÈTRES DE MAUVAISES ROUTES. À VOS RISQUES ET PÉRILS.

Cette sensation lui venait en partie de l'incroyable vide de la campagne. Tant qu'il était resté à Shoyo, il en avait été partiellement protégé. Que Shoyo soit vide n'avait pas tellement d'importance, du moins pas trop, car Shoyo était si petite dans l'ordre des choses. Mais dès qu'il s'était mis en route, c'était comme si... oui, il se souvenait d'un film de Walt Disney qu'il avait vu quand il était enfant, un film sur la nature. Une tulipe en gros plan sur l'écran, si belle que vous aviez envie de retenir votre souffle. Puis la caméra reculait à une vitesse vertigineuse et vous découvriez tout un champ de tulipes. Le choc était incroyable. La surprise était trop forte. Comme si un disjoncteur sautait quelque part et vous empêchait de comprendre. Il sentait maintenant la même chose depuis qu'il s'était mis en route. Shoyo était complètement vide, mais il avait pu s'y faire. Puis McNab était vide elle aussi, et ensuite Texarkana, Spencerville ; Hardmore, rasée par l'incendie. Plus au nord, sur la route 81, une seule rencontre : un cerf. Deux fois, des traces qui indiquaient probablement la présence d'autres survivants : un feu de camp vieux de deux jours peut-être, un cerf que l'on avait abattu et dépecé. Mais pas un seul être humain. Et cette solitude pouvait vous rendre fou à mesure que vous commenciez à en saisir toute l'ampleur. Car il ne s'agissait pas simplement de Shoyo, de McNab ou de Texarkana ; c'était toute l'Amérique qui était ainsi abandonnée, comme une énorme boîte de conserve dans laquelle il ne resterait plus que quelques malheureux petits pois. Et au-delà de l'Amérique, c'était le monde entier. Nick était pris d'une sorte de vertige, d'une véritable nausée dès qu'il y pensait.

Il préféra se plonger dans son atlas routier. S'ils continuaient à rouler, peut-être feraient-ils comme une boule de neige qui grossit en dévalant une pente. Avec un peu de chance, ils rencontreraient quelques personnes avant d'arriver au Nebraska. Ensuite, ils s'en iraient tous ailleurs. Comme une longue quête sans but – pas de Saint-Graal, pas d'épée magique fichée dans un rocher.

Ils allaient remonter au nord-est, pensa-t-il, traverser le Kansas. L'autoroute 35 les conduirait jusqu'à Swedeholm, dans le Nebraska, où elle coupait la route 92, pratiquement à angle droit. Une troisième route, la 30, reliait les deux autres, comme l'hypoténuse d'un triangle droit. Et quelque part dans ce triangle se trouvait le pays de ses rêves.

Étrangement, rien que d'y penser, Nick avait hâte d'y être rendu.

Une ombre lui fit lever les yeux. Tom était assis, les deux poings sur les yeux, bâillant à se décrocher la mâchoire. Nick lui sourit.

– On va encore faire du vélo aujourd'hui ?

Nick lui fit signe que oui.

– Chouette alors. J'aime bien mon vélo. Putain, ça oui ! J'espère qu'on va toujours faire du vélo !

Qui sait ? pensa Nick en refermant son atlas. Tu as peut-être raison.

Ce matin-là, ils partirent en direction de l'est et déjeunèrent à un carrefour, non loin de la frontière qui sépare l'Oklahoma du Kansas. C'était le 7 juillet, et il faisait chaud.

Un peu plus tôt, Tom s'était arrêté devant un panneau routier, en dérapant comme il aimait le faire. VOUS QUITTEZ LE COMTÉ DE HARPER, OKLAHOMA – VOUS ENTREZ DANS LE COMTÉ DE WOODS, OKLAHOMA.

– Je peux lire ça.

Si Nick n'avait pas été sourd, il aurait été touché et amusé par la voix stridente que Tom prit pour lire le panneau :

– *Vous quittez le comté de Harper. Vous entrez dans le comté de Woods*, dit Tom, comme s'il récitait une leçon.

Puis il se tourna vers Nick.

– Vous savez quoi, monsieur ?

Nick lui fit signe que non.

– Tom Cullen n'est jamais sorti du comté de Harper, jamais, jamais. Un jour, mon papa m'a emmené jusqu'ici et il m'a montré la pancarte. Il m'a dit que s'il me voyait de l'autre côté, il me donnerait une bonne raclée. J'espère bien qu'il va pas nous voir. Vous croyez qu'il va nous voir ?

Nick le rassura.

– Kansas City, c'est dans le comté de Woods ?

Nick secoua la tête.

– Mais nous allons dans le comte de Woods avant d'aller ailleurs, c'est ça ?

Nick acquiesça. Les yeux de Tom brillaient de plaisir.

– Alors, c'est le monde ?

Nick ne comprit pas. Il fronça les sourcils... haussa les épaules.

– Je veux dire dans le monde. Est-ce qu'on va dans le *monde*, monsieur ? Est-ce que Woods, ça veut dire le monde ? ajouta gravement Tom après un moment d'hésitation.

Lentement, Nick secouait la tête.

– Tant pis.

Tom regarda encore un moment le panneau, puis s'essuya l'œil droit où perlait une larme. Il remonta sur sa bicyclette.

– Tant pis, on y va.

Ils entrèrent au Kansas juste avant qu'il ne fasse trop noir pour continuer. Tom avait commencé à bouder après le dîner, sans doute fatigué par la route. Il voulait jouer avec son garage. Il voulait regarder la télé. Il ne voulait plus faire de vélo, parce que la selle lui faisait mal au derrière. Ils étaient passés devant un autre panneau : VOUS ENTREZ AU KANSAS. Il faisait déjà si noir que les lettres blanches semblaient flotter comme des fantômes.

Ils campèrent un kilomètre plus loin, sous un château d'eau perché sur d'immenses jambes d'acier, comme un Martien de H. G. Wells. Tom se glissa dans son sac de couchage et s'endormit aussitôt. Nick resta assis quelque temps à regarder les étoiles percer la nuit. Tout était noir, tout était tranquille. Avant qu'il se couche, un corbeau se posa sur un piquet de clôture et Nick crut qu'il le regardait avec ses petits yeux noirs bordés d'un demi-cercle de sang – le reflet d'une énorme lune orange d'été qui s'était levée dans le silence. Le regard insistant du corbeau le mit mal à l'aise. Il ramassa une pierre et la lança dans la direction de l'oiseau. Le corbeau battit des ailes, le fixa d'un œil sinistre, puis disparut dans la nuit.

Cette nuit-là, il rêva de l'homme sans visage, debout sur la terrasse, les mains tendues vers l'est, puis du maïs – du maïs qui montait plus haut que sa tête – et du son de la musique. Mais cette fois, il *savait* que c'était de la musique ; cette fois, il *savait* que c'était une guitare. Quand une furieuse envie d'uriner le réveilla avant l'aube, les mots de la vieille femme résonnaient encore dans sa tête : *On m'appelle mère Abigaël... viens me voir quand tu veux.*

Dans l'après-midi, alors qu'ils roulaient vers l'est sur la 160, ils virent un petit troupeau de bisons – une douzaine peut-être – qui traversaient paisiblement la route, à la recherche d'un pâturage. Il y avait pourtant une clôture de fils de fer barbelés du côté nord de la route, mais les bisons l'avaient sans doute renversée.

– Qu'est-ce que c'est ? demanda Tom, pas trop rassuré. Ce sont pas des vaches !

Et comme Nick ne pouvait pas parler, et que Tom ne savait pas lire, Nick ne put lui expliquer. C'était le 8 juillet 1990. Ils dormirent à la belle étoile, à soixante kilomètres à l'ouest de Deerhead.

Le 9 juillet, ils déjeunèrent à l'ombre d'un vieil orme, dans la cour d'une ferme qui avait en partie brûlé. D'une main, Tom prenait des saucisses dans un bocal ; de l'autre, il jouait avec ses petites voitures. Et il chantonnait sans se lasser le refrain d'une chanson à la mode. Nick connaissait par cœur les mouvements que faisaient les lèvres de Tom: *Baby, tu peux l'aimer ton mec – c'est un brave type tu sais – baby, tu peux l'aimer ton mec ?*

Nick se sentait un peu découragé par l'immensité du pays ; il ne s'était jamais rendu compte auparavant à quel point il était facile de faire de l'auto-stop, sachant que tôt ou tard la loi des grands nombres ne pouvait que vous être favorable. Une voiture finissait toujours par s'arrêter, généralement conduite par un homme, le plus souvent une canette de bière coincée entre les cuisses. Il vous demandait où vous alliez et vous n'aviez qu'à lui tendre le bout de papier que vous gardiez toujours dans la poche de votre chemise, un bout de papier où l'autre lisait : « Bonjour, je m'appelle Nick Andros. Je suis sourd-muet. Désolé. Je vais à... Merci beaucoup. Je sais lire sur les lèvres. » Et c'était tout. À moins que le type n'aime pas les sourds-muets (ce qui arrivait parfois, mais pas très souvent), vous sautiez dans la voiture et on vous emmenait où vous vouliez aller. Ou au moins, on vous faisait faire un petit bout de chemin. Les kilomètres défilaient. La voiture avalait les distances. Mais maintenant, il n'y avait plus de voitures. Dommage, car sur beaucoup de ces routes une voiture aurait été bien pratique pour aligner cent kilomètres d'un seul coup, en faisant attention. Et quand la route finissait par être bouchée, il aurait suffi d'abandonner la bagnole, de marcher un peu et d'en prendre une autre. Mais sans voiture, ils étaient comme des fourmis en train de trottiner sur la poitrine d'un géant endormi, des fourmis qui trottinaient inlassablement d'un mamelon à l'autre. Et quand Nick pensait au moment où ils finiraient par rencontrer quelqu'un (s'ils finissaient un jour par rencontrer quelqu'un), ce serait comme au temps où il faisait de l'auto-stop : l'éclat familier des chromes au sommet d'une colline, ce rayon de soleil qui éblouissait un peu, mais qui faisait tant plaisir. Et ce serait une voiture américaine comme toutes les autres, une Chevrolet Biscayne, une Pontiac Tempest, toutes ces bonnes vieilles bagnoles des usines de Detroit. Dans son rêve, ce n'était jamais une Honda ou une Mazda. Et la chignole s'arrêterait. Il verrait alors un homme au volant, un homme avec un coup de soleil sur le bras gauche. Et l'homme lui ferait un grand sourire : « Salut les gars ! Je suis drôlement content de vous voir ! Allez, grimpez ! Grimpez et voyons voir où qu'on s'en va ! »

Mais ils ne virent personne ce jour-là. Le 10, ils rencontrèrent Julie Lawry.

La journée avait été torride. Ils avaient pédalé presque tout l'après-midi, la chemise nouée à la taille, et tous les deux commençaient à devenir aussi bruns que des Indiens. Ils n'avaient pas fait beaucoup de route cependant, pas aujourd'hui, à cause des pommes. Des pommes vertes.

Des petites pommes vertes, aigrelettes, qui poussaient sur un vieux pommier dans une cour de ferme. Mais il y avait longtemps qu'ils n'avaient pas mangé de fruits frais, et les petites pommes leur parurent délicieuses. Nick n'en prit que deux, mais Tom en engloutit six, l'une après l'autre, jusqu'au trognon, malgré les gesticulations de Nick qui lui faisait signe d'arrêter. Quand il avait une idée en tête, Tom Cullen se comportait comme un sale gosse de quatre ans.

Si bien que, dès onze heures du matin et pour le reste de l'après-midi, Tom avait eu une solide courante. Il ruisselait de sueur. Il gémissait. À la moindre côte, il devait descendre de sa bicyclette et monter à pied. Bien sûr, ils n'avançaient pas très vite, mais Nick ne pouvait s'empêcher de trouver la situation plutôt comique.

Quand ils arrivèrent à Pratt, vers quatre heures, Nick décida de s'arrêter. Tom s'écrasa sur un banc et s'endormit aussitôt. Nick le laissa et partit à la recherche d'une pharmacie. Il trouverait bien quelque chose contre la diarrhée. Et qu'il le veuille ou non, Tom avalerait le médicament quand il se réveillerait, toute la bouteille s'il le fallait. Parce qu'il devait être en forme pour le lendemain. Nick voulait rattraper le temps perdu.

Il trouva finalement une pharmacie et se glissa par la porte entrouverte. La pharmacie sentait le renfermé. Mais il y avait d'autres odeurs aussi, douceâtres, écœurantes. Une odeur de parfum. Peut-être des flacons qui avaient éclaté à cause de la chaleur. Nick regarda autour de lui pour trouver le médicament qu'il cherchait. Il allait falloir lire l'étiquette pour savoir si le remède risquait de s'abîmer à la chaleur. Ses yeux glissèrent sur un mannequin et, deux rayons plus loin, sur la droite, il découvrit ce qu'il cherchait. Il avait fait deux pas dans cette direction quand il se rendit compte qu'il n'avait encore jamais vu de mannequin dans une pharmacie.

Il tourna la tête. Ce fut alors qu'il vit Julie Lawry.

Elle était parfaitement immobile, un flacon de parfum dans une main, un vaporisateur dans l'autre. Elle ouvrait de grands yeux bleus, médusés, incrédules. Ses cheveux châtains, ramenés en arrière, étaient retenus par un long foulard de soie qui retombait dans son dos. Elle était vêtue d'un mini-débardeur rose et d'un minuscule short en jeans, si court qu'on aurait presque pu le prendre pour une culotte. Elle avait de l'acné sur le front et un splendide bouton en plein milieu du menton.

Stupéfaits, elle et Nick se regardaient. Puis le flacon tomba par terre, explosa comme une bombe, et une odeur de serre tropicale se répandit dans la pharmacie.

– Vous... vous êtes réel ? demanda-t-elle d'une voix chevrotante.

Nick sentait son cœur battre la chamade. Ses tempes bourdonnaient. Des éclairs passaient devant ses yeux.

Il fit un signe de tête.

– Vous n'êtes pas un fantôme ?

Il secoua la tête.

– Alors dites quelque chose. Si vous n'êtes pas un fantôme, dites quelque chose.

Nick mit la main sur sa bouche, puis sur sa gorge.

– Et qu'est-ce que ça veut dire ?

La voix de la jeune fille était devenue légèrement hystérique. Nick ne pouvait l'entendre... mais il la devinait, la voyait sur son visage. Il craignait de s'avancer vers elle, car elle allait s'enfuir. Ce n'est pas qu'elle avait peur de voir une autre personne ; elle avait peur d'avoir une hallucination. Elle allait craquer. Si seulement il avait pu *parler*...

Il reprit donc sa mimique habituelle. Après tout, il n'avait pas le choix. Cette fois, elle parut comprendre.

– Vous ne pouvez pas *parler* ? Vous êtes *muet* ?

Nick hocha la tête.

La fille éclata de rire.

– C'est bien ma chance ! Je rencontre quelqu'un, et il est muet !

Nick haussa les épaules et lui sourit d'un air penaud.

– Tant pis, t'es pas mal foutu. C'est déjà quelque chose.

Elle posa la main sur son bras et ses seins frôlèrent sa peau. Nick sentait au moins trois parfums différents, plus, en sourdine, un arôme assez peu ragoûtant de transpiration.

– Je m'appelle Julie. Julie Lawry. Et toi ? demanda-t-elle en gloussant. C'est vrai, tu peux pas me répondre. Mon pauvre...

Elle s'approcha un peu plus près, Cette fois, il sentit ses seins se presser contre lui. Il avait très chaud. Elle est cinglée, pensa-t-il. C'est encore une gosse.

Il s'écarta d'elle, sortit son bloc-notes de sa poche et se mit à écrire. Il n'avait pas écrit deux lignes qu'elle se penchait par-dessus son épaule pour voir ce qu'il voulait lui dire. Pas de soutien-gorge. Eh bien, celle-là, elle a vite oublié. Son écriture commençait à devenir un peu tremblée.

– Mince alors ! dit-elle en le regardant écrire, comme s'il était un singe savant en train d'exécuter un tour particulièrement difficile.

Nick avait les yeux sur son bloc-notes et ne put « lire » ce qu'elle disait, mais il sentit son haleine lui chatouiller le cou.

– Je m'appelle Nick Andros. Je suis sourd-muet. Je voyage avec un type qui s'appelle Tom Cullen. Il est un peu arriéré. Il ne sait pas lire et il ne comprend pas très

bien ce que je fais. On s'en va au Nebraska. Je crois qu'il y a des gens là-bas. Viens avec nous si tu veux.

– D'accord, dit-elle aussitôt.

Puis elle se souvint qu'il était muet et fit un effort pour bien articuler :

– Tu sais lire sur les lèvres ?

Nick fit signe que oui.

– Tant mieux. Je suis drôlement contente de voir des gens, même un sourd-muet et un débile. C'est plutôt bizarre ici. Je n'arrive pas à dormir depuis qu'il n'y a plus d'électricité. Ma mère et mon père son morts il y a quinze jours. Tout le monde est mort, sauf moi. Je suis si seule.

La fille jouait les héroïnes de romans-feuilletons. En étouffant un sanglot, elle se précipita dans les bras de Nick et se colla contre lui comme une sangsue. Quand elle s'écarta, elle avait les yeux parfaitement secs, mais très brillants.

– Allez, on fait l'amour. T'es plutôt mignon.

Nick la regardait, bouche bée. Non, il ne rêvait pas. Elle tripotait sa ceinture.

– Allez, je prends la pilule. Pas de problème. Tu peux, hein ? demanda-t-elle après un moment d'hésitation. Je veux dire, c'est pas parce que tu peux pas parler que tu peux pas faire le reste...

Il tendit les mains, voulant peut-être la prendre par les épaules, mais ses mains rencontrèrent ses seins. Ce qui lui ôta définitivement toute envie de résister qu'il aurait pu avoir. Ses idées n'étaient plus très claires. Il la coucha par terre et lui fit l'amour.

Plus tard, il s'avança jusqu'à la porte en rattachant sa ceinture pour voir ce que faisait Tom. Il était toujours sur son banc, oublié du monde. Julie le rejoignit, un flacon tout neuf de parfum à la main.

– C'est le débile ?

Nick hocha la tête. Il n'aimait pas beaucoup ce mot.

Et elle se mit à lui parler d'elle. Nick apprit ainsi, à son grand soulagement, qu'elle avait dix-sept ans, pas tellement moins que lui. Sa maman et ses amis l'avaient toujours appelée la madone, à cause de son visage angélique. Elle continua pendant une bonne heure à lui raconter sa vie, sans que Nick pût démêler le vrai du faux. Elle tombait à pic avec lui, lui qui était incapable d'interrompre son monologue. Nick en avait mal aux yeux de regarder le mouvement incessant de ses lèvres roses. Mais dès qu'il tournait la tête pour surveiller Tom ou pour regarder la vitrine fendue du magasin de vêtements, de l'autre côté de la rue, elle lui touchait la joue, le forçait à regarder sa bouche. Elle voulait qu'il « entende » tout, qu'il sache tout. D'abord elle l'agaça, puis elle l'ennuya mortellement. Au bout d'une heure, il se prit à regretter de l'avoir rencontrée et à espérer qu'elle déciderait finalement de ne pas venir avec eux.

Elle adorait le rock et la marijuana, avec une préférence marquée pour le colombien. Elle avait eu un petit ami, mais il en avait eu marre de la « vie pépère » et il avait abandonné ses études pour s'engager dans les Marines, en avril. Elle ne l'avait pas revu depuis, mais il lui écrivait toutes les semaines. Elle et ses deux copines, Ruth Honinger et Mary Beth Gooch, allaient à tous les concerts rock qu'on donnait à Wichita. En septembre, elles étaient même allées jusqu'à Kansas City en stop pour voir Van Halen et les Monsters of Heavy Metal. Et... oui, elle s'était envoyé le bassiste, « le pied le plus fantastique de ma vie ». Elle avait « pleuré comme un veau » quand sa mère et son père étaient morts tous les deux en moins de vingt-quatre heures, même si sa mère était une « sale bigote » et que son père n'avait pu avaler que Ronnie, son mec, s'engage dans les Marines. Elle avait pensé terminer ses études, et puis devenir esthéticienne à Wichita, ou bien « foutre le camp à Hollywood et me faire embaucher par une de ces compagnies qui décorent les maisons des stars, je suis sacrément bonne en décoration intérieure, et Mary Beth a dit qu'elle viendrait avec moi ».

C'est alors qu'elle se souvint tout à coup que Mary

Beth Gooch était morte et que son rêve de devenir esthéticienne ou décoratrice d'intérieur pour les grandes stars du cinéma s'était envolé avec elle... avec elle et tous les autres. Ce qui parut lui causer un chagrin un peu plus sincère. Rien d'une tempête cependant, à peine une petite averse qui ne dura pas.

Lorsque ce déluge de paroles commença à se tarir un peu – du moins temporairement – elle voulut « remettre ça » (comme elle le disait si délicatement). Nick secoua la tête, ce qui n'eut pas l'heur de plaire à la demoiselle.

– Tout compte fait, j'ai peut-être pas envie d'aller avec vous.

Nick haussa les épaules.

– Sale muet ! lança-t-elle tout à coup en le regardant d'un air méchant.

L'instant d'après, elle souriait :

T'en fais pas, je disais ça pour rire.

Nick la regardait, impassible. On lui avait dit des choses bien pires, mais il y avait quelque chose dans cette fille qu'il n'aimait pas du tout. Elle était dingue. Elle n'était pas du genre à gueuler ou à vous gifler si elle se mettait en rogne ; pas celle-là. Celle-là, elle était du genre à vous déchirer avec toutes ses griffes. Et il eut subitement la certitude qu'elle lui avait menti sur son âge. Elle n'avait pas dix-sept ans, ni quatorze, ni vingt et un. Elle avait l'âge que vous vouliez... à condition que vous la désiriez plus qu'elle ne vous désirait, que vous ayez besoin d'elle plus qu'elle de vous. C'était une dingue du sexe, mais Nick pensa que sa sexualité n'était que la manifestation d'autre chose dans sa personnalité... un symptôme. *Symptôme ;* un mot qu'on utilise pour les malades, non ? Est-ce qu'elle était malade ? D'une certaine manière, assurément. Et, tout à coup, il eut peur qu'elle ne fasse du mal à Tom.

– Hé, ton copain se réveille !

Nick tourna la tête. Oui – assis sur son banc, Tom grattait sa tignasse, regardait autour de lui avec des yeux de chouette. Et Nick se souvint tout à coup de la diarrhée.

– Salut ! lança Julie.

Et elle courut vers Tom en faisant ballotter ses seins sous son minuscule débardeur rose. Tom la regardait arriver, mais plus du tout avec des yeux de chouette.

– Salut ? dit-il d'une voix hésitante en regardant Nick.

Nick haussa les épaules et lui fit signe que tout allait bien.

– Je m'appelle Julie. Comment ça va, mon gros canard ?

Pensif – et un peu malheureux – Nick retourna à la pharmacie chercher le médicament de Tom.

– Beurk, faisait Tom en secouant la tête. Beurk, je veux pas. Tom Cullen n'aime pas les remèdes, putain non, c'est pas bon.

Excédé, Nick le regardait, le flacon à la main. Il tourna les yeux vers Julie et vit dans son regard la même lueur moqueuse que tout à l'heure quand elle s'était moquée de lui – pas une lueur à vrai dire, mais un éclair dur, impitoyable, le regard qu'a une personne totalement dépourvue de sens de l'humour lorsqu'elle s'apprête à vous taquiner.

– T'as raison, Tom, dit-elle. Ne bois pas, c'est du poison.

Nick en resta bouche bée. Elle lui fit un grand sourire, les mains sur les hanches, comme si elle le mettait au défi de convaincre Tom. Sa revanche, peut-être, pour le punir de ne pas avoir voulu « remettre ça ».

Nick se retourna vers Tom et avala une gorgée de médicament. La colère lui faisait battre les tempes. Il tendit la bouteille à Tom, mais l'autre n'était toujours pas convaincu.

– Non, beurk, Tom Culllen ne boit pas de poison. Papa a dit de pas boire de poison. Papa a dit que c'est pour tuer les rats dans la grange ! Pas de poison !

Tout à coup, incapable de supporter davantage

son sourire moqueur, Nick se tourna vers Julie et lui lança une gifle à toute volée. Tom les regardait, les yeux écarquillés.

Stupéfaite, Julie ne trouvait pas ses mots. Elle rougit un peu et son visage prit une expression méchante d'enfant gâté.

– *Toi... toi, espèce de sale con de muet ! C'était pour rire, pauvre con ! T'as pas le droit de me frapper ! T'as pas le droit de me frapper, salaud !*

Elle bondit vers lui, mais il la repoussa. Elle tomba sur le derrière, son derrière moulé dans son short en jeans, la bouche déformée par la colère, comme un chien qui montre les dents.

– Je vais t'arracher les couilles. T'as pas le droit.

Nick avait l'impression que sa tête allait éclater. D'une main tremblante, il sortit son stylo-bille et griffonna quelque chose sur son bloc-notes. Il déchira la page et la lui tendit. Folle de colère, elle lui donna un coup sur la main et le papier tomba. Il le ramassa, la prit par le cou et lui fourra le papier devant les yeux. Tom pleurnichait, un peu à l'écart.

– D'accord ! Je vais lire ! Je vais lire tes conneries !

Le message n'était pas long : *On ne veut pas de toi.*

– Va te faire foutre ! hurla-t-elle en se dégageant.

Elle recula de quelques pas. Ses yeux étaient aussi bleus que dans la pharmacie, lorsqu'il avait failli tomber sur elle, mais ils crachaient de la haine maintenant. Nick se sentait fatigué. Pourquoi avait-il fallu qu'il rencontre cette fille ?

– Je ne veux pas rester seule. Je viens avec vous. Et tu ne peux pas m'en empêcher.

Si, il pouvait. Elle ne l'avait donc pas encore compris ? Non, pensa Nick, elle n'a pas compris. Pour elle, tout ça n'était qu'un mauvais film d'horreur, un film dans lequel elle était la vedette, elle, Julie Lawry, également connue sous le nom de Madone, elle qui obtenait toujours ce qu'elle voulait.

Il dégaina son revolver et visa les pieds de la fille. Elle se figea aussitôt. Son visage était devenu livide. Ses yeux n'étaient plus les mêmes. Pour la première fois, elle voyait la réalité en face. Pour la première fois, quelque chose était entré dans son monde qu'elle ne pouvait pas manipuler, du moins le croyait-elle. Un pistolet. Nick avait mal au cœur.

– C'était pour rire, dit-elle d'une voix hachée. Je vais faire ce que tu veux, je promets.

Avec son arme, il lui fit signe de s'éloigner.

Elle se retourna et se mit à marcher en regardant derrière son dos. Elle marchait de plus en plus vite. Bientôt, elle se mit à courir et elle disparut au coin de la rue. Nick remit son pistolet dans son étui. Il tremblait. Il se sentait souillé, comme si Julie Lawry avait eu quelque chose d'inhumain, comme s'il avait touché une de ces horribles bestioles qui grouillent sous les arbres morts.

Il regarda autour de lui. Tom n'était plus là.

Sous le soleil de plomb, Nick partit à sa recherche. Son œil lui faisait affreusement mal. Des élancements terribles lui traversaient la tête. Il lui fallut près de vingt minutes pour retrouver Tom. Il était accroupi derrière une maison, deux rues plus loin, serrant dans ses bras son garage Fisher-Price. Et quand il vit Nick, il se mit à pleurer.

– S'il vous plaît, je veux pas boire. S'il vous plaît, Tom Cullen veut pas boire du poison, putain non, papa a dit que c'était pour tuer les rats... *S'il vous plaît !*

Nick se rendit compte qu'il avait toujours à la main le flacon de Peptobismol. Il le jeta et montra à Tom ses deux mains vides. Tant pis pour la diarrhée. Merci beaucoup, Julie, merci.

Tom sortit de sa cachette.

– Je demande pardon, bafouilla-t-il. Pardon, Tom Cullen demande pardon.

Ils revinrent à la grand-rue... et s'arrêtèrent net. Les deux bicyclettes étaient par terre. Les pneus avaient été tailladés à coups de couteau. Le contenu de leurs sacs était éparpillé sur toute la largeur de la rue.

Puis quelque chose frôla le visage de Nick, très vite – il sentit une sorte de souffle –, et Tom détala en hurlant. Nick ne comprit pas tout de suite. Il regardait autour de lui quand il vit la flamme du deuxième coup de feu. Il venait d'une fenêtre du premier étage de l'Hôtel Pratt. Et il sentit comme une aiguille qui piquait le tissu du col de sa chemise.

Nick fit volte-face et s'élança derrière Tom.

Il ne pouvait pas savoir si Julie avait encore tiré ; ce qui était sûr, lorsqu'il rattrapa Tom, c'est qu'ils étaient tous les deux indemnes. Au moins, nous sommes débarrassés de cette sorcière, se dit-il, ce qui n'était qu'à moitié vrai.

Ils passèrent la nuit dans une grange, à cinq kilomètres au nord de Pratt. Tom fit des cauchemars. Il se réveilla plusieurs fois et Nick dut le rassurer. Ils arrivèrent à Iuka le lendemain matin, vers onze heures, et trouvèrent deux bonnes bicyclettes dans un magasin d'articles de sports, Sport and Cycle World. Nick, qui commençait enfin à oublier cette rencontre avec Julie, pensa qu'ils finiraient de se rééquiper à Great Bend, où ils devraient arriver au plus tard le 14.

Mais vers trois heures moins le quart, dans l'après-midi du 12 juillet, il aperçut un éclair dans le rétroviseur monté sur la poignée gauche de son guidon. Il s'arrêta (Tom qui roulait à côté de lui en rêvassant lui passa sur le pied, mais Nick s'en rendit à peine compte) et regarda derrière lui. L'éclair venait du haut de la colline, juste derrière lui, comme une étoile en plein jour, comme du temps où il sillonnait le pays en auto-stop. C'était une vieille camionnette Chevrolet, une de ces bonnes vieilles boîtes à savon de Detroit.

Elle avançait lentement, zigzaguant d'un côté à l'autre de la route pour éviter les véhicules qui encombraient la chaussée.

Elle approchait. Tom gesticulait comme un fou, mais Nick restait figé sur place, la barre de son vélo entre ses deux cuisses, les jambes écartées. La camionnette s'arrêta à côté d'eux. Nick pensa qu'il allait voir apparaître le visage de Julie Lawry, son méchant sourire de triomphe. Elle braquerait sur eux l'arme avec laquelle elle avait essayé de les tuer et, à cette distance, elle ne risquait plus de les manquer. Rien de pire qu'une femme qu'on envoie balader.

Mais le visage qui apparut fut celui d'un homme dans la quarantaine, coiffé d'un chapeau de paille. Une grande plume était coincée sous le ruban de velours bleu du chapeau. Lorsque l'homme leur sourit, de fines pattes d'oie plissèrent la peau bronzée de son visage.

– Nom d'une pipe de nom d'une pipe, je suis bien content de vous voir, les gars ! Ah oui, bien content. Grimpez là-dedans, et voyons un peu par où qu'on s'en va.

Et c'est ainsi que Nick et Tom firent la connaissance de Ralph Brentner.

44

Il était en train de craquer – *hé, baby, pas besoin d'un dessin.*

Tiens, c'était un bout d'une chanson de Huey Piano Smith. Un vieux truc. Un souvenir du passé. Huey Piano Smith, tu te souviens ? *Ah-ah-ah eh-eh-oh... gouba-gouba-gouba-gouba... ha-ha-ha.* Et ainsi de suite. L'immense sagesse, la pénétrante critique sociale de Huey Piano Smith.

– On s'en fout de la critique sociale, dit-il. Et Huey Piano Smith était un vieux con.

Des années plus tard, Johnny Rivers avait enregistré une chanson de Huey, *Rockin Pneumonia and the Boogie-Woogie Flu.* Larry Underwood s'en souvenait très bien, et le titre convenait parfaitement à la situation – petite grippe et pneumonie, pourquoi pas ? Ce bon vieux Johnny Rivers. Ce bon vieux Huey Piano Smith.

– On s'en fout, dit-il pour la deuxième fois.

Il n'avait vraiment pas l'air en très grande forme –

frêle silhouette qui avançait en titubant sur une route de Nouvelle-Angleterre.

Les années soixante, ça c'était la grande époque. Les hippies. Flower people. Andy Warhol avec ses lunettes roses et sa saloperie de brillantine. Norman Spinrad, Norman Mailer, Norman Thomas, Norman Rockwell, et ce bon vieux Norman Bates du motel Bates, ha ha ha. Dylan se casse le cou. Barry McGuire croasse *The Eve of Destruction*. Diana Ross donne la chair de poule à tous les petits Blancs. Et tous ces groupes formidables, pensait Larry dans son brouillard. Ceux de maintenant, vous pouvez bien vous les foutre au cul. Pour le rock, plus rien d'intéressant depuis les années soixante. Ça, c'était de la musique. Airplane avec Grace Slick pour la voix, Norman Mailer à la guitare, et ce bon vieux Norman Bates à la batterie. Les Beatles. Les Who. Morts...

Il tomba et se cogna la tête.

Le monde plongea dans le noir, puis revint en fragments éblouissants. Il se passa la main sur la tempe. Quand il la retira, elle était recouverte d'une petite mousse de sang. On s'en fout. Rien à foutre, comme on disait du temps des hippies. Qu'est-ce que ça pouvait bien foutre de tomber et de se cogner la tête, quand il n'arrivait pas à dormir depuis une semaine à cause de ses cauchemars, quand une bonne nuit pour lui, c'était celle où ses hurlements ne montaient pas plus haut que le milieu de sa gorge ? Parce que, quand il hurlait vraiment et que ses hurlements le réveillaient, ça c'était pas drôle, ça faisait vraiment peur.

Il rêvait qu'il se trouvait encore dans le tunnel Lincoln. Quelqu'un le suivait, mais ce n'était pas Rita. C'était le diable, et il épiait Larry avec un drôle de sourire glacé. L'homme noir n'était pas le mort vivant; il était pire que le mort vivant. Larry courait avec cette lenteur panique des mauvais rêves, trébuchait sur des cadavres invisibles, savait qu'ils le regardaient avec leurs yeux vitreux de trophées empaillés dans les cryptes de leurs voitures immobilisées au milieu du flot gelé de la circulation, il courait, mais à quoi bon courir quand le mauvais homme noir, le sorcier noir, pouvait le voir dans l'obscurité, le voyait avec ses yeux comme des jumelles infrarouges ? Et, au bout d'un moment, l'homme noir lui susurrait à l'oreille : *Viens, Larry, viens, on a du travail à faire ensemble, Larry...*

Il sentait l'haleine de l'homme noir dans son dos et c'est alors qu'il se réveillait, qu'il échappait au sommeil, que son hurlement se coinçait dans sa gorge comme un gros bout de pain, ou s'échappait de ses lèvres, assez fort pour réveiller les morts.

Le jour, l'homme noir disparaissait. L'homme noir ne travaillait que la nuit. Le jour, c'était la grande solitude qui le tenaillait, qui grignotait son chemin dans son cerveau avec les dents pointues d'un rongeur inlassable – un rat, ou une belette peut-être. Le jour, il pensait à Rita. Chère Rita. Sans cesse il la voyait, ses yeux mi-clos comme les yeux d'un animal mort tout à coup dans la souffrance, cette bouche qu'il avait embrassée maintenant remplie de vomi vert ranci. Elle était morte si facilement, dans la nuit, *dans le même sac de couchage,* et maintenant il était...

Oui, il était en train de craquer. C'était ça, non ? C'était bien ça. Il craquait.

– Je craque, murmura-t-il. Nom de Dieu, je perds la boule.

La partie de son cerveau qui fonctionnait encore un peu lui dit que c'était probablement vrai, mais que ce dont il souffrait en ce moment même, c'était en fait d'une insolation. Après ce qui était arrivé à Rita, il n'avait pas pu remonter sur sa moto. Totalement incapable ; blocage mental. Il se voyait écrabouillé sur la route. Alors, il avait finalement balancé sa moto dans le fossé. Et depuis, il marchait – depuis combien de jours ? Quatre ? Huit ? Neuf ? Il n'en savait rien. Il faisait plus de trente degrés depuis dix heures ce matin. Et maintenant, il était près de quatre heures, le soleil tapait dans son dos, et il n'avait pas de chapeau.

Depuis combien de temps avait-il abandonné sa

moto ? Ce n'était pas hier, et probablement pas avant-hier (peut-être, mais probablement pas). De toute manière, ça intéressait qui ? Il était descendu de la moto, avait enclenché la première, avait mis les gaz à fond, puis il avait lâché l'embrayage. La moto s'était arrachée à ses mains tremblantes et malades comme un derviche fou, s'était cabrée en montant sur l'accotement, puis avait plongé dans le fossé de la route 9, un peu à l'est de Concord. La petite ville où il avait assassiné sa moto s'appelait peut-être Gossville. De toute façon, ça n'avait aucune importance. La moto ne lui servait plus à rien. Tout juste s'il arrivait à faire du vingt-cinq. Et même à vingt-cinq à l'heure, il se voyait catapulté par-dessus le guidon, le crâne ouvert en deux comme une coquille de noix quand il retombait sur la route, ou bien, à la sortie d'un virage, la collision de plein fouet avec un camion renversé, et ensuite une grosse boule de feu. Puis le voyant rouge de surchauffe s'était allumé, *évidemment* qu'il s'était allumé, et il pouvait presque lire le mot *trouillard* écrit en petites lettres au-dessus de l'ampoule rouge. Avait-il jamais aimé la moto, cette sensation de vitesse quand le vent lui frappait le visage, quand l'asphalte défilait à toute allure, quinze centimètres sous les repose-pied ? Oui. Quand Rita était avec lui. Avant que Rita ne soit plus qu'une bouche pleine de dégueulis vert, qu'une paire d'yeux mi-clos, il avait aimé la moto.

Il avait donc envoyé sa moto dans un ravin rempli de mauvaises herbes, et il l'avait regardée culbuter jusqu'au fond, méfiant, comme si elle avait pu remonter pour l'écraser. *Allez, tu vas t'arrêter, salope* ? Mais la moto refusait de caler. Longtemps, elle avait rugi au fond du ravin, sa roue arrière tournant à toute vitesse, la chaîne avalant les dernières feuilles de l'automne, projetant des nuages de poussière brune, âcre. L'échappement lâchait une épaisse fumée bleue. Et il avait même cru que la moto allait se redresser, sortir de sa tombe, l'écraser... Ou bien qu'un après-midi il entendrait le bruit d'un moteur, et en se retournant il verrait sa moto, cette sale moto qui refusait de caler et de mourir tranquillement, sa moto qui foncerait droit sur lui, à cent trente, et couché sur le guidon, l'homme noir, et derrière lui, sur le siège arrière, son pantalon de soie blanche flottant au vent, Rita Blakemoor, le visage blanc comme de la craie, les yeux mi-clos, les cheveux secs comme un champ de maïs en hiver. Et puis, enfin, la moto avait commencé à cracher, à hoqueter, à s'étouffer et, quand elle s'était finalement arrêtée, il l'avait regardée une dernière fois et il s'était senti triste, comme si une partie de lui-même venait de mourir. Sans la moto, il ne pouvait plus vraiment s'attaquer au silence et, d'une certaine manière, le silence était pire que sa peur de mourir, d'avoir un terrible accident. Depuis, il marchait. Il avait traversé plusieurs petites villes et il avait vu plusieurs magasins de motos, de splendides modèles en vitrine, la clé de contact sur le tableau de bord, mais s'il les regardait trop longtemps, il se voyait étalé sur la route au milieu d'une flaque de sang, il se voyait en technicolor comme dans un film d'horreur où d'énormes camions écrabouillent les gens, où d'énormes bestioles qui se nourrissent de vos entrailles finissent par crever la peau, éclaboussant l'écran de morceaux de chair, si bien qu'il continuait sa route, supportait le silence, pâle, grelottant. Il continuait sa route, un petit chapelet de sueur sur la lèvre supérieure et au creux des tempes.

Il avait maigri – normal, non ? Il marchait toute la journée, jour après jour, depuis le lever jusqu'au coucher du soleil. Il n'arrivait pas à dormir. Les cauchemars le réveillaient à quatre heures. Il allumait alors sa lampe de camping, s'accroupissait à côté d'elle, attendait que le soleil se lève pour reprendre sa marche. Et il marchait jusqu'à ce qu'il fasse presque trop noir pour qu'on voie quelque chose. Alors il dressait sa tente avec la hâte furtive d'un prisonnier évadé. Puis il s'allongeait, incapable de dormir, nerveux comme un type qui vient de s'envoyer deux grammes de cocaïne. Et il ne mangeait presque rien ; il n'avait jamais faim. La cocaïne coupe l'appétit ; la peur aussi. Larry n'avait pas pris de coke depuis ce jour lointain en Californie. Mais la peur ne le quittait plus. Les cris d'un oiseau dans les bois le faisaient sursauter. Les cris d'agonie d'un petit animal dévoré par un autre plus gros lui donnaient la chair de poule. Non, il n'était pas maigre. Squelettique plutôt. Et sa barbe avait poussé, une barbe fauve, rougeâtre, beaucoup plus claire que ses cheveux. Ses yeux s'enfonçaient dans leurs orbites, brillants comme ceux d'un petit animal qui se débat dans un collet.

– Je craque.

Le bruit que fit sa voix cassée l'horrifia. C'était donc à ce point ? Lui, Larry Underwood, qui avait remporté un certain succès avec son premier disque, qui avait rêvé de devenir un jour le Elton John de son époque... Ce que Jerry Garcia pourrait rire s'il était là... et maintenant, ce type était devenu cette fourmi qui trottinait sur l'asphalte chaud de la route 9, quelque part dans le sud-est du New Hampshire, cette chose qui rampait comme une couleuvre, cette chose-là était lui. L'autre Larry Underwood n'avait plus aucun rapport avec cette chose qui rampait... ce...

Il essaya en vain de se relever.

– C'est quand même trop bête, dit-il, au bord des larmes.

De l'autre côté de la route, à deux cents mètres, scintillante comme un mirage, se dressait une ferme toute blanche – fenêtres vertes, toit de bardeaux verts, pelouse verte qui ondulait doucement, à peine un peu trop haute. En bas de la pelouse coulait un petit ruisseau ; il l'entendait chantonner, gazouiller. Un muret de pierre longeait le ruisseau, probablement la limite de la propriété, et de grands ormes s'appuyaient contre lui çà et là. Bon. Il allait faire son célèbre numéro de l'homme qui rampe, s'asseoir à l'ombre un moment, voilà ce qu'il allait faire. Et quand il se sentirait un peu mieux... il se lèverait, descendrait jusqu'au ruisseau pour boire un petit coup et se laver. Il devait sentir mauvais. Mais qui s'en préoccupait ? Il n'y avait plus personne pour sentir son odeur, maintenant que Rita était morte.

Était-elle toujours couchée sous la tente ? Le ventre gonflé ? Couverte de mouches ? De plus en plus semblable au type assis dans les toilettes de Central Park ? Où diable aurait-elle pu être ? En train de faire du golf à Palm Springs, avec Bob Hope ?

– C'est horrible.

Il traversa la route en rampant.

Une fois à l'ombre, il eut l'impression qu'il aurait pu se relever, mais l'effort lui parut trop grand. Il eut cependant la force de regarder timidement derrière lui, au cas où sa moto serait revenue l'écraser.

Il faisait beaucoup plus frais à l'ombre et Larry poussa un long soupir de soulagement. Il posa la main sur sa nuque où le soleil avait tapé presque toute la journée et la retira aussitôt, en poussant un petit cri de douleur. Coup de soleil ? Ambre solaire. Et toute la merde de la publicité. Ça brûle. Watts. L'incendie de Watts. Tu te souviens ? Encore un souvenir du passé. Toute la race humaine, un souvenir du passé, comme un grand souffle chaud venu du fond du désert.

– Mon vieux, tu es malade, dit-il en s'adossant au tronc rugueux d'un orme.

Il ferma les yeux. Le soleil qui filtrait à travers les feuilles faisait des taches rouges et noires derrière ses paupières. Le ruisseau gazouillait tranquillement. Dans une minute, il irait boire un peu d'eau et se laver. Dans une minute.

Il s'endormit.

Les minutes passèrent et, pour la première fois depuis des jours, il dormit sans faire de cauchemar, les mains à plat sur le ventre. Son menton maigre se soulevait chaque fois qu'il respirait et sa barbe faisait paraître son visage encore plus mince, le visage troublé d'un fugitif solitaire qui vient d'échapper à un effroyable massacre. Peu à peu, les profondes rides de son visage brûlé par le soleil commencèrent à s'estomper. Lentement, il descendit au plus profond de son inconscient et resta là, comme une petite bête sortie de la rivière qui vient prendre un bain de soleil dans la fraîcheur de la boue. Le soleil baissait à l'horizon.

Au bord du ruisseau, les buissons bougèrent doucement. Quelque chose s'avança un peu, s'arrêta, se remit en marche. Les buissons s'écartèrent finalement. Un petit garçon en sortit. Il avait peut-être treize ans, peut-être dix, mais grand pour son âge. Il n'était vêtu que d'un slip. Sa peau était si bronzée qu'on aurait dit de l'acajou, à part la ligne blanche qui se dessinait juste au-dessus de la ceinture de son slip. Il avait le corps couvert de piqûres de moustiques, certaines nouvelles, la plupart anciennes. Dans la main droite, il tenait un couteau de boucher. La lame, longue d'une trentaine de centimètres, brillait au soleil.

À pas feutrés, légèrement penché en avant, il s'approcha de l'orme et s'arrêta derrière Larry. Ses yeux, un peu bridés, étaient bleu-vert, couleur de mer. Des yeux vides, un peu sauvages. Il leva son couteau.

– Non, fit une voix de femme, douce mais ferme.

L'enfant se retourna, pencha la tête, le couteau toujours levé. Il avait l'air de ne pas comprendre et d'être un peu déçu.

– Attends, on va voir ce qu'il fait, dit la voix de femme.

Le garçon s'arrêta, regarda son couteau, regarda Larry, regarda encore son couteau, manifestement déçu. Puis il revint se cacher dans les buissons.

Larry dormait toujours.

Quand Larry se réveilla, la première chose à laquelle il pensa, c'est qu'il se sentait bien. La deuxième, c'est qu'il avait faim. La troisième, c'est que le soleil ne savait plus ce qu'il faisait – on aurait dit qu'il avait reculé dans le ciel. La quatrième, c'est qu'il avait envie – pardonnez l'expression – de pisser comme un cheval, et même comme un cheval de course.

Il se mit debout et s'étira en écoutant le délicieux craquement de ses tendons. C'est alors qu'il comprit qu'il n'avait pas simplement fait une petite sieste ; il avait dormi toute la nuit. Il regarda sa montre et comprit pourquoi le soleil n'était pas là où il aurait dû se trouver. Il était neuf heures du matin. Son estomac protestait. La faim. Il devait y avoir quelque chose à manger dans cette grosse maison blanche. Une boîte de soupe, peut-être du corned-beef.

Avant d'aller chercher quelque chose à manger, il se déshabilla, se mit à genoux au bord du ruisseau et s'aspergea d'eau. Il n'avait plus que la peau et les os. Il se leva, s'essuya avec sa chemise, enfila son pantalon. Quelques grosses pierres noires et luisantes sortaient à moitié du ruisseau. Il s'en servit pour traverser. De l'autre côté, il s'arrêta tout à coup, les yeux braqués sur les épais buissons. La peur qu'il avait oubliée depuis qu'il s'était réveillé s'embrasa en lui, comme une vieille planche de pin jetée dans le feu, puis mourut aussi vite qu'elle était venue. Il avait entendu quelque chose, mais c'était sans doute un écureuil ou une marmotte, peut-être un renard. Rien d'autre. Tranquillisé, il commença à remonter la pelouse, en direction de la grande maison blanche.

À mi-chemin, une idée lui vint comme une bulle monte à la surface de l'eau. Sans aucune raison, sans tambour ni trompette. Mais elle le fit s'arrêter net.

Pourquoi n'as-tu pas pris une bicyclette ?

Il s'arrêta au milieu de la pelouse ; à mi-chemin entre le ruisseau et la maison. Quelle connerie ! Il n'avait cessé de marcher depuis qu'il avait flanqué la Harley dans le ravin. Marcher, marcher encore, jusqu'à l'épuisement, et finalement l'insolation ou quelque chose qui lui ressemblait fort. Alors qu'il aurait pu pédaler, pas trop vite s'il avait voulu, et il serait déjà sur la côte, installé dans sa villa, une villa pleine de bonnes choses à manger.

Il se mit à rire, doucement au début, un peu étonné par le bruit qu'il faisait dans ce silence. Rire quand il n'y a personne pour rire avec vous, c'était encore un autre signe qui vous disait bien clairement que vous étiez parti et bien parti pour le pays des schnocks. Mais son rire paraissait si vrai, si sincère, pétant de santé, le rire du Larry Underwood d'autrefois, qu'il décida de laisser faire. Et les mains sur les hanches, les yeux au ciel, il partit d'un formidable éclat de rire, étonné de sa propre stupidité.

Derrière lui, au plus épais des buissons qui bordaient le ruisseau, des yeux bleu-vert le regardaient, tandis que Larry se remettait en marche, secouant la tête, riant encore un peu. Ils le regardaient toujours quand il monta l'escalier, ouvrit la porte de derrière. Ils le regardaient quand il disparut à l'intérieur. Puis les buissons frissonnèrent et firent ce petit bruit que Larry avait entendu tout à l'heure. Le petit garçon en sortit, nu dans son slip, brandissant son couteau de boucher.

Une autre main apparut et lui caressa l'épaule. Le garçon s'arrêta aussitôt. La femme sortit à son tour – elle était grande, imposante, mais on aurait dit qu'elle ne faisait pas bouger les buissons. Elle avait une chevelure épaisse et luxuriante, noire avec de grosses mèches d'un blanc de neige, tressée en une grosse natte qui retombait sur son épaule et effleurait le bout de son sein. Quand vous regardiez cette femme, la première chose que vous remarquiez, c'était qu'elle était très grande. Puis vos yeux étaient attirés par ses cheveux, et vous sentiez presque avec vos yeux cette chevelure drue et pourtant onctueuse sous les doigts. Et si vous étiez un homme, vous vous demandiez de quoi elle aurait l'air, les cheveux dénoués, libérés, étalés sur un oreiller au clair de lune. Vous vous demandiez comment elle serait au lit. Mais elle n'avait jamais eu d'homme. Elle était pure. Elle attendait. Elle avait fait des rêves. Une fois, au collège, il y avait eu cette séance de spiritisme. Et elle se demandait une fois de plus si cet homme-là était le bon.

– Attends, dit-elle au garçon.

Elle lui prit la tête, le força à regarder son visage paisible.

– Ne t'en fais pas, Joe, il ne va pas faire de mal à la maison.

Il se retourna, regarda la maison, inquiet, déçu.

– On le suivra quand il s'en ira.

Il secoua la tête.

– Si, il faut. Je ne peux pas faire autrement.

Elle en était sûre. Il n'était peut-être pas l'homme qu'elle cherchait, mais même ainsi, il était un maillon dans cette chaîne qu'elle suivait depuis des années, une chaîne qui touchait maintenant à sa fin.

Joe – ce n'était pas son vrai prénom – brandit son couteau comme s'il voulait la poignarder. Elle ne fit aucun geste pour se protéger ni pour s'enfuir. Lentement, l'enfant laissa retomber son arme, se tourna vers la maison et fit un geste menaçant.

– Non, ne fais pas ça. C'est un être humain, et il va nous conduire...

Silence. *Vers d'autres êtres humains,* voilà ce qu'elle avait voulu dire. *C'est un être humain, et il va nous conduire vers d'autres êtres humains.* Mais elle n'était pas sûre que c'était ce qu'elle voulait dire, ou du moins que c'était *tout* ce qu'elle voulait dire. Elle se sentait déjà tiraillée entre deux choses et regrettait d'avoir vu cet homme. Elle essaya de caresser le garçon, mais il s'écarta aussitôt. Il regardait la grande maison blanche avec des yeux jaloux, pleins de colère. Au bout d'un moment, il se glissa dans les buissons en lui lançant un regard lourd de reproches. Elle le suivit pour s'assurer qu'il n'allait pas faire de bêtises. Il était couché, pelotonné en chien de fusil, le couteau serré contre sa poitrine. Il se mit à sucer son pouce et ferma les yeux.

Nadine revint au ruisseau, à l'endroit où il faisait une petite mare. Elle se mit à genoux. Elle prit un peu d'eau dans le creux de ses mains, but, puis s'installa pour observer la maison. Ses yeux étaient calmes, son visage était celui d'une madone de Raphaël.

Tard dans l'après-midi, alors que Larry pédalait sur la route 9, bordée d'arbres à cet endroit, il découvrit devant lui un panneau vert et s'arrêta pour le lire, un peu surpris. ÉTAT DU MAINE, PARADIS DE VOS VACANCES. Il avait peine à y croire ; il avait dû faire à pied une distance incroyable, sans s'en rendre compte. Ou bien il avait perdu le compte des jours. Il allait repartir quand quelque chose – un bruit dans la forêt, ou peut-être seulement dans sa tête – le fit se retourner. Rien. La route 9 était absolument déserte.

Depuis qu'il avait quitté la grande maison blanche où il avait mangé des céréales et des crackers Ritz comme petit déjeuner, il avait eu plusieurs fois l'impression qu'on l'observait, qu'on le suivait. Il *entendait* des choses. Il voyait même peut-être des choses du coin de l'œil. Son sens de l'observation, qui commençait à peine à s'éveiller dans cette étrange situation, lui envoyait des signaux presque imperceptibles qui taquinaient ses terminaisons nerveuses sans qu'il puisse en tirer autre chose que la bizarre sensation d'être observé. Cette sensation ne lui faisait pas peur cependant. Il n'avait pas l'impression d'halluciner ni de délirer. Si quelqu'un l'observait sans se faire voir, c'était sans doute qu'on avait peur de lui. Et si l'on avait peur du pauvre Larry Underwood, maigre comme un clou, trop trouillard pour rouler en moto à quarante kilomètres à l'heure, il n'y avait probablement pas de quoi s'inquiéter.

À califourchon sur la bicyclette qu'il s'était procurée dans un magasin d'articles de sport, quelques kilomètres à l'est de la grande maison blanche, il appela dans le silence :

– S'il y a quelqu'un, montrez-vous ! Je ne veux pas vous faire de mal.

Pas de réponse. Il était là, à côté du panneau qui indiquait la limite de l'État du Maine. Il attendit. Un oiseau poussa un cri puis passa devant lui comme une flèche. Rien ne bougeait. Il repartit.

À six heures, il arriva dans la petite ville de North Berwick, au carrefour des routes 9 et 4. Il décida d'y passer la nuit et de continuer en direction de la côte le lendemain matin.

Il y avait un petit magasin à North Berwick, au carrefour de la 9 et de la 4. Larry y trouva un réfrigérateur qui ne fonctionnait plus, et dans le réfrigérateur, de la bière. Il prit six canettes de Black Label, une marque qu'il n'avait jamais essayée – une bière locale sans doute. Et, pour compléter ses provisions, il s'empara d'un grand sac de chips Humpty Dumpty et de deux boîtes de ragoût de bœuf.

Quand il sortit, il crut voir derrière le restaurant d'en face deux longues ombres qui disparurent aussitôt. Peut-être ses yeux lui jouaient-ils des tours, mais il n'en était pas convaincu. Il pensa traverser la route pour les surprendre dans leur cachette : coucou, me voilà, je vous ai trouvés. Mais il décida de rester tranquille. Il savait maintenant ce qu'était la peur.

Il accrocha son sac au guidon de sa bicyclette et continua à descendre la grand-route, à pied. Il vit une grande école de briques rouges derrière un rideau d'arbres. Il ramassa une quantité suffisante de bois mort pour faire un beau feu en plein milieu de la cour de récréation. Il y avait une rivière à côté qui passait devant une filature, puis sous la grand-route. Il mit la bière à rafraîchir dans l'eau et réchauffa une boîte de ragoût. Il ouvrit sa gamelle de boy-scout, versa le contenu de la boîte et se mit à manger, assis sur une balançoire. Son ombre s'étalait sur les lignes à moitié effacées du terrain de basket.

Il se demanda pourquoi il n'avait pas peur de ces gens qui le suivaient – car il était sûr maintenant qu'on le suivait, au moins deux personnes, peut-être plus. Corollaire de cette première proposition, il se demanda aussi pourquoi il s'était senti si bien toute la journée, comme si son organisme avait expulsé quelque noir venin pendant son long sommeil de la journée précédente. Était-ce tout simplement qu'il avait besoin de se reposer ? Trop simple sans doute.

Il savait, en bonne logique, que si ceux qui le suivaient avaient voulu lui faire du mal, ils auraient déjà essayé. Ils lui auraient tendu une embuscade, lui auraient tiré dessus. Ou au moins, ils l'auraient encerclé et l'auraient forcé à déposer son arme. Ils auraient pris tout ce qu'ils voulaient... mais à nouveau, en bonne logique (c'était si *bon* de penser logiquement, car ces derniers jours, les rouages de son cerveau avaient paru baigner dans un bain corrosif de terreur), qu'est-ce qu'il pouvait bien avoir qui puisse les intéresser ? Ce n'était pas les biens matériels qui manquaient en ce bas monde, puisqu'il ne restait presque plus personne pour en profiter. Pourquoi prendre la peine de voler, de tuer, de risquer sa vie, quand tout ce dont vous pouviez rêver en feuilletant un catalogue, assis dans les chiottes, était maintenant à portée de la main, derrière n'importe quelle vitrine, d'une côte à l'autre de l'Amérique ? Casse la vitrine, entre, et sers-toi.

Tout, sauf la compagnie de vos semblables. Elle était devenue une denrée de grand luxe. Larry était payé pour le savoir. Et la véritable raison pour laquelle il n'avait pas peur, c'est qu'il pensait que ces gens cherchaient probablement sa compagnie. Tôt ou tard, ils parviendraient à surmonter leur frayeur. Il n'avait qu'à attendre. Il n'allait pas les lever comme une bande de perdrix ; ça ne ferait qu'empirer les choses. Deux jours plus tôt, il se serait probablement caché dans son trou comme une souris s'il avait vu quelqu'un. Trop perdu pour faire autre chose. Alors, il n'avait qu'à attendre. Mais il avait vraiment envie de voir quelqu'un. Oui, vraiment.

Il revint à la rivière pour laver sa gamelle et repêcha le pack de bières. Puis il retourna s'installer sur sa balançoire. Il ouvrit une première canette et la leva dans la direction du restaurant où il avait vu les ombres.

– À votre santé !

Et il avala la moitié de la canette d'un seul coup. La vie est belle !

Quand il arriva au bout des six canettes, il était plus de sept heures et le soleil allait se coucher. Il éparpilla les dernières braises du feu et ramassa ses affaires. Puis, à moitié ivre, d'une ivresse tout à fait agréable, il remonta sur sa bicyclette et fit un bon kilomètre avant de trouver une maison devant laquelle s'étendait une grande véranda grillagée. Il laissa sa bicyclette sur la pelouse, prit son sac de couchage et força la porte de la véranda avec un tournevis.

Il regarda encore une fois autour de lui, espérant les voir, lui ou elle, eux – il sentait qu'on le suivait – mais la rue était calme, déserte. Il haussa les épaules et entra. Il était encore tôt et il ne pensait pas s'endormir tout de suite. Mais il avait apparemment du sommeil à rattraper. Un quart d'heure plus tard, il respirait paisiblement, profondément endormi, son fusil tout près de sa main droite.

Nadine était fatiguée. Elle avait l'impression de vivre le jour le plus long de sa vie. À deux reprises, elle avait eu la certitude que l'homme les avait vus, une fois près de Strafford, l'autre à la frontière du Maine, quand il s'était retourné et qu'il avait appelé. Elle n'avait pas peur de s'être fait voir. Ce type n'était pas fou, comme l'homme qui était passé devant la grande maison blanche, dix jours plus tôt. Un soldat chargé comme un âne – fusil, grenades, munitions. Il riait, il criait, il hurlait qu'il allait faire sauter les couilles d'un certain lieutenant Morton. Un certain lieutenant Morton qui n'était pas là, heureusement pour lui, s'il était encore vivant. Joe avait eu peur du soldat. Tant mieux.

– Joe ?

Elle regarda autour d'elle.

Joe s'était envolé.

Elle était sur le point de s'endormir. Elle écarta sa couverture et se leva. Ses courbatures lui rappelèrent qu'il y avait longtemps qu'elle n'était pas restée autant d'heures sur une selle de bicyclette. Longtemps ? Jamais peut-être. Et puis, ces problèmes qu'elle n'avait pas réussi à résoudre. S'ils se rapprochaient trop, il les aurait vus, et Joe aurait fait des bêtises. Mais s'ils le suivaient de trop loin, il risquait de prendre une autre route et ils perdraient sa trace. Problème. Pas un instant elle n'avait pensé que Larry puisse tourner en rond et se retrouver derrière eux. Heureusement (pour Joe, en tout cas), Larry n'avait pas eu cette idée non plus.

Elle se disait que Joe finirait par s'habituer à l'idée qu'ils avaient besoin de lui. Ils ne pouvaient pas rester seuls. S'ils restaient seuls, ils allaient mourir seuls. Joe finirait par s'y habituer; jusque-là, il n'avait pas vécu dans le vide, pas plus qu'elle. On s'habitue aux gens.

– Joe ? appela-t-elle doucement.

Il savait être aussi silencieux qu'un Viêt-cong quand il se glissait dans les buissons, mais ses oreilles avaient appris à l'écouter depuis trois semaines. Et ce soir, en prime, c'était la pleine lune. Elle entendit des graviers crisser. Il venait. Tant pis pour les courbatures. Elle s'avança vers lui. Il était dix heures et quart.

Ils s'étaient installés (façon de parler : deux couvertures étendues sur l'herbe) derrière un restaurant, le North Berwick Grill, en face de l'épicerie, après avoir caché leurs bicyclettes dans un petit hangar. L'homme qu'ils suivaient avait mangé quelque chose dans la cour de récréation de l'école, de l'autre côté de la rue (« Si on allait le voir, je suis sûre qu'il nous donnerait quelque chose à manger, Joe. C'est chaud... et ça sent bon. Je suis sûre que c'est bien meilleur que ce saucisson. » Joe avait ouvert de grands yeux et il avait brandi son couteau dans la direction de Larry), puis il était allé s'installer un peu plus loin, dans une maison avec une grande véranda grillagée. À la manière dont il roulait sur sa bicyclette, elle s'était dit qu'il était peut-être un peu pompette. Et maintenant, il était endormi sous la véranda.

Elle pressa le pas, grimaçant lorsque des gravillons lui mordaient la plante des pieds. Il y avait des maisons sur la gauche et elle traversa pour marcher sur les pelouses qui s'étendaient devant, déjà presque des prairies. L'herbe, lourde de rosée, lui montait jusqu'aux chevilles. Elle lui fit penser qu'elle avait une fois couru avec un garçon dans une herbe comme celle-ci, une nuit de pleine lune. Elle avait senti quelque chose de chaud remplir son bas-ventre et elle avait parfaitement compris alors que ses seins étaient des objets sexuels, pleins et mûrs, débordants sous son chemisier. La lune lui avait fait tourner la tête, et cette herbe haute qui lui mouillait les jambes. Elle savait que, si le garçon la rattrapait, elle le laisserait la déflorer. Elle avait couru comme une Indienne à travers le champ de maïs. L'avait-il rattrapée ? Cela n'avait plus d'importance.

Elle se mit à courir, traversa d'un bond une allée de ciment qui brillait comme de la glace dans l'obscurité.

Et elle vit Joe, debout devant la véranda grillagée où l'homme dormait. Son slip blanc était d'une blancheur éclatante dans le noir ; en fait, le garçon avait la peau si noire qu'on aurait presque cru que son slip tenait tout seul dans le vide, ou qu'il était porté par l'homme invisible de H. G. Wells.

Joe venait d'Epsom, elle le savait, car c'était là qu'elle l'avait trouvé. Nadine, de South Barnstead, une bourgade à vingt-cinq kilomètres au nord-est d'Epsom. Elle s'était mise à chercher méthodiquement d'autres survivants, hésitant à laisser sa propre maison, dans la petite ville où elle était née. Elle était partie de chez elle, puis avait continué en cercles concentriques, de plus en plus grands. Elle n'avait trouvé que Joe. Une forte fièvre le faisait délirer... une morsure d'animal, un rat ou un écureuil à en juger par la dimension de la plaie. L'enfant était assis sur la pelouse d'une maison d'Epsom, nu comme un ver, à l'exception de son slip, un couteau de boucher à la main comme un vieux sauvage de l'âge de la pierre ou comme un pygmée moribond mais encore dangereux. Elle savait ce qu'était une infection. Elle avait transporté l'enfant dans la maison. Celle du garçon ? Sans doute, mais elle ne le saurait jamais si Joe ne le lui disait pas un jour. La maison était pleine de cadavres : le père, la mère, trois enfants dont le plus vieux avait sans doute quinze ans. Chez un médecin, elle avait trouvé un désinfectant, des antibiotiques et des pansements. Elle ne savait pas au juste quel antibiotique utiliser. Une erreur, et elle risquait de le tuer. Mais il mourrait de toute façon si elle ne faisait rien. Le garçon avait été mordu à la cheville qui était devenue aussi grosse qu'une chambre à air. Nadine avait eu de la chance. En trois jours, la cheville avait repris sa taille normale et la fièvre était tombée. Le garçon lui faisait confiance. À elle seule, apparemment. Elle se réveillait le matin et il la suivait comme un chien fidèle. Ils s'étaient installés dans la grande maison blanche. Elle l'avait appelé Joe. Ce n'était pas son nom, mais du temps qu'elle était institutrice, toutes les petites filles dont elle ne connaissait pas le nom s'étaient toujours appelées Jane, tous les petits garçons, Joe. Et le soldat était arrivé, le soldat qui riait, qui criait, qui maudissait le lieutenant Morton. Joe avait voulu sauter sur lui et le tuer avec son couteau. Et maintenant, cet homme. Elle avait peur de lui retirer son couteau, car c'était son talisman. Si elle essayait de le faire, peut-être se retournerait-il contre elle. Il dormait en le tenant dans sa main. Une nuit, elle avait essayé de l'enlever, davantage pour voir si elle y parviendrait que pour le retirer vraiment, et il s'était aussitôt réveillé, sans un geste. L'instant d'avant, il dormait à poings fermés. Une seconde plus tard, ses yeux bridés gris-bleu la regardaient avec une expression presque sauvage. Il avait aussitôt repris son couteau en grognant. Sans dire un mot.

Et maintenant, il levait son couteau, l'abaissait, le levait encore, comme s'il poignardait le grillage. Des grognements sourds sortaient de sa gorge. D'un instant à l'autre, il allait se décider à franchir la porte, peut-être.

Elle s'avança derrière lui, sans essayer d'étouffer le bruit de ses pas, mais il ne l'entendait pas ; Joe était seul dans son monde. En un éclair, sans comprendre ce qu'elle faisait, elle lui prit le poignet et le tordit violemment.

Joe poussa un petit cri de douleur et Larry Underwood se retourna dans son sommeil. Le couteau tomba sur l'herbe. Les dents de la lame réfléchissaient la lumière argentée de la lune, comme des flocons de neige.

L'enfant la regarda avec des yeux pleins de colère, de reproche, de méfiance. Nadine soutint son regard. Elle lui montra l'endroit d'où ils étaient venus. Joe secoua la tête. Il montra du doigt le grillage et, derrière, cette masse sombre dans le sac de couchage. Et il fit un geste qu'elle n'eut aucun mal à comprendre : il se passa le pouce en travers de la pomme d'Adam. Puis il lui fit un large sourire. Nadine ne l'avait encore jamais vu sourire et elle eut froid dans le dos. Le garçon n'aurait pas eu l'air plus sauvage si ses dents d'une blancheur éclatante avaient été limées comme des crocs.

– Non, dit-elle d'une voix douce. Ou bien je vais le réveiller.

Joe eut l'air inquiet. Il secoua la tête énergiquement.

– Alors reviens avec moi. On va dormir.

Il regarda le couteau, puis releva les yeux vers elle. La sauvagerie avait disparu de son regard, pour le moment du moins. Il n'était plus qu'un petit garçon abandonné qui voulait son ours en peluche, ou la couverture déchirée qu'il traînait avec lui depuis qu'il était sorti du berceau. Nadine comprit vaguement que c'était peut-être le moment de lui faire abandonner son couteau, de lui dire simplement « non ». Mais ensuite ? Allait-il se mettre à hurler ? Il avait hurlé lorsque le soldat fou s'en était allé. Il avait hurlé et hurlé, d'horribles cris de terreur et de rage. Voulait-elle que l'homme au sac de couchage, réveillé par les hurlements de l'enfant, la découvre ainsi en pleine nuit ?

– Tu veux venir avec moi ?

Joe hocha la tête.

– Très bien, dit-elle tout bas.

Il se baissa rapidement et ramassa son couteau.

Ils revinrent dans leur cachette et il se coucha contre elle, sans plus penser à l'intrus. Il l'enlaça dans ses bras. Elle sentit dans son bas-ventre cette douleur sourde et familière qui ne ressemblait à aucune autre. Une douleur de femme, une douleur à laquelle on ne pouvait rien. Et elle s'endormit.

Elle se réveilla aux petites heures du matin – elle n'avait pas de montre. Elle avait froid, elle avait peur, peur tout à coup que Joe ait attendu qu'elle s'endorme pour revenir à la maison et égorger l'homme endormi. Les bras de Joe ne l'enlaçaient plus. Elle se sentait responsable de ce garçon, elle s'était toujours sentie responsable des petits qui n'avaient pas demandé à venir au monde, mais s'il avait fait ça, elle allait l'abandonner. Donner la mort alors que tant de vies avaient été fauchées était le seul et unique péché impardonnable. Elle ne pouvait plus rester seule avec Joe beaucoup plus longtemps sans quelqu'un pour l'aider ; être avec lui, c'était comme être dans une cage avec un lion capricieux. Comme un lion, Joe ne pouvait pas (ou ne voulait pas) parler ; il ne faisait que rugir, avec sa petite voix d'enfant perdu.

Elle s'assit et vit que le garçon était toujours là. Il s'était écarté d'elle en dormant, voilà tout. Il était dans sa position habituelle, en chien de fusil, le pouce dans la bouche, la main sur le manche du couteau.

À moitié endormie, elle se leva, fit quelques pas sur la pelouse, urina dans un coin et revint se blottir sous sa couverture. Le lendemain matin, elle ne se souvenait pas si elle s'était vraiment réveillée au cours de la nuit, ou si elle avait seulement fait un rêve.

Si j'ai rêvé, pensa Larry, alors c'étaient des rêves agréables. Il ne s'en souvenait pas. Il se sentait comme autrefois. Et il se dit que la journée allait être belle. Il allait voir la mer aujourd'hui. Il roula son sac de couchage, l'attacha sur le porte-bagages de sa bicyclette, revint chercher son sac à dos... et s'arrêta.

Une allée de ciment menait au petit escalier de la véranda. Des deux côtés, le gazon vert cru était haut. À droite, près de la véranda, l'herbe humide de rosée avait été foulée. Lorsque la rosée s'évaporerait, le gazon se redresserait sans doute. Mais, pour le moment, on y voyait clairement des traces de pas. Larry était un homme de la ville. Il n'avait rien d'un homme des bois, d'un James Fenimore Cooper. Mais il aurait fallu être aveugle, pensa-t-il, pour ne pas voir que deux personnes s'étaient trouvées là : une grande et une petite. Durant la nuit, elles s'étaient approchées du grillage pour le regarder. Il en eut froid dans le dos. Et il sentit que ses anciennes terreurs le reprenaient.

S'ils ne se montrent pas bientôt, je vais essayer de les faire sortir de leur trou, songea-t-il. Et cette seule idée lui redonna confiance en lui. Il prit son sac à dos et se remit en route.

À midi, il arriva au croisement de la nationale 1, à Wells. Il lança une pièce de monnaie ; elle retomba du côté pile. Il prit donc la 1 en direction du sud, laissant derrière lui la pièce qui brillait dans la poussière. Joe la trouva vingt minutes plus tard et la regarda longuement, comme hypnotisé par une boule de cristal. Puis il la mit dans sa bouche et Nadine la lui fit cracher.

Trois kilomètres plus loin, Larry le vit pour la première fois, l'énorme animal bleu, paresseux ce jour-là. Complètement différent du Pacifique ou de l'Atlantique au large de Long Island. Ici, l'océan avait l'air paisible, presque docile. L'eau était d'un bleu plus profond, presque un bleu cobalt, et elle venait lécher les rochers de la côte en longues vagues grondantes. L'écume aussi épaisse que des œufs battus en neige volait en l'air, puis retombait.

Larry laissa sa bicyclette et s'avança vers la mer, envahi par une sorte d'ivresse qu'il ne pouvait s'expliquer. Il était *là*, il était arrivé là où commençait le domaine de la mer, là où finissait la terre.

Il traversa un champ marécageux. Ses souliers s'enfonçaient dans la vase, entre les touffes de roseaux. Une riche odeur d'iode montait autour de lui. Un peu plus loin, la mince peau de terre laissait apparaître l'os nu du granit – l'imperturbable granit du Maine. Des mouettes s'envolèrent, toutes blanches dans le ciel bleu, piaillant à qui mieux mieux. Il n'avait jamais vu autant d'oiseaux. Et il se souvint que, malgré leur beauté et leur élégance, les mouettes mangeaient de la charogne. Une autre idée lui passa par l'esprit, une idée qu'il aurait préféré ignorer, mais elle était déjà là dans sa tête, trop tard pour qu'il puisse l'écarter : *La bouffe ne doit pas manquer ces temps-ci.*

Il reprit sa marche. Ses talons sonnaient sur le roc brûlé par le soleil, le roc dont la mer venait lécher les innombrables fissures. Des coquillages collaient à la pierre. Çà et là, comme des éclats d'obus, il voyait les débris des coquilles que les mouettes avaient laissées tomber pour les ouvrir et dévorer la chair tendre qu'elles renfermaient.

Il arriva finalement au bout du rocher, face à la mer. Le vent le frappa de plein fouet, soulevant l'épaisse mèche de cheveux qui lui tombait sur le front. Il prit une profonde respiration, se laissa envahir par l'odeur de sel et d'acide du grand animal bleu. Les grandes vagues vert émeraude s'avançaient lentement, se creusaient, se bordaient d'un ourlet d'écume, puis s'écrasaient sur les rochers comme elles l'avaient fait depuis le début des temps, suicidaires, arrachant chaque fois une infime parcelle de terre. Et l'on sentait un grand choc sourd quand l'eau se précipitait dans une faille entre deux rochers, creusée depuis des siècles et des siècles.

Il se tourna à gauche, puis à droite, et partout c'était la même chose, aussi loin qu'il pouvait voir... des vagues, d'immenses vagues, les embruns, une immensité de *couleurs* qui lui coupa le souffle.

Il était arrivé au bout de la terre.

Il s'assit, les pieds dans le vide, écrasé par le spectacle de l'océan. Il resta ainsi sans bouger au moins une demi-heure. Mais la brise de mer éveilla son appétit et il fouilla dans son sac pour manger quelque chose. Le bas de son jeans, mouillé par les embruns, était devenu tout noir. Larry se sentait propre, pur.

Il retraversa ensuite le marécage, tellement absorbé dans ses pensées qu'il crut d'abord entendre le cri des mouettes. Il avait même levé les yeux au ciel quand il comprit avec un soudain sursaut de frayeur qu'il s'agissait d'un cri humain. D'un cri de guerre.

Il baissa les yeux et découvrit un jeune garçon qui traversait la route en courant, un grand couteau de boucher à la main. Il était en slip et ses jambes musclées étaient zébrées de griffures de ronces. Derrière lui, sortant des buissons qui bordaient la route, une femme, pâle, les yeux cernés.

– *Joe !* cria-t-elle.

Puis elle se mit à courir gauchement, comme si ses pieds lui faisaient mal.

Joe s'approchait, soulevant de petites gerbes d'eau sous ses pieds nus. Son visage était déformé par un rictus meurtrier. Brandi très haut au-dessus de sa tête, le couteau de boucher brillait au soleil.

Il vient me tuer, pensa Larry. *Qu'est-ce que je lui ai fait ?*

– *Joe !* hurla la femme d'une voix aiguë, inquiète, désespérée.

Joe se rapprochait.

Larry eut le temps de se souvenir qu'il avait laissé son fusil à côté de sa bicyclette. Le garçon était déjà sur lui.

Quand il abattit son couteau de boucher en un

long arc de cercle, Larry sortit enfin de sa stupeur. Il esquiva le coup et, instinctivement, leva le pied droit et envoya sa grosse chaussure mouillée dans l'estomac du garçon. Il le regretta presque aussitôt : ce n'était qu'un mioche – l'enfant bascula comme une quille. Malgré son air féroce, il ne faisait pas le poids.

– Joe !

Nadine trébucha sur un monticule de terre et tomba sur les genoux, éclaboussant de boue son chemisier blanc.

– Ne lui faites pas de mal ! C'est un petit garçon ! S'il vous plaît, ne lui faites pas de mal !

Elle se releva et reprit sa course maladroite.

Joe était tombé sur le dos, en croix, les bras en *V*, les jambes écartées en un deuxième *V*, à l'envers celui-ci. Larry fit un pas en avant et écrasa le poignet droit de l'enfant, immobilisant la main qui tenait le couteau.

– Lâche ça.

Le garçon grogna, puis fit un étrange glouglou, comme un dindon. Il montrait les dents. Ses yeux bridés fixaient Larry. Avec son pied sur le poignet du garçon, Larry avait l'impression d'écraser un serpent blessé, mais toujours dangereux. Le garçon se débattait furieusement pour libérer sa main, au risque de se casser le poignet. Il se redressa un peu et essaya de mordre la jambe de Larry, à travers la toile épaisse de son blue-jeans. Larry pesa de tout son poids sur le poignet de l'enfant et Joe poussa un cri – non pas de douleur, mais de défi.

– Laisse ça.

Joe continuait à se débattre.

Le combat aurait duré jusqu'à ce que Joe se libère ou que Larry lui casse le poignet si Nadine n'était finalement arrivée, couverte de boue, hors d'haleine, titubant de fatigue.

Sans regarder Larry, elle tomba sur les genoux.

– Laisse ça ! dit-elle d'une voix douce mais ferme.

Son visage était couvert de sueur mais serein. Elle s'approcha à quelques centimètres de la figure de

Joe, convulsée par la rage. Il essaya de la mordre, comme un chien, et continua à se débattre. Larry avait du mal à garder son équilibre. Si le garçon se libérait maintenant, il allait probablement s'attaquer d'abord à la femme.

– Laisse ! dit Nadine.

Le garçon grogna. De la bave coulait entre ses dents serrées comme un étau. Sur sa joue droite, une tache de boue dessinait un point d'interrogation.

– On va te laisser, Joe. Je vais te laisser. Je vais partir avec lui. Sauf si tu es gentil.

Sous son pied, Larry sentit le bras de l'enfant se contracter une dernière fois. Le garçon lança un regard accusateur à la femme. Et, quand il regarda Larry dans les yeux, Larry vit un regard rempli d'une jalousie brûlante. Ruisselant de sueur, Larry sentit qu'il avait froid.

Elle continuait à lui parler tranquillement. Personne n'allait lui faire de mal. Personne n'allait l'abandonner. S'il laissait son couteau, tout le monde serait ami.

Larry sentit que la main de l'enfant se relâchait sous sa chaussure. Les yeux tournés vers le ciel, le garçon ne bougeait plus. Il avait abandonné. Larry retira son pied et se baissa rapidement pour ramasser le couteau. Il se retourna et le lança de toutes ses forces vers la mer. La lame tournoya, jetant des éclairs de lumière. Joe la suivit de ses yeux étranges et poussa un long gémissement de douleur. Le couteau rebondit sur un rocher avec un bruit sec et tomba dans l'eau.

Larry se retourna. La femme examinait l'avant-bras de Joe où la semelle de Larry avait laissé une profonde empreinte de gaufre, d'un rouge profond. Elle regarda Larry avec des yeux remplis de chagrin.

Larry se sentit repris par cette vieille culpabilité et les habituels mots d'excuses lui vinrent à la bouche – *Je devais le faire, ce n'était pas ma faute, écoutez, il voulait me tuer* – car il croyait lire un reproche dans ces yeux pleins de tristesse : *Tu es un sale type.*

Mais il ne dit rien, finalement. Ce qui était fait

était fait, et tout était la faute de l'enfant. En regardant le garçon pelotonné sur lui-même, suçant son pouce, il se demanda pourtant si c'était bien lui qui était vraiment responsable. Mais les choses auraient pu tourner plus mal.

Il ne dit donc rien et soutint le doux regard de la femme : *Je crois que j'ai changé. Je ne sais pas comment. Je ne sais pas jusqu'à quel point.* Il se souvint de quelque chose que Barry Grieg lui avait dit un jour à propos d'un guitariste de Los Angeles, Jory Baker, un type qui était toujours à l'heure, qui ne ratait jamais une répétition, qui ne bousillait jamais une audition. Pas le genre de guitariste qui attire l'attention, pas une vedette comme Angus Young ou Eddie van Halen, mais un musicien compétent. À une époque, lui avait dit Barry, Jory Baker était le pivot d'un groupe qui s'appelait les Sparx, un groupe dont tout le monde pensait qu'il allait faire son chemin. Rien d'extraordinaire, mais du bon rock, solide. Jory Baker écrivait toutes les paroles et composait presque toute la musique. Et puis, un accident de voiture, fractures multiples, doses massives de calmants à l'hôpital. Il en était sorti avec une plaque d'acier dans la tête et pas mal de toiles d'araignée au plafond. Du Demerol, il était passé à l'héroïne. Il s'était fait pincer plusieurs fois par les flics. Au bout de quelque temps, il traînait dans les rues, complètement camé, les doigts tremblants, mendiant de la monnaie à la gare routière Greyhound. Puis, en dix-huit mois, il s'en était sorti, miraculeusement. Naturellement, il avait perdu des plumes. Il n'était plus capable de diriger un groupe, bon ou mauvais, mais il était toujours à l'heure, ne manquait jamais une répétition, ne bousillait jamais une audition. Il ne parlait pas beaucoup, mais le sillon rouge avait disparu sur son bras gauche. Et Barry Grieg avait dit : *Il s'en est sorti.* C'est tout. Personne ne peut dire ce qui se passe entre ce que vous étiez et ce que vous devenez. Personne ne peut dessiner la carte de cet enfer solitaire. Ces cartes n'existent pas. Vous... vous vous en sortez. C'est tout.

Ou vous ne vous en sortez pas.

J'ai changé, pensait confusément Larry. Je m'en suis sorti, moi aussi.

– Je m'appelle Nadine Cross, dit la femme. Et voici Joe. Je suis ravie de faire votre connaissance.

– Larry Underwood.

Ils se serrèrent la main en souriant timidement, conscients de l'absurdité de la situation.

– Revenons à la route, dit Nadine.

Ils s'éloignèrent. Quelques pas plus loin, Larry regarda derrière lui. Joe était toujours à genoux, suçant son pouce, perdu dans son rêve.

– Il va venir, dit-elle d'une voix tranquille.

– Vous êtes sûre ?

– Oui.

Elle trébucha en montant sur l'accotement de gravier et Larry la retint par le bras. Elle le regarda, reconnaissante.

– On pourrait s'asseoir ? dit-elle.

– Bien sûr.

Ils s'assirent donc sur la chaussée, face à face. Quelque temps plus tard, Joe se leva et se traîna vers eux, les yeux fixés sur ses pieds nus. Il s'assit un peu à l'écart. Larry le regarda, inquiet.

– Vous me suiviez, tous les deux.

– Vous saviez ? Je m'en doutais.

– Depuis combien de temps ?

– Depuis deux jours maintenant. Nous étions dans cette grande maison, à Epsom.

Larry ne se souvenait pas.

– Près du ruisseau. Vous vous êtes endormi près du mur de pierre.

Cette fois, il se souvenait.

– Et hier soir, vous êtes venus me regarder pendant que je dormais sous la véranda. Peut-être pour voir si j'avais des cornes ou une grande queue rouge.

– C'était Joe. Je suis allée le chercher quand j'ai vu qu'il n'était plus là. Comment le savez-vous ?

– Vous avez laissé des traces sur l'herbe.

Elle le regardait fixement, l'examinait. Larry ne put détourner son regard.

– Je ne veux pas que vous soyez fâché contre nous, dit-elle. C'est sans doute un peu ridicule de vous dire ça, quand Joe vient juste d'essayer de vous tuer. Mais Joe n'est pas responsable.

– C'est son vrai nom ?

– Non, c'est comme ça que je l'appelle.

– On dirait un sauvage dans un film du *National Geographic.*

– Oui, c'est un peu ça. Je l'ai trouvé sur une pelouse, devant une maison – sa maison peut-être, à Rockway – il s'était fait mordre. Par un rat sans doute. Il ne sait pas parler. Il grogne. Jusqu'à présent, j'avais réussi à l'empêcher de faire des bêtises. Mais je... je suis fatiguée, vous voyez... et...

Elle haussa les épaules. La boue séchait sur son chemisier, dessinant ce qui aurait pu passer pour des idéogrammes chinois.

– Au début, je l'habillais. Mais il enlevait tous ses vêtements, sauf son slip. Finalement, j'ai laissé tomber. Les moustiques ne semblent pas le déranger. Je voudrais que vous nous laissiez venir avec vous, dit-elle après un instant d'hésitation. Dans les circonstances, autant parler franchement.

Larry se demanda ce qu'elle penserait s'il lui parlait de la dernière femme qui avait voulu venir avec lui. Mais il ne lui en parlerait pas ; cet épisode de sa vie était enterré bien profondément maintenant, même si la femme en question ne l'était pas. Il n'avait pas plus envie de parler de Rita qu'un assassin ne souhaite prononcer le nom de sa victime devant la famille en deuil.

– Je ne sais pas où je vais, répondit-il. J'arrive de New York, par le chemin des écoliers. Mon idée était de trouver une jolie maison sur la côte et de rester là bien tranquille jusqu'au mois d'octobre à peu près. Mais plus le temps passe, plus j'ai envie de voir d'autres gens. Plus le temps passe, plus je me sens seul.

Il savait qu'il s'exprimait maladroitement, mais il avait l'impression d'être incapable de faire mieux sans parler de Rita ou de ses cauchemars à propos de l'homme noir.

– J'ai souvent eu très peur, reprit-il prudemment, à cause de la solitude. Un peu paranoïaque. Comme si des Indiens allaient me tomber sur le dos pour me scalper.

– Si j'ai bien compris, ce n'est plus tellement une maison que vous cherchez, mais des gens.

– Oui, peut-être.

– Vous nous avez trouvés. C'est un début.

– J'ai plutôt l'impression que c'est vous qui m'avez trouvé. Et ce garçon me fait peur, Nadine. Je ne vais pas tourner autour du pot. Il n'a plus son couteau, mais le monde est rempli de couteaux qui attendent qu'on les ramasse.

– Oui.

– Je ne voudrais pas vous donner l'impression d'être un salaud...

Il se tut, espérant qu'elle achèverait sa phrase. Mais elle ne dit rien. Elle le regardait de ses grands yeux noirs.

– Vous pourriez le laisser ?

Voilà, il avait craché le morceau, et il avait vraiment l'air d'un salaud maintenant... Mais était-ce bien juste, pour elle et pour lui, de se compliquer la vie en s'encombrant d'un psychopathe de dix ans ? Il lui avait dit qu'il ne voulait pas qu'elle le prenne pour un salaud. Mais le mal était fait, sans doute. Le monde était devenu bien cruel.

Joe le fixait de ses yeux perçants, couleur de mer.

– Non, je ne pourrais pas, répondit calmement Nadine. Je comprends le danger et je comprends qu'il est surtout dangereux pour vous. Il est jaloux. Il a peur que vous deveniez plus important pour moi que lui. Il pourrait essayer... essayer de recommencer, à moins que vous ne deveniez son ami, ou que vous réussissiez à le convaincre que vous n'avez pas l'intention de...

Elle n'acheva pas sa phrase.

– Mais si je le laisse, reprit-elle, c'est comme si on le tuait. Et je ne veux pas être complice. Il y a eu trop de morts déjà.

– S'il me coupe la gorge en pleine nuit, vous serez complice.

Elle baissa la tête.

D'une voix si basse qu'elle seule pouvait l'entendre (il ne savait pas si Joe qui les observait comprenait ce qu'ils disaient), Larry lui dit :

– Il l'aurait sans doute fait hier soir si vous n'étiez pas venue le chercher. Je me trompe ?

– Ce sont des choses qui peuvent arriver, répondit-elle doucement.

Larry éclata de rire.

– Je veux venir avec vous, Larry, mais je ne peux pas laisser Joe. C'est à vous de décider.

– Vous ne me rendez pas la vie facile.

– La vie n'est pas facile ces temps-ci.

Il réfléchissait. Joe s'assit au bord de la route, les observant de ses yeux couleur de mer. Derrière eux, la vraie mer frappait sans relâche les rochers, grondait dans les couloirs secrets qu'elle avait creusés dans la pierre.

– D'accord, dit-il enfin. Je pense que vous prenez des risques, mais... c'est d'accord.

– Merci. Je serai responsable de ses actes.

– Ce qui ne m'aidera pas beaucoup s'il me tue.

– Je m'en voudrais toute ma vie...

Et Nadine eut tout à coup la certitude qu'elle se repentirait un jour pas trop lointain de toutes ses belles idées sur le caractère sacré de la vie humaine, une certitude qui la frappa comme une bourrasque glacée. Elle frissonna. Non, se dit-elle. Je ne tuerai pas. Pas ça. Jamais.

Ils campèrent sur le sable blanc de la plage publique de Wells. Larry fit un grand feu un peu plus haut que les varechs abandonnés par la dernière marée haute. Joe s'assit en face de lui et de Nadine, occupé à jeter de petits bâtons dans les flammes. De temps en temps, il prenait un bout de bois un peu plus gros et le laissait dans le feu jusqu'à ce qu'il s'enflamme comme une torche. Puis il courait à toute allure sur le sable, brandissant son bout de bois comme une bougie d'anniversaire. Ils le voyaient tant qu'il restait dans le cercle de lumière que jetait le feu, puis ils n'apercevaient plus que le mouvement de sa torche, la flamme rabattue par le vent de sa course folle. La brise s'était levée et il faisait plus frais que les jours précédents. Larry se souvint vaguement de l'averse qui était tombée l'après-midi où il avait trouvé sa mère en train de mourir, juste avant que l'épidémie ne frappe New York de plein fouet, comme un train emballé. Il se souvenait de l'orage, des rideaux blancs qui flottaient dans l'appartement. Il frissonna un peu et le vent souleva une gerbe d'étincelles qui montèrent dans le ciel noir constellé d'étoiles. Elles montaient en tournoyant, toujours plus haut, puis s'éteignaient. Il pensa à l'automne, encore lointain, mais pas autant que ce jour de juin, quand il avait découvert sa mère couchée par terre, en plein délire. Il frissonna encore. Très loin, la torche de Joe bondissait sur la plage. Et cette petite lumière vacillante dans l'immensité de la nuit silencieuse le fit se sentir seul. Il avait froid. Les vagues déferlaient sur les rochers.

– Vous savez jouer ?

Il sursauta en entendant sa voix et regarda l'étui de la guitare couché à côté d'eux sur le sable. Il l'avait trouvée dans la salle de musique de la grande maison où ils étaient entrés pour dîner, appuyée contre un piano Steinway. Il avait rempli son sac de boîtes de conserve et s'était emparé de la guitare sans réfléchir, sans même ouvrir l'étui pour la regarder – dans une maison comme celle-là, c'était probablement un bel instrument. Il n'avait plus joué depuis cette horrible nuit, à Malibu, six semaines plus tôt. Dans une autre vie.

– Oui, je joue.

Et il découvrit qu'il avait *envie* de jouer, pas pour elle, mais simplement pour se changer les idées. Et quand on fait un feu de camp sur une plage, il faut bien quelqu'un pour jouer de la guitare, non ?

– Voyons un peu ça, dit-il en ouvrant l'étui.

Il s'attendait à trouver un bel instrument, mais il eut une bonne surprise : c'était une Gibson à douze cordes, un magnifique instrument. Les incrustations de la touche, en vraie nacre, reflétaient les éclairs rougeâtres du feu, comme des prismes de lumière.

– Elle est belle, dit Nadine.

– Oui, vraiment belle.

Il fit sonner les cordes à vide et il aima aussitôt le son, même si l'instrument était légèrement désaccordé. C'était un son plus rond, plus riche que celui d'une guitare à six cordes. Un son rempli d'harmoniques, mais net et brillant. C'était ce qu'il y avait de bien avec les guitares à cordes d'acier, un son net et brillant. Et les cordes étaient des Black Diamonds, gainées de bronze. Elles donnaient un son franc, un peu raide quand on changeait de corde – *zing !* Il sourit en pensant à Barry Grieg qui se moquait tellement des cordes d'acier. Pauvre Barry, lui qui voulait devenir un Steve Miller.

– Qu'est-ce qui vous fait sourire ?

– Je pense au bon vieux temps, comme on dit.

Il s'accorda en pensant à Barry, à Johnny McCall, à Wayne Stukey. Il était sur le point de terminer quand elle lui donna une tape sur l'épaule. Il leva les yeux.

Joe était debout à côté du feu, sa torche éteinte à la main. Et il le fixait de ses yeux étranges, fasciné, bouche bée.

Doucement, si doucement que Larry crut un instant l'avoir imaginé, Nadine commença à réciter :

– La musique a le don...

Larry commença à jouer un air facile, un vieux blues qu'il avait appris quand il était adolescent. Disque Elektra. Koerner, Ray et Glover dans la version originale, pensa-t-il. Quand il crut l'avoir retrouvé, il se mit à jouer plus librement, puis chanta... il serait toujours meilleur chanteur que guitariste.

Et tu me vois venir, baby, arriver de si loin
Je ferai de ta nuit, baby, un jour plein de soleil
Car je suis là, baby
Si loin, loin de chez moi.
Mais déjà tu m entends venir, baby
Aux coups frappés sur mon échine de chat noir.

Le gosse souriait, médusé, comme s'il venait de découvrir un merveilleux secret. Larry se dit qu'il ressemblait à quelqu'un qui souffre d'une démangeaison insupportable entre les omoplates, depuis des jours et des jours, et qui trouve finalement quelqu'un qui sait le gratter au bon endroit. Il fouilla dans les archives poussiéreuses de sa mémoire, cherchant le deuxième couplet. Il le trouva.

Je sais des choses, baby, que les autres ne savent pas
Ils ne savent pas les chiffres, baby, ne savent pas les
[*médecines*
Mais moi je sais, baby, moi si loin de chez moi
Et tu sais que tu m'entendras, baby
Aux coups de fouet sur le chat noir.

L'enfant souriait toujours et ses yeux s'étaient allumés d'une lueur étrange, une lueur, pensa Larry, tout à fait de nature à faire écarter les cuisses des adolescentes. Il chercha une transition et s'en tira finalement pas trop mal. Ses doigts faisaient bien sonner la guitare : un son franc, net, un peu clinquant, comme des bijoux de pacotille, probablement volés, ceux qu'on vous vend dans un pochon de papier au coin d'une rue. Une petite démonstration de virtuosité, puis il battit prudemment en retraite, avant de tout bousiller, retomba sur ce bon vieil accord de *mi* sur trois doigts. Il ne se souvenait pas du dernier couplet, quelque chose à propos d'une voie de chemin de fer, si bien qu'il reprit le premier couplet.

Quand le silence retomba, Nadine applaudit en éclatant de rire. Joe jeta son bâton et se mit à sauter sur le sable en hurlant de joie. Larry n'en revenait pas et jugea plus prudent de ne pas se faire trop d'illusions. À quoi bon courir après les déceptions ?

La musique a le don de charmer la bête sauvage.

Et il se demandait, sur la défensive malgré lui, s'il était possible que ce soit aussi simple. Joe lui faisait de grands gestes.

– Il veut que vous continuiez à jouer. Vous voulez bien ? C'était formidable. Je me sens mieux. Beaucoup mieux.

Il joua donc *Going Downtown*, de Geoff Muldaur, *Sally's Fresno Blues*, une de ses compositions ; puis *The Springhill Mine Disaster* et *That's All Right, Mamma* d'Arthur Crudup. Retour aux bons vieux classiques du rock – *Milk Blues, Jim Dandy, Twenty Flight Rock* (en jouant de son mieux le boogie-woogie du chorus, même s'il commençait à avoir vraiment mal aux doigts), et finalement un air qu'il avait toujours beaucoup aimé, *Endless Sleep* de Jody Reynolds.

– Je n'ai plus envie de jouer, dit-il à Joe qui était resté immobile pendant tout le récital. J'ai trop mal aux doigts.

Il lui montra ses doigts, marqués par les cordes, et ses ongles écaillés.

L'enfant tendit alors les mains.

Larry hésita un instant, puis donna la guitare à l'enfant.

– Tu sais, il faut beaucoup de temps pour apprendre à jouer.

Mais ce fut le miracle, la chose la plus étonnante que Larry ait entendue de toute sa vie. Le garçon joua *Jim Dandy* pratiquement sans une seule faute, en poussant de curieux cris au lieu de chanter les paroles, comme si sa langue était collée à son palais. Pourtant, il était parfaitement clair qu'il n'avait jamais joué de la guitare ; il ne frappait pas suffisamment fort les cordes pour qu'elles sonnent bien et ses changements d'accords manquaient de netteté. Le son était étouffé, fantomatique, comme si Joe jouait avec une guitare remplie de coton – mais à part cela, c'était la copie conforme du jeu de Larry.

Quand il eut fini, Joe regarda ses doigts avec curiosité, comme s'il essayait de comprendre comment ils pouvaient jouer la musique de Larry, mais pas avec la même netteté.

Et Larry s'entendit dire, comme si sa voix venait de loin :

– Tu n'appuies pas assez fort, c'est tout. Il faut te durcir le bout des doigts. Et travailler les muscles de ta main gauche.

Joe le regardait attentivement, mais Larry ne savait pas s'il comprenait vraiment. Il se tourna vers Nadine.

– Vous saviez qu'il jouait ?

– Non. Je suis aussi surprise que vous. C'est un enfant prodige, non ?

Larry hocha la tête. Et l'enfant continua avec *That's All Right, Mamma* à nouveau en reproduisant pratiquement toutes les nuances du jeu de Larry. Mais les cordes sonnaient parfois comme du bois, comme si les doigts de Joe les empêchaient de vibrer.

– Je vais te montrer, dit Larry en tendant la main pour prendre la guitare.

Aussitôt, Joe se recula, les yeux mi-clos, la guitare serrée contre lui. Larry eut l'impression qu'il pensait à son couteau, jeté dans la mer.

– D'accord, dit Larry. Elle est à toi. Quand tu voudras une leçon, tu me le diras.

Le garçon poussa un cri de chouette et s'enfuit à toutes jambes sur la plage, la guitare levée au-dessus de sa tête, comme une offrande.

– Il va sûrement la casser, dit Larry.

– Non, répondit Nadine, je ne crois pas.

Larry se réveilla en pleine nuit. Appuyé sur le coude, il aperçut Nadine, vague silhouette féminine emmitouflée dans trois couvertures, tout près du feu éteint. Joe était couché entre Larry et la femme, lui aussi chaudement couvert. Mais Larry pouvait voir sa tête. L'enfant suçait son pouce. Il était couché en chien de fusil, serrant entre ses cuisses la Gibson à douze cordes. De sa main libre, il tenait le manche de la guitare. Larry le regardait, fasciné. Il avait pris le couteau de l'enfant, l'avait lancé ; le gosse avait adopté la guitare. Très bien. Qu'il la garde. Difficile de poignarder quelqu'un avec une guitare. Quoiqu'une guitare puisse parfaitement servir d'instrument contondant. Et il se rendormit.

Quand il se réveilla le lendemain matin, Joe était assis sur un rocher, la guitare serrée contre lui, ses pieds nus dans l'écume. Et il jouait *Sally's Fresno Blues*. Il avait fait des progrès. Nadine se réveilla vingt minutes plus tard et lui lança un sourire radieux. Larry se rendit compte qu'elle était très séduisante. Et une chanson lui revint à l'esprit, un air de Chuck Berry . *Nadine, honey is that you ?*

– Voyons un peu ce que nous avons pour le petit déjeuner, dit-il à haute voix.

Il fit un feu et ils s'assirent autour tous les trois, encore engourdis par le froid du petit matin. Nadine prépara des flocons d'avoine avec du lait en poudre et ils se firent du thé très fort dans une boîte de conserve, comme des clochards. Joe mangea sans lâcher la Gibson. Et, par deux fois, Larry se surprit à sourire à l'enfant, à se dire qu'on ne pouvait pas ne pas aimer quelqu'un qui aimait tant la guitare.

Ils repartirent à bicyclette sur la nationale 1, en direction du sud. Joe roulait en plein sur la ligne blanche et les distançait parfois d'un bon kilomètre. Une fois, quand ils le rattrapèrent, il marchait tranquillement à côté de sa bicyclette, au bord de la route, et mangeait des mûres à sa façon – il lançait une mûre en l'air, puis la gobait au vol. Une heure plus tard, ils le trouvèrent assis sur une borne, en train de jouer *Jim Dandy*.

Un peu avant onze heures, ils tombèrent sur un curieux barrage à l'entrée d'une petite ville appelée

Ogunquit. Trois bennes à ordures orange vif barraient la route. Le cadavre mangé par les corbeaux de ce qui avait été autrefois un homme était affalé dans l'une des bennes. Le soleil qui tapait très fort depuis dix jours avait fait son travail. Le cadavre grouillait d'asticots. Nadine se retourna, dégoûtée.

– Où est Joe ?

– Je ne sais pas. Un peu plus loin sans doute.

– J'espère qu'il n'a pas vu ça. Vous croyez qu'il l'a vu ?

– Probablement, répondit Larry.

Depuis quelque temps déjà, Larry pensait que la nationale 1, une route importante, était étrangement déserte depuis qu'ils étaient sortis de Wells. À peine s'ils avaient vu une vingtaine de voitures en cours de route. Maintenant, il en comprenait la raison : on avait barré la route. Il devait y avoir des centaines, peut-être des milliers de voitures pare-chocs contre pare-chocs de l'autre côté de la ville. Il comprenait ce que Nadine sentait pour Joe. Lui aussi aurait préféré lui épargner ce spectacle.

– Pourquoi ont-ils barré la route ? Lui demanda-t-elle. Pourquoi faire ça ?

– Ils ont dû vouloir isoler leur ville. Je suppose que nous trouverons un autre barrage à la sortie.

– Est-ce qu'il y a d'autres cadavres ?

Larry posa sa bicyclette sur sa béquille et jeta un coup d'œil.

– Trois.

– Bon. Je préfère ne pas regarder.

Le barrage franchi, ils remontèrent sur leurs bicyclettes. La route s'était rapprochée de la mer et il faisait plus frais. Les villas se suivaient, collées les unes contre les autres en longues rangées sordides. Des gens venaient passer leurs vacances là-dedans ? se demanda Larry. Pourquoi ne pas s'installer à Harlem et dire aux enfants d'aller faire trempette sous la bouche d'incendie ?

– Pas très joli, dit Nadine.

De part et d'autre de la route, c'était maintenant la

quintessence de la station balnéaire populaire et minable : stations-service, stands de frites, marchands de frites, marchands de glaces, motels peints dans des couleurs pastel à donner la nausée, golf miniature.

Larry se sentait étrangement partagé. D'un côté, il n'en pouvait plus de cette tristesse et de cette laideur, de la laideur de ces esprits qui avaient transformé cette côte sauvage en un interminable parc d'attractions pour ces familles idiotes. Mais plus subtilement, plus profondément aussi, quelque chose dans ce qu'il voyait lui parlait de ces gens qui avaient sillonné cette route, qui s'étaient pressés dans ces endroits. Des dames en chapeaux de paille et en shorts trop serrés pour leurs grosses fesses. Des adolescents en polos. Des jeunes filles en robes de plage et en sandales de cuir. Des petits enfants qui hurlaient, le visage barbouillé de glace. C'était ça l'Amérique des masses, touchante et un peu sale – que vous la retrouviez dans un chalet de ski à Aspen ou dans ses rites prosaïques de l'été, le long de la nationale 1, dans le Maine. Mais, maintenant, l'Amérique n'existait plus. Une branche, arrachée par un orage, avait renversé l'énorme enseigne de plastique Dairy Queen qui se dressait au milieu de l'immense terrain de stationnement où les vacanciers se bousculaient autrefois pour prendre une glace. L'herbe du golf miniature commençait à être haute. Ce tronçon de route, entre Portland et Portsmouth, avait été autrefois un parc d'attractions de cent kilomètres de long. Et maintenant, on avait l'impression d'une immense fête foraine subitement désertée, comme par un coup de baguette magique.

– Pas très joli, non, répondit Larry, mais c'était notre vie, Nadine. Notre vie, même si nous n'y avions jamais été. Maintenant, tout ça est fini.

– Pas pour toujours, dit-elle doucement.

Il regarda son visage pur, serein.

– Je ne suis pas religieuse, mais si je l'étais, je dirais que ce qui est arrivé est le châtiment de Dieu.

Dans cent ans, peut-être dans deux cents, la vie recommencera.

– Ces camions seront toujours là dans deux cents ans.

– Oui, mais pas la route. Les camions seront en pleine forêt. Il y aura de la mousse et du lierre à la place des pneus. Et les archéologues viendront fouiller ces étranges vestiges.

– Je crois que vous vous trompez.

– Comment ça ?

– Parce que nous cherchons d'autres gens, répondit Larry. Pourquoi pensez-vous que nous les cherchons ?

Elle le regarda, un peu troublée.

– Eh bien... parce que c'est ce qu'il faut faire. Les gens ont *besoin* des gens. Vous ne croyez pas ? Vous vous souvenez, quand vous étiez seul ?

– Oui. Quand nous sommes seuls, nous devenons fous de solitude et, quand nous sommes ensemble, nous construisons des kilomètres et des kilomètres de villas, et nous nous tuons les uns les autres le samedi soir dans les bars.

Il éclata de rire, un rire froid et triste qui resta longtemps suspendu dans l'air vide.

– Il n'y a pas de réponse, reprit-il. Pas de solution. Allez... Joe est sans doute très loin maintenant.

Larry repartit. Elle resta un moment, le pied à terre, le regardant s'éloigner. Puis elle le rattrapa. Non, il ne pouvait pas avoir raison. C'était *impossible.* Si cette monstruosité avait pu se produire sans aucune raison, alors rien n'avait plus aucun sens. Pourquoi vivaient-ils encore ?

Joe n'avait pas pris tellement d'avance. Il était assis sur le pare-chocs arrière d'une Ford bleue, devant l'entrée d'un garage. Il feuilletait une revue cochonne qu'il avait trouvée quelque part et Larry constata avec un peu de gêne que le môme avait une érection. Il lança un coup d'œil à Nadine, mais elle regardait ailleurs – exprès peut-être.

– Tu viens ! demanda Larry lorsqu'ils arrivèrent devant le garage.

Joe posa la revue et, au lieu de se lever, poussa un cri guttural en montrant quelque chose en l'air. Le cœur battant, Larry leva les yeux au ciel, croyant que l'enfant avait vu un avion. Mais Nadine avait compris et elle criait, la voix tremblant d'excitation :

– Pas le ciel, la grange ! Sur la grange ! Merci, Joe ! Sans toi, nous ne l'aurions pas vu !

Elle s'avança vers Joe, le prit dans ses bras, le serra très fort. Larry se tourna vers la grange où des lettres blanches se découpaient nettement sur le toit de vieux bardeaux :

PARTIS À STOVINGTON, VERMONT
CENTRE MALADIES INFECTIEUSES

Puis un itinéraire, et la fin du message:

DÉPART D'OGUNQUIT 2 JUILLET 1990
HAROLD EMERY LAUDER
FRANCES GOLDSMITH

– Merde, il devait avoir le cul dans le vide quand il a peint la dernière ligne ! lança Larry.

– Le centre de recherches épidémiologiques ! dit Nadine comme si elle ne l'avait pas entendu. J'aurais dû y penser ! J'avais justement lu un article dans le supplément du dimanche, il n'y a pas trois mois ! Ils sont là-bas !

– S'ils sont toujours vivants.

– Toujours vivants ? Naturellement qu'ils sont vivants. L'épidémie était terminée le 2 juillet. Et s'ils ont pu grimper sur ce toit, ils n'étaient sûrement pas malades.

– Oui, le peintre est un drôle d'acrobate. Et dire que je viens de traverser le Vermont.

– Stovington, c'est pas mal au nord de la route 9, dit Nadine d'un air absent. Mais ils doivent être encore là-bas. Le 2 juillet, ça fait deux semaines maintenant. Vous croyez qu'il pourrait y en avoir d'autres dans ce centre, Larry ? Moi, je pense que oui. Ces types-là savent tout sur les quarantaines, les combinaisons stériles et tout le reste. Ils cherchaient certainement un remède, vous ne croyez pas ?

– Je n'en sais rien.

– Mais si, c'est évident, dit-elle d'une voix impatiente.

Larry ne l'avait jamais vue aussi excitée, pas même quand Joe avait fait son étonnante démonstration à la guitare.

– Je parierais que Harold et Frances ont trouvé des *dizaines* de gens, peut-être des centaines. On y va tout de suite. La route la plus rapide...

– Attendez une minute, dit Larry en la prenant par l'épaule.

– Mais qu'est-ce que vous voulez dire, attendre ? Enfin, est-ce que vous comprenez...

– Je comprends que ce message nous attend depuis quinze jours, et qu'il peut attendre encore un peu plus longtemps. Déjeunons d'abord. Et Joe le guitariste dort debout.

Elle jeta un coup d'œil derrière elle. Joe avait repris sa revue, mais il dodelinait de la tête et ses yeux cernés se fermaient à demi.

– Vous m'avez dit qu'il venait d'avoir une infection, dit Larry. Et vous avez fait un bon bout de chemin avec... avec un compagnon un peu difficile.

– Vous avez raison... je n'y pensais pas.

– Un bon repas, une bonne sieste, et il sera en pleine forme.

– Naturellement. Joe, je suis désolée, je n'avais pas réfléchi.

Joe poussa un grognement endormi.

Larry sentit une petite boule monter dans sa gorge. Ce qu'il devait dire n'était pas facile, mais il fallait le dire. Sinon, Nadine y penserait tôt ou tard... et puis, il était peut-être temps de savoir si lui avait changé autant qu'il le croyait.

– Nadine, vous savez conduire ?

– Conduire ? Si j'ai mon permis ? Oui, mais avec

toutes ces voitures sur la route, ce n'est sans doute pas très pratique.

– Je ne pensais pas à une voiture.

Et l'image de Rita assise derrière le mystérieux homme noir (sans doute la représentation symbolique de la mort dans son esprit, pensa-t-il) surgit tout à coup devant ses yeux, tous les deux pâles, fonçant sur lui à califourchon sur une monstrueuse Harley, comme de furieux cavaliers de l'Apocalypse. Il sentit sa bouche devenir toute sèche et ses tempes se mirent à tambouriner mais, quand il reprit sa phrase, sa voix était calme. Si elle s'était cassée, Nadine ne s'en était pas aperçue. Étrangement, ce fut Joe qui lui lança un regard endormi, comme s'il avait senti quelque chose.

– Je pensais à la moto. Nous irions plus vite, ce serait moins fatigant, et on pourrait contourner... contourner les obstacles. Comme nous avons contourné le barrage tout à l'heure.

– Bonne idée. Je n'ai jamais conduit de moto, mais vous pourriez me montrer.

Larry n'était pas trop rassuré. *Je n'ai jamais conduit de moto.*

– Sans doute, répondit-il. Mais je ne vais pas pouvoir vous apprendre grand-chose, si ce n'est à conduire très doucement au début. Très doucement. La moto – même une petite cylindrée – ne pardonne pas les erreurs. Et on ne trouvera pas de médecin si vous vous cassez la fgure.

– Alors, c'est ce qu'on va faire. On... Larry, vous aviez une moto ? Certainement, pour être venu si vite de New York.

– Je l'ai flanquée dans un fossé, répondit-il d'une voix neutre. J'avais peur de rouler tout seul.

– Vous n'êtes plus tout seul. Écoute, Joe ! On s'en va au Vermont ! On va voir d'autres gens ! Tu es content ?

Joe bâilla.

Nadine dit qu'elle était trop énervée pour dormir, mais qu'elle s'allongerait à côté de Joe jusqu'à ce qu'il s'endorme. Larry partit à Ogunquit à bicyclette, à la recherche d'un concessionnaire de motos. Il n'y en avait pas, mais il crut se rappeler qu'il en avait vu un à la sortie de Wells. Il revint pour prévenir Nadine et les trouva tous les deux endormis à l'ombre de la Ford bleue, là où Joe feuilletait sa revue tout à l'heure.

Il s'allongea un peu plus loin, mais ne put s'endormir. Finalement, il traversa la route et se dirigea vers la grange où était peint le message en se frayant un chemin à travers l'herbe qui lui montait jusqu'aux genoux. Des milliers de sauterelles bondissaient autour de lui. *Je suis leur fléau. Je suis leur homme noir*, pensa Larry.

Près de la porte de la grange, il découvrit deux canettes vides de Pepsi et un reste de sandwich. En temps normal, les mouettes auraient dévoré le pain depuis belle lurette, mais les temps avaient changé, et les mouettes s'étaient certainement habituées à une nourriture plus riche. De la pointe du pied, il toucha la croûte de pain, puis l'une des canettes.

Envoyez-moi ça au labo, sergent Briggs. Je pense que notre assassin a finalement commis une erreur.

À vos ordres, inspecteur Underwood. Scotland Yard a eu une sacrée bonne idée de vous envoyer par ici.

Allons, sergent, je ne fais que mon travail.

Larry entra dans la grange – un froufrou d'ailes d'hirondelles l'accueillit. Il faisait noir, il faisait chaud. Le foin sentait bon. Notez cela, je vous prie, sergent.

À vos ordres, inspecteur Underwood.

Par terre, un papier de bonbon. Il le ramassa. Non, le papier avait autrefois enveloppé une barre de chocolat Payday. Le peintre n'avait peut-être pas la trouille, mais il n'avait aucun goût. Quiconque pouvait aimer le chocolat Payday avait certainement pris un bon coup de soleil sur la tête.

Un escalier montait au grenier. Déjà trempé de

sueur, sans savoir au juste ce qu'il faisait, Larry monta. Au centre du grenier (il marchait lentement, regardant autour de lui pour voir s'il y avait des rats), une échelle menait jusqu'au toit. Les barreaux étaient tachés de peinture blanche.

Il me semble que nous venons de trouver un autre indice, sergent.

Inspecteur, vous m'étonnez – votre puissance de déduction n'a d'égale que l'extraordinaire puissance de votre organe reproducteur.

Je vous en prie, sergent.

Il monta sur le toit. Il y faisait extrêmement chaud. Larry se dit que, si Frances et Harold y avaient laissé leur pot de peinture, la grange aurait fait un magnifique feu de joie une semaine plus tôt. La vue était magnifique. La campagne s'étendait tout autour de lui, à des kilomètres à la ronde.

Ce côté du toit était orienté à l'est et Larry se trouvait suffisamment haut pour que les stations-service et les snack-bars qui bordaient la route, si monstrueusement laids vus du plancher des vaches, paraissent maintenant insignifiants, comme quelques papiers gras au bord d'une route. Derrière la nationale, splendide, l'océan. Les longues vagues se cassaient en deux sur la jetée qui s'avançait très loin en mer, du côté nord du port. Un paysage de carte postale – été resplendissant, verts et ors, légère brume dans le lointain, odeur d'iode et de sel. Et en regardant à ses pieds, le message de Harold, à l'envers.

L'idée de ramper sur ce toit, si haut au-dessus du sol, lui donna mal au cœur. Et le type avait certainement dû laisser pendre ses jambes dans le vide pour écrire le nom de la fille.

Pourquoi a-t-il pris cette peine, sergent ? Voilà, me semble-t-il, l'une des questions que nous devons résoudre.

Vous avez certainement raison, inspecteur Underwood.

Larry redescendit lentement l'échelle. Ce n'était pas le moment de se casser la jambe. En bas, quelque chose attira son regard, quelque chose que l'on avait gravé sur l'une des poutres, des lignes blanches qui se distinguaient nettement dans l'obscurité de la grange. Il s'approcha de la poutre, passa le doigt sur les lignes, étonné qu'un autre être humain ait pu faire ce dessin le jour où Rita et lui étaient partis en direction du nord. Une fois encore, il suivit les lettres avec son ongle.

Un cœur percé.

Je crois bien, sergent, que notre homme était amoureux.

– Tant mieux pour toi, Harold, dit Larry en sortant de la grange.

À la manière dont les motos étaient alignées chez le concessionnaire Honda de Wells, Larry comprit qu'il en manquait deux. Mais il fut encore plus fier de sa deuxième trouvaille – un papier froissé, par terre. Chocolat Payday. Quelqu'un – probablement Harold Lauder, l'homme au cœur percé – bouffait donc du chocolat en choisissant les motos qui allaient faire son bonheur et celui de sa bien-aimée. Il avait ensuite fait une boule avec le papier du chocolat, avait voulu la lancer dans une corbeille, avait manqué son coup.

Nadine ne semblait pas aussi emballée que lui par ces déductions. Elle contemplait les motos, impatiente de partir. Assis dehors, Joe jouait de la guitare en poussant ses petits cris de chouette.

– Écoutez, dit Larry, il est déjà cinq heures, Nadine. Impossible de partir avant demain.

– Mais il reste encore trois heures de jour ! On ne

va pas rester là sans rien faire ! On risque de ne pas les retrouver.

– Harold Lauder nous a laissé son itinéraire. S'ils repartent, Harold fera sans doute la même chose.

– Mais...

– Je sais que vous avez envie de partir, dit-il en la prenant par les épaules, sentant son impatience d'autrefois le regagner. Mais vous n'avez jamais fait de moto.

– Je sais faire de la bicyclette et je sais me servir d'un embrayage. Je vous en prie. Si nous ne perdons pas de temps, nous serons ce soir dans le New Hampshire et nous aurons fait la moitié du chemin demain soir. Nous...

– Mais ce n'est pas une bicyclette, nom de Dieu ! explosa Larry.

La guitare s'arrêta net. Joe les regardait par-dessus son épaule, les yeux plissés.

Merde, pensa Larry, j'ai vraiment le don de me faire des amis. Et sa colère monta d'un cran.

– Vous me faites mal, dit tranquillement Nadine.

Il vit que ses doigts s'enfonçaient dans ses épaules. La honte.

– Je suis désolé.

Joe le regardait toujours et Larry comprit qu'il venait de perdre la moitié du terrain qu'il avait pu gagner avec l'enfant. Peut-être plus. Nadine venait de dire quelque chose.

– Quoi ?

– Je disais : expliquez-moi en quoi c'est différent d'une bicyclette.

Il eut envie de lui crier : *Si vous êtes si maligne, allez-y donc. On va bien voir si vous aimez regarder le paysage à l'envers.* Mais il se maîtrisa. Ce n'était pas simplement avec le môme qu'il venait de perdre du terrain. Avec lui aussi. Il s'en était peut-être sorti, mais le côté enfantin du vieux Larry le tiraillait encore, lui marchait sur les talons comme une ombre qui disparaît presque à midi, mais pas tout à fait.

– Une moto, c'est très lourd. Beaucoup plus difficile de se redresser qu'en bicyclette. Une 360, ça pèse cent soixante kilos. On s'habitue très vite, mais il faut quand même s'habituer. Dans une voiture, on change les vitesses avec la main et on accélère avec le pied. Sur une moto, c'est le contraire : on change les vitesses avec le pied, on met les gaz avec la main, et ça, c'est vraiment difficile de s'y habituer. Il y a deux freins au lieu d'un seul. Le pied droit pour la roue arrière, la main droite pour la roue avant. Si vous oubliez et si vous utilisez uniquement le frein avant, vous risquez de passer par-dessus le guidon. Et il faudra aussi vous habituer à votre passager.

– Joe ? Mais je croyais qu'il monterait derrière vous !

– Je voudrais bien. Mais, pour le moment, j'ai l'impression qu'il ne serait pas d'accord.

Inquiète, Nadine lança un long regard à Joe.

– Vous avez raison. Je ne suis même pas très sûre qu'il veuille venir avec moi. Il a sans doute peur.

– Vous allez être responsable de lui. Et je suis responsable de vous deux. Je ne veux pas que vous vous cassiez la figure.

– C'est ça qui vous est arrivé, Larry ? Vous étiez avec quelqu'un ?

– Oui. Je me suis cassé la gueule. Mais quand c'est arrivé, elle était déjà morte.

– Elle a eu un accident ?

– Non. Ou plutôt oui, soixante-dix pour cent accident, trente pour cent suicide. Ce qu'elle voulait de moi... amitié, compréhension, aide, je ne sais pas... en tout cas, je ne lui en donnais pas assez.

Il sentit sa gorge se serrer. Ses tempes battaient furieusement. Il n'allait pas tarder à pleurer.

– Elle s'appelait Rita, Rita Blakemoor. J'aimerais faire un peu mieux cette fois-ci, c'est tout. Pour vous et pour Joe.

– Larry, pourquoi ne pas en avoir parlé plus tôt ?

– Parce que ça fait mal. Ça fait très mal.

C'était la vérité, mais pas toute la vérité. Il y avait aussi les cauchemars. Il s'était déjà demandé si Nadine faisait des cauchemars – quand il s'était réveillé la nuit dernière, elle se retournait dans son sommeil en marmonnant quelque chose. Mais elle ne lui en avait pas parlé. Et Joe. Est-ce que Joe avait des cauchemars ? En tout cas, lui, l'intrépide inspecteur Underwood de Scotland Yard, il avait peur de ses rêves... Et si Nadine se cassait la figure, les mauvais rêves allaient sûrement revenir.

– Bon, on part demain, dit-elle. Ce soir, vous m'apprenez à faire rouler ce truc.

Mais d'abord, il fallait faire le plein des deux petites motos que Larry avait choisies. Il y avait bien une pompe chez le concessionnaire, mais c'était une pompe électrique. Et sans électricité... Il trouva un autre papier de chocolat à côté de la trappe qui donnait accès au réservoir souterrain. Il en déduisit qu'elle avait récemment été forcée par l'ingénieux Harold Lauder. Amoureux transi ou pas, amateur ou non de chocolat Payday, Larry commençait à éprouver beaucoup de respect pour ce Harold, commençait presque à l'aimer. Il s'en était fait une image. Probablement dans les trente-cinq ans, fermier peut-être, grand, mince, bronzé, pas trop fort sur les livres, mais plein de ressources. Il sourit. S'imaginer quelqu'un, c'était complètement idiot, il le savait bien. La réalité était toujours différente. Comme les disc-jockeys à la voix fluette qui pèsent toujours dans les cent trente kilos.

Tandis que Nadine préparait le dîner, Larry fit le tour du bâtiment pour voir ce qu'il y avait derrière. Une cour. Et dans la cour, une grande boîte à ordures. Appuyé contre la boîte, un levier de fer, et à côté, un tuyau de caoutchouc.

Nous y revoilà, Harold ! Regardez-moi ça, sergent Briggs. Notre homme a siphonné de l'essence dans le réservoir. Je m'étonne qu'il n'ait pas emporté ce tuyau avec lui.

Il a sans doute coupé un bout et c'est tout ce qui reste, inspecteur Underwood... je vous demande pardon, mais le reste du tuyau est là, dans la boîte à ordures.

Mon Dieu, sergent, vous avez raison. Si vous continuez, vous aurez droit à une promotion.

Larry prit le levier et le tuyau, puis revint à la trappe.

– Joe, tu peux me donner un coup de main ?

L'enfant était en train de manger des crackers et du fromage. Il lança un regard méfiant à Larry.

– Vas-y, tout va bien, lui dit Nadine d'une voix calme.

Joe s'approcha en traînant les pieds. Larry glissa le levier dans la fente de la trappe.

– Pèse dessus tant que tu peux pour voir si on peut l'ouvrir.

Un instant, il crut que le garçon ne l'avait pas compris, ou qu'il ne voulait pas le comprendre. Puis l'enfant prit l'extrémité du levier et pesa dessus. Ses bras étaient minces mais musclés, des muscles fins et nerveux. La trappe bougea un peu, mais pas suffisamment pour que Larry puisse glisser les doigts dessous.

– Vas-y encore.

Les yeux à moitié sauvages de l'enfant l'étudièrent un moment, puis Joe se percha en équilibre sur le levier, les pieds en l'air, pesant de tout son poids. La plaque se souleva un peu plus, et Larry réussit à y passer les doigts. Tandis qu'il cherchait une prise, l'idée lui traversa l'esprit que si ce garçon ne l'aimait toujours pas, le meilleur moyen pour le lui montrer serait maintenant. Si Joe lâchait le levier, la plaque retomberait d'un seul coup et il ne lui resterait plus que deux misérables pouces. Nadine l'avait compris, elle aussi. Elle s'était retournée, inquiète. Elle regardait Larry à genoux, et Joe qui regardait Larry en pesant sur la barre. Les yeux couleur de mer de l'enfant étaient insondables. Et Larry ne trouvait toujours pas de bonne prise.

– Besoin d'aide ? demanda Nadine.

Sa voix normalement calme avait grimpé d'un ton.

Larry cligna les yeux pour chasser une goutte de sueur qui avait coulé dans son œil. Toujours pas de prise. Il sentait l'odeur de l'essence.

– On va y arriver, répondit Larry en la regardant dans les yeux.

Un moment plus tard, ses doigts trouvèrent une petite gorge sous la plaque. Il poussa de toutes ses forces. La trappe bascula et retomba bruyamment sur l'asphalte. Il entendit Nadine soupirer et le levier tomber par terre. La sueur lui brouillait les yeux. Il se retourna vers l'enfant.

– Bien joué, Joe. Si tu avais laissé le truc retomber, j'aurais passé le reste de ma vie à me boutonner la braguette avec les dents. Merci !

Il n'attendait pas de réponse (sauf peut-être un grognement indistinct, tandis que Joe retournerait regarder les motos), mais Joe lui dit d'une voix rouillée, hésitante :

– Pas... problème.

Larry lança un coup d'œil à Nadine qui regardait Joe, surprise, heureuse. Et pourtant, on aurait cru – il n'aurait pu dire comment – qu'elle s'y attendait un peu. Une expression qu'il lui avait déjà vue, mais il ne savait plus quand.

– Joe, est-ce que tu as dit « pas de problème » ? demanda Larry.

Joe hocha vigoureusement la tête.

– Pas... problème. Pas... problème.

Nadine courait vers l'enfant, les bras tendus.

– C'est bien, Joe. Très, très bien.

Joe se précipita vers elle et se blottit un instant dans ses bras. Puis il se replongea dans la contemplation des motos, poussant ses petits cris de chouette.

– Il peut parler, dit Larry.

– Je savais bien qu'il n'était pas muet. C'est formidable. Je crois qu'il avait besoin de nous deux. Nous deux. Il... oh, je ne sais plus.

Il vit qu'elle rougissait et crut comprendre pourquoi. Il glissa le tuyau de caoutchouc dans le trou de la trappe et, tout à coup, comprit que son geste pouvait prêter à diverses interprétations (ou plutôt, à une seule, si vous aviez l'esprit mal tourné). Il releva les yeux. Elle détourna aussitôt la tête, mais il eut le temps de voir qu'elle le regardait faire attentivement. Il eut le temps de voir que ses joues étaient toutes rouges.

Cette vieille peur le reprenait.

– Nom de Dieu, *attention,* Nadine !

Elle ne pensait qu'aux poignées et ne regardait pas où elle allait. La Honda filait droit sur un pin, à moins de dix kilomètres à l'heure. En fait, pas tout droit, mais en zigzaguant follement.

Elle leva la tête.

– *Oh !* dit-elle, très étonnée.

Puis elle fit une embardée et tomba par terre. La Honda cala.

Il courut vers elle, bouleversé.

– Ça va ? Tu t'es...

Elle se relevait déjà, regardait ses mains égratignées.

– Oui, ça va. Je suis idiote. Je ne regardais pas où j'allais. J'ai abîmé la moto ?

– On s'en fout de la moto, montre-moi tes mains.

Elle tendit les mains et il sortit un petit flacon de mercurochrome qu'il gardait dans la poche de son pantalon.

– On dirait que vous tremblez, dit-elle.

– On s'en fout. Écoute, on ferait peut-être mieux de continuer en bécane. C'est dangereux...

– Mais respirer aussi. Et je crois que Joe devrait monter avec vous, au moins au début.

– Il ne va pas...

– Je pense que si. Et vous aussi.

– Alors, c'est assez pour ce soir. Il fait trop noir maintenant.

– Encore un essai. J'ai lu quelque part que, si vous tombez de votre cheval, il faut remonter aussitôt.

Joe s'approchait en mangeant des mûres qu'il prenait dans un casque de moto. Il avait trouvé une haie de mûriers sauvages derrière le garage et s'était occupé à cueillir un plein casque de mûres pendant que Nadine prenait sa première leçon.

– C'est ce qu'on dit, répondit Larry. Mais regarde où tu vas, d'accord ?

– À vos ordres.

Elle lui fit le salut militaire, puis un large sourire illumina tout son visage. Larry lui rendit son sourire ; pas le choix. Quand Nadine souriait, même Joe devait l'imiter.

Elle fit deux fois le tour du terrain de stationnement du concessionnaire, puis sortit en prenant son virage trop court. Larry crut qu'elle allait tomber. Mais elle posa le pied par terre, comme il le lui avait montré, et quelques secondes plus tard elle disparaissait derrière la colline. Il la vit passer la seconde, puis l'entendit passer la troisième. Et le ronron de la moto s'éteignit peu à peu. Inquiet, il attendait dans la pénombre, chassant distraitement les moustiques qui venaient le taquiner.

Joe revenait, la bouche toute bleue.

– Pas... problème, dit-il avec un grand sourire.

Larry se força à sourire lui aussi. Si elle ne revenait pas bientôt, il allait partir à sa recherche. Il l'imaginait dans le fossé, la colonne vertébrale en miettes.

Il était sur le point de prendre l'autre moto, se demandant encore si Joe devait l'accompagner, quand il entendit un bourdonnement qui bientôt devint le bruit d'un moteur de Honda, un moteur qui tournait parfaitement rond en quatrième. Il se détendit... un peu. Car il venait de comprendre qu'il serait toujours un peu nerveux tant qu'elle serait à cheval sur cette chose.

Elle revenait, phares allumés, et s'arrêta à côté de lui.

– Pas trop mal, hein ?

– J'allais te chercher. J'ai cru que tu avais eu un accident.

– Presque. J'ai pris un virage trop lentement et j'ai oublié de débrayer. Le moteur a calé.

– C'est assez pour ce soir, non ?
– D'accord. J'ai mal au coccyx.

Couché sous ses couvertures, il se demandait si elle allait venir quand Joe serait endormi, ou s'il devait aller la rejoindre. Il avait envie d'elle et, à la manière dont elle avait regardé cette absurde petite pantomime avec le tuyau de caoutchouc, un peu plus tôt, il croyait qu'elle avait envie de lui. Finalement, il réussit à s'endormir.

Il rêva qu'il était perdu au milieu d'un champ de maïs. Mais il y avait de la musique, de la musique de guitare. Joe jouait de la guitare. S'il retrouvait Joe, tout irait bien. Il suivait donc le son, traversant un rang de maïs après l'autre, et il débouchait finalement dans une clairière à moitié en friche. Il y avait une petite maison au milieu de la clairière, une cabane plutôt, avec une véranda perchée sur de vieux vérins rouillés. Ce n'était pas Joe qui jouait de la guitare, comment aurait-ce pu être lui ? Joe lui tenait la main gauche, et Nadine la droite. Ils étaient avec lui. C'était une vieille femme qui jouait de la guitare, une sorte de spiritual qui faisait sourire Joe. La vieille femme était noire et elle était assise sous la véranda. Larry se disait qu'elle était sans doute la plus vieille femme qu'il eût jamais vue. Mais il y avait quelque chose en elle qui le faisait se sentir bien... bien comme il s'était senti un jour, quand sa mère l'avait soudain pris dans ses bras, et lui avait dit : *Le gentil petit garçon, le gentil, gentil petit garçon d'Alice Underwood.*

Ensuite, la vieille femme s'arrêtait de jouer pour les regarder.

Eh ben, voilà que j'ai de la compagnie. Sortez d'où vous êtes, que je vous voie un peu. Je ne vois plus très clair avec mes pauvres mirettes.

Ils s'approchaient en se tenant par la main et Joe poussait une balançoire en passant, en fait un vieux pneu suspendu au bout d'une corde. L'ombre du pneu basculait lentement d'avant en arrière sur l'herbe de la petite clairière, îlot perdu au milieu d'une mer de maïs. Au nord, une route de terre disparaissait à l'horizon.

Tu aimerais jouer avec ma vieille guitare ? demandait-elle à Joe. Et Joe se précipitait aussitôt pour prendre la vieille guitare qu'elle tenait dans ses mains noueuses. Il se mettait à jouer l'air qui les avait guidés à travers le champ de maïs, mais mieux et plus vite que la vieille femme.

Mon Dieu, il joue bien. Moi, je suis trop vieille. Mes doigts ne veulent plus aller assez vite. C'est le rhumatisme. Mais en 1902 j'ai joué à la salle des fêtes. Première négresse à jouer là-bas, la toute première.

Nadine lui demandait qui elle était. Ils se trouvaient dans une sorte de lieu perdu où le soleil semblait immobile, une heure avant la tombée de la nuit, un endroit où l'ombre de la balançoire que Joe avait poussée continuerait à tout jamais de glisser sur l'herbe de la clairière. Larry aurait voulu y rester toujours, lui et sa famille. C'était un endroit où on se sentait bien. L'homme sans visage ne l'y trouverait jamais, ni Joe, ni Nadine.

On m'appelle Mère Abigaël. Je suis la plus vieille femme de l'est du Nebraska, je crois bien, et je fais encore moi-même mes crêpes. Revenez me voir bien vite. Il faut partir avant qu'il entende parler de nous.

Un nuage passait devant le soleil. La balançoire ne bougeait presque plus. Joe s'arrêtait de jouer en faisant claquer les cordes de la guitare et Larry sentait les poils de sa nuque se hérisser. La vieille femme ne paraissait pas s'en apercevoir.

Avant qu'il entende parler de nous ? demandait Nadine, et Larry aurait voulu pouvoir parler, lui crier de ravaler sa question avant qu'elle ne puisse s'échapper, lui faire du mal.

L'homme noir. Le serviteur du démon. Il est derrière les montagnes Rocheuses, grâce à Dieu. Mais elles ne vont pas l'arrêter. C'est pourquoi nous devons nous serrer les coudes. Au Colorado. Dieu est venu me visiter en songe et m'a montré où. Mais il faut faire vite, aussi vite que nous pouvons. Revenez me voir. D'autres viendront aussi.

Non, disait Nadine d'une voix glacée, craintive. *Nous allons dans le Vermont, c'est tout. Seulement dans le Vermont – un tout petit voyage.*

Votre voyage sera plus long que le nôtre si vous ne combattez pas sa puissance, répondait la vieille femme dans le rêve de Larry. Elle regardait Nadine avec une profonde tristesse. *Et toi, ma fille, c'est un brave homme que tu as là avec toi. Il veut devenir quelqu'un. Pourquoi ne pas te coller à lui au lieu de l'utiliser ?*

Non ! Nous allons dans le Vermont, dans le VERMONT *!*

La vieille femme regardait Nadine, remplie de pitié. *Tu iras tout droit en enfer si tu ne fais pas attention, fille d'Ève. Et quand tu vas te trouver là-bas, tu vas voir que l'enfer est bien froid.*

Et le rêve se perdit dans quelque profonde fissure obscure. Mais quelque chose dans cette obscurité épiait Larry. Quelque chose de froid, d'impitoyable, quelque chose dont il verrait bientôt les dents acérées.

Mais, avant qu'il ne puisse les voir, il était réveillé. Le soleil s'était levé depuis une demi-heure et le monde était enveloppé dans un épais brouillard blanc qui se dissiperait lorsque le soleil serait un peu plus haut dans le ciel. Le garage Honda émergeait de ce brouillard comme la proue d'un étrange navire de béton.

Quelqu'un était couché à côté de lui, et Larry vit que ce n'était pas Nadine, venue le rejoindre pendant la nuit, mais Joe. L'enfant était allongé à côté de lui, le pouce enfoncé dans la bouche, frissonnant dans son sommeil, comme si le cauchemar de Larry s'était emparé de lui. Et Larry se demanda si le rêve de Joe était si différent du sien... Il se recoucha, les yeux perdus dans le brouillard blanc, attendant que les autres se réveillent une heure plus tard.

Ils prirent leur petit déjeuner et firent leurs bagages. Le brouillard s'était suffisamment dissipé pour qu'ils puissent reprendre leur route. Comme Nadine l'avait dit, Joe ne fit pas d'histoires pour monter derrière Larry ; en fait, il s'installa sur la moto de Larry sans même qu'on le lui demande.

– Doucement, disait Larry pour la quatrième fois. Nous ne sommes pas pressés. Pas la peine d'avoir un accident.

– D'accord, répondit Nadine. J'ai l'impression de partir à la recherche d'un trésor !

Elle lui sourit, mais Larry fut incapable de lui répondre. Rita Blakemoor lui avait dit quelque chose de très semblable lorsqu'ils avaient quitté New York. Deux jours avant sa mort.

Ils s'arrêtèrent pour déjeuner à Epsom. Au menu, jambon en boîte et jus d'orange. Ils s'étaient installés sous l'arbre où Larry s'était endormi, quand Joe s'était approché avec son couteau. Larry fut soulagé de constater que la route n'était pas aussi difficile qu'il l'aurait cru ; la plupart du temps, ils avançaient bon train. Dans les villages, il suffisait de longer le trottoir à basse vitesse. Nadine faisait bien attention à ralentir dans les virages et, même en ligne droite, elle n'insista pas pour qu'ils dépassent cinquante kilomètres à l'heure. S'il continuait à faire beau, ils devraient arriver à Stovington le 19.

Ils s'arrêtèrent pour dîner à l'ouest de Concord. En consultant la carte, Nadine vit qu'ils pourraient gagner du temps en prenant directement au nord-ouest, par l'autoroute 89.

– Mais il risque d'y avoir beaucoup de voitures sur l'autoroute, dit Larry.

– On pourra sûrement les éviter et utiliser la voie d'urgence si c'est nécessaire. Le pire qui puisse nous arriver, c'est de devoir faire demi-tour pour prendre une route secondaire.

Et c'est ce qu'ils firent pendant deux heures ce soir-là. Mais juste après Warner, l'autoroute était complètement obstruée en direction du nord. Une caravane s'était mise en travers de la route ; le conducteur et sa femme, morts depuis des semaines, gisaient comme des sacs de pommes de terre sur la banquette avant de leur Electra.

En s'y mettant tous les trois, ils réussirent à faire passer les motos par-dessus la barre d'attelage de la caravane. Mais ils étaient trop fatigués pour continuer. Cette nuit-là, Larry ne se demanda pas s'il devait aller rejoindre Nadine qui avait installé ses couvertures à trois mètres de lui (l'enfant était couché entre eux deux). Terrassé par la fatigue, il s'endormit aussitôt.

Dans l'après-midi du lendemain, ils tombèrent sur un autre barrage qu'ils ne purent contourner cette fois. Une semi-remorque s'était retournée et une demi-douzaine de voitures étaient venues s'entasser les unes sur les autres derrière elle. Heureusement, ils n'avaient dépassé la sortie d'Enfield que depuis trois kilomètres. Ils rebroussèrent donc chemin, prirent la sortie puis, fatigués et un peu découragés, s'arrêtèrent dans le parc municipal d'Enfield pour se reposer une vingtaine de minutes.

– Qu'est-ce que tu faisais avant, Nadine ? demanda Larry.

Il n'avait cessé de penser à l'expression qu'il avait vue dans ses yeux lorsque Joe s'était enfin mis à parler (le garçon avait depuis ajouté à son vocabulaire courant « Larry, Nadine, merci » et « Aller pipi »).

– Tu n'étais pas institutrice, par hasard ?

Elle le regarda, très surprise.

– Si, tu as deviné.

– Les petites classes ?

– Exactement. Douzième et onzième.

Ce qui expliquait pourquoi elle n'aurait jamais voulu abandonner Joe. Dans son esprit, ce garçon avait l'âge mental d'un enfant de sept ans.

– Comment as-tu deviné ?

– J'ai connu une orthophoniste, il y a longtemps, à

Long Island. Ça peut sembler bizarre, mais c'est vrai. Elle s'occupait d'enfants qui avaient des difficultés à parler, becs-de-lièvre, malformations du palais, les sourds aussi. Elle m'avait expliqué qu'il s'agissait en fait de montrer aux enfants un autre moyen de prononcer les sons comme il faut. Leur montrer, prononcer le mot. Leur montrer, prononcer le mot. Encore et encore, jusqu'à ce que le déclic se fasse. Et, quand elle parlait de ce déclic, elle avait cette expression que tu as eue lorsque Joe a dit : « Pas problème. »

– Ah bon ? J'aimais beaucoup m'occuper des petits. Certains étaient bien esquintés, mais rien n'est définitivement perdu à cet âge. Les petits sont les seuls qui valent la peine.

– Un peu romantique, tu ne trouves pas ?

Elle haussa les épaules.

– Les enfants sont tous bons. Et, quand on s'occupe d'eux, il faut bien être romantique. Ce n'est pas si terrible après tout. Ton amie aimait son travail ?

– Oui, beaucoup. Tu étais mariée ? Avant ?

Et il était là de nouveau, ce petit mot omniprésent : *avant*. Deux syllabes seulement, mais deux syllabes qui voulaient tout dire maintenant.

– Mariée ? Non. Je ne me suis jamais mariée, répondit-elle d'une voix nerveuse. Je suis le type même de l'institutrice, vieille fille, plus jeune que j'en ai l'air, mais plus vieille que je ne voudrais. Trente-sept ans.

Les yeux de Larry s'étaient involontairement posés sur les cheveux de Nadine. Elle hocha la tête, comme s'il avait parlé à haute voix.

– Je sais. J'ai déjà des cheveux blancs. Ma grand-mère avait les cheveux complètement blancs à quarante ans. Je pense en avoir pour encore cinq ans à peu près.

– Où enseignais-tu ?

– Dans une école privée, à Pittsfield. Des marmots de bonne famille. Lierre sur les murs, terrain de jeu superbe. La récession ? Connais pas. Les autres ? Connais pas. Les voitures n'étaient pas mal non plus : deux Thunderbird, trois Mercedes, deux Lincoln, une Chrysler Imperial.

– Tu devais être très bonne dans ton travail.

– Je pense que oui. Mais ça n'a plus d'importance.

Il lui passa un bras autour des épaules. Elle sursauta et il la sentit se raidir. Son épaule était chaude.

– Ne fais pas ça.

– Tu ne veux pas ?

– Non.

Il retira son bras, étonné. Elle avait envie de lui, c'était ça. Il sentait son désir, discret mais parfaitement perceptible. Elle était très rouge maintenant et regardait fixement ses mains qui s'agitaient sur ses genoux, comme deux araignées blessées. Elle avait les yeux brillants, comme si elle était au bord des larmes.

– Nadine...

(chérie, c'est toi ?)

Elle leva les yeux et il vit qu'elle s'était reprise. Elle allait parler quand Joe s'approcha d'eux, l'étui de la guitare à la main. Ils le regardèrent d'un air coupable, comme s'il les avait surpris dans une position passablement plus embarrassante.

– Dame ! dit Joe d'un ton détaché.

– Quoi ? demanda Larry qui n'avait pas compris.

– Dame ! répéta Joe en montrant quelque chose derrière lui.

Larry et Nadine se regardaient.

Tout à coup, ils entendirent une quatrième voix, aiguë, tremblante d'émotion.

– Dieu soit loué ! criait la voix. Oh, Dieu soit loué !

Ils se levèrent et virent une femme qui s'approchait d'eux en courant.

– Comme je suis contente de vous voir ! Comme je suis contente de vous voir ! Dieu soit loué !

Elle vacilla sur ses jambes, prise d'un étourdissement, et elle serait peut-être tombée si Larry ne l'avait pas rattrapée par le bras. Elle devait avoir dans les vingt-cinq ans. Elle était habillée d'un blue-jeans et d'un chemisier de coton blanc. Son visage était pâle, ses yeux fixes. Elle regardait Larry comme si elle essayait de se convaincre que ce n'était pas une hallucination qu'elle avait devant elle, mais trois personnes, trois êtres vivants.

– Je m'appelle Larry Underwood. Voici Nadine Cross. Le garçon s'appelle Joe. Nous sommes très contents de vous voir.

La femme continua à le regarder sans dire un mot, puis s'avança lentement vers Nadine.

– Je suis si heureuse... si heureuse, dit-elle en bégayant un peu. Oh, mon Dieu, je ne rêve pas ?

– Non, répondit Nadine.

La femme prit Nadine dans ses bras et éclata en sanglots. Joe était debout dans la rue, à côté d'un camion, l'étui de la guitare dans une main, le pouce dans la bouche. Puis il s'avança vers Larry et le regarda dans les yeux. Larry lui prit la main. Et ils restèrent tous les deux à contempler les deux femmes. C'est ainsi qu'ils firent la connaissance de Lucy Swann.

Dès qu'elle sut où ils allaient, qu'ils pensaient retrouver au moins deux autres personnes, peut-être plus, elle voulut absolument partir avec eux. Larry lui dénicha un petit sac à dos et Nadine l'accompagna chez elle, à la sortie de la ville, pour l'aider à faire ses bagages... quelques vêtements de rechange, des sous-vêtements, une paire de chaussures, un imper. Et des photos de son mari et de sa fille.

Ils passèrent la nuit à Quechee, dans le Vermont. Lucy Swann leur raconta son histoire, courte et simple, pas tellement différente de celles qu'ils allaient entendre plus tard. Une histoire poignante et tragique, qui l'avait poussée au bord de la folie.

Son mari était tombé malade le 25 juin et sa fille le lendemain. Elle s'était occupée d'eux de son mieux, persuadée que son tour ne tarderait pas à venir. Le 27, quand son mari était tombé dans le coma, Enfield était pratiquement coupé du monde. Les émissions de télévision étaient devenues sporadiques et très bizarres. Les gens mouraient comme des mouches. La semaine précédente, il y avait eu des mouvements de troupes tout à fait extraordinaires sur l'autoroute, mais personne ne s'était occupé du petit village d'Enfield. Le 28 juin au matin, son mari était mort. Sa fille semblait aller un peu mieux le 29, mais le soir son état s'était aggravé. Elle était morte vers onze heures. Le 3 juillet, tous les habitants d'Enfield étaient morts, sauf elle et un vieil homme du nom de Bill Dadds. Bill avait été malade, mais on aurait dit qu'il s'en était tiré tout seul. Puis, le matin du 4, elle l'avait trouvé mort sur la grand-rue, affreusement gonflé, tout noir, comme les autres.

– Alors, j'ai enterré ma famille, et puis Bill, dit-elle en s'asseyant devant le feu qui crépitait. Il m'a fallu toute la journée, mais ils reposent en paix. Ensuite, j'ai pensé m'en aller à Concord, où mon père et ma mère habitent. Mais... finalement je suis restée ici. Est-ce que j'ai eu tort ? Est-ce que vous croyez qu'ils pourraient être vivants ?

– Non, répondit Larry. L'immunité n'est certainement pas héréditaire, en tout cas pas directement. Ma mère...

Il s'arrêta et regarda les flammes.

– Wess et moi, nous avons dû nous marier, dit Lucy. Je venais de terminer mes études. C'était l'été, en 1984. Mon père et ma mère ne voulaient pas que je me marie avec lui. Ils voulaient que je parte pour avoir mon bébé, et puis que je l'abandonne. Mais je n'ai pas voulu. Ma mère disait que tout ça finirait par un divorce. Mon père disait que Wess était un minable et qu'il ne ferait jamais rien de bon. Alors, je lui ai dit : « Peut-être, mais on verra. » Je voulais tenter ma chance. Vous comprenez ?

– Oui, répondit Nadine.

Assise à côté de Lucy, elle la regardait avec une immense compassion.

– Nous avions une jolie petite maison, et je n'aurais jamais pensé que tout finirait comme ça, dit Lucy en étouffant un sanglot. Nous étions bien tous les trois. En fait, c'est Marcy qui a fait du bien à Wess, plus que moi. Il ne pensait qu'au bébé. Il croyait...

– Il ne faut plus y penser, dit Nadine. Tout ça, c'était avant.

Ce mot encore, pensa Larry. Ce petit mot de deux syllabes.

– Oui. C'est fini maintenant. Et je pense que j'aurais pu m'en tirer. Je m'en tirais en tout cas, jusqu'à ce que je commence à avoir ces cauchemars.

Larry releva brusquement la tête.

– Des cauchemars ?

Nadine regardait Joe. Un moment plus tôt, le garçon somnolait devant le feu. Mais, maintenant, il regardait Lucy avec des yeux brillants.

– Oui, des cauchemars, reprit Lucy. Pas toujours les mêmes. La plupart du temps, un homme qui me poursuit, et je ne parviens jamais à voir exactement à quoi il ressemble, parce qu'il est emmitouflé dans... comment appelle-t-on ça... dans une cape, dans un grand manteau. Et il reste toujours dans l'ombre, ajouta-t-elle en frissonnant. J'ai tellement peur de m'endormir maintenant. Mais peut-être que...

– Homme noir ! cria tout à coup Joe, d'une voix tellement stridente que les autres sursautèrent. Homme noir ! Rêve pas bon ! Rêve mauvais ! Après moi ! Après moi ! Fais peur !

Il avait bondi sur ses pieds et tendait les bras devant lui, les doigts recourbés comme des griffes. Puis il se colla contre Nadine, regardant avec méfiance dans la nuit, autour de lui.

Il y eut un instant de silence.

– C'est complètement dingue, dit Larry.

Ils le regardaient tous. Subitement, l'obscurité parut s'épaissir. Lucy avait l'air effrayée.

Larry fit un effort pour continuer.

– Lucy, est-ce que vous rêvez à... un endroit, dans le Nebraska ?

– J'ai rêvé une fois à une vieille Noire, mais mon rêve n'a pas duré très longtemps. Elle disait quelque chose comme « Revenez me voir », je crois. Et puis je me suis retrouvée à Enfield et ce... ce type épouvantable me poursuivait. Ensuite, je me suis réveillée.

Larry la regarda si longtemps qu'elle rougit et baissa les yeux. Puis il se tourna vers Joe.

– Joe, est-ce que tu rêves à... du maïs ? À une vieille dame ? Une guitare ?

Blotti contre Nadine, Joe le regardait sans répondre.

– Laisse-le tranquille. Tu vas lui faire peur, dit Nadine, mais c'était elle qui avait l'air d'avoir peur.

– Une maison, Joe ? Une petite maison avec une véranda ?

Il crut voir un éclair dans les yeux de Joe.

– Arrête, Larry ! lança Nadine.

– Une balançoire ? Une balançoire avec un vieux pneu ?

Joe s'échappa des bras de Nadine. Il sortit son pouce de sa bouche. Nadine voulut le retenir, mais Joe lui échappa.

– La balançoire ! criait Joe. La balançoire ! La balançoire ! Elle ! Vous ! Beaucoup de monde !

– Beaucoup ? demanda Larry, mais Joe ne l'écoutait plus.

Lucy Swann était stupéfaite.

– La balançoire, dit-elle. Je m'en souviens, moi aussi. Est-ce que nous faisons tous le même rêve ? demanda-t-elle en regardant Larry. Quelqu'un joue avec nous ?

– Je ne sais pas. Est-ce que tu rêves, toi aussi ? demanda Larry en regardant Nadine.

– Je ne rêve pas, répondit-elle sèchement en détournant les yeux.

Tu mens. Mais pourquoi ?

– Nadine, si tu...

– Je t'ai dit que *je ne rêve pas* ! hurla Nadine, presque hystérique. Tu ne peux pas me laisser tranquille ? Tu ne peux pas me ficher la paix ?

Elle se leva et s'éloigna précipitamment.

Lucy hésita un moment, puis se leva elle aussi.

– Je vais aller la chercher.

– Oui, c'est une bonne idée. Joe, tu restes avec moi, d'accord ?

– D'accord, répondit Joe en ouvrant l'étui de la guitare.

Dix minutes plus tard, Nadine était de retour avec Lucy. Larry vit qu'elles avaient toutes les deux pleuré.

– Je suis désolée, dit Nadine à Larry. Je suis encore très nerveuse. Il ne faut pas m'en vouloir.

– Ne t'en fais pas.

Ils parlèrent d'autre chose. Puis ils s'assirent et écoutèrent Joe dans son répertoire. Il faisait d'immenses progrès et des fragments de paroles commençaient à sortir, entre deux grognements.

Finalement, ils s'endormirent, Larry d'un côté, Nadine de l'autre, Joe et Lucy entre les deux.

Larry rêva d'abord de l'homme noir sur son promontoire, puis de la vieille femme sous sa véranda. Mais, cette fois-ci, il eut la certitude que l'homme noir venait, qu'il traversait le maïs, qu'il fauchait les hautes tiges sur son passage, une horrible grimace comme soudée sur le visage, et il se rapprochait, de plus en plus près.

Larry se réveilla en pleine nuit, hors d'haleine, une horrible angoisse au creux de la poitrine. Les autres dormaient à poings fermés. Cette fois, il savait. Dans son rêve, l'homme noir n'arrivait pas les mains vides. Dans ses bras, comme une offrande tandis qu'il traversait le maïs, il tenait le cadavre en décomposition de Rita Blakemoor, raide, gonflé, dévoré par les marmottes et les belettes. Accusation muette qu'il allait jeter à ses pieds, pour proclamer sa culpabilité devant les autres, pour leur dire qu'il n'était qu'un sale type, perdant, un profiteur.

Il se rendormit finalement et, jusqu'à ce qu'il se réveille le lendemain matin, à sept heures, engourdi, transi de froid, affamé, tenaillé par une forte envie d'uriner, il dormit d'un sommeil sans rêves.

– Mon Dieu, dit Nadine d'une voix blanche.

Larry la regarda et vit en elle une déception trop profonde pour lui arracher des larmes. Son visage était pâle, ses yeux comme à moitié cachés derrière une sorte de voile. Il était sept heures et quart, le 19 juillet, et leurs ombres commençaient à s'allonger derrière eux. Ils avaient roulé toute la journée en ne faisant que de courtes haltes de cinq minutes, sauf pour le déjeuner qu'ils avaient pris à Randolph, en une demi-heure. Personne ne s'était plaint. Mais, après six heures de moto, Larry avait mal partout, comme si des aiguilles le transperçaient de part en part.

Ils étaient alignés maintenant devant une grille de fer forgé. Plus bas, derrière eux, s'étendait la petite ville de Stovington, pas tellement différente de celle qu'avait connue Stu Redman. Derrière la grille et la pelouse, autrefois parfaitement tenue, mais maintenant un peu hirsute, jonchée de brindilles et de feuilles emportées par le vent des orages, se trouvaient les bâtiments du centre, deux étages en surface, beaucoup d'autres en sous-sol, pensa Larry.

L'endroit était désert, silencieux, vide. Au centre de la pelouse se dressait un panneau :

CENTRE FÉDÉRAL DE RECHERCHES ÉPIDÉMIOLOGIQUES

LES VISITEURS DOIVENT SE PRÉSENTER À L'ENTRÉE PRINCIPALE

À côté, une deuxième pancarte, et c'était celle-là qu'ils lisaient.

ROUTE 7 VERS RUTLAND
ROUTE 4 VERS SCHUYLERVILLE
ROUTE 29 VERS A-87
A-87 SUD VERS A-90
A-90 OUEST

PAS DE SURVIVANTS ICI
PARTONS VERS L'OUEST
NEBRASKA
SUIVEZ NOTRE ROUTE
LAISSERONS INDICATIONS
HAROLD EMERY LAUDER
FRANCES GOLDSMITH
STUART REDMAN
GLENDON PEQUOD BATEMAN
8 JUILLET 1990

– Mon vieux Harold, murmura Larry, j'ai drôlement envie de te serrer la main et de te payer une bière... ou une barre de chocolat Payday.
– Larry ! cria Lucy.
Nadine s'était évanouie.

45

À onze heures moins vingt, le matin du 20 juillet, elle sortit en trottinant sur sa véranda avec sa tasse de café et sa tartine de pain grillé, comme elle le faisait chaque fois que le thermomètre Coca-Cola posé sur l'appui de la fenêtre marquait plus de dix degrés. C'était un bel été, le plus bel été dont mère Abigaël pouvait se souvenir depuis 1955, l'année où sa mère était morte au bel âge de quatre-vingt-treize ans. Dommage qu'il n'y ait personne avec elle pour en profiter, pensa-t-elle en s'asseyant avec précaution dans son fauteuil à bascule. Mais les autres auraient-ils vraiment apprécié une si belle journée ? Certains, sans doute ; les amoureux et les vieillards dont les os se souviennent si bien de la morsure mortelle de l'hiver. Mais la plupart des jeunes et des vieux avaient disparu. Et la plupart des autres aussi. Dieu avait durement châtié la race humaine.

D'autres auraient sûrement contesté ce terrible jugement, mais pas mère Abigaël. Il l'avait fait une fois par l'eau, et Il le ferait un jour par le feu. Elle n'avait pas à juger des actes de Dieu, bien qu'elle eût préféré qu'Il ne place pas la coupe devant ses lèvres. Mais quand il s'agissait du *jugement* elle se contentait de la réponse que Dieu avait donnée à Moïse devant le buisson ardent quand Moïse avait cru bon de lui poser la question. Qui êtes-*vous* ? demande Moïse, et Dieu lui répond tout tranquillement du buisson : Je *suis* qui *JE SUIS*. Autrement dit, Moïse, arrête de tourner autour de ce buisson et remue un peu ton vieux derrière.

Elle poussa un petit rire chevrotant, pencha la tête et trempa sa tartine dans son café pour bien la ramollir. Il y avait seize ans qu'elle avait dit adieu à sa dernière dent. Elle était sortie sans une dent du sein de sa mère et c'est sans une dent qu'elle irait dans sa tombe. Molly, son arrière-petite-fille, et son mari lui avaient donné un dentier à la fête des mères, un an plus tard, l'année de ses quatre-vingt-treize ans. Mais il lui faisait mal aux gencives et elle ne le mettait plus que lorsqu'elle savait que Molly et Jim allaient venir la voir. Elle le sortait alors de sa boîte, dans le tiroir de la commode, le rinçait soigneusement et le mettait dans sa bouche. Et si elle avait le temps, avant que Molly et Jim n'arrivent, elle se faisait des grimaces dans le miroir constellé de chiures de mouches de la cuisine, grognait en montrant toutes ses grosses fausses dents blanches, éclatait de rire en se voyant. Elle avait l'impression de ressembler à un gros alligator tout noir.

Elle était vieille, elle n'avait plus beaucoup de force, mais elle avait conservé toute sa tête. Abigaël Freemantle, c'était son nom, était née en 1882. L'acte de naissance était là pour le prouver. Ah oui, elle en avait vu des choses depuis qu'elle était sur terre, mais rien de pareil à ce qui s'était passé depuis un mois à peu près. Non, elle n'avait jamais vu rien de pareil. Et son heure était venue maintenant, l'heure de faire quelque chose. L'idée ne lui plaisait pas du tout. Elle était vieille. Elle voulait se reposer, jouir du passage des saisons jusqu'à ce que Dieu se fatigue de la voir trottiner toute la sainte journée et décide de la rappeler dans sa maison de gloire. Mais à quoi bon discuter avec Dieu ? Il vous répondait simplement *Je suis qui JE SUIS*, point final. Quand Son propre Fils l'avait supplié d'écarter cette coupe de Ses lèvres, Dieu n'avait même pas répondu... alors, elle... une pécheresse comme les autres, voilà ce qu'elle était, et la nuit, quand le vent se levait et soufflait à travers le maïs, elle avait peur de penser que Dieu avait regardé ce petit bébé qui sortait d'entre les cuisses de sa mère au début de 1882 et qu'Il S'était dit : *Je vais la laisser là un bon petit bout de temps. Elle a du travail à faire en 1990, un joli petit tas de feuilles de calendrier que ça va faire.*

Son temps ici, à Hemingford Home, touchait à sa fin et sa dernière saison de travail l'attendait à l'ouest, près des montagnes Rocheuses. Il avait dit à Moïse de gravir la montagne et à Noé de construire son arche ; Il avait envoyé Son propre Fils se faire crucifier sur l'Arbre de douleur. Alors, qu'est-ce que ça pouvait bien Lui faire si Abby Freemantle avait affreusement peur de l'homme sans visage, de celui qui hantait ses rêves ?

Elle ne l'avait jamais vu ; mais elle n'avait pas besoin de le voir. C'était une ombre qui traversait le maïs à l'heure de midi, une poche d'air froid, un corbeau perché sur le fil du téléphone. Sa voix l'appelait dans tous les sons qui l'avaient toujours terrifiée – tout bas, c'était le tic d'une vrillette (la petite bestiole qu'on appelait aussi l'horloge de la mort) sous l'escalier, qui lui disait qu'un être cher allait bientôt mourir ; très fort, c'était le tonnerre dans l'après-midi, le tonnerre venu de l'ouest qui grondait parmi les nuages comme une marmite infernale. Parfois, il n'y avait pas de bruit du tout, seulement le vent de nuit qui froissait les feuilles de maïs, mais elle savait qu'*il* était là, et c'était ça le pire, car alors l'homme sans visage lui paraissait à peine moins fort que Dieu Lui-même ; et elle avait l'impression qu'elle aurait pu toucher l'ange noir qui avait survolé silencieusement l'Égypte, tuant les premiers-nés de chaque maison dont la porte n'avait pas été marquée de sang. C'était surtout cela qui lui faisait peur. Elle redevenait toute petite dans sa terreur et savait que, si d'autres le connaissaient et avaient peur de lui, elle seule connaissait la véritable mesure de son terrible pouvoir.

– Belle journée, dit-elle en enfournant ce qui restait de sa tartine.

Puis elle se balança dans son fauteuil en sirotant son café. Aucune partie de son corps ne lui faisait particulièrement mal et elle fit une brève prière pour remercier Dieu de ce qu'il lui avait donné. Dieu est grand, Dieu est bon ; même un petit enfant pouvait apprendre ces mots qui renfermaient la totalité du monde, tout ce que le monde avait de bon et de mauvais.

– Dieu est grand, dit mère Abigaël, Dieu est bon. Merci pour le soleil. Pour le café. Pour m'avoir permis d'aller à la selle hier soir, Vous aviez raison, une poignée de dattes, et le tour était joué, mais mon Dieu, comme je n'aime pas les dattes ! Est-ce que je vous aime ? Dieu est grand...

Elle avait presque terminé son café. Elle posa la tasse et continua à se balancer, le visage tourné vers le ciel comme un étrange rocher vivant, sillonné de veines de charbon. Elle s'assoupit, puis s'endormit. Son cœur, dont les parois étaient maintenant presque aussi fines que du papier de soie, battait sans se presser, comme il le faisait chaque minute depuis 39 630 jours. Comme un bébé dans son berceau, vous auriez dû poser la main sur sa poitrine pour être sûr qu'elle respirait vraiment.

Mais son sourire n'avait pas quitté ses lèvres.

Les choses avaient bien changé depuis le temps où elle était petite fille. Les Freemantle, des esclaves affranchis, s'étaient installés au Nebraska, et l'arrière-petite-fille d'Abigaël, Molly, ricanait cyniquement quand elle disait que l'argent avec lequel le père d'Abby avait acheté la maison – l'argent que lui avait donné Sam Freemantle, de Lewis, en Caroline du Sud, pour les huit années que son père et ses frères étaient restés à travailler pour lui après la guerre de Sécession, était « l'argent du remords ». Abigaël retenait sa langue – Molly, Jim et les autres étaient jeunes, ils ne comprenaient rien à rien, sauf le bien tout blanc et le mal tout noir – mais en elle-même, elle avait roulé de grands yeux et s'était dit : *L'argent du remords ? Eh bien, est-ce qu'il y a de l'argent plus propre que l'argent du remords ?*

Ainsi, les Freemantle s'étaient installés à Hemingford Home et Abby, la dernière, était née ici même. Son père avait joué un bon tour aux Blancs qui ne voulaient pas acheter aux Nègres, aux Blancs qui ne voulaient pas leur vendre non plus ; il avait acheté de la terre, un petit bout par-ci, un petit bout par-là, pour ne pas inquiéter ceux qui avaient peur de ces « cochons de Nègres venus de là-bas » ; il avait été le premier, dans tout le comté de Polk, à pratiquer la rotation des cultures, le premier à utiliser les engrais chimiques ; et, en mars 1902, Gary Sites était venu à la maison annoncer à John Freemantle qu'il avait été élu membre de l'Association des agriculteurs. Premier Noir élu dans tout l'État du Nebraska. Une bien belle année.

Tout le monde avait sans doute une de ces années-là dans sa vie, « une bien belle année ». Pour tout le monde, pendant quelques saisons, tout semble aller tout seul, à merveille. Et ce n'est que plus tard qu'on se demande pourquoi. Comme quand vous mettez dix choses différentes dans le garde-manger, dix choses qui sentent très bon, et chacune prend un peu le goût de l'autre ; les champignons ont un goût de jambon, et le jambon un goût de champignons ; la venaison prend un léger goût de perdrix et la perdrix sent un tout petit peu le concombre. Plus tard dans la vie, vous souhaitiez que toutes ces bonnes choses qui vous arrivèrent toutes ensemble cette année-là se soient étalées un peu mieux dans le temps, que vous puissiez peut-être prendre une de ces bonnes choses et comme la transplanter en plein milieu de cette si mauvaise période de trois ans qui ne vous a plus laissé que de mauvais souvenirs, ou même pas de souvenirs du tout, mais vous saviez alors que les choses s'étaient déroulées comme elles devaient le faire dans le monde que Dieu avait créé, dans le monde à moitié défait par Adam et Ève – la lessive mise à sécher, le plancher encaustiqué, les bébes lavés et langés, les chaussettes reprisées ; trois années sans rien qui vienne rompre le flot gris du temps, à part Pâques, la fête des Morts et Noël. Mais les voies de Dieu étaient insondables et, pour Abby Freemantle comme pour son père, 1902 avait été une bien bonne année.

Abby pensait qu'elle était seule de sa famille – à part son père, bien entendu – qui avait compris quelle grande chose, quelle chose extraordinaire c'était d'avoir été invité à faire partie de l'Association des agriculteurs. Premier Noir à faire partie de l'Association des agriculteurs au Nebraska, et peut-être le premier aux États-Unis. Son père ne s'était pas fait d'illusions sur le prix que lui et sa famille devraient payer pour cet honneur, les plaisanteries grossières, les insinuations racistes – surtout celles de Ben Conveigh – de ceux qui étaient contre. Mais il avait compris aussi que Gary Sites lui donnait plus qu'une chance de survie : Gary lui donnait la chance de prospérer comme les autres.

Membre de l'association, il n'aurait plus de mal à se procurer de belles semences. Il n'aurait plus à transporter sa récolte jusqu'à Omaha pour trouver un acheteur. Peut-être serait-ce aussi la fin de cette histoire de canal d'irrigation, de cette dispute avec Ben Conveigh qui ne pouvait pas blairer les Nègres comme John Freemantle, pas plus qu'il ne supportait les Blancs qui aimaient les Nègres, comme Gary Sites. Peut-être même que le percepteur cesserait enfin de le prendre à la gorge. Si bien que John Freemantle avait accepté l'invitation et le résultat du vote lui avait été favorable (par une confortable majorité) ; oui, il y avait eu de méchantes blagues, de vilaines histoires, par exemple celle du rat qui s'était fait piéger dans le grenier de l'Association des agriculteurs, ou l'histoire de ce petit bébé noir qui était allé au ciel, qui avait reçu ses petites ailes noires, des ailes de chauve-souris, et Ben Conveigh qui racontait à tout le monde que la seule raison de l'élection de John Freemantle, c'était que le temps de la foire approchait et qu'on avait besoin d'un Nègre pour faire l'orang-outan. John Freemantle faisait semblant de ne pas entendre ces choses et, rendu chez lui, il citait la Bible – « Heureux les humbles de cœur » et « Tu récolteras ce que tu as semé ». Et sa citation favorite, prononcée non pas dans l'humilité du cœur, mais dans la folle espérance de celui qui attend : « Les petits hériteront de la terre. »

Peu à peu, il avait su apaiser ses voisins. Pas tous, pas les féroces comme Ben Conveigh et son demi-frère George, pas les Arnold et les Deacon, mais tous les autres. En 1903, ils avaient dîné avec Gary Sites et sa famille, dans la salle à manger, exactement comme un Blanc.

En 1902, Abigaël avait joué de la guitare à l'Association, pour le concours des Blancs, à la fin de l'année. Sa mère ne voulait pas du tout ; c'était une des rares fois où elle s'était opposée à son mari devant les enfants (mais les garçons étaient déjà bien grands, et John avait les cheveux plus sel que poivre).

– Je sais bien comment ça s'est passé, avait dit sa mère en pleurant. Toi et Sites, et puis Frank Fenner, vous avez tout arrangé entre vous. Eux, je comprends, John Freemantle, mais toi, qu'est-ce qui t'est passé par la tête ? Ce sont des *Blancs* ! Tu sors avec eux dans la cour, et tu parles de ton maïs ! Tu peux même aller en ville et prendre un coup avec eux, si Nate Jackson te laisse entrer dans son saloon. Parfait ! Je sais bien ce qu'on t'a fait subir ces dernières années – je sais parfaitement. Je sais que tu continuais à sourire, quand ton cœur devait brûler comme un feu de broussailles. Mais cette fois, *c'est différent* ! C'est *ta fille* ! Qu'est-ce que tu vas dire si elle monte sur l'estrade avec sa jolie robe blanche, et qu'ils se mettent à rire d'elle ? Qu'est-ce que tu vas faire s'ils lui lancent des tomates pourries, comme quand Brick Sullivan a voulu chanter avec les Nègres ? Qu'est-ce que tu vas dire si elle vient te voir avec sa robe pleine de tomates écrabouillées, et qu'elle te demande : « Pourquoi, papa ? Pourquoi est-ce qu'ils ont fait ça, pourquoi est-ce que tu les as laissés faire ? »

– Eh bien, Rebecca, avait répondu John, je crois que le mieux, c'est qu'elle et David prennent la décision.

David était devenu son premier mari quand, en 1902, Abigaël Freemantle était devenue Abigaël Trotts. David Trotts était un Noir qui travaillait comme valet de ferme du côté de Valparaiso, une trotte de près de cinquante kilomètres chaque fois qu'il venait lui faire sa cour. John Freemantle avait dit un jour à Rebecca que ce bon vieux David s'était bien fait prendre au piège et que pour trotter, David Trotts avait appris à trotter. Beaucoup s'étaient moqués de son premier mari, tous ceux qui disaient : « Pas difficile de voir qui porte la culotte dans cette famille. »

Mais David n'était pas une lavette. C'était tout simplement un homme calme, réfléchi. Et lorsqu'il avait dit à John et Rebecca Freemantle : « Quand Abigaël croit qu'il faut faire quelque chose, eh bien, moi, je pense qu'elle a raison », elle aurait voulu l'embrasser, et c'est alors qu'elle avait dit à sa mère et à son père qu'elle allait devenir sa femme.

C'est ainsi que le 27 décembre 1902, enceinte de trois mois, elle était montée sur l'estrade de l'Association des agriculteurs dans le silence de mort qui avait suivi l'appel de son nom. Tout de suite avant, Gretchen Tilyons avait dansé le french cancan, montrant ses chevilles et son jupon aux hommes qui hurlaient, sifflaient, tapaient des pieds.

Debout dans l'épais silence, le visage et le cou tellement noirs dans sa robe blanche toute neuve, le cœur battant à tout rompre, elle se disait : *J'ai tout oublié, je ne me souviens plus d'un seul mot, j'ai promis à papa de ne pas pleurer, quoi qu'il arrive, mais Ben Conveigh est là, et quand Ben Conveigh va crier* NÉGRESSE, *alors je vais sûrement pleurer, je n'aurais jamais dû venir ici, pourquoi, pourquoi ? Maman avait raison, j'aurais dû rester à ma place, maintenant je vais payer...*

La salle était remplie de visages blancs qui la regardaient. Toutes les chaises étaient occupées. Il y avait même des gens debout au fond de la salle. Les lampes à pétrole crachotaient. Les rideaux de velours rouge étaient ouverts et retombaient en grosses vagues retenues par des cordons dorés.

Elle pensait: *Je suis Abigaël Freemantle Trotts, je joue bien de la guitare et je sais chanter ; pourtant, personne ne m'a jamais appris.*

Et elle se mit à chanter *The Old Rugged Cross* dans le silence étouffant, ses doigts courant sur les cordes de la guitare. Puis, un peu plus fort, *How I Love My Jesus* et plus fort encore, *Camp Meeting in Georgia.* Et les gens se balançaient maintenant, presque malgré eux. Certains souriaient, d'autres se tapaient les genoux en cadence.

Ensuite, un pot-pourri de chansons de la guerre de Sécession : *When Johnny Comes Marching Home, Marching Through Georgia,* et *Goober Peas* (encore plus de sourires pour le dernier morceau ; combien de ces hommes, vétérans de la Grande Armée de la République, avaient dévoré leur ration de fayots au bivouac). Puis elle avait terminé avec *Tenting Tonight on the Old Campground* et, comme le dernier accord s'évanouissait dans le silence, elle s'était dit : *Et maintenant, si vous voulez lancer vos tomates, allez-y, ne vous gênez pas. J'ai joué et j'ai chanté de mon mieux, j'ai bien joué, j'ai bien chanté.*

Le dernier accord s'éteignit dans le silence, un silence si long qu'on aurait cru que tous ces spectateurs, assis sur leurs chaises, et les autres debout au fond, avaient été emportés au loin, si loin qu'ils ne pouvaient plus retrouver leur chemin. Et c'est alors que les applaudissements avaient crépité dans la salle, l'avaient emportée dans une longue vague chaude qui la fit rougir, elle qui ne savait plus quoi faire, les joues en feu, tremblant de tout son corps.

Elle avait vu sa mère qui pleurait à chaudes larmes, son père et David, leurs immenses sourires.

Elle avait voulu descendre de la scène, mais on criait partout *bis ! bis !* Alors, elle avait joué *Digging My Potatoes*. Une chanson un peu osée, mais Abby s'était dit que, si Gretchen Tilyons pouvait montrer ses chevilles, rien ne l'empêchait de chanter une chanson un tout petit peu paillarde. Après tout, elle était mariée.

Il est venu dans mon jardin
Tripoter mes p'tites patates
Et maintenant qu'il est parti
Dans mon ventre y a un melon tout p'tit

Il y avait six couplets (certains bien pires) et elle les avait tous chantés. Le public rugissait de plaisir. Elle s'était dit ensuite que, si elle avait fait quelque chose de mal ce soir-là, c'était de chanter cette chanson, justement ce que les Blancs attendaient de la bouche d'une Négresse.

Encore une ovation tonitruante, encore des *bis ! bis !* Elle était remontée sur la scène et le public s'était tu aussitôt : « Merci beaucoup. J'espère que vous me pardonnerez si je vous chante une autre chanson. Je ne pensais pas la chanter ici. Mais c'est la plus belle chanson que je connaisse, elle parle du président Lincoln et de ce qu'il a fait pour ce pays, pour moi et les miens, avant que je sois née. »

La salle était très silencieuse maintenant. Ils écoutaient tous. Sa famille était là, près de l'allée gauche, comme une tache de confiture de mûres sur un mouchoir blanc. « Grâce à lui, avait-elle continué d'une voix tranquille, ma famille a pu venir habiter ici à côté de tous nos bons voisins. »

Puis elle avait chanté l'hymne national, *The Star-Spangled Banner* et tout le monde s'était levé. Plusieurs avaient sorti leur mouchoir et, quand elle avait eu fini, ils l'avaient applaudie si fort qu'on aurait cru que la salle allait s'écrouler.

Le plus beau jour de sa vie.

Elle se réveilla un peu après midi, cligna les yeux car le soleil était fort, vieille femme de cent huit ans. Mais elle s'était mal assise et son dos lui faisait très mal maintenant. Il allait lui faire mal toute la journée, elle le savait, elle le savait bien.

– Belle journée, dit-elle en se relevant lentement.

Puis elle descendit l'escalier de la véranda en se tenant bien à la rampe branlante, grimaçant à cause de son dos qui lui faisait si mal, des fourmis qui lui couraient dans les jambes. Sa circulation n'était plus aussi bonne qu'autrefois... mais n'était-ce pas normal ? Bien des fois, elle s'était dit qu'elle ne devait pas s'endormir dans ce fauteuil à bascule, trop dur pour son dos. Mais chaque fois elle s'endormait, et le bon vieux temps défilait devant ses yeux, ah, quel plaisir, oui, quel plaisir, mieux que regarder une émission à la télé, mais ensuite, quand elle se réveillait, c'était l'enfer pour son dos. Elle avait beau se faire la leçon, rien n'y faisait, elle était comme un vieux chien qui refuse de se coucher ailleurs que devant la cheminée. Dès qu'elle s'asseyait au soleil, elle s'endormait, il n'y avait rien à y faire. C'était comme ça.

Elle s'arrêta au bas de l'escalier, pour que « ses jambes aient le temps de la rattraper », renifla un bon coup et cracha par terre. Quand elle se sentit à peu près comme d'habitude (à part son dos qui lui faisait si mal), elle se dirigea lentement vers le cabinet que son petit-fils Victor avait construit derrière la maison en 1931. Elle entra, ferma bien la porte, mit le crochet comme s'il y avait eu dehors toute une foule à l'attendre au lieu de quelques corneilles, et s'assit. Un moment plus tard, elle se mit à uriner et soupira de contentement. Encore une de ces choses de la vieillesse dont personne n'avait songé à lui parler (ou est-ce qu'elle avait oublié d'écouter ?) – on ne sait plus quand on a envie de faire pipi. Comme si on ne sentait plus rien dans la vessie. Et, si on ne fait pas attention, on fait pipi dans sa culotte sans même s'en rendre compte. Elle n'aimait pas du tout se salir.

Alors, elle venait s'asseoir au cabinet six ou sept fois par jour. Et la nuit, elle posait le pot de chambre à côté de son lit. Jim, le mari de Molly, lui avait dit un jour qu'elle était comme un chien qui ne peut pas passer devant une bouche d'incendie sans au moins lever la patte pour la saluer. Elle avait tellement ri qu'elle en avait eu les larmes aux yeux. Jim travaillait dans la publicité, à Chicago, et il s'en tirait bien... *avant,* en tout cas. Il était sans doute mort, comme les autres. Et Molly aussi. Bénis soient-ils, ils étaient avec Jésus maintenant.

Depuis un an, elle ne voyait pratiquement plus que Molly et Jim. Les autres semblaient avoir oublié qu'elle était toujours vivante, mais c'était bien compréhensible. Elle avait fait son temps, et plus encore. Comme un dinosaure qui se promènerait encore à travers champs. Un dinosaure, sa place est au musée (ou au cimetière). Elle comprenait bien qu'ils n'aient pas envie de venir la voir, *elle,* mais ce qu'elle ne pouvait pas comprendre, c'est pourquoi ils n'avaient pas envie de revenir voir *la terre.* Il n'en restait plus beaucoup, c'est vrai ; quelques hectares à peine. Mais elle était toujours à eux, pourtant, *leur terre.* À vrai dire, les Nègres ne semblaient plus s'intéresser beaucoup à la terre. On aurait même dit qu'elle leur faisait honte. Ils étaient partis faire leur petit bout de chemin à la ville, et la plupart, comme Jim, s'en tiraient vraiment bien... mais comme cela lui faisait mal de penser à tous ces Nègres qui ne voulaient plus voir la terre !

Molly et Jim avaient décidé de lui installer un cabinet à chasse d'eau dans la maison, deux ans plus tôt, et ils avaient été un peu blessés quand elle avait refusé. Elle avait essayé de leur expliquer, mais Molly n'avait rien compris. Elle répétait sans cesse : « Mère Abigaël, vous avez cent six ans. Qu'est-ce que vous pensez que ça me fait de savoir que vous allez sortir un jour pour faire pipi, un jour qu'il fera moins vingt-cinq ? Vous savez ce que le froid peut faire à votre cœur ? »

« Quand le Seigneur me voudra, le Seigneur viendra me chercher », avait répondu Abigaël. Elle était en train de tricoter. Naturellement, ils avaient cru qu'elle ne les voyait pas et ils s'étaient regardés en roulant des yeux.

Il y avait des choses qu'on ne pouvait pas abandonner. Les jeunes ne comprenaient pas. En 1982, quand elle avait eu cent ans, Cathy et David lui avaient offert une télé. Cette fois, elle avait accepté. La télé était une merveilleuse machine pour passer le temps lorsque vous étiez toute seule. Mais quand Christopher et Susy étaient venus lui dire qu'ils voulaient installer le service d'eau, elle leur avait dit non, comme elle avait dit non à Molly et à Jim quand ils avaient gentiment offert un W.-C. à chasse d'eau. Ils prétendaient que son puits n'était pas très profond, qu'il risquait d'être à sec s'il y avait un autre été comme celui de 1988, l'été de la sécheresse. Ils avaient raison, mais elle avait refusé malgré tout. Ils croyaient qu'elle avait perdu la boule, naturellement, qu'elle devenait sénile, couche après couche, comme un plancher noirci sous les couches de vernis, mais elle, elle savait bien qu'elle avait encore la tête sur les épaules, comme avant.

Elle se souleva péniblement, versa un peu de chaux dans le trou, sortit lentement dans la lumière. Le cabinet était très propre, mais ces endroits sont quand même toujours humides, même s'ils ne sentent pas mauvais.

C'était comme si la voix de Dieu lui avait murmuré à l'oreille quand Chris et Susy lui avaient proposé d'installer le service d'eau... la voix de Dieu quand Molly et Jim avaient voulu lui installer un trône de porcelaine, avec un petit levier sur le côté du réservoir. Oui, Dieu parlait aux gens ! Est-ce qu'Il n'avait pas parlé de l'arche à Noé, est-ce qu'Il ne lui avait pas dit combien de coudées elle devait avoir, en longueur, en profondeur, en largeur ? Si. Et elle pensait qu'Il lui avait parlé à elle aussi, pas du buisson ardent, pas de la colonne de feu, mais avec une petite voix tranquille qui disait : *Abby, tu vas avoir besoin de ta pompe à main. Profite de ton électricité tant que tu veux, Abby, mais veille à garder remplies tes lampes à pétrole, veille à moucher tes lampes. Et tiens ton garde-manger comme ta mère tenait le sien. Ne laisse pas tous ces jeunes gens te faire faire des choses que tu sais être contre Ma volonté, Abby. Ils sont de ta famille mais je suis ton Père.*

Elle s'arrêta au milieu de la cour, regarda la mer de maïs, coupée au loin par la route de terre qui filait au nord vers Duncan et Columbus. Cinq kilomètres plus loin, elle était goudronnée. Le maïs allait être beau cette année, quelle pitié qu'il n'y ait plus personne pour le manger, à part les corneilles. Quelle pitié de penser que les grosses moissonneuses rouges allaient rester dans les granges en septembre. Quelle pitié de penser que, pour la première fois depuis cent huit ans, elle ne serait pas ici, à Hemingford Home, pour voir l'été céder la place à l'automne joyeux, païen. Elle allait aimer cet été plus que tous les autres, car c'était son dernier – elle le savait. Et ce n'est pas ici qu'on la mettrait en terre, mais plus loin à l'ouest, en pays étranger. C'était dur.

En traînant les pieds, elle s'approcha de la balançoire, poussa le pneu. C'était un vieux pneu de tracteur que son frère Lucas avait accroché là en 1922. Depuis, on avait changé bien des fois la corde, mais jamais le pneu. Par endroits, il était usé jusqu'à la corde. Et, à l'intérieur, il était tout écrasé, là où des générations de jeunes fesses s'étaient assises. Sous le pneu, d'innombrables jambes avaient fait un grand creux dans la terre, un creux que l'herbe avait depuis longtemps renoncé à vouloir combler, et sur la branche où était attachée la corde, l'écorce était usée jusqu'à l'os blanc de l'aubier. La corde craqua. Cette fois, elle parla à haute voix.

– Seigneur, mon Dieu, s'il te plaît, écarte cette coupe de mes lèvres si Tu le peux. Je suis vieille et j'ai peur. Et surtout, je voudrais rester là, chez moi. Je veux bien partir tout de suite si telle est Ta volonté. Il en sera fait selon Ta volonté, Seigneur, mais Abby est une pauvre vieille Négresse bien fatiguée. Que Ta volonté soit faite.

Le silence, sauf le craquement de la corde sur la branche, le croassement des corbeaux dans le maïs. Elle appuya son vieux front ridé contre la vieille écorce du pommier que son père avait planté il y avait si longtemps. Et elle versa des larmes amères.

Cette nuit-là, elle rêva qu'elle remontait sur l'estrade de la salle des fêtes de l'Association des agriculteurs, la jeune et jolie Abigaël, enceinte de trois mois, une grosse broche éthiopienne agrafée sur sa robe blanche, tenant sa guitare par le manche, elle qui montait, montait dans ce silence, un tourbillon d'idées dans la tête, mais parmi toutes ces idées, une en particulier à laquelle elle s'accrochait : *Je suis Abigaël Freemantle Trotts, je joue bien de la guitare et je sais chanter ; pourtant, personne ne m'a jamais appris.*

Dans son rêve, elle se retournait lentement, faisait face à ces visages blancs levés vers elle comme des pleines lunes, faisait face à la grande salle des fêtes brillant de toutes ses lumières, baignée dans cette lueur orangée que renvoyaient les fenêtres légèrement embuées et les rideaux de velours rouge aux cordons dorés.

Elle se cramponnait à cette idée et se mit à jouer *Rock of Ages.* Elle jouait, et sa voix sortait de sa bouche, non pas nerveuse, non pas retenue, mais exactement comme elle était sortie lorsqu'elle répétait toute seule, riche et douce, comme la clarté orange de la lampe, et elle pensait : *Ils vont m'aimer. Avec l'aide de Dieu, ils vont m'aimer. Oh mon peuple, si tu as soif, ne vais-je pas t'apporter l'eau du rocher ? Ils vont m'aimer, et David sera fier de moi, papa et maman seront fiers de moi, je serai fière de moi-même, je ferai jaillir la musique de l'eau, de l'air et du rocher...*

Et c'est alors qu'elle le vit pour la première fois. Il était debout dans un coin, derrière toutes les chaises, les bras croisés sur la poitrine. Il était vêtu d'un blue-jeans et d'un blouson avec des macarons sur les poches de devant. Aux pieds, il avait des bottes noires poussiéreuses aux talons usés, des bottes qui avaient parcouru bien des kilomètres dans l'ombre et la poussière. Son front était blanc comme la flamme d'un bec de gaz, ses joues rouges d'un bon sang clair. Ses yeux étincelaient comme le diamant bleu, brillaient d'une bonne humeur infernale. Un sourire brûlant et moqueur lui faisait desserrer les lèvres, comme un chien qui montre les dents. Et ses dents étaient blanches, aiguës, comme les dents d'une belette.

Il levait les mains, ses deux poings serrés aussi durs que les nœuds d'un pommier. Et son sourire restait là, joyeux, atroce, hideux. Des gouttes de sang commencèrent à tomber de ses poings.

Et les mots se desséchaient dans la tête d'Abigaël. Ses doigts ne savaient plus jouer ; un dernier accord, discordant, puis le silence.

Mon Dieu ! Mon Dieu ! criait-elle, mais Dieu avait détourné Son visage.

Puis Ben Conveigh se leva, le visage rouge, enflammé, ses petits yeux de porc tout brillants. *Salope de Négresse !* hurlait-il. *Qu'est-ce qu'elle fait sur la scène, cette salope de Négresse ? Une salope de Négresse n'a jamais fait jaillir la musique de l'air ! Une salope de Négresse n'a jamais fait jaillir l'eau du rocher !*

Et des cris sauvages lui répondaient. Les gens se précipitaient vers elle. Elle vit son mari se lever et essayer de monter sur la scène. Un poing le frappa sur la bouche, et il tomba à la renverse.

Foutez tous ces sales ratons laveurs au fond de la salle ! gueulait Bill Arnold, et quelqu'un poussa Rebecca Freemantle contre le mur. Un autre – Chet Deacon, sans doute – enveloppa Rebecca dans le rideau de velours rouge d'une fenêtre, puis l'attacha avec un cordon doré. Il hurlait : *Regardez-moi ça ! Un raton laveur tout habillé ! Une Négresse déguisée !*

Et d'autres accouraient, et tous se mettaient à bourrer de coups de poing la femme qui se débattait dans le rideau de velours.

– *Maman !* cria Abby.

On arrachait la guitare de ses doigts sans force, on l'écrasait contre le bord de la scène, éclats de bois, cordes cassées.

Affolée, elle cherchait des yeux l'homme noir au fond de la salle, mais sa locomotive s'était mise en marche, et elle courait, courait, de toutes ses bielles bien huilées ; il n'était plus là, il était parti.

– *Maman !* hurla-t-elle encore.

Des mains calleuses l'entraînaient, fouillaient sous sa robe, la griffaient, la tiraillaient, lui pinçaient le derrière. Quelqu'un la tira violemment par la main et son bras se détacha de son épaule. Il reposait maintenant contre quelque chose de dur et de chaud.

Et la voix de Ben Conveigh dans son oreille : *Tu l'aimes, ma chanson à moi ? Espèce de putasse de Négresse !*

La salle tournoyait autour d'elle. Elle vit son père qui essayait de s'approcher du tas de chiffons qu'était devenue sa mère, et elle vit une main blanche brandissant une bouteille qui s'abattait sur le dossier d'une chaise pliante. Puis un bruit de verre, puis la bouteille aux dents acérées qui brillait dans la lueur chaude de toutes ces lampes s'écrasait sur le visage de son père. Et ses yeux, fixes, exorbités, éclatèrent comme des raisins mûrs.

Elle hurla et la force de son cri sembla faire voler la salle en éclats, dans les ténèbres, et elle redevenait mère Abigaël, âgée de cent huit ans, trop vieille, mon Dieu, trop vieille (mais que Ta volonté soit faite), et elle marchait au milieu du maïs, le maïs mystique dont les racines étreignaient à peine la terre mais s'étendaient à perte de vue, perdue dans le maïs argenté au clair de lune, noire comme du charbon dans l'ombre ; et elle entendait le vent de cette nuit d'été agiter doucement les feuilles, elle entendait le maïs pousser, cette odeur vivante qu'elle avait sentie toute sa longue, longue vie (et bien des fois elle avait pensé que cette plante était la plante de vie, le maïs, et que son odeur était l'odeur de la vie, le début de la vie, oh ! elle s'était mariée, elle avait enterré trois maris, David Trotts, Henry Hardesty et Nate Brooks, elle avait eu trois hommes dans son lit, les avait accueillis comme une femme doit accueillir un homme, ouvrant ses portes devant lui, et toujours ce plaisir brûlant, *oh, mon Dieu, comme j'aime l'amour de mon homme, comme j'aime quand il me prend, quand il me donne tout ce qu'il a en lui,* et parfois, au moment de l'orgasme, elle pensait au maïs, au maïs tendre dont les racines étreignent à peine la terre, mais s'étendent à perte de vue, elle pensait aux tiges juteuses du maïs, et puis quand tout était fini, quand son mari reposait à côté d'elle, l'odeur du sexe remplissait la chambre, l'odeur de la semence que l'homme avait répandue en elle, l'odeur du miel que son ventre avait distillé pour le laisser entrer, et c'était comme l'odeur du maïs que l'on épluche, douce et sucrée, une odeur qui montait à la tête).

Et pourtant, elle avait peur, elle avait honte de cette intimité avec la terre, avec l'été et les choses qui poussent, car elle n'était pas seule. Il était là, avec elle, deux rangs sur la droite ou sur la gauche, juste derrière elle, un peu devant peut-être. L'homme noir était là, ses bottes poussiéreuses talonnant le gras de la terre, soulevant des nuages de poussière, et toujours son sourire dans la nuit, comme la flamme d'une lampe tempête.

Puis il parla, pour la première fois il parla à voix haute, et elle put voir son ombre au clair de lune, grande, bossue, grotesque, dans le rang où elle marchait. La voix de l'homme était comme le vent de nuit qui commence à gémir entre les vieilles tiges sèches en octobre, comme le claquement sec de ces vieilles tiges blanches infertiles qui semblent parler de mort. Une voix douce. Une voix de terreur.

Elle disait : *Je tiens ton sang dans mes poings, vieille mère. Si tu pries Dieu, prie-Le qu'il t'emporte avant que tu entendes jamais le bruit de mes pas. Ce n'est pas toi qui as fait jaillir la musique de l'air, pas toi qui as fait jaillir l'eau du rocher, et ton sang, je le tiens dans mes poings.*

Puis elle s'était réveillée, une heure avant l'aube, et elle crut tout d'abord qu'elle avait fait pipi au lit, mais ce n'était que la sueur du rêve, lourde comme une rosée de mai. Et son corps frêle frissonnait sans relâche, lui faisait mal partout, réclamait son repos.

Seigneur, mon Dieu, écarte cette coupe de mes lèvres.

Le Seigneur ne lui répondit pas. On n'entendait que le vent du petit matin frapper doucement aux carreaux, les carreaux qui ne tenaient plus bien sous le vieux mastic craquelé. Elle se leva finalement, tisonna la braise dans son vieux poêle à bois, mit le café à chauffer.

Elle allait avoir du pain sur la planche ces jours-ci, car elle allait recevoir de la visite. Rêves ou pas, fatiguée ou non, elle avait toujours bien reçu les visiteurs et ce n'est pas maintenant qu'elle allait changer. Mais elle allait devoir prendre son temps, sinon elle oublierait des choses – elle oubliait bien des choses ces temps-ci – et perdrait ses affaires, jusqu'à ne plus trouver son ombre.

D'abord, il fallait faire un tour au poulailler d'Addie Richardson, et c'était loin, une dizaine de kilomètres peut-être. Elle se demanda un instant si le Seigneur n'allait pas lui envoyer un aigle pour faire ces dix kilomètres, ou bien encore le prophète Élie dans son chariot de feu pour qu'il lui fasse faire un petit bout de chemin.

– Blasphème, se dit-elle d'une voix sévère, le Seigneur envoie la force, pas des taxis.

Elle fit sa vaisselle, mit ses gros souliers et prit sa canne. Elle se servait rarement de sa canne, mais elle allait en avoir besoin aujourd'hui. Dix kilomètres pour l'aller, dix kilomètres pour le retour. À seize ans, elle aurait couru d'une traite jusque là-bas et serait revenue au petit trot. Mais le temps de ses seize ans était bien loin.

Elle partit dès huit heures du matin, espérant arriver à la ferme des Richardson à midi pour y faire la sieste en attendant que l'air fraîchisse un peu. Ensuite, elle tuerait les poulets, puis elle rentrerait à la brune. Elle n'arriverait qu'à la nuit tombée, ce qui lui fit penser à son rêve de la veille, mais l'homme était encore loin. La visite qu'elle attendait était beaucoup plus proche.

Elle marchait très lentement, encore plus lentement qu'elle ne croyait devoir le faire, car même à huit heures et demie, le soleil était gros et lourd dans le ciel. Elle ne transpirait pas beaucoup – il n'y avait plus assez de chair sur ses os pour qu'elle puisse beaucoup suer – mais quand elle arriva devant la boîte aux lettres des Goodell, elle dut se reposer un peu. Elle s'assit à l'ombre de leur poivrier et mangea quelques biscuits aux figues. Pas un aigle en vue, pas un taxi non plus. Elle gloussa à cette pensée, se leva, fit tomber les miettes de sa robe, puis se remit en route. Non, pas de taxi. Aide-toi, le ciel t'aidera. Tout de même, elle sentait que ses articulations commençaient à donner de la voix ; ce soir, elle aurait droit à un récital.

Elle se courbait de plus en plus sur sa canne, même si ses poignets la faisaient souffrir toujours plus. Ses souliers aux lacets de cuir jaune traînaient dans la poussière. Le soleil frappait dur et, à mesure que l'heure passait, son ombre se faisait de plus en plus courte. Elle vit plus d'animaux sauvages ce matin-là qu'elle n'en avait vu depuis les années vingt : un renard, un raton laveur, un porc-épic, une loutre. D'immenses bandes de corneilles croassaient en tournant dans le ciel. Si elle avait entendu Stu Redman et Glen Bateman discuter de la manière capricieuse – elle leur avait paru capricieuse en tout cas – dont la super-grippe avait emporté certains animaux tout en laissant les autres tranquilles, elle aurait bien ri. La maladie avait emporté les animaux domestiques et épargné les bêtes sauvages, c'était aussi simple que ça. Quelques espèces domestiques avaient survécu, mais en règle générale, le fléau avait emporté l'homme et ses meilleurs amis. Il avait emporté les chiens, mais laissé les loups, car les loups étaient sauvages et les chiens ne l'étaient pas.

Elle sentait des vrilles chauffées à blanc s'enfoncer dans ses hanches, derrière ses genoux, dans ses chevilles, dans ses poignets qui s'appuyaient sur la canne. Elle marchait en parlant à son Dieu, tantôt en silence, tantôt à haute voix, sans qu'elle puisse faire la différence entre les deux. Et elle se remit à penser à sa vie. 1902, la plus belle année, c'était vrai. Après cela, le temps était allé plus vite, comme si les pages d'un énorme calendrier s'étaient effeuillées à toute vitesse, sans un instant d'arrêt. La vie du corps s'en allait si vite... comment se faisait-il qu'un corps puisse être aussi fatigué de vivre ?

Davy Trotts lui avait donné cinq enfants ; l'un d'eux, Maybelle, s'était étranglée en mangeant une pomme dans la cour de l'ancienne maison. Abby étendait le linge et, quand elle s'était retournée, la petite était sur le dos, violette, griffant sa gorge de ses petites mains. Abby avait réussi à faire sortir le morceau de pomme, mais la petite Maybelle était déjà froide et elle ne bougeait plus, seule fille qu'elle avait jamais portée, seule de ses nombreux enfants à mourir d'une mort accidentelle.

Et maintenant, elle était assise à l'ombre d'un orme, derrière la clôture des Naugler. Deux cents mètres plus loin, elle voyait l'endroit où la route de terre se transformait en route goudronnée – l'endroit où la route des Freemantle devenait la route du comté de Polk. La chaleur faisait vibrer l'air au-dessus du goudron et, plus loin, à l'horizon, on aurait cru du vif-argent, brillant comme de l'eau dans un rêve. Quand il faisait chaud, on voyait toujours ce vif-argent à l'horizon, où que vous tourniez les yeux, mais ce n'était qu'une impression fugitive, on ne pouvait jamais bien voir. Du moins, pas elle.

David était mort en 1913 d'une méchante grippe, pas tellement différente de celle-ci. En 1916 – elle avait trente-quatre ans – elle s'était remariée à Henry Hardesty, un fermier noir du comté de Wheeler, plus au nord. Henry lui avait fait une cour empressée. Sa femme était morte, lui laissant sept enfants dont deux seulement étaient assez grands pour se tirer d'affaire tout seuls. Il avait sept ans de plus qu'Abigaël. Il lui avait donné deux garçons avant que son tracteur ne se retourne sur lui à la fin de l'été 1925.

Un an plus tard, elle s'était remariée avec Nate Brooks, et les gens avaient jasé – oh oui, les gens jasent, comme les gens aiment jaser, parfois on croirait qu'ils n'ont rien d'autre à faire. Nate était l'ancien homme de peine de Henry Hardesty. Il avait été un bon mari pour elle. Pas aussi doux que David, peut-être, et certainement pas aussi tenace que Henry, mais un brave homme qui avait fait à peu près ce qu'elle lui disait de faire. Quand une femme commence à prendre de la bouteille, il est bon de savoir qui porte la culotte à la maison.

Ses six garçons lui avaient donné une fournée de trente-deux petits-enfants. Ses trente-deux petits-enfants avaient engendré quatre-vingt-un arrière-petits-enfants, autant qu'elle sache, et au moment de la super-grippe elle avait trois arrière-arrière-petits-enfants. Elle en aurait eu davantage si les filles ne prenaient pas la pilule ces temps-ci pour ne plus avoir de bébés. On aurait dit que pour elles l'amour de leur homme était un jeu comme un autre. Abigaël avait de la peine pour elles, mais elle n'en parlait jamais. À Dieu de juger si elles péchaient en prenant ces pilules (et pas à ce vieux crétin chauve qui pontifiait à Rome – mère Abigaël avait été méthodiste toute sa vie, et elle était fichtrement fière de ne pas être du même bord que ces grenouilles de bénitier de catholiques), mais Abigaël savait bien ce qui leur manquait : l'extase qui vous vient au bord de la vallée des ombres, l'extase qui vous vient quand vous vous abandonnez à votre homme et à votre Dieu, quand vous dites : que *Ta* volonté soit faite ; l'extase finale de l'amour à la face du Seigneur, quand l'homme et la femme rachètent l'ancien péché d'Adam et d'Ève, lavés et sanctifiés dans le Sang de l'Agneau.

Ah, quelle belle journée…

Elle aurait voulu boire un verre d'eau, elle aurait voulu être chez elle, dans son fauteuil à bascule, elle aurait voulu qu'on la laisse tranquille. Et, maintenant, le soleil brillait sur le toit du poulailler, devant elle, sur sa gauche. Deux kilomètres encore, pas davantage. Il était dix heures et quart ; elle marchait encore bien pour son âge. Elle allait se reposer tout à l'heure, dormir jusqu'à la fraîche. Ce n'était pas un péché. Pas à son âge. Et elle avançait pas à pas au bord de la route, ses gros souliers recouverts de poussière.

Oui, elle en avait eu de la parenté pour la bénir dans son grand âge, une bien belle chose. Certains, comme Linda et ce bon à rien de vendeur qu'elle avait épousé, ne venaient pas la voir, mais les autres étaient bien gentils, comme Molly et Jim, David et Cathy, et ils remplaçaient bien mille Linda avec leurs bons à rien de vendeurs qui font du porte-à-porte pour fourguer leurs méchantes batteries de cuisine. Le dernier de ses frères, Luke, était mort en 1949, à quatre-vingts ans et quelques, et le dernier de ses enfants, Samuel, en 1974, à cinquante-quatre ans. Elle avait vécu plus longtemps que tous ses enfants, et ce n'était pas dans l'ordre des choses, mais il semblait bien que le Seigneur avait des vues sur elle.

En 1982, lorsqu'elle avait fêté ses cent ans, le journal d'Omaha avait fait paraître sa photo et un journaliste de la télé était venu l'interroger. « À quoi attribuez-vous votre grand âge ? » avait demandé le jeune homme, il avait paru déçu de sa réponse si brève : « À Dieu. » Ils auraient voulu qu'elle leur dise qu'elle prenait de la gelée royale, ou qu'elle ne mangeait jamais de porc rôti, ou qu'elle dormait les pattes en l'air. Mais elle ne faisait rien de tout ça. Pourquoi mentir ? Dieu donne la vie et Il l'enlève quand Il veut.

Cathy et David lui avaient donné une télé pour qu'elle puisse se voir sur l'écran, et elle avait reçu une lettre du président Reagan (pas de la dernière jeunesse lui non plus) qui la félicitait de son « âge avancé » et du fait qu'elle avait voté pour le parti républicain depuis qu'elle avait le droit de voter. Oui, mais pour qui d'autre voter ? Roosevelt et ses copains étaient tous communistes. Quand elle était devenue centenaire, la municipalité l'avait exonérée des taxes foncières « à perpétuité », du fait de cet âge avancé dont Ronald Reagan l'avait félicitée. Elle avait reçu un papier attestant qu'elle était la doyenne du Nebraska, comme si elle avait gagné un concours. Tant mieux pour les taxes cependant, même si le reste avait été bien bête : si on ne lui avait pas fait cadeau des taxes, elle aurait perdu ce qui lui restait encore de terre. Le plus gros était parti depuis bien longtemps ; les Freemantle et l'Association des agriculteurs avaient connu leur meilleure année en 1902. Ensuite... un hectare, c'est tout ce qui restait. Le reste, vendu pour payer les taxes et les impôts, vendu pour trouver un peu d'argent quand il n'y en avait plus... et elle avait bien honte de le dire, mais c'étaient ses propres fils qui avaient vendu le plus gros de la terre.

L'année dernière, elle avait reçu une lettre de New York, une lettre de la Société américaine de gérontologie. On lui annonçait qu'elle était la sixième plus vieille personne vivante aux États-Unis, et la troisième pour les femmes. Le plus vieux de tous était un monsieur de Santa Rosa, en Californie. Ce monsieur de Santa Rosa avait cent vingt-deux ans. Elle avait demandé à Jim de faire encadrer cette lettre pour l'accrocher à côté de celle du président. Jim n'avait pas eu le temps de s'en occuper avant le mois de février. Et maintenant qu'elle y pensait, c'était la dernière fois qu'elle avait vu Molly et Jim.

Elle arrivait à présent à la ferme des Richardson. Épuisée, elle s'appuya un moment contre la clôture et regarda la maison. Il devait faire frais à l'intérieur, bien frais. Elle avait l'impression qu'elle aurait pu dormir des siècles et des siècles. Mais elle avait encore du travail à faire. Beaucoup d'animaux étaient morts de cette maladie – les chevaux, les chiens, les rats. Et il fallait qu'elle sache si les poulets aussi. Une bien mauvaise plaisanterie si elle avait fait toute cette route pour ne trouver que des poulets crevés.

Elle se traîna jusqu'au poulailler, collé contre la grange, et s'arrêta quand elle entendit des caquètements à l'intérieur. Un instant plus tard, un coq se mit à chanter d'une voix enrouée.

– Tout va bien, murmura-t-elle. Tout va très bien.

Elle s'en retournait quand, près du tas de bois, elle vit un corps, la main sur les yeux. C'était Bill Richardson, le beau-frère d'Addie. Les bêtes l'avaient à moitié mangé.

– Pauvre homme, dit Abigaël. Pauvre, pauvre homme. J'espère que les anges chantent dans ton sommeil, Billy Richardson.

Et elle repartit vers cette maison toute fraîche qui l'attendait. Elle semblait si loin encore, alors qu'en réalité elle n'était qu'au bout de la cour. Elle crut ne jamais y arriver. Elle était à bout.

– Que Ta volonté soit faite, dit-elle en reprenant sa marche.

Le soleil entrait à flots par la fenêtre de la chambre d'ami où elle s'était allongée et endormie dès qu'elle avait retiré ses chaussures. Au début, elle ne comprit pas pourquoi la lumière était si vive ; comme lorsque Larry Underwood s'était réveillé à côté du mur de pierre, dans le New Hampshire.

Elle s'assit. Ses os fragiles lui faisaient mal.

– Dieu tout-puissant j'ai dormi tout l'après-midi, et toute la nuit par-dessus le marché !

Si c'était vrai, c'est qu'elle devait être bien fatiguée, vraiment. Il lui fallut près de dix minutes pour sortir du lit et se rendre jusqu'à la salle de bains ; et dix minutes encore pour mettre ses chaussures. Marcher était une véritable torture, mais elle savait qu'elle devait marcher. Si elle restait immobile, ses articulations allaient se coincer comme du fer rouillé.

Boitillant, sautillant, elle se rendit jusqu'au poulailler, poussa la porte, grimaça quand la chaleur étouffante lui monta au visage, avec l'odeur des poules, avec l'odeur inévitable de la chair putréfiée. Le puits artésien des Richardson alimentait automatiquement l'abreuvoir ; mais la réserve de nourriture était presque épuisée et la chaleur avait tué un grand nombre des poules. Les plus faibles étaient depuis longtemps mortes de faim, ou sous les coups de becs de leurs compagnes, et elles gisaient là sur le sol jonché de graines et de crottes, comme de petits îlots de neige fondante, triste.

La plupart des poules encore en vie s'enfuirent à son approche, à grands coups d'ailes maladroits, mais les mélancoliques restèrent sur leurs perchoirs, clignant les yeux tandis qu'elle approchait lentement, en traînant les pieds, la regardant de leurs yeux stupides. Tant de maladies faisaient crever les poulets qu'elle avait eu peur que cette grippe ne les emporte aussi. Mais ils avaient l'air en pleine forme. Dieu y avait veillé.

Elle prit les trois plus gros et leur fourra la tête sous l'aile. Ils s'endormirent aussitôt. Elle les jeta dans un sac, mais elle avait si mal qu'elle ne put le soulever. Il fallut donc qu'elle le traîne par terre.

Du haut de leurs perchoirs, les autres poulets regardèrent la vieille femme s'en aller, puis reprirent leur féroce bataille, à qui s'arracherait les derniers restes de nourriture.

Il était maintenant près de neuf heures du matin. Elle s'assit sur le banc qui faisait le tour du chêne des Richardson, dans la cour, pour réfléchir. Sa première idée, rentrer chez elle dans la fraîcheur du crépuscule, lui paraissait encore la meilleure. Elle avait perdu une journée, mais la visite n'arriverait que plus tard. Elle pouvait utiliser cette journée pour s'occuper des poulets et se reposer un peu.

Ses muscles commençaient déjà à jouer un peu mieux sur ses os, et il y avait aussi cette étrange sensation, plutôt agréable, au-dessus de son estomac. Il lui fallut quelque temps pour comprendre qu'elle avait... qu'elle avait faim ! Elle avait *faim*, loué soit Dieu, et depuis combien de temps ne mangeait-elle plus que par habitude ? Comme un chauffeur de locomotive qui enfourne du charbon sans penser à ce qu'il fait. Une fois qu'elle aurait décapité ses trois poulets, elle irait voir ce qu'Addie avait laissé dans son garde-manger et, béni soit Dieu, elle allait sûrement *adorer* ce qu'elle trouverait. Tu vois ? se dit-elle. Dieu pourvoit à tout. Béni soit-il. Abigaël, béni soit-il.

Soufflant, crachant, elle tira son sac jusqu'au billot qui se trouvait entre la grange et le bûcher. Dans le bûcher, elle trouva le grand couperet de Billy Richardson. Elle le prit et ressortit.

Et maintenant, Seigneur, dit-elle en regardant le ciel limpide, Tu m'as donné la force de marcher jusqu'ici, et je crois que Tu vas me donner la force de rentrer chez moi. Ton prophète Isaïe dit qu'à l'homme ou à la femme qui croit le Seigneur Dieu des Puissances lui donnera des ailes d'aigle. Je ne connais pas grand-chose aux aigles, Seigneur, sauf que ce sont des bestioles pas commodes qui voient très loin, mais j'ai trois poulets dans mon sac, et je voudrais bien leur couper la tête sans me couper la main. Que Ta volonté soit faite. Amen.

Elle prit le sac, l'ouvrit, regarda dedans. L'un des poulets était encore endormi, la tête sous l'aile. Les deux autres se pressaient l'un contre l'autre et ne bougeaient pas beaucoup. Il faisait noir dans le sac, et les poulets croyaient que c'était la nuit. Rien de plus bête qu'un poulet, sauf peut-être un démocrate de New York.

Abigaël prit un poulet et le posa sur le billot avant qu'il ne comprenne ce qui lui arrivait. Elle abattit le couperet en grimaçant, comme elle le faisait toujours lorsque le tranchant de sa hache mordait le bois. La tête tomba par terre, à côté du billot. Le poulet décapité s'enfuit à toutes jambes dans la cour des Richardson, crachant du sang à gros jets par le cou, les ailes battantes. Un moment plus tard, il comprit qu'il était mort et préféra se coucher tranquillement. Sales poulets, sales démocrates, mon Dieu, mon Dieu.

Le travail fut bientôt terminé. Elle avait eu tort de croire qu'elle allait rater les bestioles ou se faire du mal. Dieu avait entendu sa prière. Trois beaux poulets. Elle n'avait plus qu'à les rapporter chez elle.

Elle remit les volailles dans son sac, rangea le couperet de Billy Richardson dans le bûcher. Puis elle alla voir ce qu'il pouvait y avoir à manger dans la maison.

Elle fit une sieste au début de l'après-midi et rêva que ses visiteurs se rapprochaient maintenant... ils étaient juste au sud de York, dans une vieille camionnette. Six, dont un jeune sourd-muet. Mais c'était un garçon courageux, un de ceux à qui il fallait qu'elle parle.

Elle se réveilla vers trois heures et demie, un peu engourdie, mais bien reposée. Pendant les deux heures et demie qui suivirent, elle pluma les poulets, s'arrêtant quand son ouvrage faisait trop souffrir ses vieux doigts arthritiques. Elle chantait des cantiques en travaillant – *Seven Gates to the City, Trust and Obey,* et celui qu'elle préférait, *In the Garden.*

Quand elle eut terminé de plumer le dernier poulet, ses doigts lui faisaient atrocement mal et la lumière du jour avait commencé à prendre une teinte dorée qui annonçait l'arrivée du crépuscule. Fin juillet. Les jours commençaient à raccourcir.

Elle rentra pour manger encore un peu. Le pain était rassis, mais il n'avait pas moisi – aucune moisissure n'aurait osé pointer son nez vert dans la cuisine d'Addie Richardson – et elle trouva un pot entamé de beurre d'arachides. Elle se fit deux sandwichs au beurre d'arachides. Elle en mangea un, puis glissa l'autre dans la poche de son tablier, au cas où elle aurait faim plus tard.

Il était maintenant sept heures moins vingt. Elle ressortit, ramassa son sac et descendit avec précaution l'escalier de la véranda. Elle avait pris soin de jeter les plumes dans un autre sac, mais quelques-unes s'étaient échappées et flottaient sur la haie des Richardson, toute sèche depuis qu'elle n'était pas arrosée.

– Je repars, Seigneur, dit Abigaël en poussant un profond soupir. Je rentre chez moi. Je n'irai pas vite et je n'arriverai sans doute pas avant minuit, mais le Livre dit : Ne crains ni la terreur de la nuit ni celle de l'heure de midi. J'accomplis Ta volonté de mon mieux. Prends-moi par la main, s'il Te plaît, pour l'amour de Jésus. Amen.

Quand elle arriva à l'endroit où la route goudronnée devenait une route de terre, il faisait complètement noir. Des grillons chantaient, des grenouilles coassaient dans un creux humide, probablement la mare où s'abreuvaient les vaches de Cal Goodell. La lune allait bientôt apparaître, une grosse lune rouge qui allait garder cette couleur de sang tant qu'elle n'aurait pas monté davantage dans le ciel.

Elle s'assit pour se reposer et mangea la moitié de son sandwich (que n'aurait-elle pas donné pour un peu de gelée de cassis, afin d'ôter ce goût collant dans sa bouche, mais Addie gardait ses confitures à la cave et l'escalier était bien raide). Le sac était à côté d'elle. Elle avait mal partout et ses forces semblaient l'avoir abandonnée, alors qu'il lui restait encore quatre bons kilomètres... mais elle se sentait remplie d'une étrange allégresse. Depuis combien de temps ne marchait-elle plus la nuit, sous la voûte des étoiles ? Elles brillaient toujours aussi fort et, avec un peu de chance, elle allait peut-être voir une étoile filante et faire un vœu. Une belle nuit douce, les étoiles, la lune d'été qui commençait à montrer son disque rouge à l'horizon, tout cela la faisait se souvenir de son enfance avec ses étranges inquiétudes, ses chaleurs, cette merveilleuse vulnérabilité quand elle était encore au bord du Mystère. Oh oui, elle se souvenait d'avoir été jeune fille. Certains ne voudraient pas le croire sans doute, comme ils ne pouvaient croire que le séquoia géant a jamais été une petite pousse verte. Mais elle avait pourtant été une jeune fille, et en ce temps-là les terreurs nocturnes de l'enfance s'étaient un peu dissipées, remplacées par les terreurs de l'adulte qui venaient vous assaillir en pleine nuit quand tout était silence, et vous entendiez alors la voix de votre âme éternelle. Dans le bref intervalle qui avait séparé l'enfance de l'âge adulte, la nuit avait été un puzzle d'odeurs enivrantes, l'époque où, quand vous regardiez le ciel semé d'étoiles, quand vous écoutiez la brise qui vous apportait ses odeurs enivrantes, vous vous sentiez tout près du cœur de l'univers, de l'amour, de la vie. Et vous pensiez rester jeune à tout jamais, vous pensiez...

Je tiens ton sang dans mes poings.

Un tiraillement sur son sac la fit tressaillir. Elle poussa un petit cri de sa voix cassée de vieille femme et tira vers elle le sac qui se déchira un peu au fond.

Elle entendit alors un grognement sourd. Tapie au bord de la route, entre l'accotement de gravier et le maïs, une grosse belette brune roulait des yeux où se reflétaient des éclairs rouges de lune. Une autre vint la rejoindre. Et une autre. Et une autre encore.

Elle regarda de l'autre côté de la route et vit qu'elle était bordée de belettes aux yeux interrogateurs. Elles avaient senti les poulets dans le sac. Combien pouvaient-elles être ? se demanda-t-elle. Elle s'était fait mordre une fois par une belette, un jour qu'elle s'était glissée sous la véranda de la grande maison pour chercher sa balle rouge, et quelque chose qui lui avait fait penser à une pleine bouche d'aiguilles avait agrippé son avant-bras. La surprise de l'attaque qui avait bouleversé si brutalement la monotonie des choses, comme un fer rouge plongé dans l'eau, l'avait fait hurler, autant que la douleur. Elle avait retiré son bras, mais la belette y était restée accrochée, son pelage lisse et brun taché de son sang, son corps fouettant l'air comme la queue d'un serpent. Et elle hurlait, secouait le bras, mais la belette refusait de lâcher, comme si elle était devenue une partie de son corps à elle.

Ses frères, Micah et Matthew, se trouvaient dans

la cour ; son père était sous la véranda, en train de feuilleter un catalogue. Ils étaient arrivés en courant, puis ils étaient restés figés sur place à la vue d'Abigaël, âgée de douze ans à l'époque, qui courait à toutes jambes dans la clairière, à l'endroit où la grange n'allait pas tarder à se dresser, la belette brune pendue à son bras comme une étole, griffant l'air de ses pattes de derrière comme si elle cherchait une prise. Le sang avait giclé sur sa robe, ses jambes, ses chaussures.

Son père avait réagi le premier. John Freemantle avait ramassé une bûche à côté du billot : *Ne bouge pas, Abby !* avait-il hurlé. Sa voix, la voix du commandement et de l'obéissance depuis qu'elle était enfant, avait traversé son esprit envahi par la panique quand rien d'autre n'aurait sans doute pu le faire. Elle s'était arrêtée et la bûche s'était abattue en sifflant. Une douleur atroce dans son bras, jusqu'à l'épaule (elle avait cru que son bras était cassé), puis la chose brune qui avait été la cause d'une telle souffrance et d'une telle surprise – dans l'horrible chaleur de ces quelques instants, les deux sensations se mêlaient inextricablement – gisait par terre, le pelage taché de son sang. Micah avait bondi en l'air et était retombé sur la bête à pieds joints, un horrible craquement, comme le bruit que fait dans votre tête le sucre candi quand vous l'écrasez sous vos dents, et si la bête n'était pas déjà morte, elle l'était sûrement maintenant. Abigaël ne s'était pas évanouie, mais elle avait éclaté en sanglots, s'était mise à pousser des hurlements hystériques.

Richard, le fils aîné, arrivait en courant, pâle, effrayé. Lui et son père avaient échangé un regard.

– Je n'ai jamais vu de toute ma vie une belette faire ça, avait dit John Freemantle en prenant sa fille dans ses bras. Heureusement que ta mère était là-bas, à cueillir les haricots.

– Peut-être qu'elle avait la r..., avait commencé Richard.

– Tais-toi ! avait aussitôt répondu son père.

Et sa voix glacée était celle de la colère et de la

peur. Et Richard s'était tu – avait fermé la bouche si vite et si dur qu'Abby avait entendu ses dents claquer. Puis son père lui avait dit :

– On va aller à la pompe, Abigaël, ma petite, on va laver toute cette saleté.

Un an plus tard, Luke lui avait expliqué ce que son père n'avait pas voulu que Richard dise : que la belette avait presque certainement la rage pour faire ça, et que, si elle l'avait, Abigaël allait mourir de l'une des morts les plus atroces, à part les plus cruelles tortures, que l'homme connaisse. Mais la belette n'avait pas la rage. La blessure avait guéri. Depuis ce jour cependant, elle avait la terreur de ces bêtes, comme certaines personnes sont terrorisées par les rats ou les araignées. Si seulement le fléau avait pu les exterminer, au lieu de tuer les chiens ! Mais les belettes n'étaient pas mortes, et elle...

Je tiens ton sang dans mes poings.

Une belette fonça vers elle et mordit le gros ourlet du sac de jute.

– *Aïe !* hurla la vieille femme.

La belette s'enfuit en montrant les dents comme si elle souriait, un long fil entre les griffes.

C'était *lui* qui les envoyait – l'homme noir.

Elle sentit la terreur s'emparer d'elle. Elles étaient des centaines maintenant, grises, brunes, noires, toutes flairant les poulets. Elles étaient alignées des deux côtés de la route, se bousculant les unes les autres pour mieux sentir ce qu'elles sentaient.

Il va falloir que je leur donne les poulets. Tout ce travail pour rien. Si je ne leur donne pas les poulets, elles vont me mettre en pièces. Tout ce travail pour rien.

Dans les ténèbres qui obscurcissaient son esprit, elle voyait l'homme noir sourire, elle voyait ses poings serrés, dégoulinants de sang.

Un autre coup de dents. Un autre encore.

De l'autre côté de la route, les belettes se précipitaient maintenant vers elle en rangs serrés, à ras de terre, le ventre dans la poussière. Leurs petits yeux cruels scintillaient comme des poignards au clair de lune.

Mais celui qui croit en Moi ne périra point... car Je l'ai oint de ma main et rien ne saurait le toucher... il est Mien dit le Seigneur...

Elle se redressa, terrifiée, mais sûre maintenant de ce qu'elle devait faire.

– Allez-vous-en ! hurla-t-elle. Oui, ce sont des poulets, mais je les garde pour mes invités ! Allez-vous-en !

Les bêtes reculèrent. Leurs petits yeux semblèrent se remplir d'inquiétude. Et, tout à coup, elles disparurent, comme un panache de fumée dans le ciel. *Un miracle,* pensa-t-elle, et elle se sentit remplie de joie, d'amour pour le Seigneur. Puis, tout à coup, elle eut très froid.

Quelque part, loin à l'ouest, derrière les montagnes Rocheuses que l'on ne voyait même pas à l'horizon, elle sentit qu'un œil – un œil brillant – s'ouvrait tout à coup et regardait dans sa direction, la cherchait. Aussi clairement que si les mots avaient été prononcés à haute voix, elle l'entendit dire : *Qui est là ? Est-ce toi, vieille femme ?*

– Il sait que je suis là, murmura-t-elle dans la nuit. Oh, mon Dieu, aide-moi. Aide-moi maintenant, aide-nous tous.

Traînant son sac derrière elle, elle se remit en route.

Ils arrivèrent deux jours plus tard, le 24 juillet. Elle n'avait pu préparer tout ce qu'elle voulait ; ses vieilles jambes n'en pouvaient plus ; elle boitillait péniblement, incapable de marcher sans sa canne, et c'est à peine si elle pouvait pomper de l'eau au puits. Le lendemain du jour où elle avait tué les poulets et chassé les belettes, elle avait dormi presque tout l'après-midi, épuisée. Elle avait rêvé qu'elle franchissait un col, très haut dans les montagnes Rocheuses, à l'ouest de la ligne de partage des eaux. La route 6 serpentait entre de hautes murailles rocheuses, plongée dans l'ombre toute la journée, sauf une demi-heure vers midi. Dans son rêve, il faisait nuit, une nuit sans lune. Quelque part, des loups hurlaient. Et, tout à coup, un œil s'était ouvert dans le noir, un œil qui roulait horriblement de part et d'autre tandis que le vent sifflait lugubrement dans les pins bleus. C'était lui, et il la cherchait.

Après cette longue sieste agitée, elle s'était réveillée un peu reposée. Une fois encore, elle avait prié Dieu de la laisser en paix, ou du moins de la laisser prendre un autre chemin que celui qu'Il voulait qu'elle suive.

Au nord, au sud ou à l'est, Seigneur, et je quitterai Hemingford Home en chantant Tes louanges. Mais pas à l'ouest, pas vers l'homme noir. Les Rocheuses ne suffisent pas entre lui et nous. Les Andes ne suffiraient pas.

Mais tout cela n'avait plus d'importance. Tôt ou tard, quand l'homme jugerait qu'il était assez fort, il se mettrait à la recherche de ceux qui s'opposaient à lui. Sinon cette année, alors la suivante. Les chiens avaient disparu, emportés par le fléau, mais les loups continuaient à hanter les montagnes, prêts à se mettre au service de la créature de Satan.

Et les loups ne seraient pas seuls à se mettre à son service.

Le jour où la visite arriva enfin, elle avait commencé sa journée à sept heures du matin. Elle alla chercher du bois, deux bûches à la fois, jusqu'à ce que le poêle soit bien chaud et le coffre à bois plein. Dieu lui avait fait la grâce d'une journée fraîche, nuageuse, la première depuis des semaines. Peut-être pleuvrait-il à la tombée de la nuit. En tout cas, c'est ce que lui disait le fémur qu'elle s'était cassé en 1958.

Elle fit cuire ses tartes, garnies de la rhubarbe et des fraises qu'elle était allée cueillir au jardin. Les fraises venaient de mûrir, loué soit Dieu, il était bon de savoir qu'elles n'allaient pas se perdre. Elle se sentit mieux à faire ainsi la cuisine, car la cuisine, c'était la vie. Deux tartes aux fraises et à la rhubarbe. Une autre aux myrtilles, une autre aux pommes. Il lui restait encore des myrtilles et des pommes en boîtes sur les étagères de sa cuisine. Et l'odeur de la pâtisserie remplit l'air du matin. Elle mit les tartes à refroidir sur l'appui de la fenêtre, comme elle l'avait fait toute sa vie.

Puis elle prépara de son mieux la pâte à frire, mais ce n'était pas facile sans œufs frais – elle aurait dû y penser quand elle était au poulailler, qu'elle était donc sotte. Œufs ou pas, au début de l'après-midi, la petite cuisine au plancher inégal et au linoléum usé sentait bon le poulet frit. Il commençait à faire chaud à l'intérieur. Elle sortit donc en boitillant sur la véranda pour faire sa lecture quotidienne en s'éventant avec une vieille revue aux pages cornées.

Le poulet était cuit à la perfection, croustillant, tendre et juteux. Et l'un des visiteurs qui viendraient tout à l'heure n'aurait qu'à aller cueillir deux douzaines d'épis de maïs. Puis ils mangeraient tous dehors.

Elle enveloppa les morceaux de poulet dans des serviettes de papier, revint s'installer sur la véranda avec sa guitare, s'assit et se mit à jouer. Elle chanta tous ses cantiques favoris de sa voix haute et chevrotante qui flottait dans l'air immobile.

Quand l'épreuve et la tentation nous assaillent
Quand le chagrin nous accable
Ne perdons point courage
Car Dieu nous tend Sa main.

Elle trouvait cette musique si jolie (mais son oreille n'était plus assez bonne pour qu'elle soit tout à fait sûre que sa vieille guitare était bien accordée) qu'elle joua un autre cantique, et un autre encore.

Elle commençait *We Are Marching to Zion* lorsqu'elle entendit un bruit de moteur au nord, un bruit qui venait dans sa direction. Elle cessa de chanter, mais ses doigts continuèrent à gratter distraitement les cordes tandis qu'elle penchait la tête pour mieux écouter. Ils arrivent, oui, Seigneur, ils ont trouvé le chemin. Et elle voyait maintenant le panache de poussière que soulevait le camion en s'engageant sur la route de terre qui s'arrêtait dans sa cour. Elle était si contente d'avoir de la visite. Heureusement, elle avait mis ses habits du dimanche. Elle cala sa guitare entre ses genoux et mit sa main en visière, quoiqu'il n'y eût toujours pas de soleil.

Le bruit du moteur grandissait. Dans un instant, là où le maïs s'ouvrait et faisait de la place pour la mare où les vaches de Cal Goodell...

Oui, elle le voyait, un vieux camion Chevrolet qui avançait lentement. La cabine était pleine ; quatre personnes entassées là-dedans (elle avait toujours bon œil, à cent huit ans), et trois autres à l'arrière, debout sur le plateau. Un homme blond, plutôt mince, une jeune fille aux cheveux roux, au milieu... oui, c'était lui, un garçon qui venait tout juste d'apprendre à être un homme. Cheveux foncés, visage étroit, front haut. Il la vit assise sous sa véranda et se mit à lui faire de grands gestes. Un instant plus tard, l'homme blond l'imitait. La fille aux cheveux roux se contentait de regarder. Mère Abigaël leva la main et leur rendit leur salut.

Loué sois-Tu, mon Dieu, pour les avoir amenés jusqu'ici, murmura-t-elle d'une voix rauque, et des larmes brûlantes ruisselèrent sur ses joues. Merci, mon Dieu.

Le camion entra dans la cour en cahotant. L'homme qui était au volant portait un chapeau de paille orné d'une grande plume coincée sous un ruban de velours bleu.

– Hou-hou ! hurla-t-il en faisant un grand geste. Bonjour, madame ! Nick pensait bien vous trouver là ! Hou-hou !

Il klaxonnait comme un fou. Assis à côté de lui, dans la cabine, il y avait un homme dans la cinquantaine, une femme du même âge et une petite fille en salopette de velours côtelé rouge. La petite fille suçait son pouce en agitant timidement l'autre main.

Le jeune homme au bandeau et aux cheveux noirs – Nick – sauta du camion qui roulait encore. Il reprit son équilibre, puis s'avança lentement vers elle, grave, solennel, mais les yeux brillants de joie. Il s'arrêta devant l'escalier de la véranda, puis regarda autour de lui, étonné... la cour, la maison, le vieil arbre avec la balançoire. Et surtout, elle.

– Bonjour, Nick, dit-elle. Je suis contente de te voir. Dieu te bénisse.

Il lui fit un large sourire, puis se mit à pleurer. Il monta l'escalier, prit ses mains entre les siennes. Elle lui tendit sa joue ridée et il l'embrassa doucement. Derrière lui, le camion s'était arrêté et tout le monde était descendu. L'homme qui conduisait tenait dans ses bras la petite fille en salopette rouge dont la jambe droite était prise dans un plâtre. La petite se cramponnait au cou bronzé de l'homme. À côté de lui, la femme dans la cinquantaine, puis la rousse, puis le garçon blond avec la barbe. Non, ce n'est pas un garçon ordinaire, pensa mère Abigaël, c'est un simple d'esprit. En dernier, l'autre homme qui se trouvait dans la cabine. Il essuyait les verres de ses lunettes cerclées de fer.

Nick la regardait avec insistance, et elle lui fit un signe de tête.

– Tu as bien fait, dit-elle. Le Seigneur t'a conduit et mère Abigaël va te donner à manger. Vous êtes *tous* les bienvenus ! continua-t-elle d'une voix plus forte. Nous ne pourrons pas rester longtemps, mais avant de partir, nous allons nous reposer, nous allons rompre le pain ensemble, nous allons apprendre à nous connaître.

Perchée dans les bras de l'homme qui conduisait le camion, la petite fille demanda d'une voix fluette :

– Est-ce que vous êtes la plus vieille dame du monde ?

– Chut, Gina ! souffla la femme dans la cinquantaine.

Mais mère Abigaël éclata de rire, la main sur la hanche.

– Peut-être bien, mon enfant, peut-être bien.

Elle demanda aux deux femmes, Olivia et June, d'étendre sa nappe à carreaux rouges sous le pommier, tandis que les hommes allaient cueillir du maïs. Il ne fallut pas longtemps pour le faire cuire. Bien sûr, il n'y avait pas de beurre, mais la margarine et le sel ne manquaient pas.

Ils parlèrent peu durant le repas – on entendait surtout des bruits de mâchoires et parfois de petits grognements de plaisir. Elle eut chaud au cœur de voir ses invités faire honneur au repas qu'elle leur avait préparé. Sa longue course chez les Richardson n'avait pas été vaine, ni sa lutte contre les belettes. Ce n'était pas vraiment qu'ils avaient faim, mais quand vous ne mangez pratiquement que des conserves depuis un mois, l'envie vous prend de choses fraîches, mijotées sur un fourneau. Abigaël engloutit trois morceaux de poulet, un épi de maïs et une petite part de tarte aux fraises et à la rhubarbe. Quand elle eut fini, elle se sentit aussi pleine qu'une grosse punaise gonflée de sang.

Au café, le conducteur, un homme à la physionomie plaisante qui s'appelait Ralph Bretner, lui dit :

– C'était bien bon, madame. Il y a longtemps que je n'avais pas aussi bien mangé. Nous devons tous vous remercier.

Et ce fut un concert de murmures approbateurs. Nick sourit et hocha la tête.

– Je peux m'asseoir sur tes genoux, madame grand-mère ? demanda la petite fille.

– Tu es trop lourde, ma chérie, dit la plus âgée des deux femmes, Olivia Walker.

– Pas du tout, répondit Abigaël. Le jour où je ne pourrai plus prendre un petit enfant sur mes genoux, ce jour-là, il faudra me mettre dans mon linceul. Viens, Gina.

Ralph prit la petite et l'installa sur les genoux de la vieille dame.

– Quand vous trouverez qu'elle est trop lourde, dites-le-moi.

Il chatouilla le nez de Gina avec la plume de son chapeau. Elle leva les mains en riant aux éclats.

– Ne me chatouille pas, Ralph ! Arrête !

– J'ai trop mangé pour te chatouiller longtemps, dit Ralph en se rasseyant.

– Qu'est-ce que tu t'es fait à la jambe, Gina ? demanda Abigaël.

– Je l'ai cassée en tombant de la grange. Dick l'a réparée. Ralph dit que Dick m'a sauvé la vie.

Elle envoya un baiser à l'homme aux lunettes cerclées de fer, qui rougit un peu, toussa et sourit.

Nick, Tom Cullen et Ralph étaient tombés sur Dick Ellis en plein milieu du Kansas. Il marchait le long de la route, un sac sur le dos, un bâton à la main. Dick était vétérinaire. Le lendemain, alors qu'ils traversaient la petite ville de Lindsborg, ils s'étaient arrêtés pour déjeuner. C'est alors qu'ils avaient entendu de faibles cris du côté sud de la ville. Si le vent avait soufflé de l'autre côté, ils seraient repartis sans rien entendre.

– Béni soit Dieu, dit Abby d'une voix solennelle en caressant les cheveux de la petite fille.

Gina était seule depuis trois semaines. La veille ou l'avant-veille, elle était en train de jouer dans le grenier à foin de la grange de son oncle quand une planche pourrie avait cédé. Elle avait fait une chute de plus de dix mètres. Heureusement, le foin répandu par terre avait amorti sa chute, mais elle s'était cassé la jambe. Au début, Dick Ellis avait cru qu'elle ne s'en tirerait pas. Il lui avait fait une anesthésie locale avant de remettre sa jambe ; elle avait tellement maigri et son état général était si mauvais qu'il craignait qu'une anesthésie générale ne la tue (et, pendant qu'on racontait son histoire, Gina McCone jouait paisiblement avec les boutons de la robe de mère Abigaël).

Mais Gina s'était rétablie avec une rapidité étonnante. Aussitôt, elle s'était prise d'affection pour Ralph et son joli chapeau. À voix basse, Ellis expliqua qu'à son avis la petite avait surtout souffert de la solitude.

– Naturellement, dit Abigaël. Si vous ne l'aviez pas trouvée, elle se serait éteinte toute seule.

Gina bâilla. Ses yeux étaient perdus dans le vague.

– Je vais la coucher, dit Olivia Walker.

– Installez-la dans la petite chambre, au bout du couloir, répondit Abby. Vous pouvez dormir avec elle si vous voulez. Et vous, ma fille... comment vous appelez-vous déjà ? J'ai oublié.

– June Brinkmeyer, dit la rouquine.

– Eh bien, vous pouvez dormir dans ma chambre, June, si le cœur vous en dit. Le lit n'est pas assez grand pour deux personnes, et je ne pense pas que vous ayez envie de dormir avec un vieux sac d'os comme moi. Mais il y a un matelas au grenier – si les souris ne l'ont pas mangé. Les hommes ne demanderont pas mieux que de le descendre pour vous.

– Bien sûr, dit Ralph.

Olivia alla coucher Gina qui s'était endormie. Il faisait déjà noir dans la cuisine, plus animée qu'elle ne l'avait été depuis des années. Mère Abigaël se leva en poussant un petit gémissement et alluma les trois lampes à pétrole, une pour la table, une autre qu'elle posa sur le poêle (le Blackwood de fonte se refroidissait en craquant de plaisir), la dernière sur l'appui de la fenêtre. La nuit recula un peu.

– Après tout, la manière d'autrefois est peut-être la meilleure.

C'était Dick qui venait de parler. Ils le regardèrent tous. Il rougit et toussota. Abigaël étouffa un petit rire.

– Je veux dire, reprit Dick, très intimidé, que c'est le premier vrai repas que je fais depuis... depuis le 13 juin, je crois. Le jour où l'électricité a été coupée. Je l'avais préparé moi-même. C'est tout dire. Ma femme... elle faisait vraiment très bien la cuisine. Elle...

Olivia revenait.

– La petite dort à poings fermés. Elle était vraiment fatiguée.

– Est-ce que vous faites vous-même votre pain ? demanda Dick à mère Abigaël.

– Naturellement. Depuis toujours. Mais je n'ai plus de levure. Ce n'est pas très grave, parce qu'il y a d'autres recettes.

– J'ai très envie de pain. Helen... ma femme... elle faisait du pain deux fois par semaine. Ces derniers temps, on dirait que je n'ai envie que de ça. Donnez-moi trois tartines de pain, un peu de confiture de fraises, et je crois que je pourrais mourir heureux.

– Tom Cullen est fatigué, dit Tom tout à coup. Oh là là, fatigué, fatigué.

Et il bâilla à se décrocher la mâchoire.

– Allez vous coucher dans la remise, lui proposa Abigaël. Elle sent un peu le moisi, mais vous serez au sec.

Ils écoutèrent un moment le bruissement paisible de la pluie dans les feuilles. Il pleuvait depuis près d'une heure. Dans la solitude, ce bruit aurait été lugubre. Mais avec tous ces gens, c'était un murmure agréable, secret, intime. La pluie gargouillait dans les gouttières de zinc, coulait dans la grosse barrique qui était installée derrière la maison. Le tonnerre gronda dans le lointain, très loin, au-dessus de l'Iowa.

– Vous avez des sacs de couchage ? demanda Abigaël.

– Nous avons tout ce qu'il faut, répondit Ralph. Nous serons très bien. Allez viens, Tom.

– Je me demandais, dit Abigaël, si vous et Nick ne pourriez pas rester un peu, Ralph.

Nick était assis derrière la table, en face du fauteuil à bascule où la vieille femme se balançait. J'aurais cru, se dit-elle, qu'un homme qui ne peut pas parler se serait senti perdu au milieu de tous ces gens, qu'il aurait voulu disparaître dans son coin. Mais ce n'était pas ce qui s'était passé avec Nick. Il était assis, parfaitement immobile, et suivait attentivement la conversation comme le montrait l'expression de son visage. Un visage ouvert et intelligent, mais déjà rongé par les soucis. Plusieurs fois au cours de la soirée, elle avait remarqué que les autres l'observaient, comme pour lui demander son approbation. Plusieurs fois aussi, elle l'avait vu regarder par la fenêtre, d'un air inquiet.

– Vous pourriez me descendre le matelas ? demanda June.

– Je vais m'en charger avec Nick, répondit Ralph en se levant.

– Je veux pas aller tout seul dans la remise, dit Tom. Oh là là, mais alors sûrement pas...

– Ne t'en fais pas, je vais t'accompagner, mon bonhomme, répondit Dick. On va allumer la lampe Coleman, et puis on va se coucher. Merci beaucoup, madame. Grâce à vous, nous avons passé une soirée très agréable.

Les autres lui firent écho. Nick et Ralph descendirent le matelas – intact, fort heureusement. Tom et Dick s'installèrent dans la remise où la lampe Coleman s'alluma bientôt. Peu après, Nick, Ralph et mère Abigaël se retrouvèrent seuls dans la cuisine.

– Vous me permettez de fumer, madame ? demanda Ralph.

– Si vous ne jetez pas vos cendres par terre. Il y a un cendrier dans l'armoire, juste derrière vous.

Ralph se leva pour aller le chercher. Abby dévisageait Nick. Il était vêtu d'une chemise kaki, d'un blue-jeans et d'un vieux coupe-vent de coton. Quelque chose lui faisait penser qu'elle le connaissait déjà, ou qu'il était écrit qu'elle devait un jour le connaître. En le regardant, elle éprouvait une sensation paisible d'achèvement, de certitude, comme si ce moment avait depuis toujours été décidé par le destin. Comme si, à une extrémité de sa vie, il y avait eu son père, John Freemantle, grand, noir et fier, et à l'autre, cet homme, jeune et muet, avec ses yeux brillants et expressifs qui l'observaient, avec ce visage déjà usé par l'inquiétude.

Elle jeta un coup d'œil dehors et vit la lampe Coleman qui éclairait un petit bout de sa cour par la fenêtre de la remise. Elle se demanda si elle sentait encore la vache ; il y avait bien trois ans qu'elle n'y était pas entrée. Pour quoi faire ? Elle avait vendu sa dernière bête, Daisy, en 1975. Pourtant, en 1987, la remise sentait encore la vache. Et probablement encore aujourd'hui. Tant pis. Après tout, il y avait des choses qui sentaient plus mauvais.

– Madame ?

Elle se retourna. Ralph s'était assis à côté de Nick, un bloc-notes à la main. Il clignait les yeux, ébloui par la lampe. Sur ses genoux, Nick tenait un bloc de papier à lettres et un crayon-bille.

– Nick dit..., commença Ralph, puis il s'arrêta pour s'éclaircir la voix, gêné.

– Continuez.

– Nick dit qu'il a du mal à lire sur vos lèvres, parce que...

– Je crois savoir pourquoi. Ne vous inquiétez pas.

Elle se leva et s'avança d'un pas traînant vers le vaisselier. Sur la deuxième étagère se trouvait un bol de plastique, et dans le bol un dentier qui flottait dans un liquide laiteux.

Elle pêcha l'objet et le rinça à l'eau du robinet.

– Seigneur Jésus, que je n'aime pas ça, dit mère Abigaël en mettant son dentier. Il faut que nous parlions. Vous êtes les deux chefs. Nous devons décider certaines choses.

– Je ne suis pas un chef, dit Ralph. J'ai toujours travaillé en usine, et un peu sur la ferme. J'ai les mains plus solides que la tête. C'est Nick qui est le chef.

– C'est vrai ? demanda Abigaël en regardant Nick.

Nick écrivit quelque chose et Ralph lut son message.

– C'est moi qui ai eu l'idée de venir ici, oui. Mais je ne sais pas si je suis le chef.

– Nous avons rencontré June et Olivia à cent cinquante kilomètres d'ici, ajouta Ralph. Avant-hier, c'est bien ça, Nick ?

Nick hocha la tête.

– On allait tous vous voir, mère Abigaël. Les

femmes allaient au nord, elles aussi. Comme Dick. On a décidé de faire la route ensemble.

– Avez-vous rencontré d'autres gens ?

– *Non,* écrivit Nick. *Mais j'ai l'impression – Ralph aussi – que d'autres gens se cachent, qu'ils nous surveillent. Ils ont peur, peut-être. Ils sont encore sous le choc.*

Abigaël approuva d'un signe de tête.

– *Dick nous a dit qu'il avait entendu une moto la veille du jour où il nous a rencontrés. Il doit y avoir d'autres gens par ici. Je crois que ce qui leur fait peur, c'est que nous sommes un groupe déjà assez important.*

– Pourquoi êtes-vous venus ici ? questionna la vieille femme en plissant les yeux.

– *J'ai rêvé de vous. Dick Ellis aussi une fois. Et la petite fille, Gina, vous appelait « Maman grand-mère » bien avant qu'on arrive ici Elle a décrit votre maison, la balançoire avec le pneu.*

– Bénie soit la petite enfant, dit mère Abigaël d'un air absent. Et vous ? demanda-t-elle en se tournant vers Ralph.

– Une ou deux fois, madame, répondit Ralph en se passant la langue sur les lèvres. Moi, je rêvais surtout à... à l'autre type.

– Quel autre ?

Nick écrivit quelque chose, entoura d'un cercle ce qu'il avait écrit, puis lui tendit son bloc. Mère Abigaël avait du mal à lire sans ses lunettes, ou sans la grosse loupe qu'elle avait achetée à Hemingford Center l'année dernière. Mais ce message, elle pouvait le lire. Il était écrit en grosses lettres, comme l'écriture de Dieu sur le mur du palais du roi Balthasar. Et le cercle qui l'entourait la fit frissonner. Elle pensa aux belettes qui fourmillaient sur la route, qui tiraillaient son sac avec leurs petites dents pointues comme des aiguilles. Elle pensa à un œil rouge qui s'ouvrait dans le noir, qui regardait, cherchait, non pas seulement une vieille femme, mais tout un groupe d'hommes et de femmes... et une petite fille.

Et les mots encerclés étaient ceux-ci : *l'homme noir.*

Elle plia la feuille de papier, la déplia, la replia encore, oubliant que ses doigts arthritiques lui faisaient si mal.

– Je sais que nous devons aller à l'ouest, dit-elle. Le Seigneur Dieu me l'a dit en rêve. Je ne voulais pas l'écouter. Je suis une vieille femme, et tout ce que je veux, c'est mourir sur ce petit bout de terre. La terre de ma famille depuis cent douze ans. Mais il est dit que ce n'est pas là que je mourrai, pas plus que Moïse n'est allé en Canaan avec les enfants d'Israël.

Elle s'arrêta. Les deux hommes la regardaient dans la lumière de la lampe à pétrole. Dehors, la pluie continuait à tomber, fine, tenace. Le tonnerre ne grondait plus. Seigneur, pensa-t-elle, ce dentier me fait un mal de chien. Je voudrais bien l'enlever et aller me coucher.

– J'ai commencé à faire ces rêves il y a deux ans. J'ai toujours rêvé, et parfois mes rêves se réalisent. La prophétie est un don de Dieu et tout le monde est un peu prophète. Dans mes rêves, je m'en allais vers l'ouest. D'abord avec quelques personnes, puis avec d'autres, et d'autres encore. À l'ouest, toujours à l'ouest, et je voyais un jour les montagnes Rocheuses. Nous formions une véritable caravane, deux cents personnes, plus peut-être. Et il y avait des signes... non, pas des signes de Dieu, des panneaux indicateurs : BOULDER, COLORADO, 965 KILOMÈTRES ou encore : DIRECTION BOULDER.

Elle s'arrêta.

– Ces rêves me faisaient peur, tellement peur que je n'en ai jamais parlé à personne. Je me sentais comme Job devait se sentir quand Dieu lui parla dans la tempête. J'ai même voulu croire qu'il ne s'agissait que de rêves, pauvre vieille femme qui fuit son Dieu comme Jonas. Mais le gros poisson nous a avalés quand même, vous voyez ! Et si Dieu dit à Abby, *tu dois leur dire,* alors je dois leur dire. J'ai toujours cru que quelqu'un allait venir à moi, quelqu'un de spécial. Et qu'alors je saurais que le moment était arrivé.

Elle regarda Nick, assis derrière la table, et Nick la regardait lui aussi, à travers la fumée de la cigarette de Ralph Brentner.

– J'ai su que c'était toi quand je t'ai vu, Nick. Dieu a touché ton cœur de Son doigt. Mais Il a plusieurs doigts, et d'autres encore s'en viennent, loué soit Dieu, car Il a posé Son doigt sur eux aussi. Je rêve de *lui*, lui qui nous cherche en ce moment et, Dieu me pardonne, je le maudis dans mon cœur.

La vieille femme pleurait. Elle se leva pour boire un verre d'eau et se rafraîchir le visage. Ses larmes étaient ce qu'il y avait d'humain en elle, de faible, d'hésitant.

Quand elle se retourna, Nick était en train d'écrire. Quand il eut terminé, il arracha la page de son bloc et la tendit à Ralph.

– *Je ne sais pas s'il faut y voir l'œuvre de Dieu, mais je sais que quelque chose se prépare. Tous ceux que nous avons rencontrés faisaient route au nord. Comme si vous aviez la réponse. Avez-vous rêvé aux autres ? À Dick ? À June ou à Olivia ? Peut-être à la petite fille ?*

– Non, à aucun de ceux-là. À un homme qui ne parle pas beaucoup. À une femme qui attend un enfant. À un homme à peu près de ton âge qui vient à moi avec sa guitare. Et à toi, Nick.

– *Et vous croyez que c'est une bonne idée d'aller à Boulder ?*

– C'est ce que nous *devons* faire, répondit mère Abigaël.

Nick resta un moment songeur devant son bloc-notes, puis il se remit à écrire.

– *Qu'est-ce que vous savez de l'homme noir ? Savez-vous qui il est ?*

– Je sais ce qu'il faut faire, mais je ne sais pas qui il est. C'est le diable en personne. Les autres méchants ne sont que des diablotins. Des petits voleurs, des petits violeurs, des petits voyous. Mais il va les appeler. Il a déjà commencé. Et il les rassemble beaucoup plus vite que nous nous rassemblons. Quand il sera prêt, je crois qu'ils seront beaucoup plus nombreux que nous. Pas simplement les méchants, comme lui, mais les faibles... les solitaires... ceux qui ont chassé Dieu de leurs cœurs.

– *Ils n'existent peut-être pas,* écrivit Nick. *Peut-être...*

Il s'arrêta, réfléchit en suçant le bout de son stylo. Puis il se remit à écrire :

– *... peut-être qu'il nous fait peur simplement, qu'il nous force à nous débarrasser de ce que nous avons de mauvais. Peut-être que nous rêvons à des choses que nous avons peur de faire.*

Ralph fronçait les sourcils en lisant, mais Abby comprit aussitôt ce que Nick voulait dire. Et ce qu'il disait n'était pas tellement différent de la parole des prédicateurs qui sillonnaient le pays depuis vingt ans. Satan n'existait pas vraiment, voilà ce qu'ils disaient. Le mal existait, et il venait sans doute du péché originel, mais il était enraciné en chacun d'entre nous, et l'extirper était aussi impossible que de faire sortir l'œuf de sa coquille sans la casser. Selon ces nouveaux prédicateurs, Satan était comme un puzzle – et chaque homme, chaque femme, chaque enfant sur terre ajoutait sa petite pièce qui constituait l'ensemble. Oui, toutes ces idées modernes paraissaient bien jolies ; le problème, c'est qu'elles n'étaient pas vraies. Et si Nick continuait à penser ainsi, l'homme noir n'en ferait qu'une bouchée.

– Tu as rêvé de moi. Est-ce que j'existe ? demanda-t-elle.

Nick hocha la tête.

– Et j'ai rêvé de toi. Est-ce que tu existes ? Loué soit Dieu, tu es assis juste devant moi, avec ton bloc-notes sur les genoux. Eh bien, cet autre homme, Nick, il est aussi réel que toi.

Oui, il existait bel et bien. Elle pensait aux belettes, à l'œil rouge ouvert tout grand dans le noir. Et lorsqu'elle se remit à parler, sa voix était rauque.

– Il n'est pas Satan, dit-elle, mais lui et Satan se connaissent et ils tiennent conseil ensemble depuis longtemps. La Bible ne dit pas ce qui est arrivé à Noé et à sa famille après le déluge. Mais je ne serais pas surprise qu'il y ait eu une terrible bataille pour les âmes de ces quelques personnes – pour leurs âmes, leurs corps, leurs pensées. Et je ne serais pas surprise si c'est exactement ce qui nous attend. L'homme noir est à l'ouest des Rocheuses pour le moment. Tôt ou tard, il passera à l'est. Peut-être pas cette année, non, mais quand il sera prêt. Et notre mission est de lui faire face.

Nick secouait la tête, troublé.

– Oui, dit-elle d'une voix douce. Tu verras. Des jours terribles nous attendent, des jours de mort et de terreur, de trahison et de larmes. Et nous ne serons pas tous là pour en voir la fin.

– Je n'aime pas trop toutes ces histoires, grommela Ralph. Est-ce que la vie n'est déjà pas suffisamment compliquée sans ce type dont vous parlez, Nick et vous ? Est-ce que nous n'avons pas assez de problèmes, sans médecins, sans électricité, sans rien du tout ? Pourquoi cette histoire par-dessus le marché ?

– Je ne sais pas. Les voies de Dieu sont impénétrables. Il ne les explique pas aux petites gens, comme Abby Freemantle.

– Si c'est ce qu'Il veut, dit Ralph, alors j'aimerais bien qu'Il prenne sa retraite et qu'un jeune vienne prendre sa succession.

– *Si l'homme noir est à l'ouest, écrivit Nick, peut-être faudrait-il fuir vers l'est.*

Abby secoua la tête.

– Nick, répondit-elle patiemment, toute chose obéit au Seigneur. Ne crois-tu pas que l'homme noir Lui obéit aussi ? Il Lui obéit, même si nous ne comprenons pas Ses desseins. L'homme noir te suivra, où que tu ailles, car il obéit aux desseins de Dieu, et Dieu veut que tu le rencontres. Il ne sert à rien de fuir la volonté du Dieu Tout-Puissant.

L'homme ou la femme qui essaie de fuir la volonté de Dieu finira dans le ventre de la bête.

Nick griffonna quelques mots. Ralph lut le message, se gratta le nez, se dit qu'il aurait préféré ne pas savoir lire. Les vieilles dames n'aimaient pas du tout ces trucs-là, ce que Nick venait d'écrire. Mère Abigaël allait sûrement crier au blasphème, réveiller tout le monde.

– Qu'est-ce qu'il dit ? demanda Abigaël.

– Il dit...

Ralph s'arrêta pour s'éclaircir la gorge. La grande plume de son chapeau frétillait.

– Il dit, reprit-il, il dit qu'il ne croit pas en Dieu.

Le message transmis, il regarda ses chaussures d'un air malheureux, attendant l'explosion.

Mais la vieille femme se contenta de toussoter. Puis elle se leva, s'approcha de Nick, lui prit la main, la caressa.

– Béni sois-tu, Nick. Ça n'a pas d'importance. *Il* croit en *toi*.

Ils passèrent toute la journée du lendemain chez Abby Freemantle. Et ce fut pour eux le jour le plus beau depuis que la super-grippe s'en était allée, comme les eaux s'en étaient allées du mont Ararat. La pluie avait cessé de tomber à l'aube et, à neuf heures, le ciel était ensoleillé, parsemé çà et là de nuages. Le maïs luisait à perte de vue, comme un tapis d'émeraudes. L'air était frais, plus frais qu'il ne l'avait été depuis des semaines.

Tom Cullen passa la matinée à courir dans les rangs de maïs, les bras en croix, chassant devant lui des nuées de corneilles. Gina McCone, assise par terre à côté de la balançoire, jouait avec des poupées de carton qu'Abigaël avait retrouvées au fond d'une malle, dans le placard de sa chambre. Un peu plus tôt, Tom et la petite fille s'étaient bien amusés avec le garage Fisher-Price que Tom avait déniché dans le Prisunic de May, dans l'Oklahoma. Et Tom s'était fait un plaisir de se plier aux moindres caprices de Gina.

Dick Ellis, le vétérinaire, s'était approché de mère Abigaël et lui avait demandé sur le ton de la confidence si des voisins avaient eu des cochons, autrefois.

– Bien sûr, les Stoner ont toujours eu des cochons.

Elle était assise sur la véranda, dans son fauteuil à bascule. Elle accordait sa guitare en regardant Gina jouer dans la cour, sa jambe dans le plâtre allongée toute raide devant elle.

– Vous croyez qu'il en reste ?

– Il faudrait aller voir. Peut-être. Mais peut-être aussi qu'ils ont défoncé les portes et qu'ils sont en train de courir dans la nature, dit-elle avec des yeux pétillants de malice. Peut-être *aussi* que je connais quelqu'un qui a rêvé d'une bonne côtelette de porc la nuit dernière.

– Si vous le dites...

– Vous avez déjà tué un cochon ?

– Non, madame, répondit-il avec un large sourire. J'en ai purgé plus d'un, mais jamais tué. Comme on dit, j'ai toujours été non violent.

– Est-ce que vous croyez que vous et Ralph accepteriez de travailler sous les ordres d'une femme ?

– Peut-être bien.

Vingt minutes plus tard, ils partaient tous les trois, Abigaël coincée entre les deux hommes dans la cabine du pick-up Chevrolet, sa canne royalement plantée entre les genoux. Arrivés chez les Stoner, ils trouvèrent deux petits cochons pétant de santé dans la porcherie. Ils avaient si bonne mine qu'ils avaient sans doute mangé leurs petits camarades quand la nourriture avait commencé à manquer.

Ralph installa la chèvre de Red Stoner dans la grange et, sous la direction d'Abigaël, Dick réussit finalement à passer une corde autour de la patte arrière de l'un des petits cochons qui se mit à couiner et à se débattre comme un démon. Les deux hommes l'amenèrent dans la grange où ils le soulevèrent avec la chèvre, tête en bas.

Ralph alla chercher dans la maison un couteau de boucher qui faisait bien un mètre – mon Dieu, ce n'est pas un couteau, c'est un sabre, pensa Abby.

– Vous savez, je ne sais pas si je vais pouvoir, dit-il.

– Alors, donnez-moi ça, répondit Abigaël en tendant la main.

Ralph lança un regard perplexe à Dick qui haussa les épaules, si bien qu'il tendit son couteau à la vieille femme.

– Seigneur, dit Abigaël, nous Te remercions du don que Tu vas bientôt nous faire, dans Ta munificence. Béni soit ce cochon qui va nous nourrir tous. Amen. Écartez-vous les gars, ça va gicler.

Elle trancha la gorge du porc d'un seul coup de couteau – il est de ces choses qu'on n'oublie jamais, même avec l'âge – puis recula aussi vite que ses jambes le lui permettaient.

– Le feu est allumé sous la marmite ? demanda-t-elle à Dick. Un beau grand feu, dans la cour ?

– Oui, madame, répondit respectueusement Dick, incapable de détourner les yeux du cochon.

– Et les brosses ? demanda-t-elle à Ralph.

Ralph lui montra deux grosses brosses de chiendent.

– Parfait. Alors emportez-le là-bas et flanquez-le dans l'eau. Quand il aura bouilli un petit coup, les soies s'en iront toutes seules avec les brosses. Après, il suffira de peler M. Cochon comme une banane.

Perspective qui apparemment ne les emballait pas.

– Du cœur, reprit la vieille femme. On ne peut quand même pas le manger tout habillé. Il faut lui enlever sa pelure.

Ralph et Dick Ellis se regardèrent, avalèrent leur salive, puis décrochèrent le porc de la chèvre. À trois heures de l'après-midi, tout était fini. Ils étaient de retour chez Abigaël à quatre heures, avec leur plein de viande. Ce soir-là, il y eut des côtelettes de porc à dîner. Les deux hommes ne mangèrent pas de grand appétit, mais Abigaël en avala deux à elle seule, en faisant craquer la graisse croustillante sous son dentier. Rien de tel que la chair fraîche, quand vous êtes le boucher.

Il était un peu plus de neuf heures. Gina dormait et Tom Cullen somnolait sur le fauteuil à bascule de mère Abigaël, sur la véranda. Des éclairs de chaleur zébraient le ciel, loin à l'ouest. Les autres étaient tous dans la cuisine, à l'exception de Nick qui était parti se promener. Abigaël comprenait son désarroi et son cœur était avec lui.

– Dites, vous n'avez pas vraiment cent huit ans ? demanda Ralph.

– Attendez un peu, répondit Abigaël, je vais vous montrer quelque chose.

Elle alla chercher dans sa chambre la lettre encadrée du président Reagan, dans le premier tiroir de sa commode. Puis elle revint et tendit le petit cadre à Ralph :

– Lisez donc *ça*, mon petit.

– ... à l'occasion de votre centième anniversaire... êtes au nombre des soixante-douze centenaires des États-Unis d'Amérique... vœux et félicitations du président Ronald Reagan, 14 janvier 1982.

Il leva de grands yeux quand il eut terminé sa lecture.

– Eh bien, je veux bien qu'on me pende par les c... – il s'arrêta, rouge de confusion – Excusez-moi, madame.

– Vous avez dû en voir, des choses ! s'exclama Olivia.

– Rien à côté de ce que j'ai vu depuis un mois, soupira Abigaël, ou à côté de ce que je vais bientôt voir.

La porte s'ouvrit et Nick entra. La conversation s'arrêta aussitôt, comme s'ils attendaient tous son arrivée. À son expression, elle vit qu'il avait pris sa décision et elle crut savoir laquelle. Nick lui donna le billet qu'il avait écrit sur la véranda, à côté de Tom. La vieille femme le tendit à bout de bras pour le lire.

– Nous devrions partir demain pourBoulder.

Elle leva les yeux, regarda Nick et hocha lentement la tête. Puis elle donna le billet à June Brinkmeyer, qui le donna à son tour à Olivia.

– Je pense que c'est ce qu'il faut faire, dit Abigaël. Je n'en ai pas plus envie que vous, mais je crois que c'est ce qu'il faut faire. Qu'est-ce qui t'a décidé, mon fils ?

Il haussa les épaules, le visage fermé, et la montra du doigt.

– Qu'il en soit ainsi, dit Abigaël. Je fais confiance au Seigneur.

Et Nick pensa : *J'aimerais bien pouvoir lui faire confiance.*

Le lendemain matin, 26 juillet, Dick et Ralph partirent pour Columbus dans la camionnette de Ralph, après une brève discussion.

– J'aime bien mon vieux camion, soupira Ralph, mais si tu dis qu'il faut en changer, Nick, ce sera comme tu veux.

– *Ne traînez pas en route,* répondit Nick.

Ralph se mit à rire et regarda autour de lui dans la cour. June et Olivia faisaient la lessive dans un grand baquet. Tom était dans le champ de maïs, en train d'épouvanter les corneilles – occupation dont il ne semblait pas se lasser. Gina jouait avec le garage et les petites voitures. La vieille femme ronflait dans son fauteuil à bascule.

– Tu es drôlement pressé de te jeter dans la gueule du lion, Nicky.

– *Tu connais un meilleur endroit où aller ?*

– C'est vrai. Ça ne sert à rien de tourner en rond. On se sent inutile. Pour se sentir bien, il faut se donner un but. Tu as déjà remarqué ?

Nick fit un signe de tête.

Ralph lui donna une grande tape sur l'épaule et s'éloigna.

– On y va, Dick ?

Tom Cullen sortait à toutes jambes de son champ de maïs, la chemise et le pantalon couverts de longs cheveux blonds.

– Moi aussi ! Tom Cullen veut faire un tour ! Oui, oui, oui !

– Alors viens, dit Ralph. Mais regarde-toi ! Couvert de barbes de maïs, de la tête aux pieds. Et tu n'as même pas attrapé une seule corneille ! Je vais te nettoyer un peu.

Avec un large sourire, Tom laissa Ralph brosser sa chemise el son pantalon. Pour Tom, pensa Nick, ces deux dernières semaines avaient sans doute été les plus heureuses de sa vie. Il était entouré de gens qui l'acceptaient et qui l'aimaient. Et pourquoi pas ? Oui, il était simple d'esprit, mais il était quand même un être humain, chose relativement rare dans ce monde nouveau.

– À tout à l'heure, Nicky, dit Ralph en s'installant au volant de la Chevrolet.

– À tout à l'heure, Nicky, répéta Tom Cullen, toujours souriant.

Nick les regarda s'éloigner, puis se dirigea vers la remise où il trouva une vieille caisse et une boîte de peinture. Il défit l'un des côtés de la caisse et le cloua sur un long piquet. Puis il sortit avec sa pancarte et le pot de peinture dans la cour où il se mit à peindre, tandis que Gina le regardait faire par-dessus son épaule.

– Qu'est-ce qu'il écrit ?

Olivia lui lut le message :

– Nous partons à Boulder, au Colorado. Nous prendrons uniquement des routes secondaires pour éviter les embouteillages. Communiquez sur C.B., canal 14.

– Qu'est-ce que ça veut dire ? demanda June qui arrivait.

Elle prit Gina dans ses bras et regarda Nick installer sa pancarte à l'endroit où la route de terre se perdait dans la cour de mère Abigaël. Il enfonça profondément le piquet dans la terre, pour que le vent ne renverse pas la pancarte. Il y avait souvent des tornades dans la région ; et il pensa à celle qui avait failli les emporter, lui et Tom, à cette horrible peur qu'ils avaient eue dans l'abri.

Il écrivit un message et le tendit à June.

– Dick et Ralph vont revenir de Columbus avec une radio. Il faudra garder l'écoute sur le canal 14.

– Pas bête, dit Olivia.

Nick se tapa le front d'un air très sérieux, puis sourit.

Les deux femmes repartirent étendre le linge. Gina retourna à ses petites voitures, à cloche-pied. Nick traversa la cour, monta l'escalier et s'assit à côté de la vieille femme qui dormait encore. Il regarda le maïs et se demanda ce qu'ils allaient devenir.

Nick, ce sera comme tu veux.

Ils avaient fait de lui leur chef, sans qu'il sache pourquoi. Un sourd-muet ne peut pas donner d'ordres ; on aurait presque dit une mauvaise plaisanterie. Dick aurait dû être leur chef. Tout avait commencé dès qu'ils avaient rencontré Ralph Brentner dans sa camionnette, sur la route : Ralph disait quelque chose, puis jetait un coup d'œil à Nick, comme s'il attendait une confirmation. Et Nick regrettait déjà ces quelques jours, entre Shoyo et May, avant Tom, avant les responsabilités. Il était facile d'oublier à quel point il s'était senti seul, la peur qu'il avait eue de devenir fou, à cause de ses cauchemars. Et trop facile de se souvenir qu'il n'avait alors qu'à s'occuper de lui, petit pion dans ce jeu terrible.

J'ai su que c'était toi quand je t'ai vu, Nick. Dieu a touché ton cœur de Son doigt...

Non, je n'accepte pas ça. Et je n'accepte pas Dieu non plus. Que la vieille femme rêve de son Dieu. Les vieilles femmes ont besoin de Dieu comme elles ont besoin de lavements et de sachets de thé. Une chose à la fois, un pied devant l'autre, et on verra ensuite. D'abord, les emmener à Boulder. La vieille femme avait dit que l'homme noir existait vraiment, que ce n'était pas seulement un symbole psychologique. Il refusait de le croire... mais, au fond de son cœur, il le savait. Au fond de son cœur, il croyait tout ce qu'elle avait dit. Et il avait peur. Il ne voulait pas être leur chef.

C'est toi, Nick.

Une main lui serrait l'épaule. Il sursauta et se retourna. La vieille femme ne dormait plus. Assise dans son fauteuil à bascule, elle le regardait en souriant.

– Je pensais à la crise de 1929, dit-elle. Tu sais qu'à une époque toutes ces terres appartenaient à mon père, des hectares et des hectares. C'est pourtant vrai. Pas facile pour un Noir. Et puis, en 1902, j'ai joué de la guitare et j'ai chanté à l'Association des agriculteurs. Il y a longtemps, Nick. Longtemps, longtemps.

Nick lui fit signe de continuer.

– C'était le bon temps, Nick – presque toujours en tout cas. Mais il faut croire que rien n'est éternel. Sauf l'amour du Seigneur. Mon père est mort. On a divisé la terre entre ses fils, avec un petit bout pour mon premier mari, quinze hectares, pas beaucoup. Et cette maison se trouve sur ce qui reste des quinze hectares. En fait, il n'en reste plus qu'un seul. Évidemment, je pourrais tout reprendre maintenant, mais ce ne serait plus pareil.

Nick tapotait la main décharnée de la vieille femme. Elle poussa un profond soupir.

– Les frères ne s'entendent pas toujours très bien pour travailler ensemble. En fait, ils se disputent presque toujours. Regarde Caïn et Abel ! Tout le monde voulait commander, et personne ne voulait travailler ! Et puis, en 1931, la banque demande ses sous. Alors, ils comprennent. Ils en mettent un coup, mais c'est trop tard. En 1945, il ne reste plus que mes quinze hectares, là où se trouve maintenant la ferme des Goodell.

Pensive, elle chercha un mouchoir dans sa poche et s'essuya lentement les yeux.

– Finalement, il ne restait plus que moi. Et je n'avais plus d'argent. Tous les ans, quand il fallait payer les impôts, ils en prenaient un peu plus pour payer ce que je devais. Moi, je regardais le bout de terre qui n'allait plus m'appartenir, et je me mettais à pleurer, comme je pleure maintenant. Un petit peu plus tous les ans, pour les impôts, voilà comment ça s'est passé. Un petit bout par-ci, un petit bout par-là. J'ai bien loué ce qui restait, mais ce n'était jamais assez pour leurs sales impôts. Ensuite, quand j'ai eu cent ans, ils m'ont dit que je n'aurais plus jamais à payer d'impôt. Oui, c'est comme ça, ils te font un cadeau quand ils t'ont tout pris, sauf ce petit bout de terrain qui nous reste. Tu parles d'un cadeau !

Nick lui serra doucement la main en la regardant dans les yeux.

– Oh, Nick, j'ai connu la haine de Dieu dans mon cœur. Celui qui aime Dieu Le déteste aussi, car c'est un Dieu jaloux, un Dieu dur. Il est ce qu'Il veut et, dans ce bas monde, on dirait bien qu'Il préfère récompenser les bons en les faisant souffrir, alors que ceux qui font le mal roulent en Cadillac. Et même la joie de Le servir est une joie amère. Je fais Sa volonté, mais il m'est arrivé de Le maudire dans mon cœur. « Abby, dit le Seigneur, tu as du travail à faire. Alors, je vais te laisser vivre, et vivre encore, jusqu'à ce que ta peau colle sur tes os. Tu vas voir tous tes enfants mourir devant toi, et tu continueras ta route. Je vais te laisser voir partir la terre de ton père, petit bout par petit bout. Et finalement, ta récompense sera de t'en aller avec des étrangers, de quitter tout ce que tu aimes pour mourir en terre étrangère, sans même terminer ton travail. Telle est Ma volonté, Abby », dit le Seigneur. Et moi, je réponds : « Oui, mon Dieu. Que Ta volonté soit faite. » Et, dans le fond de mon cœur, je Le maudis et je demande : « Pourquoi, pourquoi, pourquoi ? » Et la seule réponse que je reçois, c'est celle-ci : « Où étais-tu quand J'ai fait le monde ? »

Les larmes coulaient à flots sur ses joues, mouillaient son corsage. Et Nick s'étonna qu'il puisse encore y avoir tant de larmes dans le corps d'une si vieille femme, aussi sèche qu'une branche morte.

– Aide-moi, Nick. Je veux seulement faire ce qu'il faut faire.

Il lui serra la main. Derrière eux, Gina riait, fascinée par les reflets du soleil sur les petites voitures.

Dick et Ralph revinrent à midi. Dick était au volant d'une camionnette Dodge flambant neuve. Ralph conduisait une dépanneuse rouge équipée d'une pelle mécanique à l'avant. Debout à l'arrière, Tom faisait de grands gestes. Ils s'arrêtèrent devant la véranda et Dick descendit de sa camionnette.

– Il y a une C.B. du tonnerre dans la dépanneuse, dit-il à Nick. Quarante canaux. J'ai l'impression que Ralph est plutôt content.

Nick lui sourit. Les femmes s'étaient avancées pour admirer les deux camions. Du coin de l'œil, Abigaël vit que Ralph s'était approché tout près de June pour lui montrer la radio. Elle en fut heureuse. Cette femme était une belle pouliche. Elle avait sûrement un beau petit nid douillet entre les cuisses. Et elle ferait autant de petits qu'elle en voudrait.

– Alors, quand est-ce qu'on part ? demanda Ralph.

– *Dès qu'on aura mangé. Tu as essayé la radio ? écrivit Nick.*

– Oui. Pendant tout le trajet. Beaucoup de parasites ; il y a bien un *squelch,* mais j'ai l'impression qu'il ne fonctionne pas très bien. Tu sais, je jurerais que j'ai entendu quelque chose, malgré les parasites. Très loin. Peut-être que ce n'était pas des voix. Mais je vais te dire la vérité, Nicky. Je n'ai pas tellement aimé ça. Comme ces rêves.

Un long silence tomba.

– Bon, dit finalement Olivia. Je vais faire un peu de cuisine. J'espère que ça ne vous dérange pas de manger du porc deux jours de suite ?

Personne ne protesta. À une heure, le matériel de camping – plus le fauteuil à bascule et la guitare d'Abigaël – était chargé dans la camionnette et le petit convoi s'ébranla, la dépanneuse en tête pour déplacer avec sa pelle les obstacles éventuels. Ils prirent la route 3, en direction de l'ouest. Abigaël était assise à l'avant. Elle ne pleura pas. Sa canne était solidement plantée entre ses deux jambes. Fini de pleurer. Elle obéissait à la volonté de Dieu, que Sa volonté soit faite. Mais elle pensait à cet œil rouge qui s'ouvrait dans les profondeurs de la nuit. Et elle avait peur.

46

Tard dans l'après-midi du 27 juillet, ils avaient monté leurs tentes sur ce qui avait été, d'après la pancarte à moitié démolie par les orages, le champ de foire de Kunkle. La petite ville de Kunkle, dans l'Ohio, se trouvait un peu plus au sud. Un gigantesque incendie l'avait pratiquement détruite. Sans doute la foudre, avait dit Stu. Naturellement, Harold n'avait pas été de cet avis. Car il suffisait que Stu Redman dise que les voitures de pompiers étaient rouges pour que Harold Lauder produise faits et chiffres démontrant que la plupart étaient vertes.

Frannie soupira et se retourna. Elle ne parvenait pas à dormir. Elle avait peur de son rêve.

Sur sa gauche, les cinq motos étaient sagement alignées, appuyées sur leurs béquilles. Le clair de lune faisait briller leurs pots d'échappement chromés. Comme si une bande des Hell's Angels avait choisi cet endroit pour y passer la nuit. Mais des Hell's Angels n'auraient certainement pas choisi de mignonnes petites motos comme ces Honda et Yamaha, pensa-t-elle. Plutôt des Harley... comme à la télé. *The Wild Angels. The Devil's Angels. Hell's Angels on Wheels.* Il y avait des photos de motos dans tous les drive-in quand elle était au lycée, appuyez sur le bouton, donnez votre commande, payez à la caisse. Kaput, tous les drive-in étaient kaput maintenant, sans parler des Hell's Angels.

Note ça dans ton journal, Frannie, se dit-elle en se retournant encore. Pas ce soir. Ce soir, tu dois dormir, rêve ou pas.

Un peu plus loin, elle pouvait voir les autres, allongés dans leurs sacs de couchage comme des Hell's Angels le ventre rempli de bière. Harold, Stu, Glen

Bateman, Mark Braddock, Perion McCarthy. Prends un Sominex ce soir et *dors*...

En fait, ce n'était pas du Sominex qu'ils prenaient, mais un bon vieux comprimé de Véronal. Stu en avait eu l'idée, quand les cauchemars avaient vraiment commencé à leur faire la vie dure à tous. Il avait pris Harold à part pour lui en parler d'abord. Pour flatter Harold, il n'y avait qu'à lui demander son avis. Et puis, Harold *savait* quand même des tas de choses. Tant mieux, car il était très difficile à vivre, comme une sorte de dieu de cinquième classe – plus ou moins omniscient, mais émotivement instable, prêt à craquer à tout moment. Harold s'était trouvé un deuxième pistolet à Albany, là où ils avaient rencontré Mark et Perion. Il les portait maintenant tous les deux, très bas sur ses hanches, à la Johnny Ringo. Elle avait de la peine pour lui, mais Harold commençait à lui faire peur. Elle s'était demandé s'il n'allait pas craquer une de ces nuits et se mettre à tirer au petit bonheur la chance avec ses deux pistolets. Elle se souvenait fréquemment du jour où elle avait trouvé Harold dans son jardin, absolument sans défense, en train de pleurer et de tondre la pelouse en slip de bain.

Elle savait exactement ce que Stu lui avait dit tout bas, comme un conspirateur : *Harold, ces rêves nous emmerdent. J'ai une idée, mais je ne sais pas exactement comment faire... un léger sédatif... il faut trouver la bonne dose. Trop, et personne ne se réveillera s'il y a un problème. Qu'est-ce que tu proposes ?*

Harold avait proposé de prendre deux comprimés de Véronal, disponible dans toutes les pharmacies, et si la dose suffisait à interrompre les rêves, de réduire à un comprimé et demi, et si ça marchait toujours, à un seul. Stu avait consulté Glen qui s'était dit d'accord. Si bien que l'expérience avait commencé. À un demi-comprimé, les rêves étaient revenus. Ils en étaient donc restés à un comprimé.

Au moins les autres.

Car Frannie prenait son médicament tous les soirs, mais ne l'avalait pas. Elle avait peur que le

Véronal ne fasse du mal à son bébé. Même l'aspirine pouvait être dangereuse, d'après ce qu'on disait. Alors, elle supportait ses rêves – *supportait,* c'était bien le mot. Il y en avait un qui revenait plus souvent que les autres ; d'ailleurs, les autres finissaient tôt ou tard par se confondre avec lui. Elle se trouvait chez elle, à Ogunquit, et l'homme noir la poursuivait. Dans les couloirs obscurs, dans le salon de sa mère où l'horloge continuait à égrener des saisons mortes... Elle pouvait lui échapper, elle le savait, à condition de laisser le cadavre. Le cadavre de son père, enveloppé dans un drap. Mais si elle l'abandonnait, l'homme noir lui ferait quelque chose, le profanerait horriblement. Alors, elle courait, sachant qu'il se rapprochait, de plus en plus près, que bientôt sa main s'abattrait sur son épaule, sa main chaude, répugnante. Et alors, toutes ses forces l'abandonneraient, elle laisserait glisser de ses bras le corps de son père enveloppé dans son linceul, elle se tournerait vers lui, prête à dire : *Emportez-le, faites ce que vous voulez, je m'en fous, mais laissez-moi tranquille.*

Et il serait là, vêtu d'un habit sombre, un peu comme une bure de moine avec sa capuche, ses traits totalement invisibles à l'exception de son sourire grimaçant. Et dans la main il tenait le cintre de fil de fer. C'était alors que l'horreur la frappait comme un gant de boxe, qu'elle se débattait, se réveillait, la peau moite, le cœur battant, décidée à ne jamais plus dormir.

Car ce n'était pas le cadavre de son père qu'il voulait, mais l'enfant qui vivait dans son ventre.

Elle se retourna encore. Si elle ne s'endormait pas bientôt, autant prendre son journal et écrire. Elle le tenait depuis le 5 juillet. D'une certaine manière, elle le faisait pour le bébé. C'était un acte de foi – la certitude que le bébé vivrait. Elle voulait qu'il sache ce qui s'était passé. Comment le fléau s'était abattu sur un endroit qui s'appelait Ogunquit, comment elle et Harold s'étaient échappés, ce qu'ils étaient devenus.

Elle voulait que l'enfant sache ce qu'avait été le monde.

La lune l'éclairait assez pour qu'elle puisse écrire et il suffisait de deux ou trois pages pour qu'invariablement elle sente ses paupières s'alourdir. Ce qui ne devrait pas trop l'encourager à faire une carrière d'écrivain, songea-t-elle. Mais d'abord, elle allait essayer de dormir quand même.

Elle ferma les yeux.

Et elle se mit aussitôt à penser à Harold.

L'atmosphère aurait pu se détendre avec l'arrivée de Mark et de Perion, mais les deux étaient déjà ensemble. Perion avait trente-trois ans, onze de plus que Mark, mais ces choses n'avaient plus tellement d'importance. Ils s'étaient trouvés, ils se cherchaient sans doute, et ils étaient contents d'être ensemble. Perion avait confié à Frannie qu'ils essayaient de faire un enfant. Heureusement que je prenais la pilule et que je n'avais pas de stérilet, lui avait dit Perion. Autrement, comment est-ce que j'aurais pu l'enlever ?

Frannie avait failli lui parler du bébé qu'elle portait (elle en était au tiers de sa grossesse maintenant), mais elle s'était retenue. Pourquoi compliquer une situation déjà difficile ?

Ils étaient donc six maintenant au lieu de quatre (Glen refusait obstinément de conduire une moto et montait toujours derrière Stu ou Harold), mais la situation n'avait pas changé avec l'arrivée d'une autre femme.

– Et *toi*, Frannie ? Qu'est-ce que *tu* veux ?

Si elle *devait* vivre dans un monde comme celui-ci, pensait-elle, avec une horloge biologique qui allait sonner son heure dans six mois, elle voulait un homme comme Stu Redman pour être à ses côtés – non, pas quelqu'un comme Stu. Elle le voulait, *lui*. Voilà, c'était clair.

Avec la fin de la civilisation, le moteur de la société humaine avait perdu tous ses chromes et ses gadgets. Glen Bateman revenait souvent sur ce thème et Harold semblait y trouver un plaisir un peu étrange.

La libération des femmes, s'était dit Frannie, n'était ni plus ni moins qu'une excroissance de la société technologique. Les femmes étaient à la merci de leurs corps. Elles étaient plus petites. Elles étaient généralement plus faibles. Un homme ne pouvait faire un enfant, une femme si – un gosse de quatre ans savait ça. Et une femme enceinte est bien vulnérable. La civilisation avait inventé un cadre qui protégeait les deux sexes. *Libération* – le mot disait tout. Avant la civilisation, avec son système élaboré de protections et de contraintes, les femmes étaient des esclaves. Pas la peine de tourner autour du pot ; nous étions des esclaves, pensa Fran. Et puis la grande noirceur avait pris fin. Et l'on avait vu apparaître le credo des femmes qu'il aurait sans doute fallu broder au petit point pour l'accrocher ensuite dans les bureaux de toutes les revues féministes : *Merci, messieurs, pour le chemin de fer. Merci, messieurs, d'avoir inventé l'automobile et d'avoir exterminé les Indiens qui auraient bien voulu rester chez eux encore un petit bout de temps en Amérique. Merci, messieurs, pour les hôpitaux, la police et les écoles. Maintenant, je voudrais bien voter, s'il vous plaît, je voudrais bien avoir le droit de décider moi-même de ma vie. Autrefois, j'étais du bétail, mais maintenant c'est fini. Mon esclavage doit prendre fin ; je n'ai pas plus besoin d'être esclave que de traverser l'Atlantique dans un petit voilier. Les avions sont plus sûrs et plus rapides que les petits voiliers, et la liberté a quand même bien meilleur goût que l'esclavage. Je n'ai plus peur de voler. Merci, messieurs.*

Que dire de plus ? Rien. Les mâles pouvaient bien grogner quand les femmes flanquaient leurs soutiens-gorge au feu, les réactionnaires pouvaient bien jouer à leurs petits jeux intellectuels, la vérité était là. Mais tout avait changé, en quelques semaines tout avait changé. À quel point ? On le saurait plus tard. Couchée toute seule dans la nuit, elle savait qu'elle avait besoin d'un homme. Mon Dieu, comme elle avait besoin d'un homme.

Et pas simplement pour s'occuper d'elle et de l'enfant. Stu lui plaisait, particulièrement après Jess Rider. Stu était calme, capable. Et surtout, il n'était pas ce que son père aurait appelé « un gros tas de merde dans un petit sac ».

Elle savait parfaitement qu'elle lui plaisait aussi. Elle le savait depuis ce jour où ils avaient déjeuné ensemble, le 15 juillet, dans ce restaurant désert. Un instant – juste un instant – leurs yeux s'étaient croisés et elle avait senti monter une bouffée de chaleur, comme une onde de surtension dans une centrale électrique, quand les aiguilles de tous les cadrans basculent vers le rouge. Elle avait l'impression que Stu avait compris lui aussi, mais il attendait, la laissait prendre sa décision. Elle avait d'abord été avec Harold, donc elle lui appartenait. Une idée affreusement macho, mais elle avait bien l'impression que ce monde allait être macho, au moins pendant quelque temps.

Si au moins il y avait eu quelqu'un d'autre, quelqu'un pour Harold. Mais il n'y avait personne, et elle avait peur de ne plus pouvoir attendre bien longtemps. Elle pensait à ce jour où Harold, à sa façon si maladroite, avait essayé de lui faire l'amour, de revendiquer sa possession. Il y avait combien de temps de cela ? Deux semaines ? Plus sans doute. Le passé semblait reculer de plus en plus. Qu'allait-elle faire avec Harold ? Que ferait-il, lui, si elle se mettait avec Stuart ? Et cette peur de faire encore un mauvais rêve. Non, elle n'allait jamais pouvoir s'endormir.

Et pourtant, elle s'endormit.

Quand elle se réveilla, il faisait encore noir. Quelqu'un la secouait.

Elle marmonna une protestation confuse – elle dormait profondément, sans rêver, pour la première fois depuis une semaine – puis se réveilla finalement, à regret, pensant que ce devait être le matin, l'heure de partir. Mais pourquoi partir dans le noir ? Quand elle s'assit, elle vit que la lune était très basse sur l'horizon.

C'était Harold qui la secouait. Et Harold avait l'air d'avoir peur.

– Harold ? Qu'est-ce qui ne va pas ?

Stu était réveillé lui aussi. Et Glen Bateman. Perion était à genoux de l'autre côté du petit feu qu'ils avaient fait la veille.

– C'est Mark, dit Harold. Il est malade.

– Malade ?

Elle entendit alors un faible gémissement, de l'autre côté du feu, là où Perion était à genoux, les deux hommes debout à côté d'elle. Frannie sentit la terreur monter en elle, comme une colonne de fumée noire. La maladie, rien n'aurait pu leur faire plus peur.

– Ce n'est pas... la grippe, Harold ?

Car si Mark avait attrapé maintenant cette saloperie, aucun d'eux n'était à l'abri. Le microbe traînait peut-être encore quelque part. Peut-être une nouvelle mutation. Pour mieux te manger, mon enfant.

– Non, ce n'est pas la grippe. Pas du tout. Fran, est-ce que tu as mangé des huîtres fumées hier soir ? Ou peut-être quand on s'est arrêté pour déjeuner ?

Encore à moitié endormie, il lui fallut quelque temps pour répondre.

– Oui, j'en ai pris les deux fois. Elles étaient bonnes. J'aime beaucoup les huîtres. Intoxication ? C'est ça ?

– Fran, je pose simplement une question. On n'en sait rien. Il n'y a pas de médecin par ici. Comment te sens-tu ? Bien ?

– Très bien. J'ai simplement envie de dormir.

Mais ce n'était pas vrai. Ce n'était plus vrai. Un autre gémissement monta de l'autre côté du feu, comme si Mark l'accusait de se sentir bien alors que lui était malade.

– Glen pense que c'est peut-être l'appendicite, dit Harold.

– *Quoi ?*
Harold se contenta de lui répondre par une grimace.
Fran se leva pour aller rejoindre les autres. Harold la suivait, comme une ombre pitoyable.
– Il faut l'aider, dit Perion.
Elle parlait d'une voix mécanique, comme si elle répétait la même chose depuis longtemps déjà. Elle les interrogeait tour à tour du regard, les yeux remplis de terreur, et Frannie eut l'impression que ses yeux l'accusaient. Elle pensa au bébé qu'elle portait, mais elle voulut aussitôt chasser cette pensée égoïste. Égoïste ou pas, l'idée revenait. *Ne t'approche pas de lui,* lui disait une petite voix. *Ne t'approche pas de lui, c'est peut-être contagieux.* Elle regarda Glen, extrêmement pâle dans la lumière de la lampe Coleman.
– Harold dit que vous pensez que c'est l'appendicite ? demanda-t-elle.
– Je ne sais pas, répondit Glen. Ce sont les symptômes, sans aucun doute ; il a de la fièvre, son ventre est dur et enflé, douloureux au toucher...
– Il faut l'aider, dit encore Perion, et elle éclata en sanglots.
Glen toucha le ventre du malade et les yeux de Mark, mi-clos et vitreux, s'ouvrirent tout grands. Il poussa un hurlement. Glen retira aussitôt la main, comme s'il avait touché un poêle brûlant, regarda Stu, regarda Harold, puis encore Stu, affolé.
– Qu'est-ce que vous proposez, vous deux ?
Harold avalait convulsivement sa salive, comme si quelque chose s'était coincé dans sa gorge.
– Donnez-lui de l'aspirine, finit-il par répondre.
Perion fit volte-face.
– Quoi ? De l'aspirine ? *De l'aspirine ?* C'est tout ce que ce con peut trouver ? *De l'aspirine ?*
Harold enfonça ses mains dans ses poches et la regarda d'un air malheureux.
– Mais Harold a raison, Perion, dit Stu d'une voix calme. Pour le moment, on ne peut pas faire grand-chose d'autre. Quelle heure est-il ?

– Vous ne savez tout simplement pas quoi faire ! Et vous ne voulez pas l'admettre !

– Il est trois heures moins le quart, répondit Frannie.

– Et s'il meurt ? dit Perion en écartant une mèche auburn qui tombait sur ses yeux gonflés par les larmes.

– Laisse-les tranquilles, Perion, dit Mark d'une voix lasse qui les surprit tous. Ils font ce qu'ils peuvent. Si je continue à avoir aussi mal, je préfère mourir. Donnez-moi de l'aspirine. N'importe quoi.

– Je vais aller en chercher, dit Harold, trop heureux de trouver un prétexte pour s'éloigner. J'en ai dans mon sac. Excedrin, extra-forte, ajouta-t-il, espérant un mot d'approbation.

Puis il s'en alla, presque au pas de course.

– Il faut l'aider, répétait encore Perion.

Stu prit Glen et Frannie à part.

– Vous avez une idée ? Moi pas. Elle a engueulé Harold, mais son idée n'était pas plus mauvaise qu'une autre.

– Elle a peur, c'est tout, répondit Fran.

– C'est peut-être simplement un peu de constipation, soupira Glen. Pas assez de fibres. Peut-être que tout va s'arranger quand il ira aux toilettes.

Frannie secoua la tête.

– Je ne crois pas. Il n'aurait pas de fièvre si c'était simplement de la constipation. Et son ventre ne serait pas aussi gonflé.

On aurait presque dit qu'une tumeur avait grossi dans son ventre pendant la nuit. Elle avait mal au cœur rien que d'y penser. Elle ne se souvenait pas d'avoir jamais eu aussi peur (sauf dans ses rêves). Qu'est-ce que Harold avait dit, déjà ? Il n'y a pas de médecin par ici. C'était vrai. Terriblement vrai. Tout arrivait en même temps, tout s'effondrait autour d'elle. Comme ils étaient seuls ! En équilibre sur un fil, et quelqu'un avait oublié le filet de sécurité. Elle regarda Glen, puis Stu. Fatigués tous les deux. Inquiets. Mais pas de réponse sur leurs visages.

Derrière eux, Mark hurlait à nouveau, et Perion

cria elle aussi, comme si elle souffrait avec lui. Ce qui était sans doute le cas, d'une certaine manière, songea Frannie.

– Qu'est-ce qu'on va faire ? demanda-t-elle.

Elle pensait au bébé. Une question toute simple revenait dans sa tête, lancinante : *Et s'il faut faire une césarienne ? S'il faut faire une césarienne ?*

Derrière elle, Mark poussa un hurlement, comme un horrible prophète, et elle le détesta.

Ils se regardaient dans le noir de la nuit.

Journal de Fran Goldsmith

6 juillet 1990

M. Bateman a finalement accepté de venir avec nous. Il a expliqué qu'après tous ses articles (« J'emploie des mots savants, pour que personne ne se rende compte que je n'ai rien à dire ») et les vingt ans de merde qu'il a passés à enseigner la socio, sans parler de ses papiers sur la sociologie des comportements déviants et la sociologie rurale, il décidait qu'il ne pouvait pas laisser passer une occasion pareille.

Stu lui a demandé de quelle occasion il voulait parler.

– C'est pourtant clair, a dit Harold, EXÉCRABLEMENT PUANT comme d'habitude (Harold peut être charmant, mais il sait aussi être un enquiquineur de première classe ; et ce soir, il jouait le rôle du parfait emmerdeur). Monsieur Bateman...

– Appelez-moi Glen, a dit très gentiment M. Bateman.

Mais à la manière dont Harold le regardait, on aurait cru qu'il venait de l'accuser d'être un inadapté social.

– *Glen* voit les choses en sociologue. Je crois que c'est pour lui l'occasion d'étudier sur le tas la formation d'une société. Il veut voir si la réalité correspond bien à la théorie.

Bon, pour ne pas faire trop long, Glen (c'est comme ça que je vais l'appeler maintenant, puisque c'est ce qu'il veut) a dit qu'il était à peu près d'accord, mais il a ajouté :

– J'ai quelques théories en tête et je voudrais bien voir si elles tiennent. Je ne crois pas que l'homme qui est en train de naître des cendres de la super-grippe ressemblera le moins du monde à l'homme qui est sorti du Croissant fertile avec un os dans le nez et une femme à côté de lui. Première de mes théories.

Stu s'est mis à parler, très calme comme toujours.

– Parce que tout est encore là et qu'il suffit de ramasser les morceaux.

Il avait l'air si bizarre lorsqu'il a dit ça que j'ai été très surprise. Même Harold l'a regardé d'un drôle d'air. Mais Glen a simplement hoché la tête avant de continuer.

– Exact. La société technologique a quitté le terrain, pour ainsi dire, mais elle a laissé le ballon derrière elle. Quelqu'un va venir qui se souviendra du jeu et qui l'enseignera aux autres. Très simple, non ? Je devrais noter tout ça.

[En fait, je l'ai noté moi-même, au cas où il oublierait. Qui sait ?]

Harold a ouvert sa grande gueule :

– On dirait que vous croyez que tout va recommencer comme avant – la course aux armements, la pollution, tout le reste. Est-ce là une autre de vos théories ? Ou un corollaire de la première ?

– Pas précisément.

Avant que Glen ait eu le temps de lui dire ce qu'il avait en tête, Harold s'est mis à déballer sa marchandise. Je ne peux pas reproduire mot à mot ce qu'il a dit, parce que Harold parle vite quand il est énervé. En gros, ça revenait à dire que, même s'il n'avait vraiment pas très bonne opinion des gens en général, il ne les croyait quand même pas aussi stupides. Cette fois, on ferait des lois. On ne jouerait pas avec des saloperies comme la fission nucléaire ou le fleurocarbone (sans doute une faute d'orthographe, tant pis) dans les aérosols, tous ces trucs. Je me souviens bien d'une chose qu'il a dite, parce que c'est une image qui m'a frappée.

– Ce n'est pas parce qu'on a tranché le nœud gordien pour nous qu'il faut le refaire maintenant.

Je voyais bien qu'il voulait simplement discuter pour le plaisir de discuter – une des choses qui rendent Harold vraiment difficile à supporter, c'est qu'il veut toujours montrer qu'il sait tout (bien sûr, il sait beaucoup de choses, je ne peux pas lui enlever ça, Harold est super-intelligent) – mais Glen lui a simplement répondu :

– Le temps nous le dira.

On en est resté là, il y a à peu près une heure. Et maintenant, je suis en haut, dans une chambre. Kojak est couché par terre à côté de moi. Brave chien ! Il me rappelle la maison. Mais j'essaye de ne pas trop y penser, parce que j'ai envie de pleurer. Je sais que je ne devrais pas le dire, mais j'aurais vraiment envie que quelqu'un vienne me réchauffer dans mon lit. J'ai même un candidat pour ça.

Pense à autre chose, Frannie !

Demain, nous partons pour Stovington. Je sais que Stu n'est pas tellement d'accord. Il a peur de cet endroit. J'aime beaucoup Stu et j'aimerais bien que Harold l'aime un peu plus. Harold complique tout, mais je suppose que c'est dans son caractère.

Glen a décidé de laisser Kojak. Ça lui fait de la peine, mais Kojak n'aura pas de mal à trouver à manger. Naturellement, on ne pouvait pas faire autrement, à moins de trouver une moto avec un side-car. Et même comme ça, le pauvre Kojak aurait pu avoir peur et sauter. Se faire mal, ou même se tuer.

De toute façon, on s'en va demain.

Choses dont je veux me souvenir : Les Texas Rangers (équipe de base-ball) avaient un lanceur, Nolan Ryan, absolument incroyable. À la télévision, on passait des émissions comiques avec des rires enregistrés. Au moment où l'histoire était censée être drôle, on mettait la bande en marche. Il paraît que c'était mieux pour les téléspectateurs. Au supermarché, vous pouviez trouver des gâteaux et des tartes surgelés. Il suffisait de les faire dégeler, et puis on les mangeait. Ma marque préférée : gâteau Sara Lee au fromage blanc et aux fraises.

7 juillet 1990

Quelques lignes seulement. Fait de la moto toute la journée. J'ai le derrière en compote. Mal au dos, vachement. J'ai encore fait le même cauchemar la nuit dernière. Harold a rêvé lui aussi à cet homme (?). Ça lui donne une frousse de tous les diables, car il ne comprend pas comment nous pouvons tous les deux rêver pratiquement à la même chose.

Stu dit qu'il fait encore ce rêve à propos du Nebraska et de la vieille dame, une Noire. Elle lui dit tout le temps qu'il devrait venir, quand il veut. Stu pense qu'elle habite dans une ville qui s'appelle Holland Home, Hometown, ou quelque chose du genre. Il croit qu'il pourrait la retrouver. Harold s'est moqué de lui et a commencé à lui débiter des salades, que les rêves sont des manifestations psycho-freudiennes de choses auxquelles nous n'osons pas penser quand nous sommes éveillés. Stu était en colère, je crois, mais il ne le montrait pas. J'ai tellement peur qu'ils ne finissent par s'engueuler tous les deux, J'AIMERAIS TELLEMENT QU'ILS S'ENTENDENT !

Alors, Stu a dit :

– Comment expliques-tu que vous faites le même rêve, Frannie et toi ?

Harold a bafouillé quelque chose sur les coïncidences, mais il ne savait pas trop quoi dire et il est parti.

Stu nous a dit, à Glen et à moi, qu'il voudrait bien que nous allions au Nebraska, après Stovington. Glen a haussé les épaules.

– Pourquoi pas ? Là ou ailleurs...

Naturellement, Harold n'est pas d'accord, par principe. Tu nous emmerdes, Harold ! Essaye de grandir un peu !

Choses dont je veux me souvenir : Il y a eu des pénuries de carburant au début des années quatre-vingts, parce que tous les Américains avaient des voitures. Nous avions utilisé la majeure partie de nos réserves de pétrole et les Arabes nous tenaient par les c... Les Arabes avaient tellement d'argent qu'ils n'arrivaient pas à le dépenser, littéralement. Il y avait un groupe de rock qui s'appelait The Who. Ils terminaient parfois leurs concerts en cassant leurs guitares et leurs amplis. C'était ce qu'on appelait la « société de consommation ».

8 juillet 1990

Il est tard et je suis fatiguée, comme hier soir. Mais je vais essayer d'écrire autant que je peux avant que mes paupières se ferment TOUTES SEULES. Harold a terminé sa pancarte il y a à peu près une heure (je dois ajouter qu'il s'est drôlement fait prier). Il l'a installée sur la pelouse du Centre de Stovington. Stu l'a aidé, très gentiment, même si Harold n'arrête pas de l'enquiquiner.

Quelle déception ! J'avais essayé de m'y préparer. Je n'ai jamais cru que Stu mentait, et je pense bien que Harold ne le croyait pas lui non plus. J'étais donc sûre que tout le monde était mort. Mais quand même, j'ai été déçue. Et j'ai pleuré. Je n'ai pas pu m'en empêcher.

Je n'étais pas la seule à me sentir mal. Quand Stu a vu le Centre, il est devenu blanc comme un linge. Il avait une chemise à manches courtes et j'ai vu qu'il avait la chair de poule. Normalement, ses yeux sont bleus. Mais ils étaient devenus couleur ardoise, comme l'océan quand il fait mauvais.

Il a montré le deuxième étage.

– C'était ma chambre.

Harold s'est tourné vers lui et j'ai vu qu'il était prêt à lancer une de ses conneries brevetées Harold Lauder, mais il a vu la tête que faisait Stu et il a décidé de fermer sa gueule. Je me suis dit que c'était ce qu'il avait de mieux à faire.

Un peu plus tard, Harold a proposé d'aller faire un tour là-bas, pour voir.

– Pourquoi ?

La voix de Stu était presque hystérique, mais il

essayait de se maîtriser. J'ai eu très peur, d'autant plus qu'il est généralement aussi froid qu'un glaçon. Harold n'arrive vraiment pas à se mettre dans sa peau.

– Stuart...

Glen voulait dire quelque chose, mais Stu l'a interrompu.

– *Pourquoi ?* Vous ne voyez pas que tout est mort là-dedans ? Pas de fanfares, pas de comité d'accueil, rien. Croyez-moi, s'ils étaient là, ils nous seraient déjà tombés dessus. Et on serait dans une de ces petites chambres blanches, comme un tas de cochons d'Inde de merde. Je suis désolé, Fran – il me regardait –, je n'ai pas voulu être grossier. Je suis un peu nerveux.

– *Moi,* j'y vais, a dit Harold. Quelqu'un m'accompagne ?

Mais j'ai vu que même si Harold jouait au DUR COURAGEUX, il avait la trouille lui aussi.

Glen a répondu qu'il allait y aller. Alors Stu m'a dit :

– Vas-y toi aussi, Fran. Va voir. Tu en as envie.

J'aurais voulu lui répondre que j'allais rester dehors avec lui, il avait l'air si nerveux (en fait, je n'avais pas vraiment envie d'y aller), mais ça n'aurait pas arrangé les choses avec Harold. Alors j'ai dit que j'étais d'accord.

Si nous – Glen et moi – nous avions eu des doutes à propos de l'histoire de Stu, ils se seraient envolés dès que nous avons ouvert la porte. À cause de l'odeur. On sent la même odeur dans toutes les petites villes que nous avons traversées, comme une odeur de tomates pourries, mon Dieu, je pleure *encore,* mais est-ce que c'est juste que les gens non seulement crèvent comme des mouches, mais ensuite qu'ils puent comme

Une minute

(plus tard)

Voilà, j'ai eu ma deuxième CRISE DE LARMES de la journée, qu'est-ce qui peut bien arriver à la petite

Fran Goldsmith, celle qui crachait le feu autrefois, ha-ha. Bon. Plus de larmes ce soir, c'est promis.

Nous sommes quand même entrés, curiosité morbide je suppose. Je ne peux pas dire pour les autres, mais je voulais voir la chambre où Stu avait été emprisonné. Ce n'était pas simplement l'odeur, vous savez, mais aussi comme il faisait *frais* dans cet endroit quand on venait de l'extérieur. Beaucoup de granit et de marbre, sans doute une isolation fantastique. Il faisait plus chaud tout en haut, mais en bas, cette odeur... la fraîcheur... comme dans une tombe. BEURK !

C'était vraiment bizarre, comme une maison hantée – on se serrait tous les trois, pareils à des moutons, et j'étais bien contente d'avoir mon fusil. Même si ce n'est qu'une 22. Nos pas résonnaient, comme si quelqu'un nous suivait. Et j'ai repensé à ce rêve, celui où l'homme me regarde dans sa robe noire. Pas étonnant que Stu n'ait pas voulu venir avec nous.

Nous avons finalement trouvé les ascenseurs et nous sommes montés au premier étage. Seulement des bureaux... et plusieurs cadavres. Le deuxième étage était aménagé comme un hôpital, mais toutes les chambres étaient équipées de sas (Harold et Glen ont dit que ça s'appelait comme ça) et de vitres spéciales pour regarder à l'intérieur. Il y avait *plein* de cadavres, dans les chambres et dans les couloirs. Très peu de femmes. Est-ce qu'ils ont essayé de les évacuer à la fin ? Je me demande. On ne saura sans doute jamais. De toute façon, qu'est-ce que ça changerait ?

Au bout du couloir qui partait des ascenseurs, nous avons trouvé une chambre dont le sas était ouvert. Il y avait un mort dedans, mais ce n'était pas un malade (les malades avaient tous des pyjamas blancs) et il n'était sûrement pas mort de la grippe. Il était couché dans une grande flaque de sang séché. On aurait dit qu'il essayait de sortir de la chambre en rampant quand il était mort. Il y avait une chaise cassée. Tout était à l'envers, comme si on s'était battu.

Glen a regardé longtemps autour de lui. Ensuite, il a dit :

– Je pense qu'il vaudrait mieux ne pas parler de cette chambre à Stu. J'ai l'impression qu'il a bien failli y mourir.

J'ai regardé le cadavre, et j'en ai eu la chair de poule.

– Qu'est-ce que vous voulez dire ?

C'est Harold qui a posé la question. Même *lui* semblait impressionné. Une des rares fois que j'ai entendu Harold parler comme s'il ne s'adressait pas à une foule.

– Je crois que cet homme était venu pour tuer Stuart, a répondu Glen, et que Stu a réussi à se débarrasser de lui.

Alors, j'ai demandé :

– Mais pourquoi ? Pourquoi vouloir tuer Stu s'il était *immunisé* ? Ça n'a pas de sens !

Il m'a regardée avec des yeux qui m'ont fait peur. Des yeux morts, comme des yeux de maquereau.

– À ce que je vois, la logique n'avait pas grand-chose à faire par ici. Certaines personnes croient qu'il faut tout cacher. Avec la même sincérité et le même fanatisme que les membres de certains groupes religieux croient à la divinité de Jésus. Parce que, pour certaines personnes, lorsque le mal est fait, il faut continuer à cacher les choses, à tout prix. Je me demande combien d'immunisés ils ont pu tuer à Atlanta, à San Francisco et au centre de virologie de Topeka avant que l'épidémie ne finisse par les tuer, *eux*, et que la boucherie s'arrête. Ce salaud ? je suis content qu'il soit mort. Je ne regrette qu'une seule chose, c'est que Stu va probablement rêver de lui tout le reste de sa vie.

Et vous savez ce que Glen Bateman a fait ? Cet homme si gentil qui fait des tableaux si dégueulasses ? Il s'est approché et il a donné un coup de pied dans la figure du cadavre. Harold a poussé une sorte de gémissement étouffé, comme si c'était lui qu'on avait frappé. Glen a encore donné un coup de pied.

– Non !

C'était Harold qui hurlait. Mais Glen continuait à frapper le cadavre. Puis il s'est retourné. Il s'est essuyé la bouche avec la main. Au moins, ses yeux ne ressemblaient plus à des yeux de merlan frit.

– Allons-y, sortons d'ici. Stu avait raison. Il n'y a plus rien par ici.

Nous sommes sortis. Stu était assis devant la grille de fer, la seule ouverture dans ce grand mur qui entoure tout le centre. Je voulais... oh, vas-y, Frannie, si tu ne peux pas dire ça à ton journal, à qui pourras-tu le dire ? Je voulais courir vers lui et l'embrasser, lui dire que j'avais honte de nous, honte que nous ne l'ayons pas cru. Honte d'avoir parlé de nos petites misères pendant l'épidémie, alors que lui ne disait presque rien et que cet homme avait failli le tuer.

Mon Dieu, je crois bien que je suis amoureuse de lui. Si Harold n'était pas là, je crois que je tenterais le coup !

Et puis (il y a toujours un « et puis », même si mes doigts sont maintenant tellement engourdis que j'ai l'impression qu'ils vont tomber), c'est à ce moment que Stu nous a dit pour la première fois qu'il voulait aller au Nébraska, qu'il voulait voir si son rêve voulait dire quelque chose. Il avait un drôle d'air, à la fois têtu et embarrassé, comme s'il savait que Harold allait encore se foutre de sa gueule, mais Harold était trop énervé après notre « excursion » au Centre de Stovington pour discuter vraiment. D'ailleurs, il a aussitôt arrêté quand Glen a dit, avec beaucoup de réticence, que lui aussi avait rêvé à la vieille dame la nuit précédente.

– Naturellement, c'est peut-être seulement parce que Stu nous a parlé de son rêve, mais le mien était étonnamment semblable.

Glen était tout rouge.

Harold a dit que c'était naturellement l'explication, mais Stu ne s'est pas laissé faire.

– Une minute, Harold – j'ai une idée.

Son idée, c'était que nous prenions tous une feuille de papier et que nous écrivions tout ce dont nous pouvions nous souvenir de nos rêves depuis une semaine. Ensuite, on comparerait. Tellement scientifique que même Harold n'a pas pu protester.

Bon. Le seul rêve que j'ai fait, c'est celui dont j'ai déjà parlé, et je ne vais pas le répéter. J'ai tout noté sur mon papier, même l'épisode avec mon père, sauf l'histoire du bébé et du cintre en fil de fer.

Quand nous avons comparé nos notes, les résultats ont été vraiment étonnants.

Harold, Stu et moi avions tous rêvé de « l'homme noir », comme je l'appelle. Stu et moi, on le voyait comme un homme habillé d'une robe de moine, sans traits visibles – son visage est toujours dans l'ombre. Pour Harold, il était toujours debout dans une entrée sombre et il lui faisait signe de venir. Parfois, il ne voyait que ses pieds et ses yeux brillants – « comme des yeux de belette », c'est comme ça qu'il les a décrits.

Stu et Glen avaient fait à peu près les mêmes rêves à propos de la vieille femme. Les ressemblances sont trop nombreuses pour que j'en parle (manière « littéraire » de dire que mes doigts sont complètement engourdis). De toute façon, ils sont tous les deux d'accord pour affirmer qu'elle habite dans le comté de Polk, au Nebraska, même s'ils n'ont pas pu s'entendre sur le nom de l'endroit – Stu dit qu'il s'agit de Hollingford Home, Glen que c'est plutôt Hemingway Home. Assez proche en tout cas. Ils ont tous les deux l'impression qu'ils pourraient le retrouver. (Journal, souviens-toi : moi, je pense que c'est « Hemingford Home ».)

Glen était convaincu :

– C'est tout à fait étonnant. On dirait bien que nous vivons tous une expérience psychique commune.

Harold n'était pas d'accord, naturellement, mais on voyait bien que tout ça le secouait un peu. Il a cependant accepté d'aller là-bas, puisqu'il faut « bien aller quelque part », comme il disait. Nous partons demain matin. J'ai peur, je suis énervée, et je suis heureuse de quitter Stovington. Stovington pue la mort. Et je préfère la vieille dame à l'homme noir, sans aucun doute.

Choses dont je veux me souvenir : « Coincé » voulait dire : quelqu'un qui n'est pas décontracté. « Ça baigne » voulait dire que tout allait bien. « Rien à cirer » voulait dire qu'on se foutait de quelque chose. Un type « canon », c'était un type pas mal foutu du tout. « Crasher », c'était se trouver un endroit pour pioncer, tout ça avant la super-grippe. Un peu con, non ? « J'assure. » Mais c'était la vie.

Il était un peu plus de midi.

Épuisée, Perion s'était endormie à côté de Mark qu'ils avaient transporté à l'ombre deux heures plus tôt. Il perdait connaissance de temps en temps, moments de répit pour tous les autres. Il avait tenu longtemps, presque toute la nuit. Mais, au lever du jour, il avait finalement craqué et, lorsqu'il était conscient, ses hurlements leur glaçaient le sang. Ils se regardaient les uns les autres, impuissants. Personne n'avait pu manger.

– C'est l'appendicite, dit Glen. J'en suis sûr.

– On devrait peut-être essayer... essayer de l'opérer, murmura Harold en regardant Glen. Vous ne...

– Nous allons le tuer, répondit sèchement Glen. Et vous le savez, Harold. Si nous réussissions à lui ouvrir le ventre sans le saigner à mort, ce qui est impossible, nous ne saurions pas distinguer son appendice de son pancréas. Il n'y a pas d'étiquette dessus, vous savez.

– Mais il va mourir si nous n'essayons pas.

– Vous voulez essayer, *vous* ? demanda Glen, furieux cette fois. Parfois, je me pose des questions sur votre compte, Harold.

– Et *vous,* vous ne nous êtes pas d'un grand

secours pour le moment, répondit Harold, rouge comme une tomate.

– Allez, arrêtez, intervint Stu. Ça ne sert à rien. Il n'est pas question de l'opérer, à moins que l'un de vous ne soit prêt à l'ouvrir avec son canif.

– *Stu !* s'exclama Frannie.

– Quoi ? L'hôpital le plus proche est à Maumee. On n'y arrivera jamais. On ne pourra même pas l'emmener jusqu'à l'autoroute.

– Vous avez raison, dit Glen en se passant la main sur sa joue râpeuse. Harold, je suis désolé. Je suis très nerveux. Je savais que ce genre de chose pouvait arriver – pardon, *arriverait* certainement – mais je suppose que ce n'était qu'une conviction théorique. Je ne suis plus dans mon bureau de prof, en train de rêver à des élucubrations de sociologue.

Harold marmonna quelque chose et s'éloigna, les mains enfoncées dans les poches. Il avait l'air d'un petit garçon de dix ans qui s'en va bouder dans son coin.

– Et pourquoi ne peut-on pas le déplacer ? demanda Fran.

– Parce que son appendice a probablement beaucoup enflé, répondit Glen. S'il éclate, il va empoisonner tout son organisme, assez de poison pour tuer dix hommes.

– Péritonite, confirma Stu.

Frannie avait le vertige. Une appendicite ? Mais ce n'était rien, *rien du tout*. On vous opère pour la vésicule biliaire et, tant qu'à y être, on vous enlève aussi l'appendice. Elle se souvenait qu'un de ses camarades d'école, Charley Biggers, s'était fait enlever l'appendice un été. Elle allait entrer en septième. Il n'était resté à l'hôpital que deux ou trois jours. Médicalement, une appendicite, ce n'était rien, rien du tout.

Médicalement, avoir un enfant, ce n'était rien, rien du tout non plus.

– Mais si on ne fait rien, demanda-t-elle, est-ce que l'appendice va éclater quand même ?

Stu et Glen échangèrent un regard et ne lui répondirent pas.

– Alors, Harold avait raison ! Vous restez là les bras croisés. Vous devez faire quelque chose. Même avec un canif !

– Pourquoi *nous* ? questionna Glen d'une voix hargneuse. Pourquoi pas *vous* ? Nous n'avons même pas de manuel de médecine, nom de Dieu !

– Mais vous... il... ce n'est pas possible ! *Une appendicite, ce n'est rien du tout !*

– Peut-être autrefois. Aujourd'hui, c'est grave, croyez-moi, lui répondit Glen.

Mais elle était déjà partie, en pleurs.

Elle revint vers trois heures, honteuse, prête à s'excuser. Mais Glen et Stu n'étaient plus là. Harold était assis sur un tronc d'arbre. Perion était toujours à côté de Mark. Elle lui essuyait la figure avec une serviette. Elle était pâle, mais elle semblait avoir retrouvé son calme.

– Frannie ! lança Harold, manifestement heureux de la revoir.

– Salut, Harold. Comment va-t-il ? demanda Fran à Perion.

– Il dort.

Mais ce n'était pas vrai. Fran le voyait bien. Il était inconscient.

– Où sont les autres, Perion ? Tu sais ?

Ce fut Harold qui lui répondit. Il s'était approché d'elle par-derrière et Fran sentit qu'il voulait lui toucher les cheveux ou lui poser la main sur l'épaule. Mais elle n'en avait pas envie. Depuis quelque temps, elle se sentait mal à l'aise dès que Harold l'approchait.

– Ils sont partis à Kunkle. Il y avait sans doute un médecin là-bas, autrefois.

– Ils vont essayer de trouver des livres, ajouta Perion. Et des... des instruments.

Frannie l'entendit avaler sa salive. Elle continuait à rafraîchir le visage de Mark avec la serviette qu'elle mouillait de temps en temps en prenant de l'eau dans une gourde.

– Nous sommes vraiment désolés, dit Harold, très mal à l'aise. Ce n'est pas très malin de dire ça, mais c'est la vérité.

Perion le regarda avec un sourire fatigué.

– Je sais. Merci. Ce n'est la faute de personne. Sauf de Dieu, s'il existe. Si Dieu existe, alors oui, c'est *Sa* faute. Et quand je Le verrai, j'ai bien l'intention de Lui flanquer un coup de pied dans les couilles.

Elle avait un visage un peu chevalin, un corps épais de paysanne. Fran, qui commençait toujours par voir les bons côtés des gens (Harold, par exemple, avait vraiment de très belles mains pour un garçon), remarqua que les cheveux de Perion, auburn, étaient splendides et que ses yeux indigo étaient beaux et intelligents. La jeune femme enseignait l'anthropologie à New York, leur avait-elle raconté. Elle avait aussi milité dans un certain nombre de mouvements – les droits des femmes, les droits des victimes du sida. Elle ne s'était jamais mariée. Mark, avait-elle dit un jour à Frannie, lui avait fait un bien énorme, plus qu'elle n'en avait jamais attendu d'un homme. Ceux qui l'avaient précédé ne s'étaient pas occupés d'elle, ou l'avaient mise dans le même panier que toutes les autres femmes, avec les « truies » ou les « paillassons ». Sans doute Mark aurait-il fait la même chose si la situation avait été normale, mais elle ne l'était pas. Ils s'étaient rencontrés à Albany où Perion passait l'été avec ses parents, le dernier jour du mois de juin. Ils avaient finalement décidé de quitter la ville avant que les microbes qui proliféraient dans tous ces cadavres en décomposition ne leur fassent ce que la super-grippe n'avait pas réussi à faire.

Ils étaient donc partis. Le lendemain, ils étaient amants, plus par désespoir qu'en raison d'une attirance réelle (c'est ainsi que parlaient les femmes, et Frannie l'avait noté dans son journal). Il était gentil avec elle, avait expliqué Perion, un peu étonnée comme le sont les femmes envers qui la nature n'a pas été très généreuse lorsqu'elles rencontrent un brave type dans un monde cruel. Et elle avait commencé à l'aimer, un peu plus chaque jour.

Et maintenant, *ça*.

– C'est drôle, dit-elle. Tout le monde ici, à part Stu et Harold, a fait des études universitaires. Et vous auriez certainement pu en faire vous aussi si les choses s'étaient passées normalement, Harold.

– Oui, sans doute.

Perion se retourna vers Mark pour lui éponger le front, doucement, amoureusement. Frannie se souvint d'une planche en couleurs dans la bible familiale, une image où l'on voyait trois femmes en train d'embaumer le corps de Jésus avec des huiles et des aromates.

– Frannie faisait des études d'anglais, Glen enseignait la sociologie, Mark préparait un doctorat en histoire. Harold, vous auriez fait lettres vous aussi, puisque vous vouliez écrire. Nous aurions pu avoir des discussions formidables. Nous en avons eu d'ailleurs.

– Oui...

La voix de Harold, habituellement stridente, était maintenant presque inaudible.

– Les études littéraires vous apprennent à penser – j'ai lu ça quelque part. Les faits sont secondaires. Ce qu'on vous apprend en réalité, c'est à raisonner – induction et déduction – d'une façon constructive.

– Très juste, répondit Harold. Je suis tout à fait d'accord.

Cette fois, sa main se posa sur l'épaule de Fran. Elle ne s'écarta pas, mais cette présence la gênait.

– Et ça ne sert à *rien* ! s'exclama Perion.

Surpris, Harold retira sa main. Fran se sentit aussitôt soulagée.

– À rien ? demanda-t-il timidement.

– Il est en train de *mourir* ! Il est en train de mourir, parce que nous avons tous perdu notre temps à apprendre des conneries parfaitement inutiles. Oh, je pourrais vous parler des indigènes de

Nouvelle-Guinée. Harold pourrait vous expliquer en détail les techniques littéraires des derniers poètes anglais. Mais Mark ? À quoi ça peut bien lui servir ?

– Si l'un de nous avait fait sa médecine...

Fran ne termina pas sa phrase.

– Oui, *si.* Mais ce n'est pas le cas. Nous n'avons même pas un mécanicien avec nous, même pas un pauvre plouc qui aurait au moins *vu* un vétérinaire opérer une vache ou un cheval. Je vous aime bien, mais je préférerais un bon bricoleur. Nous avons tellement peur de le toucher, même si nous savons ce qui va arriver si nous ne faisons rien. Je dis *nous,* parce que je fais partie du lot.

– Au moins les deux...

Fran s'arrêta. Elle allait dire *au moins les deux hommes,* mais elle se rendit compte que la formule aurait été maladroite en présence de Harold.

– Au moins Stu et Glen sont partis à Kunkle.

– Oui, soupira Perion, c'est déjà quelque chose. Mais c'est Stu qui a pris la décision, n'est-ce pas ? Le seul qui a finalement compris qu'il valait mieux essayer n'importe quoi que de rester là sans rien faire. Est-ce qu'il t'a dit ce qu'il faisait autrefois ? demanda-t-elle en regardant Frannie.

– Il travaillait dans une usine, répondit aussitôt Fran, sans remarquer que Harold paraissait surpris qu'elle le sache. Une usine de calculatrices électroniques. Il était quelque chose comme technicien en informatique.

– Ah bon ? fit Harold avec un sourire amer.

– C'est le seul qui ait un peu de sens pratique, reprit Perion. Je suis presque sûre que lui et M. Bateman vont tuer Mark, mais je préfère ça quand même, plutôt que de rester là à le regarder... à le regarder crever comme un chien écrasé dans la rue.

Harold et Fran ne trouvèrent rien à lui répondre. Debout derrière elle, ils regardaient le visage de Mark, pâle, rigide. Au bout d'un moment, Harold posa sa main moite sur l'épaule de Fran. Elle aurait voulu hurler.

Stu et Glen revinrent à quatre heures moins le quart avec un grand sac noir rempli d'instruments et de gros livres.

– On va essayer, dit simplement Stu.

Perion leva les yeux. Sa voix était calme.

– Vous allez essayer ? Merci. Merci pour nous deux.

– Stu ? dit Perion.

Il était quatre heures dix. Stu était à genoux sur une alaise de caoutchouc qu'ils avaient étendue sous l'arbre. La sueur coulait à flots sur son visage. Frannie tenait un livre devant lui, passant d'une planche en couleurs à la suivante, puis revenant à la première quand Stu relevait ses yeux brillants et lui faisait signe. À côté de lui, affreusement blanc, Glen Bateman tenait une bobine de fil blanc. Entre les deux hommes, il y avait une boîte pleine d'instruments en acier inoxydable. La boîte était tachée de sang.

– Ici ! cria Stu d'une voix perçante, les pupilles soudain pas plus grosses que deux aiguilles. La voilà, cette saloperie ! Ici ! Juste ici !

– Stu ? dit Perion.

– Fran, montre-moi l'autre image ! Vite ! Vite !

– Vous pouvez l'enlever ? demanda Glen. Nom de Dieu, vous croyez vraiment que vous allez pouvoir l'enlever ?

Harold n'était plus là. Il était parti presque tout de suite, une main plaquée sur la bouche. Et, depuis un quart d'heure, il était caché dans un petit bois, un peu plus à l'est, leur tournant le dos. Mais il revenait maintenant, son gros visage rond rayonnant d'espoir.

– Je ne sais pas, dit Stu. Peut-être. Peut-être bien.

Il regardait la planche que Fran lui montrait. Il avait du sang jusqu'au coude.

– Stu ? dit Perion.

– Voilà, murmura Stu, les yeux extraordinairement brillants. L'appendice, ce petit machin. Il...

essuie-moi le front, Frannie, merde, je sue comme un porc... merci... il va falloir couper juste ce qu'il faut, pas plus... et voilà les intestins... nom de Dieu, il faut que...

– Stu ? dit Perion.

– Passez-moi les ciseaux, Glen. Non, pas ceux-là. Les petits.

– *Stu !*

Il leva enfin les yeux vers elle.

– Ce n'est plus la peine, dit Perion d'une voix douce. Il est mort.

Stu la regarda. Ses pupilles s'élargirent lentement.

– Il y a près de deux minutes. Merci quand même. Merci beaucoup.

Stu l'observa longtemps.

– Tu es sûre ?

Elle fit un signe de tête. Elle pleurait silencieusement.

Stu leur tourna le dos, laissa tomber le petit scalpel qu'il tenait, se cacha la figure entre ses mains. Glen s'était dejà levé et s'éloignait sans regarder derrière lui, le dos voûté, comme s'il venait de recevoir un coup.

Frannie prit Stu par les épaules et le serra contre elle.

– Et voilà, dit-il d'une voix blanche qui fit peur à Frannie. Et voilà. C'est fini. Et voilà. Et voilà.

– Tu as fait de ton mieux, dit-elle en le serrant encore plus fort, comme s'il allait s'enfuir.

– Et voilà.

Frannie le serrait toujours. Malgré toutes ces idées qui lui passaient par la tête depuis plus de trois semaines, elle n'avait pas fait un geste jusque-là, cachant de son mieux ses sentiments. Harold était trop imprévisible. Et même maintenant, elle ne montrait pas ses véritables sentiments. Elle ne le serrait pas dans ses bras comme une femme étreint l'homme qu'elle aime. Plutôt comme un survivant s'accroche à un autre. Stu parut le comprendre. Il posa les mains sur ses épaules, laissant des marques de sang sur sa chemise kaki, comme pour faire d'elle sa complice dans un crime raté. Quelque part, un geai lança son cri rauque. Plus près, Perion s'était mise à pleurer.

Harold Lauder, qui ne savait pas faire la différence entre l'étreinte de deux amants et l'étreinte de deux survivants, regardait Frannie et Stu avec méfiance, déjà rempli de crainte. Au bout d'un long moment, il s'enfonça furieusement dans les buissons en faisant craquer les branches et ne revint que longtemps après le dîner.

Elle se réveilla tôt le lendemain matin. Quelqu'un la secouait. Je vais ouvrir les yeux et je vais voir Glen ou Harold, pensa-t-elle dans son demi-sommeil. Nous allons recommencer, recommencer encore jusqu'à ce que nous finissions par apprendre. Ceux qui ne peuvent apprendre les leçons de l'histoire... mais c'était Stu. Il faisait déjà presque jour, la douce lumière dorée du petit matin, comme tamisée à travers une gaze. Les autres dormaient.

– Qu'est-ce qu'il y a ? demanda-t-elle en s'asseyant. Quelque chose ne va pas ?

– J'ai encore rêvé, répondit Stu. Pas à la vieille femme, à... à l'autre. À l'homme noir. J'avais peur, alors...

– Arrête, dit-elle, effrayée par l'expression de son visage. Dis ce que tu as à dire, *s'il te plaît.*

– Perion... Le Véronal... Elle a pris le Véronal dans le sac de Glen.

Frannie entendit ses poumons siffler.

– Elle..., reprenait Stu d'une voix cassée, elle est morte, Frannie. Quelle saloperie, tout ça...

Elle voulut lui répondre, mais les mots refusèrent de sortir de sa bouche.

– Il faut sans doute réveiller les deux autres, dit Stu d'un air absent.

Il se frotta la joue que sa barbe naissante rendait rugueuse comme du papier de verre. Fran se souvenait encore d'avoir senti cette barbe contre sa joue, hier, quand elle l'avait pris dans ses bras. Il se retourna vers elle.

– Ça ne finira donc jamais ?

– Non, je ne crois pas, répondit-elle tout bas.

Ils se regardèrent, les yeux dans les yeux, dans la lumière du petit matin.

Journal de Fran Goldsmith

12 juillet 1990

Nous avons campé juste à l'ouest de Guilderland (État de New York) ce soir. Finalement arrivés sur la grande route, 80/90. La joie d'avoir rencontré Mark et Perion (un joli nom, je trouve) hier après-midi est déjà presque oubliée. Ils ont accepté de venir avec nous... en fait, ils nous l'ont proposé avant que nous ayons eu le temps de le faire.

À vrai dire, je ne suis pas sûre que Harold aurait proposé quoi que ce soit. Vous le connaissez. Et il était un peu jaloux (Glen aussi, peut-être) de tout leur matériel, fusils semi-automatiques compris (deux). Mais surtout, Harold devait faire son petit numéro... il faut qu'il se fasse remarquer.

J'ai l'impression d'avoir écrit des pages et des pages sur LA PSYCHOLOGIE DE HAROLD et, si vous ne le connaissez pas encore, vous ne le connaîtrez jamais. Sous ses apparences pontifiantes, c'est un petit garçon qui n'a pas confiance en lui. Il n'arrive pas à croire que les choses ont changé. On dirait qu'il pense que tous ceux qui l'emmerdaient au lycée vont sortir de leurs tombes un beau jour pour lui lancer des boulettes de papier et l'appeler Lauder la Branlette (Amy m'a dit un jour qu'ils l'appelaient comme ça). Je pense parfois qu'il aurait été préférable pour lui (et peut-être pour moi) de ne pas nous mettre ensemble à Ogunquit. Je fais partie de son ancienne vie, j'étais l'amie de sa sœur à une époque, etc., etc. Ma relation avec Harold peut se résumer ainsi : pour étrange que ça puisse paraître, sachant ce que je sais maintenant, je choisirais probablement Harold comme ami, plutôt que sa sœur, Amy, une fille qui ne pensait qu'à trouver des garçons avec de belles bagnoles, qu'à s'habiller chez Sweetie's, une fille qui n'était qu'une sale snob d'Ogunquit (pardonnez-moi mon Dieu de dire des méchancetés sur les morts, mais c'est la vérité). À sa manière, assez étrange c'est vrai, Harold est un type plutôt bien. Je veux dire, quand il ne mobilise pas toute son énergie mentale pour jouer au con. Mais Harold n'a jamais cru que quelqu'un pouvait le trouver bien. Il ne peut s'empêcher de faire du cinéma, de jouer un rôle. Il est incapable de laisser derrière lui tous ses problèmes. Il les traîne avec lui, comme s'il les avait mis dans son sac, avec son chocolat Payday qu'il aime tellement.

Oh, Harold, je ne sais pas, vraiment.

Choses dont je veux me souvenir : Gillette à lames pivotantes. Crème épilatoire, jambes plus douces. Mini-tampons, maxi-protection... créés par des femmes, pour des femmes. La soirée du cinéma. *La Nuit des morts vivants.* Brrrr ! C'est pas vraiment le moment. J'abandonne.

14 juillet 1990

Nous avons beaucoup parlé de nos rêves aujourd'hui, pendant le déjeuner. Si bien que nous nous sommes arrêtés plus longtemps que nous n'aurions dû, sans doute. Entre parenthèses, nous sommes juste au nord de Batavia, État de New York.

Hier, Harold a proposé avec beaucoup de discrétion (pour lui) de prendre un peu de Véronal pour voir si nous ne pourrions pas « perturber le cycle onirique », selon son expression. J'ai dit que j'étais d'accord, pour que personne ne se pose de questions, mais j'ai bien l'intention de ne pas avaler ce sale truc, car je ne sais pas trop si ça ferait du bien à mon cowboy solitaire (j'espère bien qu'il est solitaire ; je ne suis pas sûre que je pourrais avoir des jumeaux).

Proposition Véronal adoptée. Mark avait quelque chose à dire :

– Vous savez, c'est pas trop bon de penser à ces trucs-là. Bientôt, on va se prendre pour Moïse ou

Joseph, on va croire que Dieu nous appelle au téléphone.

– L'homme noir n'appelle pas du ciel, a dit Stu. Si c'est l'interurbain, je pense bien que ça vient de quelque part nettement plus bas.

– Ce qui veut dire que Stu pense que le grand méchant loup est après nous (c'est moi qui ai dit ça).

– Une explication qui en vaut une autre, a dit Glen, et nous l'avons tous regardé. Si vous regardez les choses d'un point de vue théologique, on dirait bien que nous sommes pris entre l'arbre et l'écorce dans une lutte à finir entre le ciel et l'enfer, vous ne croyez pas ? S'il reste encore des jésuites après la super-grippe, ils s'arrachent sûrement les cheveux.

Mark a éclaté de rire. Je n'ai pas bien compris, mais je n'ai rien dit.

– Eh bien, *moi*, je pense que tout cela est parfaitement ridicule, a dit Harold. Bientôt, vous allez vous prendre pour Edgar Cayce et croire à la transmigration des âmes.

Il avait prononcé *caisse*, au lieu de *ké-ci*. Quand je l'ai corrigé, il m'a regardée avec un SALE AIR. Ce n'est pas le genre de type qui vous inonde de sa gratitude quand vous lui faites remarquer ses petites erreurs, cher journal !

– En présence d'un phénomène manifestement paranormal, a continué Glen, la seule explication possible, la seule qui ait sa logique interne, est l'explication théologique. C'est pourquoi la métapsychique et la religion se sont toujours très bien entendues, jusqu'aux guérisseurs de notre époque.

Harold grognait, ce qui n'a pas empêché Glen de poursuivre.

– J'ai bien l'impression, sans en avoir la preuve, que nous sommes tous des médiums... mais ce don est si profondément enraciné en nous que nous ne le remarquons que rarement. Un don qui est essentiellement préventif, ce qui nous empêche aussi de l'observer.

– Pourquoi ? (C'est moi qui ai posé la question.)

– Parce qu'il s'agit d'un facteur négatif, Fran.

Avez-vous lu l'étude publiée en 1958 par James D. L. Staunton sur les accidents d'avions et de chemins de fer ? Elle a d'abord paru dans une revue de sociologie, mais la presse à sensation en reparle de temps en temps quand les journalistes ont du mal à pisser de la copie.

Nous avons tous secoué la tête.

– Vous devriez la lire. James Staunton avait ce que mes étudiants d'il y a vingt ans auraient appelé « une tête bien faite » – un sociologue tout à fait bien, très tranquille, qui s'intéressait à l'occulte, son violon d'Ingres si on veut. Il a d'abord écrit une série d'articles, puis il a sauté la barrière pour étudier le sujet par lui-même.

Harold gloussait. Stu et Mark rigolaient. Moi aussi, j'en ai bien peur.

– Alors, parlez-nous de ces accidents, a dit Perion.

– Bien. Staunton a recueilli des statistiques sur plus de cinquante accidents d'avions depuis 1925 et sur plus de deux cents accidents ferroviaires depuis 1900. Il a fourré tout ça dans un ordinateur. En résumé, il cherchait une corrélation entre trois facteurs : ceux qui étaient présents à bord du véhicule accidenté, ceux qui ont été tués, et la *capacité* du véhicule.

– Je ne vois pas ce qu'il cherchait, dit Stu.

– Attendez un peu. Il avait également donné une deuxième série de statistiques à son ordinateur – cette fois un nombre équivalent d'avions et de trains qui n'avaient *pas* eu d'accident.

Mark avait compris.

– Un groupe expérimental et un groupe témoin. Ça paraît logique.

– Et ce qu'il a découvert est extrêmement simple, mais plutôt gênant sur le plan des conséquences. Dommage qu'il faille se taper seize tableaux de statistiques pour arriver à la conclusion.

– Quelle conclusion ? (Ma question.)

– Les avions et les trains pleins ont rarement des accidents.

– Merde, quelle *CONNERIE* !

Harold se tordait de rire.

– Ce n'est pas tout, a continué Glen, très calme. C'était la théorie de Staunton, et l'ordinateur lui donnait raison. Quand il y a accident d'avion ou de train, les véhicules sont remplis à soixante et un pour cent. Lorsqu'il n'y a pas d'accident, ils sont remplis à soixante-seize pour cent. Une différence de quinze pour cent sur un échantillon représentatif, on peut donc parler d'un écart *significatif*. Staunton fait observer que, du point de vue statistique, un écart de trois pour cent donnerait déjà à réfléchir, et il a raison. L'anomalie est énorme. Staunton en déduit que les gens *savent* quand un avion ou un train va avoir un accident... qu'ils prévoient l'avenir, inconsciemment.

Nous l'écoutions très attentivement.

– À l'aéroport de Chicago, juste avant le départ du vol 61 à destination de San Diego, tante Sally a tout à coup très mal au ventre et décide de ne pas partir. Et quand l'avion s'écrase dans le désert du Nevada, tout le monde dit : « Oh, tante Sally, ce mal de ventre, un vrai miracle. » Avant que James Staunton ne nous produise ses chiffres, personne n'avait jamais compris qu'en fait *trente* personnes avaient eu mal au ventre... ou à la tête... ou qu'ils avaient tout simplement ressenti cette étrange impression, quand votre corps essaye de dire à votre tête que quelque chose ne va pas, que quelque chose va tourner mal.

– Je n'en crois pas un mot. (Harold, aussi connu sous le nom de saint Thomas d'Ogunquit.)

– Je viens de lire pour la première fois l'article de Staunton. Une semaine plus tard à peu près, un avion des Majestic Airlines s'écrase à Boston. Pas de survivants. Bien. J'appelle Majestic Airlines, un peu plus tard, quand les choses se sont tassées. Je leur raconte que je travaille pour un journal de Manchester – un petit mensonge, mais pour la cause de la science. Je leur dis que nous faisons des statistiques sur les accidents d'avions et je leur demande s'ils peuvent me dire combien de passagers qui avaient des réservations ne se sont pas présentés à l'enregistrement. Le type a paru un peu surpris. Et il m'a expliqué que le personnel de la compagnie parlait justement de ça. Seize passagers. Seize ne s'étaient pas présentés. Je lui demande alors quelle était la moyenne sur un vol 747, entre Denver et Boston. Réponse : trois.

– Trois ? (C'est Perion qui a posé la question.)

– Exact. Mais le type continue et me dit qu'il y avait eu aussi quinze *annulations,* alors que la moyenne est de huit. Les journaux ont titré 94 VICTIMES À BOSTON, mais ils auraient pu dire tout aussi bien 31 PASSAGERS ÉCHAPPENT À LA MORT À BOSTON.

Bon... On a encore beaucoup parlé de paranormal, mais la conversation s'est pas mal écartée du sujet : *nos* rêves, à savoir, s'ils venaient ou non du Tout-Puissant, là-haut dans le ciel. Harold a foutu le camp, complètement dégoûté. Puis Stu a posé une question à Glen.

– Si nous sommes tous des médiums, comment ça se fait que nous ne savons pas quand quelqu'un que nous aimons vient de mourir, ou quand notre maison vient d'être emportée par un ouragan, ou des trucs du genre ?

– Des trucs du genre, ça arrive pourtant. Mais je reconnais que ce n'est pas aussi fréquent, loin de là... ou du moins, plus difficile à démontrer avec un ordinateur. La question est intéressante. J'ai une théorie...

(N'a-t-il pas toujours une théorie, cher journal ?)

– ... une théorie qui est liée à l'évolution. Vous savez, les hommes – ou leurs ancêtres – avaient à une époque une queue et du poil sur tout le corps. Et leurs sens étaient beaucoup plus aiguisés qu'ils ne le sont aujourd'hui. Pourquoi ça ? Vite, Stu ! Une occasion unique d'avoir une bonne note, d'être le premier de la classe.

– Pour la même raison qu'on ne met plus de grosses lunettes et une pelisse de fourrure quand on conduit une voiture, je suppose. Parce que ce n'est plus nécessaire. On n'en a plus besoin.

– Exactement. À quoi bon avoir un don métapsychique qui ne sert plus à rien ? À quoi bon, quand vous êtes en train de travailler dans votre bureau, de savoir tout à coup que votre femme vient de se tuer dans un accident de voiture en rentrant du supermarché ? Quelqu'un va vous téléphoner pour vous l'apprendre, n'est-ce pas ? Ce sens a donc pu s'atrophier il y a bien longtemps, si nous l'avons jamais eu. Comme nos queues et nos poils.

Mais il n'avait pas terminé ses explications. Mon Dieu, comme il parle !

– Ce qui m'intéresse dans ces rêves, c'est qu'ils paraissent annoncer une lutte. Nous semblons nous faire une image brumeuse d'un protagoniste... et d'un antagoniste. D'un adversaire, si vous préférez. Et s'il en est ainsi, peut-être sommes-nous comme ces gens qui vont prendre l'avion... et qui tout à coup ont mal au ventre. Peut-être nous donne-t-on le moyen d'orienter notre avenir. Une sorte de libre arbitre dans la quatrième dimension : la possibilité de choisir, avant les événements.

– Mais nous ne savons pas ce que ces rêves *signifient*. (Mon intervention.)

– Non, mais nous allons peut-être le découvrir. J'ignore si posséder une parcelle de dons psychiques signifie que nous sommes divins ; bien des gens acceptent le miracle de la vue sans croire que la vue prouve l'existence de Dieu, et je suis de ceux-là ; mais je crois que ces rêves sont une force constructive, même s'ils peuvent nous faire peur. Et par conséquent, je commence à regretter que nous prenions du Véronal. C'est un peu comme si nous avalions du Pepto-Bismol pour faire disparaître ce mal de ventre, et que nous montions dans l'avion.

Choses dont je veux me souvenir : Récession, crise du pétrole, un prototype Ford qui faisait moins de quatre litres aux cent sur route. Une voiture formidable. C'est tout. J'arrête. Si je continue à écrire autant, ce journal sera aussi long qu'*Autant en emporte le vent* le jour où le cow-boy solitaire sortira de son ranch (de préférence, pas sur son cheval blanc). Oh oui, encore une chose dont je veux me souvenir. Edgar Cayce. Mais je ne l'oublierai pas. On dit qu'il voyait l'avenir dans ses rêves.

16 juillet 1990

Deux mots, à propos des rêves (voir ce que j'ai écrit le 14). Premièrement, Glen Bateman est très pâle et très silencieux depuis deux jours. Ce soir, j'ai vu qu'il prenait une dose supplémentaire de Véronal. Je soupçonne qu'il n'en prenait pas depuis deux jours et qu'il a fait des rêves HORRIBLES. Ça m'inquiète. J'aimerais lui en parler, mais je ne sais pas comment.

Deuxièmement, mes rêves à moi. Rien la nuit d'avant-hier (la nuit qui a suivi notre discussion) ; dormi comme un bébé ; me souviens de rien. La nuit dernière, j'ai rêvé de la vieille femme, pour la première fois. Rien à dire qui n'ait déjà été dit, si ce n'est qu'elle semble respirer la GENTILLESSE, la BONTÉ. Je crois comprendre pourquoi Stu voulait tellement aller au Nebraska, malgré les sarcasmes de Harold. Je me sentais très bien en me réveillant ce matin. Et je pensais que, si nous pouvions simplement trouver cette vieille dame, mère Abigaël, tout irait bien. J'espère qu'elle est vraiment là. (Entre parenthèses, je suis tout à fait sûre que le nom du bled est Hemingford Home.)

Choses dont je veux me souvenir : mère Abigaël !

47

Tout arriva très vite.

Il était environ dix heures moins le quart, le 30 juillet. Ils roulaient depuis une heure à peine. Ils n'avançaient pas vite, car il avait beaucoup neigé la nuit précédente et la route était encore glissante. Ils ne s'étaient pas beaucoup parlé depuis la veille, quand Stu avait réveillé Frannie, puis Harold et Glen, pour leur annoncer le suicide de Perion. Il se culpabilisait, pensa Fran, il se culpabilisait de quelque chose dont il n'était pas plus responsable que de la pluie ou du beau temps.

Elle aurait aimé le lui dire, en partie parce qu'il fallait le secouer un peu, en partie parce qu'elle l'aimait. Oui, elle l'aimait. Elle en était sûre maintenant. Elle aurait sans doute pu le convaincre qu'il n'était pas responsable de la mort de Perion... mais il lui aurait fallu révéler ses véritables sentiments. Et Harold comprendrait lui aussi, malheureusement. Il ne pouvait donc en être question... pour le moment. Mais elle n'allait plus attendre bien longtemps, Harold ou pas. Elle ne pouvait quand même pas le protéger éternellement. Il fallait qu'il sache... et qu'il accepte, ou pas. Elle avait peur que Harold n'opte pour la deuxième solution, ce qui risquait de finir très mal. Après tout, ils étaient tous armés jusqu'aux dents.

Elle était perdue dans ses pensées lorsqu'ils sortirent d'un virage. Une grande caravane rose était renversée en travers de la route. L'accident était un peu bizarre. Mais ce n'était pas tout. Il y avait encore trois voitures, toutes des stations-wagons, plus une grosse dépanneuse stationnée au bord de la route. Et des gens debout à côté, au moins une douzaine.

Fran fut si surprise qu'elle freina trop brutalement. Sa Honda dérapa sur la chaussée mouillée et elle faillit tomber. Finalement, ils s'arrêtèrent tous les quatre, à peu près alignés en travers de la route, étonnés de voir autant de gens vivants.

– Descendez, dit l'un des hommes, un grand barbu.

On ne voyait pas ses yeux derrière ses lunettes de soleil. Fran se souvint tout à coup d'un policier qui l'avait arrêtée sur l'autoroute du Maine pour excès de vitesse.

Et maintenant, il va nous demander nos permis de conduire, pensa-t-elle. Mais l'homme n'avait rien d'un policier en mal de contravention. Ils étaient quatre hommes en fait, le barbu et trois autres. Et puis des femmes. Au moins huit. Groupées autour des station-wagons, pâles, elles avaient l'air d'avoir peur.

Le barbu avait un pistolet. Les trois autres, des fusils. Deux étaient en tenue plus ou moins militaires.

– *Descendez !* Vous êtes sourds ? reprit le barbu.

Derrière lui, l'un des hommes enfonça un chargeur dans son arme. Un bruit sec, impérieux, dans la brume du matin.

Glen et Harold ne semblaient pas comprendre. Ils vont nous tirer comme des canards, pensa Frannie, affolée. Elle ne comprenait pas très bien elle-même, mais elle savait que quelque chose ne collait pas dans l'équation. *Quatre hommes, huit femmes,* lui disait son cerveau, de plus en plus fort : *Quatre hommes ! Huit femmes !*

– Harold, dit Stu d'une voix calme. Harold, ne...

Il avait compris. C'est alors que tout commença.

Stu portait son fusil en bandoulière. Il abaissa brusquement l'épaule et le fusil était déjà entre ses mains.

– Ne faites pas ça ! hurlait le barbu. Garvey ! Virge ! Ronnie ! Tirez-leur dedans ! Ne touchez pas aux femmes !

Harold voulut prendre ses pistolets, oubliant qu'ils étaient encore dans leurs étuis. Glen Bateman était toujours assis derrière Harold, médusé.

– *Harold !* cria Stu.

Frannie voulut prendre son fusil. On aurait dit que l'air qui l'entourait s'était tout à coup coagulé en une sorte de mélasse invisible, une glu épaisse qui ralentissait tous ses gestes. Elle comprit qu'ils allaient probablement mourir.

– *Maintenant !* hurla une des femmes.

Frannie, qui n'avait pas encore réussi à prendre son fusil, se retourna vers la jeune fille. Non, c'était une femme d'au moins vingt-cinq ans. Ses cheveux, blond cendré, retombaient autour de sa tête comme un casque, à croire qu'elle venait de les couper avec des ciseaux de jardinier.

Certaines femmes restèrent immobiles, paralysées

par la peur. Mais la blonde et trois autres se précipitèrent en avant.

Tout cela s'était déroulé dans l'espace de sept secondes.

Le barbu pointait son pistolet vers Stu. Quand la blonde avait hurlé, le canon de son arme avait frémi, s'était légèrement tourné dans la direction de la jeune femme, comme la baguette d'un sourcier. Le coup partit. Une détonation sourde, comme si l'on défonçait une boîte de carton avec une tige de fer. Stu tomba de sa moto. Frannie hurla son nom.

Mais Stu, appuyé sur les deux coudes (tous les deux éraflés lorsqu'il était tombé par terre, et la Honda écrasait une de ses jambes sous son poids), Stu tirait. Le barbu esquissa un petit pas de danse en arrière, comme un artiste de vaudeville qui quitte la scène après son bis. La grosse chemise de laine qu'il portait fit une bosse. Son pistolet automatique sauta en l'air et l'on entendit quatre détonations. Puis l'homme tomba à la renverse.

Deux des trois hommes qui se trouvaient derrière lui avaient fait volte-face lorsque la blonde avait crié. L'un d'eux appuya sur les deux détentes de son arme, un vieux Remington. Il n'avait pas épaulé son arme – il tenait son fusil appuyé contre sa jambe droite – et lorsque le coup partit, comme un coup de tonnerre dans une petite pièce, le Remington lui échappa des mains, arrachant la peau de ses doigts, avant de retomber par terre. Le visage de l'une des femmes qui n'avait pas réagi lorsque la blonde avait crié disparut dans une incroyable fureur de sang. Frannie entendit le sang claquer sur la route, comme une giboulée de printemps. Un œil regardait fixement, derrière le masque sanglant qui couvrait ce visage, un œil étonné, incrédule. Puis la femme s'écrasa sur la route. La station-wagon qui se trouvait derrière elle était constellée d'impacts de chevrotines. Une des glaces n'était plus qu'une cataracte laiteuse de minuscules fissures.

La blonde se battait avec le deuxième homme qui s'était tourné vers elle. L'arme de l'homme était coincée entre leurs deux corps. Une autre détonation. Puis l'une des filles se précipita pour ramasser le fusil de chasse qui était tombé par terre.

Le troisième homme, celui qui ne s'était pas retourné vers les femmes, commença à tirer dans la direction de Fran. Assise sur sa moto, son fusil dans les mains, Frannie le regardait stupidement. Il avait le teint olivâtre, les traits d'un Italien. Elle entendit une balle siffler tout près de sa tempe gauche.

Harold avait finalement dégainé un de ses pistolets. Il le leva et tira sur l'homme au teint mat. Il n'était pas à quinze pas de lui, mais il rata son coup. Un trou apparut sur la carrosserie rose de la caravane, juste à gauche de la tête de l'homme au teint olivâtre qui regarda Harold droit dans les yeux :

– À mon tour, sale petit con.

– *Ne faites pas ça !* hurla Harold.

Il laissa tomber son pistolet et leva les mains en l'air. L'homme au teint olivâtre tira à trois reprises. Sans toucher Harold. La troisième balle ricocha sur le tuyau d'échappement de sa Yamaha. La machine tomba par terre.

Vingt secondes s'étaient écoulées. Harold et Stu étaient couchés sur la route. Glen était assis en tailleur sur la chaussée, comme s'il ne comprenait toujours pas très bien ce qui se passait.

Frannie tentait désespérément d'abattre l'homme au teint olivâtre avant qu'il ne tire encore sur Harold ou sur Stu, mais la détente refusait de bouger. Elle avait oublié d'enlever le cran de sûreté. La blonde continuait à se battre avec le deuxième homme, et la femme qui était allée ramasser le fusil de chasse se bagarrait avec une deuxième femme qui cherchait à lui arracher l'arme.

Lançant des jurons dans une langue qui ne pouvait être que de l'italien, l'homme au teint olivâtre visa Harold. Mais Stu tira plus vite que lui et le front de l'homme au teint olivâtre vola en éclats. Son propriétaire s'écrasa comme un sac de pommes de terre.

Une autre femme s'était jetée dans la mêlée pour

s'emparer du fusil de chasse. L'homme qui l'avait perdu voulut l'écarter. La femme se baissa, saisit à deux mains l'entrejambe du jeans de l'homme et serra très fort. Fran vit ses muscles se gonfler, de l'avant-bras jusqu'au coude. L'homme hurla et parut ne plus s'intéresser du tout à son fusil de chasse. Il se prit les parties et s'éloigna en titubant, plié en deux.

En rampant, Harold s'approcha de son pistolet qui était tombé sur la route, le prit et tira sur l'homme qui se tenait les parties. Il tira trois fois et manqua sa cible.

On dirait Bonnie et Clyde, pensa Frannie. *Du sang partout !*

La blonde aux cheveux coupés à la serpe ne parvint pas à s'emparer du fusil du deuxième homme qui lui donna un coup de pied. Il visait peut-être le ventre, mais il la toucha à la cuisse avec une de ses grosses bottes. La femme esquissa plusieurs petits pas en arrière en faisant des moulinets avec les bras pour retrouver son équilibre. Puis elle tomba sur le derrière avec un petit bruit mouillé.

Il va la tuer, pensa Frannie. Mais le deuxième homme fit demi-tour comme un soldat ivre et commença à tirer sur les trois femmes qui étaient restées à côté de la station-wagon.

– Bande de salopes ! hurlait ce charmant monsieur. Bande de salopes !

Une des femmes tomba entre la station-wagon et la caravane renversée et commença à gigoter sur le bitume, comme un poisson sorti de l'eau. Les deux autres femmes couraient. Stu visa l'homme, tira et le manqua. L'autre tira sur l'une des femmes qui couraient, et lui ne manqua pas son coup. La femme leva les mains en l'air, puis tomba. La deuxième femme fit un crochet à gauche et se cacha derrière la caravane rose.

Le troisième homme, celui qui avait perdu son fusil de chasse et qui n'avait pas pu le récupérer, tournait toujours en rond en se tenant le bas-ventre. L'une des femmes braqua le fusil de chasse sur lui et appuya sur les deux détentes, les yeux fermés, la bouche déformée par un affreux rictus, attendant le coup de tonnerre. Mais le coup de tonnerre ne vint pas. Le fusil était vide. Elle le prit alors par le canon, le leva très haut et l'abattit de toutes ses forces. Elle manqua la tête de l'homme, mais le toucha au creux de l'épaule gauche. L'homme tomba à genoux. À quatre pattes, il voulut s'enfuir. La femme, vêtue d'un blue-jeans déchiré et d'un sweat-shirt bleu où était écrit en grosses lettres KENT STATE UNIVERSITY, se lança à ses trousses, le matraquant sauvagement avcc son arme. Inondé de sang, l'homme rampait encore, tandis que la femme au sweat-shirt continuait à cogner à tour de bras.

– Bande de *salopes* ! hurla le deuxième homme.

Il tira sur une femme entre deux âges qui le regardait en marmonnant quelque chose. Le canon de son fusil n'était pas à plus d'un mètre de la femme ; elle aurait presque pu tendre la main et le boucher avec son petit doigt rose. L'homme manqua sa cible. Il appuya de nouveau sur la détente, mais cette fois l'arme était vide.

Harold tenait son pistolet à deux mains, comme il avait vu faire les flics au cinéma. Il tira et la balle défonça le coude du deuxième homme qui laissa tomber son fusil et se mit à danser en bredouillant « *S-S'il-vous-plaît !* ». Frannie pensa qu'il ressemblait un peu à Roger Rabbit.

– Je l'ai eu ! cria Harold, fou de joie. Nom de Dieu ! Je l'ai eu !

Frannie se souvint enfin du cran de sûreté de sa carabine. Elle l'enleva au moment où Stu tirait à nouveau. Le deuxième homme lâcha son coude et tomba par terre en se tenant le ventre. Il hurlait toujours.

– Mon Dieu, mon Dieu, dit doucement Glen en se cachant le visage dans les mains pour pleurer.

Harold tira encore. Le corps du deuxième homme fit un bond. Et les hurlements cessèrent.

La femme au sweat-shirt de la Kent State University abattit une fois de plus la crosse du fusil de chasse. Cette fois, elle obtint un bon contact avec le crâne de l'homme qui rampait par terre. Un contact parfait, sans bavure. La crosse en noyer et le crâne de l'homme se cassèrent tous les deux.

Pendant un instant, ce fut le silence. Un oiseau chantait : *Cui-cui... cui-cui... cui-cui*

Puis la fille en T-shirt s'assit à califourchon sur le corps du troisième homme et lança un cri sauvage de triomphe qui allait hanter Fran Goldsmith pour le restant de sa vie.

La blonde s'appelait Dayna Jurgens. Elle venait de Xenia, dans l'Ohio. La fille au sweat-shirt de la Kent State University s'appelait Susan Stern. Celle qui avait écrasé les parties génitales de l'homme au fusil de chasse était Patty Kroger. Les deux autres étaient nettement plus âgées. La plus vieille, dit Dayna, s'appelait Shirley Hammet. Elle ignorait le nom de l'autre femme qui avait l'air d'avoir à peu près trente-cinq ans ; elle errait, en état de choc, quand Al, Garvey, Virge et Ronnie l'avaient trouvée à Archbold, deux jours plus tôt.

Ils campèrent tous les neuf dans une ferme, un peu à l'ouest de Columbia. Ils avaient l'air de somnambules et, plus tard, Fran se dit que, si quelqu'un les avait vus traverser le champ qui séparait la caravane rose de la ferme, il aurait sans doute cru que l'asile local organisait une petite promenade de santé. L'herbe qui leur montait jusqu'aux cuisses, encore humide de la pluie de la nuit, trempait leurs pantalons. Des papillons blancs voletaient lourdement autour d'eux, comme drogués, les ailes alourdies par l'humidité, décrivant des cercles et des huit. Le soleil essayait de percer à travers une épaisse couche de nuages blancs qui s'étendaient d'un bout à l'autre de l'horizon. Pourtant, il faisait déjà très chaud. L'humidité collait à la peau. Des nuées de corbeaux tournaient dans le ciel en poussant leurs horribles cris rauques. Les corbeaux étaient maintenant plus nombreux que les êtres humains, pensa Fran dans une sorte de brouillard. Si nous ne faisons pas attention, ils vont nous picorer jusqu'au dernier. La revanche des corbeaux. Est-ce que les corbeaux mangent de la viande ? Elle craignait fort que ce ne soit effectivement le cas.

Et derrière ce brouillard d'idées confuses, comme le soleil derrière la couche de nuages (un soleil qui tapait déjà dur dans l'affreuse humidité de ce matin du 30 juillet 1990), le combat de tout à l'heure reprenait inlassablement dans sa tête. Le visage de la femme emporté par les chevrotines du fusil de chasse. Stu qui tombait. Cette terreur qui s'était emparée d'elle lorsqu'elle l'avait cru mort. Le type qui criait *bande de salopes !* et puis ses petits piaillements à la Roger Rabbit quand Harold lui avait flanqué une balle dans la peau. Le bruit du pistolet du barbu, comme une caisse de carton qu'on défonce. Le cri sauvage de victoire de Susan, à califourchon sur le corps de son ennemi dont la cervelle, encore chaude, sortait du crâne fendu en deux.

Glen marchait à côté d'elle. Il avait perdu cette expression ironique qu'on lui voyait habituellement. Il était hagard. Ses cheveux gris voletaient autour de sa tête, comme pour imiter les papillons. Il tenait la main de Frannie, la serrait convulsivement.

– Il faut essayer d'oublier, disait-il. Ces horreurs... sont inévitables. Le nombre est notre meilleure protection. La société. Clé de voûte de ce que nous appelons la civilisation, seul véritable antidote contre la barbarie. Il faut accepter ces... choses... ces choses-là... comme des choses naturelles. Un incident isolé. Des monstres. Oui ! Des aberrations de la société. Je veux le croire. En vertu des pouvoirs socio-constitutionnels qui me sont conférés, pour ainsi dire. Ah ! Ah !

Son rire ressemblait plutôt à un gémissement. Fran ponctuait chacune de ses phrases elliptiques d'un « oui, Glen » qu'il ne semblait pas entendre. Le professeur sentait un peu le vomi. Les papillons se cognaient contre eux, rebondissaient et repartaient vaquer à leurs affaires. Ils étaient presque arrivés à la ferme. La bataille avait duré moins d'une minute.

Moins d'une minute, mais Frannie soupçonnait fort que le spectacle allait rester longtemps à l'affiche dans sa tête. Glen lui tapotait la main. Elle aurait voulu lui dire d'arrêter, mais elle avait peur qu'il ne se mette à pleurer. Elle ne pouvait plus supporter sa main. Et elle n'était pas sûre de pouvoir supporter Glen Bateman s'il se mettait à pleurer.

Stu marchait entre Harold et la blonde, Dayna Jurgens. Susan Stern et Patty Kroger entouraient la femme catatonique qui n'avait pas de nom, celle qu'ils avaient ramassée à Archbold. Shirley Hammet, la femme que Roger Rabbit avait manquée en tirant à bout portant, juste avant de mourir, marchait toute seule, un peu sur la gauche, marmonnant des mots incompréhensibles, lançant parfois la main en l'air pour attraper des papillons. Le groupe avançait lentement. Pourtant Shirley Hammet traînait la jambe. Ses cheveux gris retombaient sur son front et ses yeux vides regardaient le monde, comme une souris terrorisée regarde autour d'elle, du fond de la cachette où elle vient de se réfugier.

Harold lança un coup d'œil à Stu.

– On les a bien eus, hein ? On les a bien bousillés. En petits morceaux !

– C'est vrai, Harold.

– Il fallait bien, reprit Harold, comme si Stu lui avait reproché quelque chose. C'était eux ou nous !

– Ils vous auraient abattus comme des chiens, dit Dayna Jurgens d'une voix tranquille. J'étais avec deux types quand ils nous ont trouvés. Ils étaient cachés. Ils ont tué Rich et Damon. Et, quand tout a été fini, ils leur ont encore tiré une balle dans la tête, au cas où. Vous n'aviez pas le choix. Vous seriez morts maintenant.

– Nous serions morts maintenant ! s'exclama Harold en regardant Stu.

– Mais oui, répondit Stu. Ne te fais pas de bile, Harold.

– Sûrement pas ! Pas mon genre !

D'une main tremblante, il fouilla dans son sac, sortit une barre de chocolat Payday, faillit la faire tomber en enlevant le papier. Il lança un juron puis commença à dévorer sa barre de chocolat en la tenant à deux mains, comme une sucette.

Ils étaient arrivés à la ferme. Tout en mangeant son chocolat, Harold se touchait de temps en temps, en cachette – pour s'assurer qu'il n'était pas blessé. Il se sentait très mal. Il avait peur de regarder son pantalon. Car il pensait bien s'être mouillé peu après que les festivités eurent commencé à battre leur plein là-bas, près de la caravane rose.

Ils grignotèrent quelque chose, sans grand appétit. Dayna et Susan firent les frais de la conversation. Patty Kroger, une très jolie fille de dix-sept ans, ajoutait un mot de temps en temps. La femme qui n'avait pas de nom s'était réfugiée dans un coin de la cuisine poussiéreuse. Assise à la table, Shirley Hammet mangeait des biscuits au miel en marmonnant des mots sans suite.

Dayna était partie de Xenia avec Richard Darliss et Damon Bracknell. Y avait-il d'autres survivants à Xenia après l'épidémie ? Trois seulement, croyait-elle, un homme, très âgé, une femme et une petite fille. Dayna et ses amis leur avaient demandé de se joindre à leur trio, mais le vieil homme avait refusé. Il avait « quelque chose à faire dans le désert », leur avait-il dit.

Le 8 juillet, Dayna, Richard et Damon avaient commencé à avoir des cauchemars. Des cauchemars terribles. Ils rêvaient d'une espèce de croque-mitaine, mais absolument terrifiant. Rich s'était mis en tête que le croque-mitaine existait vraiment, dit Dayna, qu'il habitait en Californie. Il prétendait que cet homme, si c'était vraiment un homme, était celui que les trois autres attendaient, les trois autres qu'ils avaient rencontrés dans le désert. Damon et elle commençaient à se demander si Rich ne devenait pas fou. Selon lui, l'homme du rêve réunissait autour de lui une armée, une armée de monstres qui allaient balayer tout l'ouest du pays, réduire en esclavage tous les survivants, d'abord en Amérique, puis dans le reste du monde. Dayna et Damon avaient décidé de fausser compagnie à Rich en pleine nuit, quand l'occasion se présenterait. Rich Darliss était devenu fou, et c'était à cause de lui qu'ils rêvaient eux aussi.

À Williamstown, à la sortie d'un virage, ils étaient tombés sur un gros camion renversé en plein milieu de la route. Une station-wagon et une dépanneuse étaient garées juste à côté.

– Nous avons pensé que c'était encore un accident, dit Dayna en écrasant nerveusement un biscuit entre ses doigts. Et naturellement, c'était ce qu'on voulait nous faire croire.

Ils étaient descendus de leurs motos pour contourner le camion, et c'est alors que les quatre cinglés qui étaient cachés dans le fossé avaient ouvert le feu. Ils avaient tué Rich et Damon. Elle, ils l'avaient faite prisonnière. Elle était la quatrième dans ce qu'ils appelaient tantôt « le zoo », tantôt « le harem ». L'une des autres femmes était Shirley Hammet, celle qui marmonnait sans cesse. Elle était presque normale à l'époque, même si les quatre hommes l'avaient plusieurs fois violée.

Du barbu aux lunettes de soleil, elle ne connaissait que le surnom : Doc. Virge et lui faisaient partie d'un détachement de l'armée qui avait été envoyé à Akron lorsque l'épidémie avait éclaté. Ils étaient chargés des « relations avec les médias », un euphémisme des militaires qui signifiait en fait « répression des médias ». Leur travail à peu près terminé, ils s'étaient occupés ensuite du « contrôle des foules », encore un euphémisme de l'armée qui signifiait tirer sans sommation sur les pillards qui prenaient la fuite, et pendre ceux qui se laissaient arrêter. Le 27 juin, leur avait dit Doc, tout s'était écroulé. La plupart de ses hommes étaient trop malades pour patrouiller dans la ville, ce qui n'avait aucune importance d'ailleurs puisque les habitants d'Akron n'avaient plus la force de lire les journaux, encore moins de piller les banques et les bijouteries.

Le 30 juin, l'unité avait disparu – ses membres

étaient tous morts ou moribonds. En fait, Doc et Virge étaient les seuls survivants. C'est alors qu'ils avaient commencé leur nouvelle vie de gardiens de zoo. Garvey était venu les rejoindre le 1er juillet et Ronnie le 3, jour où ils avaient décidé que leur club privé n'admettrait plus de nouveaux membres.

– Mais vous avez dû finir par être plus nombreuses qu'eux, dit Glen.

Ce fut Shirley Hammet qui sortit de son silence pour lui répondre.

– Pilules, dit-elle en les regardant avec ses yeux de souris terrorisée sous les mèches grises qui retombaient sur son front. Pilules le matin pour se lever, pilules le soir pour dormir...

Elle laissa la fin de sa phrase se perdre en l'air, comme si elle était à bout de forces. Elle s'arrêta, puis recommença à marmonner.

Susan Stern reprit le fil de son histoire. C'est le 17 juillet qu'elle et l'une des femmes mortes durant la bataille, Rachel Carmody, étaient tombées entre les mains du groupe, à la sortie de Columbus. La caravane du zoo se déplaçait lentement – deux stations-wagons et la dépanneuse. Les hommes se servaient de la dépanneuse pour déplacer les véhicules accidentés ou pour barrer la route, selon les circonstances. Doc gardait sa pharmacie dans un sac qui pendait à sa ceinture. Puissants somnifères à l'heure du coucher ; tranquillisants pour la route ; anxiolitiques aux haltes.

– Je me levais le matin, je me faisais violer deux ou trois fois, puis j'attendais que Doc me donne mes comprimés, expliquait Susan d'une voix détachée. Le troisième jour, j'avais le... le, vous savez, le vagin tout irrité, et la moindre pénétration me faisait très mal. Je préférais Ronnie, car tout ce que Ronnie voulait, c'était un pompier. Mais avec les comprimés, j'étais très calme. Je n'avais pas envie de dormir, j'étais simplement très calme. Avec deux ou trois de ces pilules, plus rien n'avait d'importance. Vous aviez simplement envie de vous asseoir, les mains sur les genoux, et de regarder le paysage défiler, ou la dépanneuse quand ils enlevaient un obstacle. Un jour, Garvey s'est mis très en colère, parce que cette petite fille, elle n'avait pas plus de douze ans, ne voulait pas... non, je ne vais pas vous le dire. C'était vraiment terrible. Garvey lui a fait sauter la tête. Et moi, ça ne m'a rien fait. J'étais... calme. Au bout d'un moment, vous ne pensiez presque plus à vous enfuir. Je pensais plutôt à ces petites pilules bleues que Doc allait bientôt me donner.

Dayna et Patty Kroger approuvèrent d'un signe de tête.

Ils avaient apparemment compris qu'ils ne pourraient pas garder plus de huit femmes, expliqua Patty. Lorsqu'ils l'avaient prise, le 22 juillet, après avoir assassiné l'homme qui l'accompagnait, ils avaient tué une très vieille femme qui faisait partie du « zoo » depuis à peu près une semaine. Et, quand ils avaient ramassé près de Archbold la femme sans nom qui était maintenant assise dans son coin, ils avaient abattu une jeune fille de seize ans qui louchait terriblement pour lui faire de la place. Ils avaient abandonné son cadavre dans un fossé.

Doc faisait des blagues là-dessus, expliqua Patty. Il disait : Je ne marche pas sous les échelles, je ne traverse pas la rue devant un chat noir, treize dans le groupe, et c'est une de trop.

C'est le 29 qu'ils avaient aperçu pour la première fois Stu et les autres. Le zoo campait un peu à l'écart de la route quand ils étaient passés.

– Garvey avait très envie de toi, dit Susan en se tournant vers Frannie qui frissonna.

Dayna se rapprocha d'eux et commença à parler tout bas.

– Et ils avaient même dit qui tu allais remplacer.

Elle inclina la tête presque imperceptiblement dans la direction de Shirley Hammet qui continuait à marmonner en mangeant des biscuits.

– Cette pauvre femme..., dit Frannie.

– C'est Dayna qui a compris que vous pourriez peut-être nous tirer de là, expliqua Patty. Il y avait trois hommes dans votre groupe – Dayna et Helen

Roget les avaient vus. Trois hommes *armés*. Et Doc commençait à avoir un peu trop confiance en lui quand il faisait son truc de la caravane renversée. Il se contentait de faire signe aux gens de s'arrêter. C'était aussi simple que ça. Quand il y avait des hommes, ils se laissaient faire sans protester. Jamais un problème.

– Dayna nous a dit de ne pas prendre nos pilules ce matin-là, reprit Susan. Ils ne regardaient plus vraiment si nous prenions nos médicaments et nous savions qu'ils allaient être occupés à remorquer la grosse caravane en travers de la route. Nous n'avons rien dit aux autres. Les seules dans le coup étaient Dayna, Patty et Helen Roget... une des femmes que Ronnie a tuées là-bas. Et moi, naturellement. Helen avait peur : « S'ils voient que nous crachons les comprimés, ils vont nous tuer. » Dayna lui a répondu qu'ils allaient nous tuer de toute manière, tôt ou tard, et nous savions que c'était vrai. Alors nous avons fait ce qu'elle nous disait.

– J'ai dû garder mon comprimé dans ma bouche pendant un bon bout de temps, dit Patty. Il commençait à fondre quand j'ai pu le cracher. Je crois que Helen a dû avaler le sien. C'est sans doute pour ça qu'elle était si lente.

– Mais ils auraient réussi leur coup si vous n'aviez pas compris tout de suite, dit Dayna en lançant à Stu un regard qui mit Frannie mal à l'aise.

– J'ai bien l'impression que je n'ai quand même pas compris assez vite. La prochaine fois, je me méfierai, répondit Stu qui se leva et s'approcha de la fenêtre. Vous savez, ça me fait un peu peur de voir que nous apprenons si vite.

Décidément, Fran n'aimait pas du tout la manière dont Dayna regardait Stu. *Après tout ce qui lui est arrivé, elle pourrait quand même penser à autre chose,* se dit-elle. *Elle est beaucoup plus jolie que moi et elle n'est probablement pas enceinte.*

– Dans ce monde, il faut apprendre vite, répondit Dayna. Apprends ou crève. C'est la loi.

Stu se retourna vers elle et regarda pour la

première fois la jeune femme. Fran sentit aussitôt la morsure cuisante de la jalousie. *J'ai trop attendu,* pensa-t-elle. *Mon Dieu, j'ai trop attendu.*

Du coin de l'œil, elle vit que Harold souriait en se cachant la bouche avec la main. Un sourire de soulagement. Et elle eut tout à coup envie de se lever, de s'approcher d'un air nonchalant de Harold et de lui arracher les yeux avec les ongles.

Jamais, Harold ! Jamais !

Jamais ?

Journal de Fran Goldsmith

19 juillet 1990

Mon Dieu. La catastrophe. Au moins, quand ça arrive dans les livres, quelque chose *change* ensuite. Mais dans la vie réelle, on dirait que tout continue comme avant, comme dans ces interminables séries télévisées. Je devrais faire quelque chose, mais j'ai peur de ce qui arriverait ensuite entre eux et. On ne peut pas terminer une phrase avec un *et,* mais j'ai peur d'écrire ce qui devrait venir après la conjonction.

Je vais te dire tout, cher journal, même si ce n'est pas très drôle. Le simple fait d'y penser me fait déjà horreur.

Glen et Stu sont allés en ville (Girard, dans l'Ohio) pour chercher quelque chose à manger. Ils espéraient trouver des trucs déshydratés. Pas lourd à porter, et certaines marques sont très bonnes, à ce qu'on dit. Moi, je trouve que tous ces machins ont le même goût, à savoir qu'on dirait de la crotte de bique séchée. Et quand as-tu mangé de la crotte de bique séchée ? Un peu de discrétion, cher journal, certaines choses ne doivent pas être dites, ha-ha.

Ils nous avaient demandé si nous voulions venir, à Harold et à moi, mais j'ai répondu que j'avais assez fait de moto pour la journée. Harold leur a dit qu'il allait chercher de l'eau pour la faire bouillir. Il avait sans doute son idée derrière la tête. Désolée de lui prêter des intentions machiavéliques, mais c'est pourtant la réalité.

[Remarque en passant : nous en avons tous marre, absolument marre, de l'eau bouillie qui n'a aucun goût et qui est TOTALEMENT DÉPOURVUE d'oxygène. Mais Mark et Glen pensent que les usines ne sont pas arrêtées depuis assez longtemps pour que les cours d'eau et rivières aient retrouvé leur pureté d'antan, particulièrement dans le nord-est industriel. Alors, de l'eau bouillie. Nous espérons tous trouver une bonne provision d'eau minérale un de ces jours. Ça devrait déjà être fait – selon Harold – mais on dirait que l'eau minérale a mystérieusement disparu. Stu pense que les gens ont dû croire que l'eau du robinet les rendait malades et qu'ils sont passés à l'eau minérale avant de mourir.]

Bon. Mark et Perion n'étaient pas là. En principe, ils étaient partis cueillir des mûres. En tout cas, c'est ce qu'ils ont dit. Mais ils faisaient probablement autre chose – ils sont très discrets, et tant mieux pour eux. Moi, je ramassais du bois et j'allais faire du feu pour l'eau de Harold. Il est revenu presque tout de suite (il avait quand même pris le temps de se laver la figure et de se mouiller les cheveux). Il arrive donc avec sa flotte et s'assied à côté de moi.

Nous étions installés sur une grosse bûche. Nous parlions de tout et de rien quand tout à coup il me passe le bras autour du cou et essaye de m'embrasser. Je dis qu'il a essayé. En réalité, il a parfaitement réussi, au moins au début, à cause de l'effet de surprise. Mais je me suis écartée aussitôt et je suis tombée à la renverse – quand j'y pense, c'était trop drôle, même si j'ai encore mal. Je me suis fait une belle éraflure dans le dos. J'ai poussé un grand cri. L'histoire se répète, comme on dit. Ça ressemble tellement au jour où je me promenais avec Jess sur la jetée, quand je me suis mordu la langue...

Une seconde plus tard, Harold est agenouillé à côté de moi et me demande si tout va bien. Il est rouge, jusqu'à la racine des cheveux, propres pour une fois. Harold s'efforce souvent de paraître blasé, glacé – comme un jeune écrivain qui chercherait ce petit bistrot sur la rive gauche où il pourrait passer la journée à parler de Jean-Paul Sartre et à boire un infect tord-boyaux – mais sous la surface, bien caché, Harold est un adolescent qui n'est vraiment pas très mûr. C'est ce que je crois, en tout cas. Il se prend pour Humphrey Bogart, ou Steve McQueen peut-être. Quand quelque chose le dérange, c'est ce côté-là de lui qui ressort, sans doute parce qu'il a voulu le cacher si longtemps quand il était enfant. Je ne sais pas trop. En tout cas, quand il joue les Humphrey Bogart, il me fait plutôt penser à Woody Allen.

Donc, il s'agenouille à côté de moi et commence : « Ça va, rien de cassé ? » Sa voix est tellement artificielle que j'éclate de rire. L'histoire se répète, comme je disais. Mais ce n'était pas simplement que je trouvais la situation plutôt amusante. J'aurais sans doute pu me retenir. Non, une véritable crise d'hystérie, les cauchemars, ce bébé qui grandit dans mon ventre, ce que je devrais faire avec Stu, voyager tous les jours, mal partout, la mort de mes parents, le monde chamboulé... bref, j'ai commencé par avoir le fou rire, puis un rire hystérique qui ne voulait tout simplement pas s'arrêter.

– Qu'est-ce qu'il y a de drôle ? a demandé Harold en se levant.

Je suppose qu'il a pris sa voix outragée que je lui connais si bien, mais à vrai dire, je ne pensais plus à Harold du tout. Dans ma tête, je ne voyais plus qu'une image idiote de Donald le canard. Donald le canard qui pataugeait dans les ruines de la civilisation occidentale en caquetant, furieux : *Qu'est-ce qu'il y a de drôle, hein ? Qu'est-ce qu'il y a de drôle ? Qu'est-ce qu'il y a de si drôle ?* Je me suis pris la figure entre les mains et j'ai ri et j'ai sangloté et j'ai ri encore, tellement que Harold a dû penser que j'étais devenue absolument cinglée.

J'ai quand même réussi à m'arrêter au bout d'un moment. J'ai essuyé mes larmes et j'ai voulu demander à Harold de regarder ce que je m'étais fait dans le dos, pour voir si c'était profond. Mais j'ai changé d'avis, de peur qu'il ne prenne des LIBERTÉS. La vie, la liberté, la poursuite de Frannie, oh-oh, ce n'est pas si drôle.

– Fran, je voudrais te dire quelque chose, mais c'est assez difficile.

– Alors, tu as peut-être intérêt à ne rien dire du tout.

– Si.

J'ai bien vu qu'il n'allait pas se contenter d'un non et que j'allais avoir du travail pour le convaincre. Et il s'est lancé dans sa déclaration :

– Frannie, je t'aime.

Naturellement, je m'en doutais bien. Tout aurait été plus simple s'il avait simplement voulu coucher avec moi. L'amour est bien plus dangereux qu'une petite coucherie en passant. Comment dire non à Harold ? J'ai bien l'impression qu'il n'y a pas trente-six solutions. Alors, voilà ce que je lui ai répondu :

– Mais moi, je ne t'aime pas, Harold.

Son visage s'est décomposé. Il faisait une vilaine grimace.

– C'est parce que tu l'aimes, lui ? Tu aimes Stu Redman, c'est ça ?

– Je ne sais pas.

Je sentais la moutarde me monter au nez. Et il est de notoriété publique que je ne me maîtrise pas toujours – cadeau de ma mère, sans doute. J'ai quand même fait de mon mieux pour me retenir devant Harold. Mais je sentais la colère pointer le bout du nez.

– Moi, je sais. Je sais parfaitement. Depuis le jour où on l'a rencontré, je le sais. Je ne voulais pas qu'il vienne avec nous, parce que je *savais*. Et il a dit…

– Qu'est-ce qu'il a dit ?

– Qu'il ne voulait pas de toi ! Que tu pouvais être à moi !

– Comme si on te donnait une paire de chaussures neuves, c'est bien ça, Harold ?

Il n'a pas répondu. Peut-être s'est-il rendu compte qu'il était allé trop loin. Avec un peu d'effort, je me suis souvenue de ce jour-là, à Fabyan. La réaction de Harold quand il avait vu Stu avait été celle d'un chien qui voit un chien étranger entrer dans sa cour, dans son domaine. Je pouvais presque voir les poils se hérisser sur la nuque de Harold. Et j'avais compris ce que Stu avait dit. Il nous avait dit de ne pas rester avec les chiens, mais de revenir avec les hommes. Ce n'est pas de cela qu'il s'agit, au fond ? Ce combat infernal dans lequel nous nous trouvons ? Si ce n'est pas ça, alors pourquoi essayer de nous comporter à peu près bien ?

– Je n'appartiens à personne, Harold.

Il a marmonné quelque chose.

– Quoi ?

– Je disais que tu seras peut-être bien obligée de changer d'idée.

J'ai eu envie de lui répondre quelque chose de pas très gentil, mais j'ai préféré me taire. Harold avait des yeux très bizarres. Et il a continué :

– Tu sais, je connais ce genre de type. Tu peux me croire, Frannie. C'est le genre de mec fort en gym qui ne fout absolument rien en classe. Il passe son temps à lancer des boulettes de papier et à se moquer des autres, parce qu'il sait que le prof devra quand même lui donner des notes au moins passables pour qu'il continue à jouer dans l'équipe de foot. C'est le mec qui sort avec la plus belle fille de la classe et qui se prend pour Jésus-Christ. Le mec qui pète quand le prof te demande de lire ta dissertation, parce que c'est la meilleure de toute la classe. Oui, je connais ce genre de connard. Bonne chance, Fran.

Et puis il est parti, comme ça. Pas la grande sortie majestueuse qu'il avait prévue, j'en suis sûre. Plutôt comme s'il avait eu un rêve dans sa tête et que je venais de tout défoncer – le rêve que les choses avaient changé, alors qu'en fait rien n'a vraiment bougé. Je me sentais très mal pour lui, sincèrement. Mais lorsqu'il est parti, il ne jouait pas les cyniques, il était VRAIMENT cynique. Il avait pris un sale coup. Ce que Harold n'arrive pas à croire, c'est que quelque chose doit changer dans sa *tête*. Il faut qu'il comprenne que le monde restera le même tant que *lui* ne changera pas. On dirait qu'il court après les coups sur la gueule, comme les pirates courent après leurs trésors...

Bon. Tout le monde est de retour. Nous avons dîné. Nous avons fumé. Distribution de Véronal (j'ai gardé mon comprimé dans ma poche au lieu de le faire fondre dans mon estomac). Harold et moi, nous nous sommes trouvés en tête à tête, plutôt désagréable, et j'ai eu l'impression que rien n'était vraiment résolu, à part qu'il nous observe, Stu et moi, pour voir ce qui va se passer. Ça me met en colère, rien que d'écrire ça. Est-ce qu'il a le droit de nous observer ? Est-ce qu'il a le droit de compliquer cette terrible situation qui est la nôtre ?

Choses dont je veux me souvenir : Je suis désolée, cher journal. Sans doute mon état d'esprit. Je ne me souviens de rien aujourd'hui.

Quand Frannie vint le rejoindre, Stu était assis sur une pierre, en train de fumer un cigare. Il avait creusé un petit trou dans la terre avec le talon de sa botte et s'en servait comme cendrier. Il était tourné vers l'ouest. Le soleil était sur le point de disparaître à l'horizon, derrière la couche de nuages qui s'était un peu éclaircie. Les quatre femmes avaient rejoint leur groupe la veille seulement, et pourtant la rencontre semblait déjà lointaine. Ils avaient sorti du fossé, sans trop de difficulté, une des stations-wagons, puis ils étaient repartis en direction de l'ouest, avec les motos.

L'odeur du cigare de Stu lui fit penser à son père quand il fumait sa pipe. Et la tristesse l'envahit, une tristesse qui n'était presque plus que de la nostalgie. *Je commence à reprendre le dessus, papa,* pensa-t-elle. *Je suis sûre que tu ne m'en voudras pas.*

Stu la vit arriver.

– Frannie ! dit-il sans chercher à dissimuler qu'il était heureux de la voir. Comment ça va ?

– Couci-couça, répondit-elle en haussant les épaules.

– Tu veux t'asseoir avec moi pour regarder le coucher du soleil ?

Elle s'assit à côté de lui, le cœur battant. Mais après tout, c'était bien cela qu'elle voulait. Elle l'avait vu s'éloigner du camp, comme elle avait vu Harold, Glen et deux des femmes s'en aller à Brighton pour chercher une C.B. (idée de Glen et non de Harold, pour une fois). Patty Kroger s'occupait des deux autres femmes. Shirley Hammet semblait sortir petit à petit de son brouillard, mais elle les avait tous réveillés en pleine nuit. La pauvre hurlait dans son sommeil en repoussant des agresseurs imaginaires. L'autre femme, celle qui n'avait pas de nom, semblait avoir pris un autre chemin. Elle restait assise. Elle mangeait ce qu'on lui donnait. Elle allait faire ses besoins. Mais elle ne répondait à aucune question. En fait, elle ne revivait vraiment que dans son sommeil. Même avec une forte dose de Véronal, elle gémissait souvent, hurlait parfois. Et Frannie croyait savoir à quoi elle rêvait.

– On a encore pas mal de route à faire, dit Frannie.

Stu attendit un instant avant de répondre.

– Oui, c'est plus loin que nous ne pensions. La vieille femme n'est plus au Nebraska.

– Je sais...

Frannie s'en voulut d'avoir parlé trop vite.

Il la regarda avec un léger sourire.

– Tu n'as pas pris tes médicaments, à ce que je vois.

– Tu connais mon secret.

– Nous ne sommes pas seuls. J'ai parlé à Dayna cet après-midi. Elle m'a dit que Susan et elle ne voulaient plus rien prendre.

Frannie sentit un pincement de jalousie – et de peur – quand elle l'entendit prononcer le nom de Dayna. Mais elle fit de son mieux pour n'en rien montrer.

– Pourquoi as-tu arrêté ? demanda-t-elle. Est-ce qu'ils t'avaient drogué... dans ce centre ?

Il fit tomber sa cendre dans le petit trou qu'il avait creusé entre ses pieds.

– Des sédatifs pour la nuit, c'est tout. Ce n'était pas la peine de me droguer. J'étais enfermé. Non, j'ai arrêté d'en prendre il y a trois jours, parce que j'avais l'impression... de perdre le contact.

Il s'arrêta un instant, puis expliqua ce qu'il voulait dire.

– Glen et Harold sont partis chercher une C.B. C'est une très bonne idée. À quoi ça sert, une radio ? À garder le contact. J'avais un copain, à Arnette, Tony Leominster. Il avait une radio dans sa camionnette. Un truc formidable. Il pouvait appeler chez lui, ou bien demander de l'aide s'il avait un problème sur la route. Ces rêves, c'est comme une C.B. dans la tête, avec une différence : on dirait que la radio n'émet plus et que nous recevons seulement.

– Nous émettons peut-être sans le savoir, dit doucement Fran.

Il la regarda, étonné.

Ils restèrent assis en silence quelque temps. Le soleil lançait ses derniers rayons au travers des nuages comme pour dire au revoir avant de disparaître au-dessous de l'horizon. Fran comprenait pourquoi les peuplades primitives adoraient le soleil. Depuis que la paix écrasante de ce pays presque vide devenait de plus en plus présente pour elle, jour après jour, s'imposant avec toujours plus de force, le soleil – et la lune aussi d'ailleurs – avait commencé à lui paraître plus gros, plus important. Plus personnel. Comme lorsqu'elle était enfant.

– En tout cas, j'ai arrêté, reprit Stu. La nuit dernière, j'ai encore rêvé de l'homme noir. Le pire de tous mes cauchemars. Il était assis quelque part dans le désert. Du côté de Las Vegas, je crois. Et Frannie... je crois bien qu'il crucifiait des gens. Ceux qui lui causaient des problèmes.

– *Quoi ?*

– C'est ce que j'ai vu dans mon rêve. Des croix

alignées le long de la route 15, des croix faites avec des poutres et des poteaux de téléphone. Et des gens sur les croix.

– Ce n'est qu'un rêve.

– Peut-être, répondit-il en regardant les nuages rougeâtres. Mais il y a deux jours, juste avant de rencontrer ces cinglés qui avaient capturé les femmes, j'ai rêvé d'elle – de la femme qui s'appelle mère Abigaël. Elle était assise dans la cabine d'une vieille camionnette stationnée sur l'accotement de la route 76. J'étais debout, appuyé contre la portière, et je lui parlais comme je suis en train de te parler maintenant. Elle m'a dit : « Il faut aller encore plus vite, Stuart ; si une vieille dame comme moi peut le faire, un costaud comme toi devrait y arriver lui aussi. »

Stu se mit à rire, jeta son cigare, l'écrasa sur son talon. Distraitement, comme s'il ne se rendait pas compte de ce qu'il faisait, il prit Frannie par les épaules.

– Ils vont au Colorado, dit-elle.

– Oui, je crois bien qu'ils vont là-bas.

– Est-ce que... est-ce que Dayna ou Susan ont rêvé d'elle ?

– Toutes les deux. Et, la nuit dernière, Susan a rêvé des croix. Exactement comme moi.

– Il y a beaucoup de gens avec cette vieille femme maintenant.

– Oui, une vingtaine, peut-être plus. Nous croisons des gens presque tous les jours tu sais. Ils se cachent, ils attendent que nous nous en allions. Ils ont peur de nous, mais... je crois qu'ils vont la retrouver. Quand le moment sera venu.

– Ou qu'ils vont retrouver l'autre.

– Oui, tu as raison, Fran. Dis-moi, pourquoi as-tu arrêté de prendre du Véronal ?

Elle soupira. Elle avait envie de lui dire la vérité, mais elle avait peur de sa réaction.

– Tu sais, les femmes..., répondit-elle enfin.

– Peut-être. Mais il y a quand même des moyens pour savoir ce qu'elles pensent vraiment.

– Je ne savais pas comment, répondit-elle, au bord des larmes.

– C'est pour quand ?

– Janvier.

C'est alors qu'elle se mit à pleurer. Il la prit dans ses bras et lui fit comprendre que tout irait bien, sans rien dire. Il ne lui dit pas de ne pas s'inquiéter, qu'il s'occuperait de tout, mais il lui fit encore l'amour et elle pensa qu'elle n'avait jamais été aussi heureuse.

Ils ne virent pas Harold, aussi furtif et silencieux que l'homme noir, debout dans les buissons, qui les regardait. Ils ne virent pas ses yeux se fermer en deux petits triangles mortels quand Fran cria de plaisir.

Quand ils eurent fini, il faisait complètement nuit. Harold s'était éloigné en silence.

Journal de Fran Goldsmith

1er août 1990

Rien écrit hier soir. Trop nerveuse. Trop heureuse. Nous sommes ensemble maintenant. Stu et moi.

Il est d'accord pour que je garde le secret de mon cow-boy solitaire aussi longtemps que possible, jusqu'à ce que nous soyons installés peut-être. S'il faut que ce soit au Colorado, ça m'est égal. Je me sens si bien ce soir que je m'installerais même sur la lune. Je parle comme une petite adolescente un peu bébête ? Eh bien, si une jeune femme ne peut pas avoir l'air un peu bébête dans son journal intime, où peut-elle le faire ?

Mais je dois ajouter quelque chose avant d'abandonner le sujet du cow-boy solitaire. À propos de mon « instinct maternel ». Est-ce que cet instinct existe ? Je pense que oui. Probablement une question d'hormones. Je me sens différente depuis quelques semaines déjà, mais il est très difficile de savoir si ce changement est dû à ma grossesse ou au terrible désastre qui a ravagé le monde. Je me sens comme si j'étais jalouse (« jalouse » n'est pas le bon mot, mais je ne trouve rien de mieux pour le moment), j'ai l'impression que je me suis rapprochée du centre de l'univers et que je dois protéger cette position. C'est pour cette raison que le Véronal me paraît plus dangereux que les cauchemars, même si mon esprit rationnel me dit que le Véronal ne ferait aucun mal au bébé – du moins, pas aux doses que les autres prennent. Et je suppose que cette jalousie fait aussi partie de l'amour que je ressens pour Stu Redman. J'ai l'impression d'aimer et de manger pour deux.

Il ne faut pas que j'écrive trop longtemps. J'ai besoin de dormir. Et tant pis pour les cauchemars. Nous n'avons pas traversé l'Indiana aussi rapidement que nous l'espérions – un terrible embouteillage près de l'échangeur d'Elkhart nous a ralentis. Beaucoup de véhicules militaires. Des cadavres de soldats. Glen, Susan Stern, Dayna et Stu ont pris tout ce qu'ils pouvaient trouver comme armes – environ deux douzaines de fusils, des grenades et – mais oui mes amis, c'est la vérité – un bazooka. Au moment où j'écris, Harold et Stu sont en train d'essayer de voir comment fonctionne le bazooka. J'espère qu'ils ne vont pas se faire de mal.

À propos de Harold, je dois te dire, cher journal, qu'il ne SE DOUTE DE RIEN DU TOUT (on dirait une [illegible] vieux film de Bette Davis). Il faudra sans doute le mettre au courant quand nous retrouverons le groupe de mère Abigaël ; ce ne serait pas juste de tout lui cacher plus longtemps ; tant pis pour les conséquences.

Mais, aujourd'hui, il était d'excellente humeur. Je ne l'avais jamais vu comme ça. Il souriait tellement que j'ai cru qu'il allait se décrocher la mâchoire ! C'est lui qui a proposé à Stu de l'aider avec ce bazooka, et

Les voilà qui reviennent. Je terminerai plus tard.

Frannie dormit d'un sommeil lourd, sans faire de rêves. Les autres aussi, à l'exception de Harold Lauder. Un peu après minuit, il se leva, s'approcha doucement de Frannie endormie et resta debout à la regarder. Il ne souriait plus maintenant. Toute la journée, il n'avait cessé de sourire, au point qu'il avait eu l'impression que sa boîte crânienne allait se fendre en deux, laissant se répandre sa cervelle. Ce qui l'aurait peut-être soulagé.

Il la regardait donc, tandis que les grillons chantaient dans la nuit. *Nous entrons dans la canicule,* pensa-t-il. *La canicule, du 25 juillet au 28 août, disent les vieux dictionnaires.* La canicule, ainsi nommée car les chiens enragés étaient particulièrement nombreux à cette période de l'année, dit la légende. Il regardait Fran qui dormait si tranquillement, la tête posée sur son sweater. Son sac était à côté d'elle.

Jours de canicule, jours des chiens, Frannie.

Il s'agenouilla et se figea quand il entendit ses genoux craquer. Mais personne ne bougea. Il ouvrit le sac de Frannie et fouilla dedans en s'éclairant avec une minuscule lampe électrique. Frannie murmura dans son sommeil, se retourna. Harold retenait sa respiration. Il trouva finalement ce qu'il cherchait tout au fond, sous trois chemises propres et un atlas routier aux pages cornées. Un petit carnet de notes. Il le prit, l'ouvrit à la première page et commença à lire l'écriture serrée et extrêmement lisible de Frannie.

6 juillet 1990 – M. Bateman a finalement accepté de venir avec nous...

Harold referma le carnet et se glissa dans son sac de couchage. Il était redevenu le garçon qu'il avait été autrefois, celui qui avait peu d'amis (il avait été un beau bébé jusque vers l'âge de trois ans, avant de devenir ce petit gros qui faisait rire tout le monde) et tant d'ennemis, le garçon dont ses parents ne s'occupaient pas beaucoup – ils ne pensaient qu'à Amy, la petite Amy qui s'avançait rayonnante sur le chemin de la vie –, le garçon qui avait cherché sa consolation dans les livres, le garçon qui s'était réfugié dans ses rêves parce qu'on ne voulait jamais de lui pour jouer au base-ball... qui devenait Tarzan, tard la nuit, sous ses couvertures, la lampe braquée sur la page imprimée, les yeux agrandis, insensible à l'odeur de ses pets ; et ce garçon se blottissait maintenant au fond de son sac de couchage pour lire le journal de Frannie à la lumière de sa lampe électrique.

Quand le faisceau lumineux éclaira la couverture du carnet, il eut un moment d'hésitation. Un instant, une voix lui cria : *Harold ! Arrête !* Si fort qu'il en fut ébranlé. Et il s'arrêta presque. Un instant, il aurait été *possible* d'arrêter, de remettre le journal là où il l'avait trouvé, de renoncer à Frannie, de les laisser, Stu et elle, suivre leur chemin avant que quelque chose de terrible et d'irrévocable n'arrive. Un instant, il aurait pu écarter la coupe amère, la vider de son contenu, la remplir de ce qui pouvait l'attendre, lui, dans le monde. *Remets le carnet,* Harold, lui disait cette petite voix suppliante, mais peut-être était-il déjà trop tard.

À seize ans, il avait abandonné Stevenson pour d'autres rêves, des rêves qu'il aimait et qu'il haïssait à la fois – non plus de pirates, mais de jolies filles en pyjamas de soie transparents qui s'agenouillaient devant lui sur des coussins de satin, tandis que Harold le Grand se prélassait tout nu sur son trône, prêt à les châtier avec un petit fouet de cuir à pommeau d'argent. Amertume de ces rêves dont les actrices avaient été tour à tour toutes les jolies filles du lycée d'Ogunquit. Rêves qui se terminaient toujours par cette douleur lancinante qui montait dans son bas-ventre, par cette explosion de liqueur séminale qui était plus pour lui un châtiment qu'un plaisir. Puis il s'endormait et le sperme séchait, formant une croûte sur son ventre. Les petits chiens ont bien le droit de s'amuser. Jours de canicule, jours des petits chiens.

Et, maintenant, ces mêmes rêves amers l'enveloppaient de toutes parts comme des draps jaunis, les mêmes vieilles blessures se rouvraient, ces vieilles amies qui refusaient de mourir, dont les dents ne s'émousseraient jamais, dont l'affection mortelle ne vacillerait jamais.

Il ouvrit le carnet à la première page et commença à lire.

Un peu avant l'aube, il remit le journal dans le sac de Fran, sans chercher à ne pas faire de bruit. Si elle se réveillait, pensa-t-il froidement, il la tuerait puis prendrait la fuite. Où ? Vers l'ouest. Mais il ne s'arrêterait pas au Nebraska, ni même au Colorado. Oh non.

Elle ne se réveilla pas.

Il revint se glisser dans son sac de couchage. Il se masturba furieusement. Et quand le sommeil vint enfin, ce fut un sommeil léger. Il rêva qu'il était en train de mourir sur une pente abrupte, jonchée de gros rochers. Au-dessus de lui, planant dans les courants ascendants, des vautours attendaient leur heure. Il n'y avait pas de lune, pas d'étoiles...

Puis un effroyable œil rouge s'ouvrit dans le noir : un étrange œil de renard. Et l'œil le terrifiait. Et l'œil l'attirait. Et l'œil lui faisait signe de venir.

Vers l'ouest, là où les ombres étaient encore épaisses et dansaient encore leur danse de mort dans les premières lueurs de l'aube.

Ils s'arrêtèrent au coucher du soleil à l'ouest de Joliet, dans l'Illinois. On but, on parla, on rit beaucoup. La pluie était restée derrière eux, en Indiana. Harold n'avait jamais été de meilleure humeur. Tout le monde s'en rendit compte.

– Tu sais, Harold, lui dit Frannie alors que la petite fête touchait à sa fin, je ne t'ai jamais vu aussi en forme. Qu'est-ce qui t'arrive ?

Il lui fit un clin d'œil.

– Frannie, nous sommes entrés dans la canicule, les chiens sont lâchés.

Elle le regarda, perplexe. Harold jouait encore les sphinx, pensa-t-elle. Aucune importance. Ce qui importait, c'est que tout s'arrangeait finalement.

Cette nuit-là, Harold commença son journal.

48

Fouettant l'air de ses bras, trébuchant à chaque pas, le ventre cuit par la chaleur, le cerveau rissolé par le soleil, il arriva au sommet de la longue côte. Devant lui, la route tremblotait dans l'air surchauffé. Lui, autrefois Donald Merwin Elbert, et maintenant La Poubelle, à tout jamais, lui qui découvrait la Cité légendaire, Cibola.

Depuis combien de temps marchait-il vers l'ouest ? Combien de temps, depuis que le Kid n'était plus là ? Dieu le savait peut-être ; pas La Poubelle. Des jours et des jours. Des nuits et des nuits. Oui, il s'en souvenait de ces nuits !

Et il était là, debout, vacillant dans ses vêtements en lambeaux, contemplait Cibola étendue à ses pieds, la cité promise, la cité des rêves. La Poubelle n'était plus qu'une épave. Le poignet qu'il s'était cassé en sautant du haut de l'escalier boulonné contre le flanc du réservoir de la Cheery Oil s'était mal remis, et ce poignet était maintenant une grotesque bosse enveloppée dans une bande crasseuse qui s'effilochait peu à peu. Les os des doigts s'étaient recroquevillés, transformant cette main en une griffe de Quasimodo. Son bras gauche, du coude à l'épaule, n'était qu'une masse de tissus brûlés qui se cicatrisaient lentement. L'odeur fétide avait disparu. Le pus aussi. Mais la chair qui s'était reformée était encore toute rose, sans un poil, comme la peau d'une poupée de quatre sous. La barbe rongeait son visage grimaçant, brûlé par le soleil, couvert de croûtes – souvenir de la chute qu'il avait faite quand la roue avant de sa bicyclette avait décidé de continuer toute seule. Il portait une grosse chemise bleue tachée de sueur, un pantalon de velours côtelé maculé de taches. Son sac, neuf encore il n'y avait pas si longtemps, avait maintenant pris l'allure générale de son propriétaire – une bretelle s'était cassée et La

Poubelle l'avait rafistolée de son mieux. Le sac pendait de travers sur son dos, comme les volets d'une maison hantée. Les chevilles nues de La Poubelle, écorchées par le sable du désert qui s'infiltrait partout, sortaient de ses baskets lacées avec des bouts de ficelle.

Il regardait la ville, loin devant lui, tout en bas. Il leva les yeux vers le ciel de bronze, cruel, vers le soleil qui l'écrasait, l'enveloppait dans son haleine de four. Il se mit à hurler, un hurlement sauvage, triomphant, très semblable à celui que Susan Stern avait poussé lorsqu'elle avait fendu en deux le crâne de Roger Rabbit à coups de crosse.

Il se lança alors dans une danse de victoire, frappant de ses pieds pesants le bitume brûlant de la nationale 15, tandis que soufflait le vent du désert, que les montagnes bleues montraient leurs dents dans le lointain comme elles le faisaient depuis des millénaires. De l'autre côté de la route, une Lincoln Continental et une T-Bird étaient maintenant presque enterrées dans le sable, leurs occupants momifiés derrière leurs vitres. Devant, du côté où se trouvait La Poubelle, une camionnette était renversée, totalement recouverte par le sable à l'exception des roues qui dépassaient encore.

Il dansait. Ses pieds nus dans les baskets trouées tambourinaient sur la route. Le bout déchiré de sa chemise flottait au vent. Sa gourde cognait contre son sac. La bande effilochée qui lui enveloppait la main flottait dans l'haleine chaude du vent. Son bras brûlé, tout rose, brillait au soleil comme de la viande crue. Les veines de ses tempes saillaient comme des ressorts de montre. Il y avait une semaine maintenant qu'il marchait dans la poêle à frire du Seigneur, traversant l'Utah en direction du sud-ouest, puis le nord de l'Arizona, puis maintenant le Nevada. Et le soleil l'avait rendu fou à lier.

Dans sa danse il chantait un chant monotone, les mêmes mots sans cesse répétés sur un air qui avait été populaire du temps qu'il était à l'asile de Terre-Haute, une chanson d'un groupe de Noirs, Tower of

Power, une chanson qui s'appelait *Down to the Nightclub*. Mais les paroles étaient de son invention:

– Ci-bola, Ci-bola, tam-tam *boum !* Ci-bola, Ci-bola, tam-tam *boum !*

Chaque *boum !* était suivi d'un petit saut, sans cesse répété jusqu'à ce que la chaleur fasse basculer le ciel bleu, que tout devienne gris devant ses yeux, qu'il s'effondre sur la route, à moitié évanoui, le cœur battant à tout rompre dans sa poitrine brûlée par le vent. À bout de forces, l'écume aux lèvres, grimaçant, il rampa jusqu'à la camionnette renversée et s'abrita à l'ombre qu'elle jetait sur le sable, grelottant dans la chaleur, haletant.

– Ci-bola ! croassa l'homme. Tam-tam *boum !*

Avec sa griffe qui avait été autrefois une main, il prit la gourde qu'il portait en bandoulière et la secoua. Elle était presque vide. Aucune importance. Il boirait ce qui restait, jusqu'à la dernière goutte, puis demeurerait là allongé, jusqu'à ce que le soleil baisse, et continuerait alors sa route jusqu'à Cibola, la Cité Légendaire. Ce soir, il boirait aux fontaines d'or de la ville, à ses fontaines toujours jaillissantes. Mais pas avant que le soleil ne baisse. Dieu était le chef des incendiaires. Il y avait longtemps, un jeune garçon du nom de Donald Merwin Elbert avait brûlé le chèque de pension de la vieille Semple. Ce même garçon avait mis le feu à l'église méthodiste de Powtanville et, s'il était resté quelque chose de Donald Merwin Elbert dans toutes ces flammes, ce reste avait sûrement brûlé dans le brasier des réservoirs d'essence de Gary, dans l'Indiana. Plus de neuf douzaines de réservoirs qui avaient sauté comme de gigantesques pétards. Juste à temps pour le 4 juillet, jour de la fête nationale. Joli, joli. Et, dans le souffle de la conflagration, il n'était plus resté que La Poubelle, le bras gauche fissuré comme de la boue séchée par le soleil, consumé dans le fond de son corps par un feu que rien n'éteindrait jamais... du moins pas avant que son corps ne soit aussi noir que du charbon.

Ce soir, il allait boire l'eau de Ci-bola, oh oui, et elle serait plus douce à ses lèvres que du vin.

Il renversa la gourde. Sa gorge s'ouvrit et se referma en avalant les dernières gouttes d'eau, chaudes comme de la pisse, qui gargouillèrent dans son ventre. Quand elle fut vide, il la jeta dans le désert. La sueur perlait sur son front comme des gouttes de rosée. Il était là, allongé par terre, frissonnant délicieusement, tenaillé par les crampes de son estomac.

– Cibola ! murmura-t-il. Cibola ! J'arrive ! J'arrive ! Je vais faire ce que tu veux ! Je te donnerai ma vie ! Tam-tam *boum !*

Sa soif un peu apaisée, il sombra dans la torpeur. Il était presque endormi lorsqu'une idée fulgurante traversa son cerveau comme un stylet de glace :

Et si Cibola n'était qu'un mirage ?

– Non, murmura-t-il. Non, oh non.

Mais l'idée refusait de s'en aller. Le stylet fouillait et fouillait encore, empêchait le sommeil de s'emparer de lui. Et s'il avait bu ce qu'il lui restait d'eau pour fêter un mirage ? Dans sa confusion, il était conscient de sa folie et savait qu'un fou pouvait faire ce genre de chose, oh oui. S'il s'agissait d'un mirage, il allait mourir là, dans le désert, et les vautours allaient lui picorer les entrailles.

Finalement, incapable de supporter plus longtemps l'horreur de cette image, il se remit debout et s'avança en chancelant vers la route, chassant de toutes ses forces la nausée et la torpeur qui s'acharnaient à l'abattre. Au sommet de la colline, il lança un regard inquiet vers la longue plaine qui s'étendait à ses pieds, ponctuée çà et là de yuccas et d'amarantes. Sa gorge se serra, puis s'ouvrit pour laisser échapper un soupir, comme une manche qui se déchire sur un fil de fer barbelé.

La ville était là !

Cibola, ancienne ville légendaire, celle que tant d'autres avaient cherchée, Cibola découverte par La Poubelle !

Tout en bas, très loin dans le désert, entourée de montagnes bleues, ses tours et ses avenues brillaient sous le soleil du désert. Il voyait des palmiers... des palmiers qui bougeaient... et *de l'eau !*

– Oh, Cibola..., gémit-il.

Et il revint s'asseoir à l'ombre de la camionnette. La ville était encore loin, il le savait. Ce soir, lorsque la torche du Seigneur n'embraserait plus le ciel, il allait marcher, marcher comme il ne l'avait jamais fait encore. Il irait jusqu'à Cibola et, dès qu'il arriverait là-bas, il plongerait tête baissée dans la première fontaine. Puis il le trouverait, *lui*, l'homme qui l'avait invité à venir ici. L'homme qui l'avait attiré à lui, à travers les plaines, les montagnes et le désert, un mois de route malgré son bras atrocement brûlé.

Celui qui *est* – l'homme noir, l'indomptable. Il attendait La Poubelle à Cibola et ses armées étaient celles de la nuit, cavaliers de la mort qui allaient déferler vers l'est et se dresser à la face même du soleil levant. Ils allaient arriver, hurlant leur colère, puant la sueur et la poudre. Il y aurait des cris, La Poubelle s'en foutait des cris, il y aurait des viols et des humiliations, il s'en foutait tout autant, il y aurait des meurtres, aucune importance...

... il y aurait un grand incendie.

Ça, il aimait, et beaucoup. Dans ses rêves, l'homme noir venait à lui et, très haut dans le ciel, étendait les bras pour lui montrer à lui, à La Poubelle, un pays en flammes. Des villes qui sautaient comme des bombes. Des champs qui disparaissaient dans la fumée des incendies. Des fleuves d'essence en flammes à Chicago, à Pittsburg, à Detroit, à Birmingham. Et l'homme noir lui avait dit une chose toute simple dans ses rêves, une chose qui l'avait fait courir : *Tu seras le grand maître de mon artillerie. Tu es l'homme que je veux.*

Il se tourna sur le côté. Le sable soulevé par le vent lui piquait les joues et les paupières. Il n'espérait plus – oui, depuis le jour où sa bicyclette avait perdu une roue, il n'espérait plus. Dieu, le Dieu des shérifs qui tuaient les pères, le Dieu de Carley Yates, Dieu était donc plus fort que l'homme noir. Mais non. Il n'avait pas perdu confiance, il avait poursuivi sa marche. Et enfin, quand il croyait bientôt brûler dans la solitude de ce désert avant de jamais connaître Cibola où l'homme noir l'attendait, il avait découvert la ville, très loin là-bas, la ville qui sommeillait sous le soleil.

Cibola ! murmura-t-il avant de s'endormir.

Il avait rêvé pour la première fois à Gary, un mois plus tôt, après s'être brûlé le bras. Il s'était endormi cette nuit-là, sûr de mourir bientôt ; personne ne pouvait survivre à une pareille brûlure. Une ritournelle trottait dans sa tête : *Vivre par le feu, mourir par le feu. Vivre, mourir.*

Ses jambes l'avaient lâché dans un parc, en plein milieu d'une petite ville, et il était tombé, les bras en croix, comme une chose morte, la manche de sa chemise complètement carbonisée. La douleur était terrifiante, incroyable. Il n'avait jamais cru qu'une telle douleur puisse exister. Il courait joyeusement d'une rangée de réservoirs à l'autre, installant ses dispositifs de mise à feu, un tuyau d'acier et un mélange à base de paraffine qu'une languette d'acier séparait d'une petite quantité d'acide. Il enfonçait ses détonateurs dans la gorge des gros tuyaux qui s'ouvraient au sommet des réservoirs. Quand l'acide aurait rongé l'acier, la paraffine s'enflammerait et le réservoir sauterait. Il pensait avoir le temps d'arriver à la sortie ouest de Gary, près de l'échangeur, avant que les réservoirs ne sautent. Il voulait voir toute cette sale ville s'envoler dans une tempête de feu.

Mais il avait mal calculé son coup. Le dernier détonateur était parti quand il ouvrait encore le trop-plein d'un réservoir avec une grosse clé. Un éclair d'un blanc aveuglant s'était précipité sur lui quand la paraffine en flammes avait jailli du tube et son bras gauche s'était couvert de feu. Pas ces petites flammes innocentes que peut faire de l'essence à briquet, ces petites flammes que l'on éteint en agitant le bras en l'air comme une grosse allumette. Non, l'agonie pure et simple, comme si son bras s'était trouvé pris dans la cheminée d'un volcan.

Hurlant de douleur, il s'était mis à courir en tous sens au sommet du réservoir, renvoyé par le garde-fou comme une bille humaine sur un flipper démoniaque. Si le garde-fou n'avait pas été là, il aurait basculé dans le vide, serait tombé en tournoyant, comme une torche lancée au fond d'un puits. Un accident lui sauva la vie ; il trébucha et tomba sur son bras gauche, étouffant les flammes sous son corps.

Puis il s'était assis, à moitié fou de douleur. Plus tard, il avait pensé que la chance – ou la volonté de l'homme noir – l'avait sauvé de la mort. Le jet de paraffine ne l'avait pas touché de plein fouet. Il pouvait remercier son protecteur – mais il ne le sut que plus tard. Sur le moment, il ne put que hurler en balançant d'avant en arrière son bras dont les chairs craquaient, grésillaient, fumaient sous ses yeux.

Confusément, alors que la lumière du jour commençait à baisser, il se souvint qu'il avait posé une douzaine de détonateurs. Ils pouvaient sauter à tout moment. Il serait mort volontiers pour échapper à cette atroce douleur. Mais pas dans les flammes, pas cette horrible mort.

Sans trop savoir comment, il était descendu du réservoir, s'était éloigné en titubant entre les voitures abandonnées, son bras gauche carbonisé tendu devant lui.

Quand il était arrivé dans le petit parc, au centre de la ville, le soleil se couchait. Il s'était assis sur l'herbe, entre deux terrains de basket, essayant de se souvenir de ce qu'il fallait faire quand on se brûlait. Mettre du beurre, c'est ce qu'aurait dit la mère de Donald Merwin Elbert. Mais c'était quand on se brûlait avec de l'eau chaude, ou quand la poêle trop chaude vous éclaboussait de graisse de bacon. Il ne pouvait s'imaginer en train de mettre du beurre sur cette masse de chair craquelée et noircie de l'épaule au coude ; il ne pouvait s'imaginer la toucher.

Tu n'as qu'à te tuer. Voilà, c'était tout simple. Il

n'avait qu'à se tuer pour mettre fin à cette horreur, comme on tue un vieux chien...

Puis ce fut l'énorme explosion du côté est de la ville, comme si l'univers s'était déchiré en deux. Une colonne de feu s'éleva dans l'indigo profond du crépuscule. Il avait dû fermer ses yeux pleins de larmes, tant la lumière était vive.

Et dans son horrible souffrance, le feu lui avait plu... le feu l'avait ravi, comblé. Le feu était le meilleur des médicaments, encore meilleur que la morphine qu'il trouva le lendemain (en prison, il avait travaillé à l'infirmerie, en plus de la bibliothèque et du garage, et il savait parfaitement ce qu'était la morphine). Devant cette colonne de feu, il oublia ses souffrances. Le feu était bon. Le feu était beau. Le feu était ce qu'il lui fallait, ce qu'il lui faudrait toujours. Merveille du feu !

Quelques instants plus tard, un deuxième réservoir explosait et même à cinq kilomètres de distance, il sentit le souffle chaud de la déflagration. Puis un autre réservoir, et encore un autre. Une courte pause, et six explosions en succession rapide. La lumière était si forte qu'il ne pouvait plus regarder. Mais, les yeux remplis de flammes jaunes, grimaçant de bonheur, il ne pensait plus à son bras, il ne pensait plus au suicide.

Il fallut plus de deux heures pour que tous les réservoirs sautent. Quand ce fut fini, la nuit n'était pas noire. C'était une nuit fiévreuse, zébrée de flammes jaunes et orange. Du côté est, tout l'horizon était en flammes. Et il se souvint d'une bande dessinée qu'il avait vue quand il était enfant, une adaptation de *La Guerre des mondes* de H. G. Wells. Maintenant, des années plus tard, le petit garçon qui avait feuilleté l'album n'était plus là, mais La Poubelle l'avait remplacé, et La Poubelle possédait le terrible et merveilleux secret du rayon de la mort des Martiens.

Il ne fallait pas rester dans ce parc. La température avait déjà monté de plus de cinq degrés. Il fallait qu'il parte à l'ouest, qu'il reste en avant du feu, comme il l'avait fait à Powtanville, qu'il prenne de vitesse cet arc de destruction qui s'élargissait derrière lui. Mais il n'était pas en état de courir. Il s'endormit sur le gazon et les lueurs de l'incendie jouèrent sur le visage d'un pauvre enfant épuisé et perdu.

Dans son rêve, l'homme noir arrivait dans sa longue robe, le visage caché par son capuchon... et pourtant La Poubelle croyait bien l'avoir déjà vu. Quand les voyous l'insultaient à Powtanville, devant le bar, devant le bazar, cet homme était avec eux, pensif et silencieux. Lorsqu'il avait travaillé au lave-auto (savonner les phares, relever les essuie-glaces, savonner le bas de la carrosserie, hé monsieur, un lustrage avec ça ?), le gant d'éponge enfilé sur la main droite jusqu'à ce qu'elle devienne aussi blanche qu'un poisson crevé, les ongles comme de l'ivoire poli, il croyait aussi avoir vu le visage de cet homme, féroce, grimaçant un sourire dément derrière le rideau de gouttes d'eau qui recouvrait le pare-brise. Quand le shérif l'avait envoyé chez les cinglés à Terre-Haute, il était là aussi, derrière lui, dans la salle où on donnait les chocs, ses doigts posés sur les boutons *(Je vais te frire la cervelle, mon gars, tiens-toi bien, Donald Merwin Elbert va devenir La Poubelle, un petit lustrage avec ça ?)*, prêt à lui envoyer un millier de volts entre les deux oreilles. Oui, il connaissait l'homme noir, ce visage qu'il ne parvenait jamais à voir tout à fait, ces yeux plus brûlants que la flamme, son sourire venu de plus loin que la tombe du monde.

– Je ferai ce que vous voudrez, dit-il dans son rêve. Je vous donnerai ma vie !

L'homme noir levait les bras et sa robe s'était transformée en un cerf-volant noir. Ils étaient debout tous les deux, très haut. À leurs pieds, l'Amérique était en flammes.

Je te ferai grand maître de mon artillerie. Tu es l'homme que je veux.

Puis il vit la racaille, une armée de dix mille hommes et femmes qui avançaient vers l'est, traversaient le désert, franchissaient les montagnes, une armée sauvage et cruelle dont l'heure était enfin venue ; ils déchargeaient des camions, des jeeps, des tanks ; chaque homme, chaque femme portait au cou une pierre noire et, au fond de certaines de ces pierres, il voyait un éclat rouge, la forme d'un œil ou peut-être d'une clé. Au milieu de leur caravane, perché sur un énorme camion-citerne, il se vit lui-même et sut que le camion était rempli de napalm... et derrière lui suivaient des camions chargés de bombes, de mines et de plastic ; lance-flammes, fusées éclairantes et missiles à tête chercheuse ; grenades, mitrailleuses et bazookas. La danse de mort allait commencer, déjà fumaient les cordes des violons et des guitares, déjà l'odeur du soufre et de la cordite embaumait l'air.

L'homme noir leva les bras une fois encore et, quand il les laissa retomber, tout fut plongé dans le froid et le silence, les incendies s'éteignirent, même les cendres étaient devenues froides, et un instant seulement il n'y eut plus que Donald Merwin Elbert, seul à nouveau, petit, terrorisé, perdu. Un moment seulement, il crut n'être qu'un pion dans l'énorme jeu d'échecs de l'homme noir, il crut avoir été trompé.

Puis il découvrit que le visage de l'homme noir n'était plus totalement invisible ; deux charbons rouge sombre brûlaient dans les creux profonds qui auraient dû abriter ses yeux, illuminaient un nez aussi tranchant qu'une lame.

– Je ferai ce que vous voudrez, dit La Poubelle dans son rêve. Je vous donnerai ma vie ! Je vous donnerai mon âme !

– Tu seras mon homme de feu, dit gravement l'homme noir. Viens dans ma ville, et tu verras clair.

– Où ? Où ?

– À l'ouest, dit l'homme noir avant de disparaître. À l'ouest. Au-delà des montagnes.

C'est alors qu'il se réveilla. Il faisait encore nuit, il faisait encore jour. Les flammes étaient plus proches. La chaleur était devenue suffocante. Les maisons explosaient partout autour de lui. Les étoiles avaient disparu, ensevelies dans un épais manteau de fumée. Une fine pluie de suie avait commencé à tomber. Les deux terrains de basket étaient à présent couverts d'une sorte de neige noire.

Et maintenant qu'il avait un but, il se rendit compte qu'il pouvait marcher. Il partit en boitillant en direction de l'ouest. Il vit quelques rescapés quitter eux aussi Gary, regarder derrière eux la ville en flammes. Imbéciles, pensa La Poubelle, presque affectueusement. Vous allez brûler. Le moment venu, vous allez brûler. Ils ne firent pas attention à lui ; pour eux, La Poubelle n'était qu'un autre survivant. Ils disparurent dans la fumée et, un peu après l'aube, La Poubelle franchit en clopinant la frontière de l'Illinois. Chicago était au nord, Joliet au sud-ouest, derrière lui l'incendie se perdait dans la fumée qui masquait l'horizon. Ainsi s'était levé le jour, le 2 juillet.

Il avait oublié son rêve de raser Chicago par le feu – son rêve de tous ces réservoirs, de tous ces wagons de marchandises remplis de gaz liquide, bien rangés sur les voies, il avait oublié ces petites maisons de bois qui auraient brûlé comme une brassée de paille. Chicago ne l'intéressait plus. Plus tard dans la journée, il défonça la porte du cabinet d'un médecin et vola une boîte pleine de doses de morphine, toutes prêtes dans leurs seringues de plastique. La morphine apaisa un peu la douleur, mais elle eut un effet secondaire plus important sans doute : qu'il ait encore mal ne l'intéressait plus.

Cette nuit-là, il prit un énorme pot de vaseline dans une pharmacie et enduisit son bras brûlé d'une épaisse couche de gelée. Il avait très soif ; il aurait voulu boire sans cesse. Des images fugitives de l'homme noir bourdonnaient dans sa tête, comme des mouches à viande. Lorsqu'il s'effondra à la tombée du jour, il savait déjà que la ville où l'homme noir l'appelait devait être Cibola, la Cité promise.

La nuit venue, l'homme noir revint le visiter en rêve et lui confirma avec un grand rire sardonique qu'il en était bien ainsi.

Quand La Poubelle se réveilla, quand s'effaça le souvenir de son rêve, il grelottait de froid. Feu ou glace, il n'y avait pas de milieu dans le désert.

Il se leva en gémissant, rentra les épaules pour se protéger de la morsure du froid. Au-dessus de lui, des milliers d'étoiles scintillaient, si proches qu'il aurait pu les toucher, baignant le désert de leur froide clarté.

Il revint à la route, grimaçant tant sa peau et ses os lui faisaient mal. Mais qu'importaient ses souffrances désormais ? Il s'arrêta un moment, regarda la ville qui rêvait dans la nuit, tout en bas (de petites étincelles de lumière jaillissaient çà et là, comme des feux de camp électriques). Puis il se remit en route.

Quand l'aube commença à colorer le ciel, des heures plus tard, Cibola paraissait presque aussi lointaine que lorsqu'il l'avait vue pour la première fois, en haut de la côte. Et, comme un pauvre fou qu'il était, il avait bu toute sa réserve d'eau, oubliant que tout paraissait plus proche dans le désert. Il ne pourrait marcher longtemps après le lever du jour. Il lui faudrait se coucher encore, avant que le soleil commence à frapper avec toute sa force.

Une heure après l'aube, il trouva une Mercedes qui était sortie de la route, le côté droit enfoncé dans le sable jusqu'à la hauteur des portières. Il ouvrit la porte avant gauche et tira dehors deux cadavres fripés, simiesques – une vieille femme couverte de bijoux, un vieil homme aux cheveux d'un blanc immaculé. En marmonnant des mots sans suite, La Poubelle prit les clés de contact, fit le tour de la voiture et ouvrit le coffre. Les valises n'étaient pas fermées à clé. Il sortit des vêtements, les étala sur le bord du toit de la Mercedes pour qu'ils retombent sur les fenêtres, puis les cala avec des pierres. Il avait maintenant sa grotte, obscure et fraîche.

Il se glissa à l'intérieur de la voiture et s'endormit.

Vers l'ouest, des kilomètres et des kilomètres plus loin, Las Vegas resplendissait sous le soleil d'été.

Il ne savait pas conduire – on ne le lui avait pas appris en prison – mais il savait faire du vélo. Le 4 juillet, jour où Larry Underwood découvrit que Rita Blakemoor était morte dans son sommeil des suites d'une overdose, La Poubelle trouva une bicyclette dix vitesses et se mit en route. Au début, sa progression fut lente, car son bras gauche ne lui servait pas à grand-chose. Ce premier jour, il tomba deux fois, l'une d'elles en plein sur sa brûlure qui lui fit atrocement mal. La plaie suppurait abondamment sous l'épaisse couche de vaseline. L'odeur était horrible. De temps en temps, il pensait à la gangrène, mais jamais bien longtemps. Il décida donc de mélanger la vaseline avec une pommade antiseptique. Si cette pâte liquide, laiteuse et visqueuse qui ressemblait à du sperme ne le soulageait pas, du moins elle ne lui ferait certainement pas de mal.

Peu à peu, il apprit à rouler pratiquement d'une seule main. Le pays était plus plat et, la plupart du temps, la bicyclette filait bon train, sans trop zigzaguer. Il avançait donc à bonne allure, malgré sa brûlure et la morphine qui lui vidait la tête. Il buvait des litres et des litres d'eau, mangeait prodigieusement. Et il réfléchissait aux paroles de l'homme noir : « Tu seras le grand maître de mon artillerie. Tu es l'homme que je veux. » Douces paroles – quelqu'un avait-il jamais voulu de lui auparavant ? Et les mots défilaient sans cesse dans sa tête tandis qu'il pédalait sous le soleil de plomb. Et il se mit à chantonner un petit air, *Down to the Nightclub*. Les paroles (« Cibola ! Tam-tam *boum !* ») ne lui vinrent que plus tard. Il n'était pas alors aussi fou qu'il allait le devenir, mais il faisait des progrès. Le 8 juillet, jour où Nick Andros et Tom Cullen virent des bisons en train de brouter, dans le Kansas, La Poubelle traversa le Mississippi. Il était maintenant en Iowa.

Le 14, jour où Larry Underwood se réveilla près de

la grande maison blanche dans l'est du New Hampshire, La Poubelle traversa le Missouri au nord de Council Bluffs et entra dans le Nebraska. Il avait partiellement retrouvé l'usage de sa main gauche et les muscles de ses jambes s'étaient endurcis. Il poursuivait sa route sans relâche, car le temps pressait, pressait.

Ce fut sur la rive ouest du Missouri que La Poubelle sentit pour la première fois que Dieu Lui-même pouvait s'interposer entre La Poubelle et sa destinée. Quelque chose n'allait pas dans le Nebraska, quelque chose n'allait pas du tout. Quelque chose qui lui faisait peur. Le paysage était à peu près le même que celui de l'Iowa... mais ce n'était pourtant pas la même chose. L'homme noir l'avait visité en rêve toutes les nuits précédentes, mais dès que La Poubelle avait franchi la frontière du Nebraska, il n'était plus venu.

Au lieu de lui, il s'était mis à rêver d'une vieille femme. Dans ces rêves, il était à plat ventre dans un champ de maïs, presque paralysé par la peur et la haine. C'était le matin, un beau matin. Il entendait des corneilles croasser. Devant lui s'étendait un écran de feuilles de maïs, larges et tranchantes comme des épées. Malgré lui, il écartait les feuilles d'une main tremblante pour regarder à travers. Il voyait une vieille maison au milieu d'une clairière. La maison était posée sur des parpaings, ou peut-être des vérins. Un pneu se balançait sous un pommier, au bout d'une corde. Et, assise sur la véranda, une vieille Noire jouait de la guitare et chantait un vieux spiritual d'autrefois. Le cantique variait d'un rêve à l'autre, mais La Poubelle les savait presque tous, car il avait autrefois connu une femme, la mère d'un garçon qui s'appelait Donald Elbert, une femme qui chantait ces mêmes cantiques en faisant le ménage.

Ce rêve était un cauchemar, mais pas simplement parce que quelque chose d'horrible se produisait vers la fin. Au début, on aurait cru qu'il n'y avait rien d'effrayant dans tout ce rêve. Le maïs ? Le ciel bleu ?

La vieille femme ? Le pneu qui se balançait sous l'arbre ? Que pouvait-il y avoir de terrifiant là-dedans ? Les vieilles femmes ne lancent pas de pierres, elles ne vous insultent pas, surtout pas les vieilles dames qui chantent des spirituals comme *In That Great Getting-Up Morning* et *Bye-and-Bye, Sweet Lord, Bye-and-Bye.* C'était les Carley Yates du monde qui lançaient des pierres.

Mais bien avant que le rêve ne finisse, il se trouvait paralysé par la terreur, comme si ce n'était pas du tout une vieille femme qu'il épiait à travers les feuilles de maïs, mais un secret, une lumière à peine cachée, prête à tout illuminer autour d'elle, à tout illuminer avec une telle force que les flammes des réservoirs de Gary ne seraient plus que celles de petites bougies, agitées par le vent – une lumière si vive qu'elle réduirait ses yeux en cendres. Et, pendant cette partie de son rêve, il ne pensait qu'à une seule chose : *Je vous en prie, écartez-la de moi, je ne veux rien savoir de cette vieille peau, oh je vous en prie, oh je vous en prie, faites-moi sortir du Nebraska !*

Puis le cantique qu'elle chantait s'arrêtait sur une note discordante, métallique. Elle regardait droit vers l'endroit d'où il l'observait, caché derrière l'épais treillis des feuilles. Son visage était vieux, sillonné de rides, ses cheveux si clairsemés qu'on voyait son crâne brun, mais ses yeux brillaient comme des diamants, remplis de cette lumière qui le terrorisait.

D'une voix fêlée mais forte, elle criait alors : *Des belettes dans le maïs !* et il sentait le changement se produire, il se regardait, et il voyait qu'il était devenu une belette, une petite chose au pelage soyeux, brunâtre, presque noir, son nez s'allongeait en un museau pointu, ses yeux fondaient pour n'être plus que deux perles noires, ses doigts se transformaient en griffes. Il était devenu belette, chose nocturne qui s'attaque lâchement aux petits et aux faibles.

Il hurlait, et son hurlement finissait par l'éveiller, trempé de sueur, les yeux sortis de leurs orbites. Ses mains couraient sur son corps pour s'assurer que ses organes d'humain étaient encore bien là. À la fin de cette fouille panique, il se prenait la tête, pour voir si elle était toujours une tête *humaine*, et non cette chose longue, fine et poilue, en forme de balle de fusil.

Au Nebraska, poussé par la terreur qui lui donnait des ailes, il franchit près de six cent cinquante kilomètres en trois jours. Il entra au Colorado près de Julesburg et le cauchemar commença à s'estomper comme une vieille photo dont les teintes sépia fanent à la lumière.

(Mère Abigaël se réveilla dans la nuit du 15 juillet – peu après le passage de La Poubelle au nord de Hemingford Home – envahie par un grand frisson de terreur et de pitié; pitié pour celui ou cette chose qu'elle ne connaissait pas. Elle crut avoir rêvé à son petit-fils Anders, tué idiotement dans un accident de chasse à l'âge de six ans.)

Le 18 juillet, au sud-ouest de Sterling, Colorado, encore à quelques kilomètres de Brush, il avait rencontré le Kid.

La Poubelle se réveilla au crépuscule. Malgré les vêtements qu'il avait installés par-dessus les fenêtres, il faisait chaud dans la Mercedes. Sa gorge était râpeuse comme du papier de verre. Ses tempes tambourinaient. Il sortit la langue et, quand il la toucha du bout du doigt, il eut l'impression d'une branche morte. Il s'assit, voulut poser la main sur le volant, mais la retira aussitôt en poussant un petit cri de douleur. Il dut enrouler le bout de sa chemise autour de la poignée de la porte pour l'ouvrir. Il pensait poser le pied par terre et sortir, tout simplement, mais il avait surestimé ses forces et sous-estimé à quel point la déshydratation avait progressé au cours de cette soirée d'août : ses jambes cédèrent sous lui et il tomba sur la route, brûlante elle aussi. Gémissant, il rampa pour se mettre à l'ombre de la Mercedes, comme une couleuvre blessée. Et il resta là, assis, haletant, la tête sur les genoux, les bras ballants, contemplant morbidement les deux corps qu'il avait sortis de la voiture, elle avec ses bracelets sur ses poignets rabougris, lui avec sa perruque blanche qui flottait au-dessus de son visage momifié de vieux singe.

Il fallait qu'il arrive à Cibola avant le lever du soleil. Sinon, il allait mourir... À quelques kilomètres du but ! L'homme noir ne pouvait être aussi cruel – non !

– Je vous donne ma vie, murmura La Poubelle.

Et, lorsque le soleil s'enfonça derrière la crête des montagnes, il se remit debout et commença à marcher vers les tours, les minarets et les avenues de Cibola où des étincelles de lumière éclataient à nouveau.

Quand monta la fraîcheur de la nuit du désert, il retrouva un peu de force. Ses baskets nouées avec des bouts de ficelle claquaient sur le bitume de la 15. Il avançait pesamment, la tête penchée comme une fleur fanée de tournesol, et il ne vit pas le grand panneau vert qui indiquait LAS VEGAS 45.

Il pensait au Kid. Le Kid aurait dû être avec lui maintenant. Ils auraient dû foncer tous les deux vers Cibola, les deux tuyaux d'échappement de la décapotable du Kid grondant dans la solitude du désert. Mais le Kid s'était montré indigne et La Poubelle était reparti seul dans les grandes solitudes.

Son pied se leva et retomba sur la chaussée.

– Ci-bola ! croassa-t-il. Tam-tam *boum !*

Vers minuit, il s'écrasa au bord de la route et s'endormit d'un sommeil agité. La cité n'était plus très loin.

Il allait y arriver.

Il était sûr d'y arriver.

Il avait entendu le Kid longtemps avant de le voir, le ronflement grave de deux échappements libres qui grondaient vers lui en provenance de l'est, déchirant le silence. Le son montait sur la 34, du côté de Yuma, dans le Colorado. Sa première impulsion avait été de se cacher, comme il s'était caché des autres survivants qu'il avait rencontrés, depuis Gary. Mais cette fois, quelque chose le fit rester là où il était, à califourchon sur sa bicyclette, regardant avec un peu de crainte ce qui venait derrière lui.

Le grondement se fit plus fort, plus fort encore, puis un pare-chocs chromé renvoya un éclat de soleil et

(?? FEU ??)

quelque chose d'orange vif, couleur de feu.

Le conducteur le vit. Il rétrograda, dans une salve de détonations. Les pneus Goodyear laissèrent sur l'asphalte deux longues bandes noirâtres. Puis la voiture s'arrêta à côté de lui, non pas au ralenti, mais haletante, comme un animal féroce, peut-être dompté, peut-être pas, et le conducteur descendit. Mais au début, La Poubelle n'eut d'yeux que pour la voiture. Il connaissait les bagnoles. Il les aimait, même s'il n'avait jamais eu son permis. Et celle-ci était splendide, une bagnole fignolée pendant des années et des années, modifiée, gonflée, transformée au prix de milliers et de milliers de dollars, une bagnole d'exposition, une œuvre d'amour.

C'était un coupé Ford 1932, mais son propriétaire ne s'était pas arrêté aux enjolivements habituels. Il s'était surpassé, faisant de son véhicule une parodie de la voiture américaine, un véhicule de science-fiction, brillant de mille feux, peinture or métallisée, flammes sanglantes peintes sur le capot d'où sortaient les tuyaux d'échappement chromés. Ils couraient le long des flancs de la voiture reflétant férocement les rayons du soleil. Le pare-brise s'arrondissait comme une grosse bulle. Les pneus arrière étaient de monstrueux Goodyear pour lesquels il avait fallu élargir et surhausser considérablement les ailes. Sortant du capot comme un étrange radiateur, un turbo-compresseur. Et sur le toit, noir mat, mais saupoudré de mouchetures rouges comme des braises, un aileron de requin en acier. Sur les flancs de la voiture, deux mots dont les lettres penchées en avant semblaient filer comme le vent : THE KID.

– Dis donc, t'es sacrément grand et sacrément moche, dit le conducteur d'une voix traînante.

Et La Poubelle, oubliant un instant les flammes peintes sur cette bombe roulante, regarda l'homme qui parlait. Il mesurait à peine un mètre soixante, mais ses cheveux pommadés et brillantinés en une énorme houppe lui donnaient bien sept centimètres de plus. Aux pieds, il portait des bottes à bouts pointus et hauts talons qui rajoutaient encore sept bons centimètres, portant le total apparent de sa taille à un respectable un mètre soixante-quatorze ou soixante-quinze. Ses jeans délavés étaient si serrés qu'on pouvait lire la date gravée sur les pièces de monnaie qu'il avait dans ses poches. Ils modelaient ses deux petites fesses en une sorte de sculpture bleue et faisaient ressortir sa braguette comme s'il y avait fourré un sac plein de balles de golf Spalding. Le petit homme portait une chemise western de soie rouge, décorée de bandes jaunes et de boutons imitation saphir. Les boutons de manchettes ressemblaient à de l'os poli et La Poubelle apprit plus tard que c'était précisément de cela qu'il s'agissait. Le Kid en avait deux paires, la première faite de molaires humaines, l'autre des incisives d'un doberman. Et par-dessus cette merveille de chemise, malgré la chaleur écrasante, il portait un blouson de cuir noir, sillonné d'innombrables fermetures Éclair, avec un grand aigle dans le dos. Le cuir faisait ressortir la blancheur des dents des glissières qui brillaient comme des diamants. Des épaulettes et de la ceinture du blouson pendaient trois pattes de lapin. L'une était blanche, l'autre brune, la troisième verte comme une cravate d'Irlandais. Ce blouson, merveille encore plus étonnante que la chemise, suait une huile riche par tous ses pores. Au-dessus de l'aigle, brodés à la soie blanche, deux mots : THE KID. Le visage qui regardait maintenant La Poubelle, entre le toupet de cheveux gras de brillantine et le col retourné du blouson gras de son huile, était pâle et chétif, un visage de poupée, des lèvres qui faisaient la moue, lourdes mais impeccablement sculptées, des yeux gris sans vie, un large front sans une marque ni une ride, des joues étrangement rebondies. On aurait dit Baby Elvis.

Deux ceintures de cow-boy se croisaient sur son ventre plat et, dans l'étui de chacune, un gigantesque 45 montrait le bout du nez.

– Alors, mec, qu'est-ce que tu racontes ? grommela le Kid de sa voix traînante.

Et La Poubelle ne trouva qu'une seule chose à lui répondre :

– J'aime la bagnole.

Il avait visé juste. Cinq minutes plus tard, La Poubelle était assis à côté du conducteur et le coupé accélérait à la vitesse de croisière du Kid, c'est-à-dire qu'elle tapa bientôt le cent cinquante. La bicyclette sur laquelle La Poubelle pédalait depuis l'est de l'Illinois n'était plus qu'un point à l'horizon.

Timidement, La Poubelle crut bon de dire qu'à cette vitesse le Kid risquait ne pas voir à temps les obstacles s'ils en rencontraient (ils en avaient d'ailleurs déjà rencontré plusieurs ; le Kid s'était contenté de louvoyer pour éviter les épaves, dans un grand hurlement de ses Goodyear).

– Mon vieux, répondit le Kid, j'ai des réflexes. J'ai ça dans le sang. Trois cinquantièmes de secondes. T'as compris, ou faut que je te fasse un dessin ?

– J'ai compris, répondit mollement La Poubelle.

Il se sentait comme un homme qui vient de réveiller un nid de vipères avec son bâton.

– Je t'aime bien, dit le Kid de son étrange voix endormie.

Ses yeux de poupée fixaient la route tremblante de chaleur par-dessus l'orange fluorescent du volant. De gros dés en styrofoam, avec des têtes de mort en guise de points, pendouillaient du rétroviseur.

– Prends-toi une bière, derrière.

C'était de la Coors. Mais elle était tiède et La Poubelle détestait la bière. Il en but une très vite et dit qu'elle était vraiment excellente.

– Mec, comme bière, y a que la Coors. Moi je

pisserais de la Coors si je pouvais. T'as compris, ou faut que je te fasse un dessin ?

La Poubelle répondit qu'il avait parfaitement compris, inutile de faire un dessin.

– On m'appelle le Kid à Shreveport, en Louisiane. Tu connais ? Ma bagnole a gagné tous les prix dans le sud. T'as compris, ou faut que je te fassse un dessin ?

La Poubelle répondit qu'il avait compris, ce qui lui valut une autre bière tiède. Dans les circonstances, sans doute valait-il mieux ne pas refuser.

– Et comment qu'on t'appelle, mec ?

– La Poubelle.

– La *quoi* ?

Pendant un terrible moment, les yeux morts de la poupée restèrent fixés sur le visage de La Poubelle.

– Tu veux rigoler, non ? Personne ne rigole avec le Kid. T'as compris, ou faut que je te fasse un dessin ?

– J'ai compris, s'empressa de répondre La Poubelle, mais c'est comme ça qu'on m'appelle. Parce que je foutais le feu dans les poubelles et les boîtes aux lettres des gens. J'ai brûlé le chèque de pension de la vieille Semple. On m'a envoyé en maison de correction. J'ai aussi brûlé l'église méthodiste de Powtanville, dans l'Indiana.

– *T'as fait ça ?* demanda le Kid, enchanté. Mon gars, t'as l'air complètement dingue, plus dingue que ça, tu meurs. Pas de problème. J'aime les dingues. Je suis dingue moi aussi. Complètement siphonné. La Poubelle ? J'aime ! On va faire une belle paire d'enfoirés. Le Kid et La Poubelle. Allez, on se serre la main, La Poubelle.

Le Kid tendit la main et La Poubelle la serra aussi vite qu'il put pour que le Kid puisse la reposer sur le volant. Ils sortirent à fond de train d'un virage pour se retrouver devant une énorme semi-remorque Bekins qui occupait presque toute la largeur de la route. La Poubelle se cachait les yeux, prêt à faire une transition immédiate au plan astral. Mais le Kid ne broncha pas. Le coupé frétilla le long du côté gauche de la route comme une demoiselle sur l'eau d'une mare et ils évitèrent de l'épaisseur d'une couche de peinture la cabine du camion.

– C'était pas loin, dit La Poubelle quand il eut l'impression de pouvoir parler sans que sa voix tremble trop.

– Bof, répondit froidement le Kid qui cligna ensuite l'un de ses yeux de poupée. Tais-toi, c'est moi qui cause. Tu la trouves bonne, cette bière ? Pas dégueu, hein ? Ça fait du bien après un petit tour en bécane, non ?

– Oh oui, répondit La Poubelle qui avala une autre gorgée de Coors tiède.

Il était fou, mais pas suffisamment pour contredire le Kid quand il était au volant. Quand même pas.

– Bon, pas la peine de tourner autour du pot comme les mouches autour d'un tas de merde, reprit le Kid en tendant la main derrière lui pour se prendre une bière. On va sûrement au même endroit.

– Je crois que oui, répondit prudemment La Poubelle.

– On va bien rigoler. On s'en va à l'ouest. T'as compris, ou faut que je te fasse un dessin ?

– J'ai compris.

– T'as sûrement rêvé au croque-mort déguisé en aviateur, non ?

– Vous voulez parler du prêtre ?

– Quand je dis quelque chose, c'est ça que je dis, rétorqua sèchement le Kid. Faut pas me courir sur les roustons, t'as bien compris ? Une combinaison d'aviateur, noire, et le type a des lunettes sur les yeux. De grosses lunettes, tellement grosses qu'on ne voit pas sa foutue gueule. Drôle de bouffeur de cul celui-là, non ?

– Oui, dit La Poubelle en sirotant sa bière tiède.

Il sentait que sa tête commençait à tourner. Le Kid se pencha sur son volant orange pour imiter un pilote de chasse en plein combat aérien. Et le coupé valsa d'un côté à l'autre de la route, tandis que le pilote se mettait à faire dans sa tête loopings, chandelles et tonneaux.

– *Brrrrrrrrroum... tatatatata... tatatatata...* Prends

ça, saloperie de choucroute... commandant ! Salopard à douze heures !... Flanque-leur tous tes pruneaux dans la casserole, foutu con... *Tata... tata... tatatata !* On les a eus ! *YOUPIIIIIII ! Accrochez-vous, les gars ! YOUPIIIII !*

Pas un instant son visage ne s'était animé pendant son petit spectacle ; pas une seule mèche brillantinée n'avait bougé pendant qu'il balançait la voiture d'un côté à l'autre de la route. La Poubelle entendait son cœur tambouriner dans sa poitrine. Une légère couche de sueur huilait tout son corps. Il avala sa bière. Il avait envie de faire pipi.

– Mais il me fait pas peur, dit le Kid, comme s'il n'avait jamais perdu le fil de la conversation. Bordel, non. C'est un foutu salopard, mais le Kid en a vu d'autres. Je vais leur fermer leurs grandes gueules. C'est le patron qui commande. T'as compris, ou faut que je te fasse un dessin ?

– J'ai compris.

– Tu fais ce que dit le patron ?

– Naturellement, répondit La Poubelle qui n'avait pas la moindre idée de qui pouvait bien être le patron.

– Tant mieux pour tes fesses. Écoute, tu sais ce que je vais faire ?

– Aller à l'ouest ? se risqua La Poubelle, sans trop s'aventurer.

Le Kid lui lança un regard impatient.

– *Après,* je veux dire *après.* Tu sais ce que je vais faire après ?

– Non. Quoi ?

– Je vais me tenir à carreau un petit bout de temps. Voir comment ça se passe. Tu comprends ça, ou faut que je te fasse un dessin ?

– Je comprends.

– Tant mieux pour tes fesses. Ouvre bien tes mirettes. Tu vas voir. Alors...

Le Kid se tut tout à coup, couché sur son volant orange.

– Alors quoi ? demanda La Poubelle d'une voix hésitante.

– Je vais le bousiller. L'envoyer bouffer les pâquerettes. T'as compris, ou faut que je te fasse un dessin ?

– J'ai compris.

– C'est moi qui vais m'occuper de la boutique. Je le bousille, et c'est moi le patron. Tu me colles au train, La Poubelle, et tu vas voir qu'on va pas s'emmerder. Fini de bouffer de la merde. On va s'en foutre plein la bedaine.

Le coupé fonçait à toute allure, crachant le feu de toutes les flammes peintes sur son capot. Et La Poubelle était assis au fond de son siège, une canette de bière tiède entre les cuisses, l'esprit troublé.

Le 5 août, il faisait presque jour lorsque La Poubelle entra à Cibola, mieux connue sous le nom de Las Vegas. Quelque part au cours des dix derniers kilomètres, il avait perdu sa basket gauche et maintenant, tandis qu'il descendait la rampe de l'autoroute, le bruit de ses pas faisait plutôt : *slap-FLIC, slap-FLIC, slap-Flic*. Comme le *flap* d'un pneu crevé.

Épuisé, il eut quand même la force de s'émerveiller en découvrant l'immense avenue, The Strip, encombrée de voitures immobiles et d'un assez grand nombre de cadavres tout aussi immobiles, la plupart copieusement picorés par les vautours. Il était arrivé. Il était là, à Cibola. Il avait passé l'épreuve.

Des centaines et des centaines de boîtes de nuit. Des enseignes qui disaient MARIAGE EN 60 SECONDES, VALABLE TOUTE LA VIE ! Il vit une Rolls-Royce Silver Ghost dont le capot avait défoncé la vitrine d'une librairie porno. Il vit une femme nue pendue la tête en bas à un lampadaire. Il vit deux pages du *Sun* de Las Vegas, chassées par le vent. Et un gros titre : L'ÉPIDÉMIE PROGRESSE, WASHINGTON NE DIT RIEN. Il vit un énorme panneau publicitaire : NEIL DIAMOND ! AMERICANA HOTEL 15 JUIN - 30 AOÛT ! Quelqu'un avait gribouillé MEURS POUR TES PÉCHÉS LAS VEGAS ! sur la vitrine d'une bijouterie qui semblait ne rien vendre d'autre que des bagues de fiançailles et de mariage. Il vit un piano à queue renversé en plein milieu de la rue, comme un gros cheval de bois. Ses yeux se remplirent de ces merveilles.

Et plus loin, il vit d'autres enseignes, leurs néons morts cet été pour la première fois depuis des années. Flamingo. The Mint. Dunes. Sahara. Glass Slipper. Imperial. Tous les grands casinos. Mais où étaient les gens ? Où était l'eau ? Sans trop savoir ce qu'il faisait, laissant ses pieds le porter à leur guise, La Poubelle prit une rue transversale. Sa tête tomba en avant, son menton se colla contre sa poitrine. Il dormait debout. Et quand ses pieds trébuchèrent sur le trottoir, quand il tomba en avant et se cogna le nez par terre, quand il leva les yeux et qu'il vit ce qui était là, c'est à peine s'il put y croire. Il ne sentait pas le sang couler de son nez sur sa chemise bleue déchirée. Comme s'il dormait encore, comme s'il vivait un rêve.

Un grand bâtiment blanc se dressait dans le ciel du désert, monolithe des sables, aiguille de pierre, aussi beau dans sa monumentale splendeur que le Sphynx ou la Grande Pyramide. Les fenêtres de la façade est renvoyaient le feu du soleil levant comme un présage. Et devant l'entrée monumentale de cet édifice du désert, blanc comme un os, deux énormes pyramides dorées surmontées d'une marquise. Au-dessus de la marquise, un grand médaillon de bronze où la tête d'un lion rugissant était sculptée en bas-relief.

Au-dessus, toujours gravée dans le bronze, cette légende toute simple mais remplie de majesté : MGM GRAND HOTEL

Mais ses yeux étaient fixés sur cette chose au centre de la pelouse rectangulaire, entre le terrain de stationnement et l'entrée. La Poubelle regardait, secoué d'un tremblement orgasmique si violent qu'un moment il ne put que se soulever sur ses mains ensanglantées entre lesquelles se déroulait la bande effilochée et sale, pour contempler la fontaine de ses yeux bleus délavés, des yeux que l'éclat du soleil avait déjà rendus presque aveugles. Un gémissement s'échappa de sa bouche.

La fontaine fonctionnait. Splendide construction de pierre et d'ivoire, incrustée d'or. Des lumières de couleur jouaient dans le jet d'eau qui devenait pourpre, jaune orange, puis rouge, puis vert. L'eau retombait dans le bassin dans un tonnerre de gouttelettes.

– Cibola, murmura-t-il en essayant de se remettre debout.

Son nez saignait encore. Il s'avança en chancelant vers la fontaine. Puis se mit à trottiner, puis à courir, puis à foncer comme un fou. Ses genoux couverts de croûtes s'élevaient comme des pistons, presque à la hauteur de son thorax. Un mot s'envolait de sa bouche, un mot long comme un serpentin qui monta jusqu'au ciel et, très haut, les gens se mirent aux fenêtres (qui les voyait ? Dieu peut-être, ou le démon, mais certainement pas La Poubelle). Un mot, de plus en plus fort, de plus en plus strident, de plus en plus long à mesure qu'il approchait de la fontaine. Et ce mot était :

– CIIIIIIIBOLAAAAAAAA !

Le *aaaaa* s'étira à n'en plus finir, son de tous les plaisirs jamais connus par ceux qui ont vécu sur cette terre, et il ne s'arrêta que lorsque La Poubelle se frappa la lèvre contre le bord de la fontaine, se hissa par-dessus, plongea dans l'eau accueillante, incroyablement fraîche. Il sentait les pores de son corps s'ouvrir comme un million de bouches, s'imbiber d'eau comme une éponge. Il hurla. Il baissa la tête, éternua dans l'eau, cracha, éternua et toussa, projetant une grosse flaque de sang, d'eau et de morve sur le rebord de la fontaine. Il baissa la tête à nouveau et but comme une vache.

– Cibola ! Cibola ! criait La Poubelle, transporté de bonheur. Je te donne ma vie !

Comme un petit chien, il pataugea autour de la fontaine, but encore, puis enjamba le bord et se laissa tomber sur le gazon comme une masse. Toute sa peine, toutes ses souffrances étaient récompensées.

Une crampe lui tenailla soudain l'estomac et il vomit avec un grognement de bête. Comme c'était bon de vomir.

Il se releva, s'appuya avec sa griffe au rebord de la fontaine, but encore. Cette fois, son ventre accepta le don de l'eau avec reconnaissance.

Plein comme une outre, il s'avança en titubant vers les marches d'albâtre qui menaient aux portes de ce fabuleux palais, les marches qui s'élevaient entre les pyramides dorées. À mi-chemin, une crampe le força à se plier en deux. La douleur passa, et il reprit joyeusement son escalade. Il lui fallut tout ce qu'il lui restait de forces pour pousser la porte, une de ces portes qui tournent dans un tambour. Et il entra dans un hall couvert d'une épaisse moquette qui lui parut s'étendre sur des kilomètres et des kilomètres. Une moquette luxuriante, couleur de framboise, dans laquelle ses pieds s'enfonçaient. Réception, courrier, concierge, caisse, disaient les pancartes. Personne. À sa droite, derrière une rampe en fer forgé, le casino. La Poubelle regarda émerveillé les rangs de machines à sous alignées comme des soldats à la revue, et plus loin, les tables de roulette et de baccara.

– Y a quelqu'un ? croassa La Poubelle.

Personne ne lui répondit. Et il eut peur, car c'était un lieu habité par des fantômes, un lieu où des monstres l'épiaient sans doute, mais sa fatigue l'emporta bientôt sur sa peur. Il descendit un escalier, faillit tomber, entra dans le casino, passa devant le bar où Lloyd Henreid était tapi dans l'ombre, Lloyd Henreid qui l'observait, silencieux comme une tombe, un verre d'eau minérale à la main.

Il arriva devant une table recouverte de feutre vert. La Poubelle grimpa sur la table, s'allongea dessus et s'endormit aussitôt. Peu après, une demi-douzaine d'hommes entouraient le gueux qu'était devenu La Poubelle.

– Qu'est-ce qu'on fait de lui ? demanda Ken DeMott.

– On le laisse dormir, répondit Lloyd. Flagg le veut.

– Ah bon ? Et où qu'il est, Flagg ? demanda un autre.

Lloyd se retourna vers l'homme qui avait parlé, un chauve qui le dépassait d'une bonne tête. Mais le chauve fit un pas en arrière quand il vit son regard. La pierre qui pendait au cou de Lloyd était la seule qui ne soit pas noire de jais ; en son centre brillait un petit éclat rouge, inquiétant.

– T'es pressé de le voir, Hec ? demanda Lloyd.

– Non, répondit le chauve. Hé, Lloyd, tu sais bien que j'ai pas...

– Mais oui, dit Lloyd en regardant l'homme allongé sur la table. Flagg sera bientôt là. Il attendait ce type. Un type pas comme les autres.

Sur la table, abruti de fatigue, La Poubelle dormait.

La Poubelle et le Kid avaient passé la nuit du 18 juillet dans un motel de Golden, au Colorado. Le Kid avait choisi deux chambres communicantes. La porte était fermée à clé. Le Kid, déjà passablement saoul, résolut ce problème mineur en tirant trois balles dans la serrure avec l'un de ses 45.

Puis le Kid souleva l'une de ses minuscules bottes et donna un petit coup dans la porte. Elle frissonna et s'ouvrit dans un fin brouillard de fumée bleue.

– Foutue porte de merde ! Tu prends quelle chambre ? Tu choisis, ma petite Poubelle.

La Poubelle opta pour la chambre de droite et resta seul quelque temps. Le Kid n'était plus là. La Poubelle songeait qu'il devrait peut-être s'évaporer dans la nature avant que les choses ne se gâtent vraiment – mais il y avait le problème du transport – quand le Kid revint. La Poubelle s'inquiéta fort de voir qu'il poussait devant lui un caddie rempli de packs de bière Coors. Ses yeux de poupée étaient maintenant injectés de sang. Les ondulations de sa coiffure à la Pompadour se défaisaient comme des ressorts et des mèches de cheveux gras pendaient maintenant sur ses oreilles et ses joues, ce qui le faisait ressembler à quelque dangereux (et absurde) homme des cavernes qui aurait trouvé un blouson de cuir abandonné par un voyageur remontant le temps. Les pattes de lapin pendouillaient toujours de son blouson.

– Elle est tiède. Mais on s'en tape, non ?

– Oui, oui, on s'en tape, répondit La Poubelle.

– Alors, prends-toi une bière, trou du cul, dit le Kid en lui lançant une canette.

Lorsque La Poubelle arracha la languette de métal, une bonne giclée de mousse lui sauta au visage et le Kid éclata de rire, un petit rire maigrelet, en tenant à deux mains son ventre plat. La Poubelle esquissa un timide sourire. Et il résolut que plus tard dans la nuit, lorsque le petit monstre aurait succombé au sommeil, il prendrait ses cliques et ses claques. Assez, c'est assez. Et puis, ce que le Kid avait dit du prêtre noir... La Poubelle avait si peur qu'il ne savait même pas de quoi. Dire des choses pareilles, même pour rigoler, c'est comme chier sur l'autel d'une église, ou montrer sa gueule au tonnerre en attendant que l'éclair vienne vous faire des caresses.

Le pire, c'est qu'il ne croyait pas du tout que le Kid voulait rigoler.

La Poubelle n'avait pas du tout envie de partir sur les routes de montagne, avec tous leurs virages en épingle à cheveux, en compagnie de ce nain complètement maboul qui biberonnait toute la journée (et apparemment toute la nuit) et qui parlait de faire sa fête à l'homme noir pour prendre sa place.

Entre-temps, le Kid avait englouti deux bières en deux minutes, puis il avait écrasé les boîtes d'aluminium et les avait jetées nonchalamment sur l'un des deux lits jumeaux de la chambre. Morose, il regardait la télé, une Coors toute neuve dans la main gauche, le 45 dont il s'était servi pour faire sauter la serrure de la porte dans la droite.

– Pas de merde d'électricité, alors pas de merde de télé, dit-il d'une voix que la bière rendait de plus en plus traînante. Fait chier, bon Dieu fait chier ! Sûr que je suis bien content que tous ces trous du cul soient crevés, mais nom de Dieu de merde, et les sports ? Et le catch, hein ? Et les films cochons ? Ça, c'était bon, La Poubelle. C'est vrai qu'ils montraient jamais les types en train de faire minette, tu vois ce que je veux dire, mais les filles levaient quand même les pattes jusqu'au menton, sacré bordel de merde, tu vois ce que je veux dire ?

– Je vois.

– Ta gueule, c'est moi qui cause.

Et le Kid se plongea dans la contemplation de l'écran vide.

– Espèce de conne pourrie, cria-t-il en tirant sur la télé.

Le tube explosa avec un grand bruit creux. Du verre se répandit partout sur la moquette. La Poubelle leva le bras pour se protéger les yeux et sa bière se répandit sur le gazon artificiel de la moquette verte.

– Regarde ce que t'as fait, espèce de con ! s'exclama le Kid d'une voix vibrante d'indignation.

Et, tout à coup, le 45 fut braqué sur La Poubelle, le petit trou noir du canon aussi gros et sombre que la cheminée d'un transatlantique. La Poubelle sentit comme un creux au fond de son estomac. Il crut pisser dans son froc, mais sans en être totalement sûr.

– Je vais te ventiler la machine à gamberger ! On renverse pas sa bière. Une autre marque, je dis pas, mais c'était de la *Coors.* Moi, je *pisserais* de la Coors si je pouvais, t'as compris, ou faut que je te fasse un dessin ?

– Je comprends, murmura La Poubelle.

– Et tu crois qu'on en fabrique encore de la Coors par les temps qui courent, hein, La Poubelle ? Tu crois ça peut-être ?

– Non, murmura La Poubelle. Je ne crois pas.

– Ben t'as bien raison. Une espèce en voie d'extinction.

Il leva légèrement son pistolet. La Poubelle crut sa dernière heure arrivée. Puis le Kid abaissa son arme... légèrement. Son visage était totalement vide et La Poubelle pensa que l'autre était en train de réfléchir, profondément.

– Je vais te dire, La Poubelle, tu te prends une autre canette et tu fais cul sec. Si t'arrives à faire cul sec, je t'envoie pas bouffer les pâquerettes. T'as compris, ou faut que je te fasse un dessin ?

– Cul sec... c'est quoi, ça ?

– Nom de Dieu, t'es con à bouffer de la bite par paquets de douze ! Boire toute la boîte sans s'arrêter, c'est ça que ça veut dire ! Où que t'as fait ton éducation, en Afrique avec les Nègres ? Va pas falloir faire le mariolle, La Poubelle. Si je dois te chier un pruneau, il part direct dans l'œil. Cette pétoire-là, elle marche avec des balles doum-doum. Fendu de la gueule jusqu'au troufion. Chair à saucisses pour les cancrelats.

Il fit un geste avec son pistolet, ses yeux rouges fixés sur La Poubelle. La mousse de la bière lui faisait une petite moustache.

La Poubelle s'avança, prit une canette, arracha la languette.

– Vas-y. Jusqu'au bout. Et si tu dégueules, je te fais le cul comme une bouche de métro.

La Poubelle leva la canette et la bière fit glou-glou. Il l'avala avec des mouvements convulsifs de la pomme d'Adam, sa pomme d'Adam qui montait et descendait comme un ludion dans son bocal. Et, quand la canette fut vide, il la laissa tomber entre ses pieds, livra un combat qui lui parut interminable avec sa gorge et sauva finalement sa vie avec un long rot qui fit résonner les murs de la chambre. Le Kid renversa sa petite tête en arrière et partit d'un minuscule rire cristallin. La Poubelle vacillait sur ses pieds, souriait bêtement, malade. Tout à coup, d'un petit peu saoul qu'il était, il le fut complètement.

Le Kid rengaina son arme.

– O.K. Pas mal, La Poubelle. Pas trop mal.

Le Kid continua à boire. Les canettes écrasées s'empilèrent sur le lit du motel. La Poubelle tenait une canette de Coors entre ses genoux et prenait une petite gorgée chaque fois que le Kid semblait le regarder d'un air réprobateur. Le Kid marmonnait ses histoires, de plus en plus fort et d'une voix de plus en plus traînante à mesure que les cadavres s'amoncelaient. Il parlait de ses voyages. Des courses qu'il avait gagnées. D'un chargement de drogue qu'il avait ramené du Mexique dans une camionnette de blanchisseur, avec un moteur de sept litres sous le capot. Saloperie, dit-il. Toute cette drogue était une foutue saloperie. Lui, il n'y touchait pas, mais nom de Dieu, quelques cargaisons de cette foutue merde, et tu pouvais t'essuyer le cul avec des lingots d'or. Finalement, il commença à s'assoupir et ses paupières se fermèrent de plus en plus longtemps sur ses petits yeux rouges, ne revenant à mi-mât qu'à regret.

– Je vais lui faire la peau, La Poubelle, bafouilla le Kid. Je vais aller là-bas, voir comment ça marche, lui lécher son sale cul tant que j'aurai pas vu comment placer mes billes. Mais personne me commande à moi. Pas un fils de putain de sa mère. Pas longtemps en tout cas. Je fais pas dans la dentelle. Quand j'attaque un boulot, ça traîne pas. C'est ça mon style. Je sais pas qui il est, je sais pas d'où il vient, je sais pas comment il fait pour nous envoyer ses messages dans nos saloperies de machines à gamberger, mais je vais l'envoyer – énorme bâillement – l'envoyer chier ses boyaux au fond du trou. On va bien rigoler.

Lentement, il se laissa tomber sur son lit. De sa main s'échappa la canette de bière qu'il venait d'ouvrir. Encore une flaque de Coors sur la moquette. Il ne restait plus de bière et, selon les calculs de La Poubelle, le Kid s'était envoyé à lui tout seul vingt et une canettes. La Poubelle ne parvenait pas à comprendre qu'un si petit homme puisse boire autant de bière. Par contre, il comprenait parfaitement que c'était l'heure pour lui de s'en aller. Il le savait, mais il se sentait fin saoul, faible, malade. Par-dessus tout, il voulait dormir un peu. Et pourquoi pas ? Le Kid allait sans doute dormir comme une souche toute la nuit, peut-être même jusqu'à midi demain matin. Tout le temps de faire un petit somme. Il se rendit donc dans l'autre chambre (sur la pointe des pieds, malgré l'état comateux du Kid) et ferma de son mieux la porte communicante – c'est-à-dire qu'elle resta entrebâillée, les balles ayant complètement démoli la serrure. Il y avait un réveil sur la table de nuit. La Poubelle le remonta et, ne sachant pas l'heure juste (ce qui lui était totalement indifférent d'ailleurs), il le régla à minuit. Puis il mit la sonnerie à cinq heures du matin. Il s'allongea sur l'un des deux lits jumeaux sans même ôter ses tennis. Cinq minutes plus tard, il dormait.

Quand il se réveilla dans l'obscurité sépulcrale du petit matin, une odeur de bière lui balaya le visage comme une petite brise de mer. Il y avait quelque chose dans le lit à côté de lui, quelque chose de chaud et de doux qui gigotait. Pris de panique, il crut d'abord que c'était une belette, sortie tout droit de son cauchemar du Nebraska. Il poussa un petit gémissement quand il comprit que l'animal qui s'était mis au lit avec lui, quoique pas très gros, l'était quand même trop pour être une belette. La bière lui faisait mal à la tête, taraudant sans pitié ses tempes.

– Prends-la, murmura le Kid dans le noir.

La Poubelle sentit qu'on lui prenait la main et qu'on la posait sur une chose dure et cylindrique qui battait comme un piston.

– Branle-moi. Allez, branle-moi, tu sais comment faire, j'ai su ça quand je t'ai vu la première fois. Allez, enfoiré de mes deux, branle-moi.

La Poubelle savait comment faire. Fort heureusement. Les longues nuits en taule s'étaient chargées de le lui apprendre. On disait que c'était pas bien, que c'était un truc de pédale. Mais ce que faisaient les pédales, c'était quand même mieux que ce que faisaient certains autres, ceux qui passaient leurs nuits à aiguiser des manches de cuillers, ceux qui restaient allongés sur leur lit et qui faisaient craquer leurs doigts en vous regardant avec un drôle de sourire.

Le Kid avait posé la main de La Poubelle sur un pistolet d'un modèle qu'il connaissait parfaitement. Si bien que La Poubelle referma la main et commença son petit travail. Quand il aurait terminé, le Kid se rendormirait. Et lui, il foutrait le camp.

La respiration du Kid était devenue saccadée et l'avorton suivait la mesure en donnant des petits coups de hanches. Au début, La Poubelle ne comprit pas que le Kid défaisait sa ceinture, puis faisait glisser ses jeans et son slip jusqu'à ses genoux. La Poubelle le laissa faire. Tant pis si le Kid voulait la lui mettre. La Poubelle s'était déjà fait mettre. On n'en meurt pas. C'est pas du poison.

Puis sa main se figea. Cette chose qui tout à coup poussait contre son anus n'était pas de la chair. C'était de l'acier, froid, très froid.

Et tout à coup, il comprit ce que c'était.

– Non, murmura-t-il.

Terrifié, il ouvrit de grands yeux dans le noir. Et dans le miroir, il aperçut vaguement ce visage de poupée homicide qui se penchait sur lui, les cheveux tombant sur ses yeux rouges.

– Si, murmura le Kid. Et ne perds pas le rythme, La Poubelle. Ne manque pas un seul coup. Ou bien j'appuie et je te fais sauter la boîte à merde. Des doum-doum, La Poubelle. T'as compris, ou faut que je te fasse un dessin ?

La Poubelle se remit au travail en pleurnichant. Mais ses pleurnichements se transformèrent bientôt en petits halètements de douleur quand le canon du 45 fit son entrée, se fraya un passage en tournant sur lui-même, en forçant, en déchirant. Était-ce possible que La Poubelle en ressentît une quelconque excitation ? Mais oui, parfaitement.

Finalement, le Kid fut le témoin de cette excitation.

– Tu aimes ça ? haleta le Kid. Je savais bien, tas de merde. Tu aimes qu'on te la mette au cul ? Réponds oui, tas de merde. Réponds oui ou je te fais sauter le trou de balle.

– Oui, pleurnicha La Poubelle.

– Tu veux que je te branle ?

Non, il n'en avait pas envie. Excité ou pas, il ne voulait pas. Mais il n'était pas assez bête pour dire non.

– Oui.

– Non, je toucherai jamais ton pétard, même si c'était du diamant. Arrange-toi tout seul. Le bon Dieu t'a donné deux mains, non ?

Pendant combien de temps ? Dieu le savait peut-être, mais pas La Poubelle. Une minute, une heure, un siècle – quelle différence ? La Poubelle savait qu'à l'instant de l'orgasme du Kid, il sentirait deux choses en même temps : le jet chaud du sperme du petit monstre sur son ventre et le bourgeonnement d'une balle doum-doum lui déchirant les entrailles. Lavement final.

Puis les hanches du Kid se figèrent et son pénis fut pris de convulsions dans la main de La Poubelle qui sentit son poignet devenir tout visqueux, comme un gant de caoutchouc. Un instant plus tard, le pistolet se retirait. Des larmes silencieuses de soulagement ruisselèrent sur les joues de La Poubelle. Il n'avait pas peur de mourir, du moins pas au service de l'homme noir, mais il ne voulait pas mourir dans cette chambre de motel, au service d'un psychopathe. Pas avant d'avoir vu Cibola. Il aurait bien voulu prier Dieu, mais il savait instinctivement que Dieu ne prêterait pas une oreille sympathique à ceux qui avaient promis leur allégeance à l'homme noir. Et de toute façon, est-ce que Dieu avait jamais fait quelque chose pour La Poubelle ? Ou même pour Donald Merwin Elbert ?

Dans le silence entrecoupé par le bruit de leurs respirations, le Kid se mit à chanter d'une voix fausse, éraillée, mais sa chanson se perdit bientôt dans les ronflements de l'avorton :

– Mes potes et moi, on nous connaît... ouais, et les voyous nous font pas chier...

C'est le moment de partir, pensa La Poubelle, mais il avait peur de réveiller le Kid s'il bougeait. *Je fous le camp dès que je suis sûr qu'il dort vraiment. Cinq minutes. Ça devrait pas prendre plus longtemps.*

Mais, dans le noir, personne ne sait vraiment combien durent cinq bonnes minutes ; on pourrait même dire que cinq minutes, ça n'existe pas dans le noir. Il attendit donc. Il s'assoupit, puis se réveilla sans savoir qu'il s'était assoupi. Quelques instants plus tard, il était profondément endormi.

Et maintenant, il était sur une route, très haut. Il faisait noir. Les étoiles paraissaient si proches qu'on aurait pu les toucher, les décrocher du ciel et les jeter dans un bocal, comme des lucioles. Il faisait très froid. Et, à la lumière glacée des étoiles, il voyait danser les rochers vivants entre lesquels s'enfonçait la route.

Dans l'obscurité, quelque chose s'avançait vers lui.

Puis *sa* voix, venue de nulle part, venue de partout : *Je te donnerai un signe dans les montagnes. Je te montrerai ma puissance. Je te montrerai ce qui arrive à ceux qui veulent se soulever contre moi. Attends. Regarde.* Des yeux rouges commencèrent à s'ouvrir dans le noir, comme si quelqu'un avait allumé des fanaux. Et les yeux entouraient La Poubelle de toutes parts. Au début, il crut que c'étaient des yeux de belettes mais, quand le cercle se referma autour de lui, il vit de grands loups gris des montagnes, oreilles dressées, babines noires dégoulinantes de bave. Il avait peur.

Ils ne vont pas te faire de mal, mon bon et fidèle serviteur. Tu vois ? En un clin d'œil, les grands loups gris avaient disparu.

Regarde, disait la voix.

Attends, disait la voix.

Et ce fut la fin de son rêve. Quand il se réveilla, le soleil entrait à flots dans la chambre de motel. Le Kid était debout à la fenêtre, en pleine forme après sa séance de dégustation des produits de la Adolph Coors Company, aujourd'hui défunte. Ses cheveux avaient repris leurs anciennes ondulations, fantastiques vagues et tourbillons, et l'avorton contemplait son reflet sur la vitre. Il avait posé son blouson de cuir sur le dossier d'une chaise. Les pattes de lapin pendouillaient comme de petits cadavres sur un gibet.

– Hé, tas de merde ! J'ai cru que j'allais devoir te graisser la patte encore un coup pour te réveiller. Allez, dépêche-toi. On a du boulot aujourd'hui. On va bien rigoler, non ?

– Sûrement, répondit La Poubelle avec un curieux sourire.

Lorsque La Poubelle sortit de son sommeil dans la soirée du 5 août, il était toujours couché sur la table de baccara, dans le casino du MGM Grand Hotel. Devant lui, un jeune homme aux cheveux blond filasse était assis à califourchon sur une chaise, des lunettes de soleil très noires sur les yeux. La première chose que remarqua La Poubelle fut la pierre pendue à son cou, dans l'échancrure de sa chemise de sport. Noire, avec un éclat rouge au centre. Comme l'œil d'un loup dans la nuit.

Il essaya de dire qu'il avait soif, mais sa gorge refusa de laisser sortir autre chose qu'un petit chuintement.

– T'as dû rester un bon bout de temps au soleil, dit Lloyd Henreid.

– Est-ce que vous êtes... *lui* ? murmura La Poubelle. Est-ce que...

– Si je suis le patron ? Non. Flagg est à Los Angeles. Mais il sait que tu es là. Je lui ai parlé par radio cet après-midi.

– Il vient ?

– Pour quoi faire ? Pour te voir ? Sûrement pas ! Il sera là quand il faudra. Toi et moi, mon pote, on est juste des petits gars pour lui. Il reviendra quand il faudra. Tu es pressé de le voir ?

– Oui... non... je ne sais pas.

– De toute façon, oui ou non, tu le verras.

– J'ai... soif...

– Tiens, prends ça.

Il lui tendit un grand thermos rempli de Kool-Aid

à la cerise. La Poubelle le vida d'un trait, puis se recoucha en gémissant et en se tenant le ventre à deux mains. Quand la crampe eut disparu, il regarda Lloyd avec des yeux pleins de gratitude.

– Tu crois pouvoir manger quelque chose ?

– Oui, je pense bien.

Lloyd se retourna vers un homme qui faisait tourner une roulette. La petite bille blanche rebondissait en cliquetant.

– Roger, va dire à Whitney ou à Stephanie-Ann de lui préparer des hamburgers et des frites. Non ! Merde alors, à quoi je pensais ? Il va dégueuler partout. De la soupe. Apporte-lui de la soupe. Ça ira, mon vieux ?

– Ce que vous voulez, répliqua La Poubelle.

– Nous avons un ancien boucher avec nous, Whitney Horgan. C'est un gros tas de merde, mais foutre Dieu, tu peux me croire qu'il sait faire la cuisine ! Et il y met tout ce qu'il faut. Les chambres froides étaient pleines quand on est arrivé. Drôle de ville, Las Vegas ! C'est pas l'endroit le plus formidable que t'as jamais vu ?

– Si, répondit La Poubelle qui sentit qu'il aimait déjà Lloyd, sans même savoir son nom. Mais on est à Cibola.

– Qu'est-ce que tu dis ?

– Cibola, la ville que tout le monde cherche.

– Ça, tu peux dire que pas mal de gens sont venus ici avec les années. Mais la plupart auraient mieux fait de rester chez eux. En tout cas, tu peux bien l'appeler comme tu veux. Dis donc, on dirait que tu t'es fait complètement cuire en venant par ici. Comment tu t'appelles ?

– La Poubelle.

Lloyd ne trouva pas du tout ce nom étrange. Il tendit la main. Le bout de ses doigts portait encore les marques de son séjour dans la prison de Phoenix où il était presque mort de faim.

– Je m'appelle Lloyd Henreid. Content de faire ta connaissance, La Poubelle. Bienvenue à bord.

La Poubelle serra la main qu'on lui tendait et

faillit verser de grosses larmes de gratitude. Aussi loin qu'il pouvait se souvenir, c'était la première fois de sa vie que quelqu'un lui tendait la main. Il était arrivé. Il était accepté. Enfin il n'était plus rejeté comme il l'avait toujours été. Il aurait traversé deux fois le désert pour connaître ce moment, se serait brûlé l'autre bras, et les deux jambes par-dessus le marché.

– Merci, murmura-t-il. Merci, monsieur Henreid.

– Merde, si tu m'appelles pas Lloyd, je vais te priver de soupe.

– D'accord, Lloyd. Merci, Lloyd.

– J'aime mieux ça. Quand t'auras bouffé, je vais t'installer dans ta chambre. Et puis demain, on verra ce qu'on va faire. Le patron a quelque chose pour toi, je crois. Mais d'ici là, ce n'est pas le travail qui manque. Nous avons remis en marche pas mal de trucs, mais pas tout, loin de là. On a une équipe au barrage de Boulder qui essaye de remettre toutes les turbines en service. Une autre s'occupe de l'eau potable. Et puis nous avons des éclaireurs qui ramènent six ou sept personnes par jour. Pour le moment, je crois que tu seras dispensé des patrouilles. J'ai l'impression que tu as pris suffisamment de soleil pour un mois au moins.

– Oui, j'en ai assez, répondit La Poubelle avec un timide sourire.

Il était déjà prêt à donner sa vie pour Lloyd Henreid. Rassemblant tout son courage, il montra du doigt la pierre qui reposait au creux du cou de Lloyd :

– C'est...

– Oui, ici tous les gars qui font tourner la boutique portent une pierre. C'est son idée. Ça s'appelle du jais. En fait, c'est pas une pierre du tout. C'est plutôt comme une bulle.

– Je veux dire... la lumière rouge. L'œil.

– Ah, c'est ça ce que tu vois, hein ? C'est un défaut. Un cadeau spécial de *lui*. Je suis pas Einstein, tu sais, loin de là. Mais je suis... merde, j'ai bien l'impression que je suis sa mascotte, dit-il en regardant attentivement La Poubelle. Et peut-être bien que toi aussi. En tout cas, on a entendu parler de toi, moi et Whitney. Et ça, c'est pas l'habitude. Y en a trop qui arrivent pour qu'on fasse attention à eux. Sauf *lui*. S'il voulait, je crois qu'*il* pourrait connaître tout le monde.

La Poubelle hocha la tête.

– Il fait des tours de magie, reprit Lloyd d'une voix légèrement rauque. Je l'ai vu. Moi, j'aimerais pas être à la place de ceux qui sont contre lui.

– Moi non plus, répondit La Poubelle. J'ai vu ce qui est arrivé au Kid.

– Quel Kid ?

– Le type avec qui j'étais dans les montagnes, répondit La Poubelle en frissonnant. J'ai pas envie d'en parler.

– O.K. Voilà ta soupe. Et puis Whitney t'a quand même préparé un hamburger. Tu vas l'adorer. Le type est super pour les hamburgers. Mais essaye de pas dégueuler, d'accord ?

– D'accord.

– Bon, moi j'ai du monde à aller voir. Si mon bon vieux copain Poke me voyait en ce moment, il n'arriverait pas à le croire. Je suis plus occupé qu'un unijambiste dans un concours de bottage de cul. Allez, on se revoit plus tard.

– D'accord. Et merci. Merci pour tout.

– C'est pas moi qu'il faut remercier, c'est *lui*.

– C'est ce que je vais faire, dit La Poubelle, tous les soirs.

Mais ce n'était pas à l'intention de l'autre qu'il avait prononcé ces mots, car Lloyd était déjà loin, en train de parler à l'homme qui avait apporté la soupe et le hamburger. La Poubelle les regarda affectueusement s'en aller, puis il se mit à dévorer comme une bête jusqu'à ce qu'il ne reste presque plus rien. Tout aurait bien été s'il n'avait pas regardé dans le bol de soupe. C'était une crème de tomates, et elle avait la couleur du sang.

Il écarta le bol, l'appétit coupé. Pas difficile de dire à Lloyd Henreid qu'il ne voulait pas parler du Kid ;

mais bien plus difficile de ne pas penser à ce qui lui était arrivé.

Il s'approcha de la roulette en buvant le verre de lait qu'on lui avait également apporté. Distraitement, il la fit tourner et lança la petite bille blanche. Elle commença par rouler le long du bord, puis à sautiller d'un trou à l'autre. Il pensait au Kid. Et il se demandait quand on allait venir lui montrer sa chambre. Mais surtout, il pensait au Kid. Il se demandait si la bille allait s'arrêter sur un numéro rouge ou sur un noir... mais surtout, il pensait au Kid. La petite bille sautillante finit par s'arrêter. La roulette aussi. La bille s'était logée sous le double zéro vert.

Pour la banque.

Il faisait si beau ce jour où ils étaient repartis de Golden en direction de l'ouest, directement à travers les Rocheuses, sur la 70. Pas un nuage, 27 degrés peut-être. Le Kid avait renoncé à sa Coors pour lui préférer une bouteille de whisky Rebel Yell. Deux autres bouteilles attendaient, coincées sur le tunnel de la transmission dans des cartons de lait vides pour les empêcher de se casser. Le Kid prenait une gorgée, faisait descendre le whisky avec un peu de Pepsi-Cola, puis hurlait à pleins poumons *foutre Dieu ! ya-hou !* ou *sexe-machine !* Plusieurs fois, il fit observer qu'il *pisserait* du Rebel Yell s'il le pouvait. Et il demanda à La Poubelle s'il comprenait, ou s'il fallait lui faire un dessin. La Poubelle, très pâle, à peine sorti de la gueule de bois que lui avaient value ses trois bières de la veille, répondit que oui, bien sûr.

Même le Kid ne pouvait pas foncer à cent cinquante sur ces routes. Il ralentit à cent en maudissant ces foutues montagnes dans sa barbe. Puis il retrouva sa belle humeur.

– Quand on aura traversé l'Utah et le Nevada, on va rattraper le temps perdu, La Poubelle. Ma petite mécanique fait du deux cent soixante en terrain plat. T'as compris, ou faut que je te fasse un dessin ?

– C'est une chouette bagnole, répondit La Poubelle avec un sourire de chien battu.

– Tu l'as dit, bouffi.

Une gorgée de Rebel Yell, une gorgée de Pepsi. *Yahou !* à pleins poumons.

La Poubelle regardait d'un œil torve le paysage baigné dans la lumière du matin. La route avait été percée à flanc de montagne et s'enfonçait par endroits au milieu de deux énormes murailles de rochers. Les rochers qu'il avait vus la veille dans son rêve. Et le soir venu, ces yeux rouges s'ouvriraient-ils encore ?

Il frissonna.

Un peu plus tard, il se rendit compte qu'ils ralentissaient : quatre-vingt-dix, soixante, cinquante maintenant. Le Kid lançait des jurons aussi horribles que monotones dans sa barbe. Le coupé devait se frayer un passage à travers des véhicules de plus en plus nombreux, tous arrêtés, tous mortellement silencieux.

– Qu'est-ce que c'est que ce bordel ? grognait le Kid. Qu'est-ce qu'ils foutent là ? Ils ont tous décidé d'aller respirer l'air des montagnes avant de crever ? *Hé, bande d'enfoirés, foutez le camp ! Vous m'entendez ? Foutez-moi le camp d'ici !*

La Poubelle se cramponnait sur son siège.

À la sortie d'un village, ils se trouvèrent nez à nez avec quatre voitures empilées les unes sur les autres qui bloquaient complètement l'autoroute en direction de l'ouest. Le cadavre d'un homme, couvert d'un linceul de sang qui s'était depuis longtemps coagulé en une sorte de glaçure craquelée d'innombrables fissures, était étalé en croix sur la route, à plat ventre. Près de lui, une poupée Chatty Cathy démantibulée. Impossible de contourner les voitures par la gauche, à cause d'un garde-fou d'acier de près de deux mètres de haut. Sur la droite, un précipice qui disparaissait dans le lointain bleuté.

Le Kid s'envoya une bonne lampée de Rebel Yell et donna un coup de volant sur la droite.

– Accroche-toi, La Poubelle, on va passer.

– Y a pas la place !

La Poubelle eut l'impression d'avoir une lime à métaux dans la gorge.

– Si, juste assez, murmura le Kid.

Ses yeux brillaient. Centimètre par centimètre, il faisait sortir la voiture de la route. Les roues de droite faisaient maintenant craquer le gravier de l'accotement.

– Je me tire, bafouilla La Poubelle en saisissant la poignée de la portière.

– Reste assis, ou je te crève, tas de merde.

La Poubelle tourna la tête et vit le petit trou noir du 45. Le Kid rigolait, un peu nerveux quand même.

La Poubelle se rassit. Il aurait voulu fermer les yeux, mais impossible. De son côté, les vingt derniers centimètres d'accotement disparurent. Et ce qu'il voyait maintenant, tout en bas, n'était plus qu'un vaste panorama de pins bleu-gris, d'énormes rochers semés çà et là. Il imaginait les énormes Goodyear du coupé à dix centimètres du bord... à cinq...

– Encore un centimètre, roucoula le Kid, avec un énorme sourire, les yeux sortis de leurs orbites.

Des perles de sueur apparurent sur son front pâle de poupée.

– Juste... encore... un.

Puis tout alla très vite. La Poubelle sentit les roues de droite de la voiture déraper tout à coup. Il entendit comme un bruit de pluie, d'abord des petits cailloux, puis des grosses pierres. Il hurla. Le Kid lança un horrible juron, passa en première et écrasa l'accélérateur. De la gauche où ils frôlaient le cadavre retourné d'un minibus VW vint un crissement de métal froissé.

– Vas-y ! criait le Kid. Vas-y, saloperie de bagnole ! Vole ! Tu vas voler, nom de Dieu ?

Les roues arrière du coupé se mirent à patiner. Un moment, le mouvement qu'elles avaient amorcé en direction du précipice parut s'accentuer.

Puis le coupé fit un bond en avant et ils se retrouvèrent sur la route, de l'autre côté de l'obstacle. L'air empestait le caoutchouc brûlé.

– Je t'avais bien dit qu'on passerait ! hurla le Kid, triomphant. Foutre Dieu ! on est passé, hein ? T'as vu ça, La Poubelle, gros tas de merde avaleur de foutre ?

– J'ai vu, répondit plus bas La Poubelle.

Tout son corps était agité de tics nerveux. Et puis, pour la deuxième fois depuis qu'il avait fait la connaissance du Kid, il dit sans le vouloir la seule chose qui pouvait lui sauver la vie – s'il ne l'avait pas dite, le Kid l'aurait certainement tué, histoire de fêter ça.

– T'es drôlement bon au volant.

– Bof... pas tant que ça, répondit modestement le Kid. Je connais au moins deux types qui auraient pu faire la même chose. T'as compris, ou faut que je te fasse un dessin ?

– Si tu le dis.

– Ta gueule, ma cocotte, c'est moi qui cause. Bon. On continue. On est pas rendus.

Mais ils ne continuèrent pas longtemps. Un quart d'heure plus tard, à trois mille kilomètres de son point de départ – Shreveport, en Louisiane – le coupé du Kid dut s'arrêter pour de bon.

– Non, je rêve, dit le Kid. Non... Foutre Dieu... mais je RÊVE !

Il ouvrit sa porte et sauta dehors, la bouteille de Rebel Yell vide aux trois quarts toujours dans sa main gauche.

– *FOUTEZ-MOI LE CAMP !* hurlait le Kid en se dandinant sur ses talons hauts, minuscule force naturelle de destruction, tremblement de terre en bouteille. *FOUTEZ-MOI LE CAMP, BANDE D'ENFOIRÉS, VOUS ÊTES MORTS, FOUTEZ LE CAMP AU CIMETIÈRE, VOUS N'AVEZ RIEN À FOUTRE SUR MA ROUTE À MOI !*

Il lança la bouteille de Rebel Yell qui tournoya en crachant une pluie de gouttes jaune doré. Elle éclata en mille morceaux en s'écrasant contre une vieille Porsche. Le Kid s'arrêta, silencieux, haletant, pas très solide sur ses jambes.

Cette fois, ce n'était pas un petit tas de quatre voitures. C'était bien pire. À cet endroit, une bande médiane gazonnée d'environ trois mètres séparait les deux chaussées de l'autoroute. Le coupé aurait probablement pu la traverser, mais la situation n'était pas meilleure de l'autre côté : les quatre voies étaient occupées par six files de voitures, pare-chocs contre pare-chocs, sur toute la largeur de la chaussée, bande d'arrêt comprise. Certains avaient même essayé d'utiliser la bande médiane, pourtant semée de rochers qui sortaient de la mince couche de terre grise comme des dents de dragons. Peut-être quelques véhicules tout terrain avaient-ils réussi à passer, mais ce que La Poubelle voyait sur cette bande médiane, c'était un véritable cimetière d'autos défoncées, écrasées, écrabouillées, comme si un accès de folie collective s'était emparé de tous les conducteurs, qu'ils avaient décidé d'organiser une course apocalyptique de stock-car sur l'autoroute 70, en plein milieu des montagnes. Le spectacle était si extraordinaire que La Poubelle faillit avoir le fou rire, mais il se mit vite la main devant la bouche. Si le Kid l'entendait rigoler, il ne risquait pas de rigoler bien longtemps.

Le Kid revenait, perché sur ses hauts talons, resplendissant sous ses cheveux brillantinés que le soleil faisait luire. Mais son visage était celui d'un mini-dragon. Ses yeux lançaient des flammes.

– Je vais pas laisser ma bagnole. Tu m'entends ? Certainement pas. Je vais sûrement pas la laisser. Tu vas marcher, La Poubelle. Tu montes par là et tu regardes ce qui bouche la route. C'est peut-être un camion, j'en sais rien. On peut pas faire demi-tour. On n'a plus la place maintenant. On ferait la culbute. Si c'est un camion en panne, moi je m'en fous, je les prends un par un, et je les flanque en bas. J'y arriverai, t'as compris, ou faut que je te fasse un dessin ? Vas-y maintenant.

La Poubelle ne chercha pas à discuter. Prudemment, il s'éloigna en contournant les voitures, prêt à se baisser et à prendre ses jambes à son cou si le Kid commençait à tirer. Mais le Kid ne tira pas. Lorsque La Poubelle crut être en lieu sûr (c'est-à-dire hors de portée d'un 45), il grimpa sur un camion-citerne et regarda derrière lui. Le Kid, punk miniature sorti tout droit de l'enfer, cette fois vraiment pas plus grand qu'une poupée à plus d'un kilomètre de distance, était appuyé contre son coupé. Il biberonnait pour passer le temps. La Poubelle eut envie de lui faire bonjour avec la main, mais pensa que c'était peut-être une mauvaise idée.

Ce jour-là, La Poubelle se mit en route vers dix heures et demie du matin. Il marchait lentement – voitures et camions étaient tellement serrés qu'il lui fallait souvent grimper sur les capots et les toits – et, quand il arriva au premier panneau TUNNEL FERMÉ, il était déjà trois heures et quart. Il avait fait près de vingt kilomètres. Vingt kilomètres, ce n'était pas tellement – pas pour quelqu'un qui avait traversé vingt pour cent des États-Unis à bicyclette – mais, compte tenu des obstacles, La Poubelle jugea que ces vingt kilomètres n'étaient quand même pas de la gnognotte. Il y avait longtemps qu'il aurait pu faire demi-tour pour dire au Kid qu'il était impossible de passer... s'il avait eu l'intention de faire demi-tour; mais il n'en avait jamais eu l'intention. La Poubelle n'était pas un grand lecteur d'ouvrages historiques (après les électrochocs, la lecture lui était devenue un peu pénible), mais il n'avait pas besoin de savoir qu'à une époque aujourd'hui révolue rois et empereurs tuaient souvent par dépit les porteurs de mauvaises nouvelles. Ce qu'il savait lui suffisait amplement : il connaissait assez bien le Kid pour savoir qu'il ne voulait plus jamais le revoir.

Il était donc là devant le panneau, lettres noires sur fond orange en forme de losange. On l'avait renversé et il gisait maintenant sous la roue de ce qui semblait être le plus vieux camion du monde. TUNNEL FERMÉ. *Quel tunnel ?* Il regarda devant lui en s'abritant les yeux de la main et crut voir *quelque chose*. Il fit encore trois cents mètres, grimpant sur les voitures quand il le fallait, pour arriver devant un inquiétant fouillis de véhicules accidentés et de cadavres. Plusieurs camions et voitures avaient complètement brûlé. Un grand nombre étaient des véhicules militaires. Et beaucoup de cadavres étaient habillés en kaki. Derrière l'endroit où s'était déroulée la bataille – La Poubelle était presque sûr qu'on s'était battu – l'embouteillage recommençait. Et plus loin encore, l'autoroute disparaissait dans les trous jumeaux de ce qu'un énorme panneau boulonné sur la montagne proclamait être le TUNNEL EISENHOWER.

Il s'approcha, le cœur battant, ne sachant ce qu'il allait faire. Ces deux trous percés dans le rocher l'intimidaient et, à mesure qu'il se rapprochait, sa timidité se transformait en pure et simple terreur. Il aurait compris parfaitement ce qu'avait senti Larry Underwood dans le tunnel Lincoln. Sans le savoir, en cet instant précis, ils étaient comme deux âmes sœurs partageant une seule et même émotion, la terreur panique.

Il y avait cependant une différence importante. Alors que la passerelle réservée aux piétons dans le tunnel Lincoln se trouvait au-dessus de la chaussée, ici le passage était suffisamment bas pour que certaines voitures aient essayé de l'emprunter, une roue sur le trottoir, l'autre sur la route. Le tunnel faisait trois kilomètres. Le seul moyen de le traverser serait de se faufiler le long des voitures, dans le noir total. Il faudrait des heures.

La Poubelle sentit ses boyaux se liquéfier.

Il resta longtemps à contempler le tunnel. Un mois plus tôt, Larry Underwood était entré dans le sien, malgré sa peur. Après un long moment de contemplation, La Poubelle fit demi-tour et repartit dans la direction du Kid, le dos voûté, la commissure des lèvres agitée de tremblements. S'il rebroussait chemin, ce n'était pas simplement à cause de la longueur du tunnel, ou du fait qu'il allait avoir du mal à avancer (La Poubelle, qui avait passé toute sa vie dans l'Indiana, n'avait naturellement aucune idée de la longueur du tunnel Eisenhower). Larry Underwood avait été poussé (et peut-être manipulé) par sa propension sous-jacente à l'égocentrisme, si l'on peut s'exprimer ainsi, par la simple logique de la survie : New York était une île, il fallait en sortir. Le tunnel était le chemin le plus court. Si bien qu'il avait décidé de le traverser aussi rapidement que possible, comme on se bouche le nez en avalant un médicament que l'on sait très mauvais. La Poubelle était une épave habituée à accepter les coups du destin et de sa propre nature inexplicable... en courbant la tête. Ce qu'il lui restait de cerveau avait été complètement lessivé par sa rencontre cataclysmique avec le Kid qui l'avait promené à des vitesses suffisamment élevées pour perturber définitivement ses facultés mentales, si elles avaient encore besoin d'être perturbées. On l'avait menacé de mort s'il ne buvait pas d'un seul coup une canette de bière sans tout vomir ensuite. On l'avait sodomisé avec le canon d'un pistolet. On avait failli le faire basculer dans un précipice qui faisait bien trois cents mètres. Et surtout, pouvait-il rassembler suffisamment de courage pour ramper dans un trou percé au pied d'une montagne, un trou où il risquait de rencontrer Dieu savait quelles horreurs dans le noir ? Non, il ne pouvait pas. D'autres peut-être, mais pas La Poubelle. Et il y avait aussi une certaine logique dans sa décision de faire demi-tour. La logique du chien battu et du demi-fou, c'est vrai, mais une logique qui n'en possédait pas moins son charme pervers. Lui, il n'était pas sur une île. Il allait devoir marcher tout le reste de la journée et tout le lendemain pour trouver une route qui contourne les montagnes au lieu de les traverser ? Eh bien, il le ferait. Il retrouverait le Kid, c'est vrai, mais il n'était pas impossible que le Kid ait changé d'avis et qu'il soit déjà parti, malgré ce qu'il avait dit. Peut-être était-il ivre mort. Peut-être même (quoique La Poubelle doutât qu'une pareille chance puisse lui arriver) était-il tout simplement mort. Au pire, si le Kid était toujours là, La Poubelle pourrait attendre la nuit, puis se faufiler comme

(une belette)

un petit animal dans les fourrés. Puis il continuerait en direction de l'est, jusqu'à ce qu'il trouve la route qu'il cherchait.

Il retrouva le camion-citerne du haut duquel il avait vu pour la dernière fois le Kid et son coupé mythique. Cette fois, il ne grimpa pas sur le camion d'où sa silhouette se serait clairement découpée sur le ciel embrasé par le soleil couchant, mais se mit à ramper de voiture en voiture, essayant de ne faire aucun bruit. Le Kid montait probablement la garde. Et avec un type comme le Kid, on ne savait jamais... mieux valait ne pas prendre de risques. La Poubelle se dit qu'il aurait bien fait de prendre le fusil d'un soldat, même s'il ne s'était jamais servi d'un fusil de toute sa vie. Il continuait à ramper et les gravillons s'enfonçaient dans sa pauvre main recroquevillée. Il était huit heures. Le soleil avait disparu derrière les montagnes.

La Poubelle s'arrêta devant le capot de la Porsche sur laquelle s'était écrasée la bouteille de whisky. Prudemment, il releva la tête. Oui, le coupé du Kid était là, avec sa peinture or, la bulle de son pare-brise, son aileron de requin fendant le ciel qui avait pris la couleur d'un œil au beurre noir. Le Kid était affalé derrière son volant orange fluorescent, les yeux fermés, la bouche ouverte. Et La Poubelle sentit son cœur tambouriner un victorieux chant de victoire dans sa poitrine. *Ivre mort !* proclamaient les battements de son ceur en scandant les syllabes. *Ivre mort ! Nom de Dieu ! Ivre mort !* et La Poubelle crut bien qu'il aurait le temps de faire au moins trente kilomètres avant que le Kid ne se remette de sa cuite.

Pourtant, il fallait être prudent. Il bondissait d'une voiture à l'autre, comme une demoiselle à la surface de l'eau paisible d'une mare, décida de contourner le coupé sur la droite, se faufila entre les voitures de plus en plus espacées maintenant. Le coupé était à neuf heures sur sa gauche. À sept. À six. Et maintenant, juste derrière lui. Mais pour s'éloigner de ce dingue...

– Bouge pas, connard de suceur de bites !

La Poubelle s'immobilisa, à quatre pattes. Il fit

pipi dans son pantalon et son cerveau se transforma en un volettement paniqué d'oiseau fou.

Petit à petit, il se retourna. Les tendons de sa nuque craquaient comme les charnières d'une porte dans une maison hantée. Le Kid était là, debout, resplendissant dans une chemise moirée vert et or, un 45 dans chaque main et une horrible grimace de haine et de colère sur le visage.

– Je re-regardais simplement, s'entendit dire La Poubelle, pou-pour voir si tout allait bien pa-pa-par là.

– Ben voyons donc, tu regardes à quatre pattes maintenant, trou du cul. Je vais t'apprendre à danser. Debout !

Tant bien que mal, La Poubelle se remit sur ses pieds et parvint à y rester en s'agrippant à la poignée de la porte de la voiture qui se trouvait sur sa droite. Les deux canons jumeaux des 45 du Kid ressemblaient tout à fait aux deux trous du tunnel Eisenhower. C'était la mort qu'il regardait maintenant. Il le savait. Et les mots ne suffiraient pas à l'écarter cette fois-ci.

Silencieusement, il se mit à prier l'homme noir : *Par pitié... que ta volonté soit faite... je te donnerai ma vie !*

– Qu'est-ce qu'il y a là-bas ? demanda le Kid. Un accident ?

– Un tunnel. Complètement bloqué. C'est pour ça que je suis revenu, pour vous dire. S'il vous plaît...

– Un tunnel ? Foutre Jésus de nom de Dieu ! Tu te fous de ma gueule, pédale de mes deux ?

– *Non !* Je jure que non ! La pancarte dit tunnel Eisenhower. Je crois bien que c'est ça, parce que j'ai du mal à lire quand les mots sont un peu longs. Je...

– Ferme ton trou de balle. C'est loin ?

– Dix kilomètres, peut-être plus.

Tourné vers l'ouest, le Kid resta silencieux. Puis il fixa La Poubelle avec des yeux brillants.

– Tu essayes de me dire que le bouchon fait *huit kilomètres de long* ? Tu mens, tas de merde.

Le Kid arma ses deux pistolets. La Poubelle,

croyant qu'il allait tirer, se mit à hurler comme une femme en se bouchant les yeux.

– Je mens pas ! Je mens pas ! Je le jure ! Je le jure !

Le Kid le regarda longtemps, puis finit par abaisser ses armes.

– Je vais te tuer, La Poubelle, dit-il en souriant. Je vais te trouer ta sale peau. Mais d'abord, tu vas retourner à l'endroit où on a failli pas passer, ce matin. Tu vas pousser le minibus dans le trou. Moi, je vais faire demi-tour et je trouverai bien le moyen de me tirer d'ici. Je vais sûrement pas laisser ma bagnole. Sûrement pas.

– S'il vous plaît, ne me tuez pas, murmura La Poubelle. S'il vous plaît.

– Si tu arrives à dégager le minibus en moins d'un quart d'heure, peut-être pas, dit le Kid. T'as compris, ou faut que je te fasse un dessin ?

– J'ai compris, répondit La Poubelle.

Mais il avait bien regardé ces yeux de dingue et il ne crut pas un mot de ce que l'autre lui disait.

Et ils se mirent en route, La Poubelle devant le Kid, La Poubelle dont les jambes étaient en coton. Le Kid se dandinait derrière lui et le cuir de son blouson craquait doucement. Un vague sourire se dessinait sur ses lèvres de poupée.

Quand ils arrivèrent au minibus Volkswagen, la nuit était presque tombée. Le minibus était couché sur le côté. Heureusement, la nuit tombait si vite qu'on ne voyait qu'à peine les cadavres des trois ou quatre occupants, fouillis de bras et de jambes entremêlés. Le Kid dépassa le minibus et s'arrêta sur l'accotement, regardant l'endroit où ils avaient bien failli rester dix heures plus tôt. On voyait encore la trace d'un pneu. Mais l'autre trace avait disparu avec le bas-côté.

– Non, pas moyen, dit le Kid, à moins de bouger un peu ce tas de ferraille. Ta gueule, c'est moi qui cause.

Un instant, La Poubelle eut envie de foncer sur le

Kid et de le faire basculer dans le vide. Mais le Kid se retourna, les deux pistolets aux poings.

– Mais dis donc, La Poubelle, t'en as des vilaines idées dans ta petite tête. Et ne me dis pas le contraire. Tu me la feras pas à moi.

La Poubelle secoua énergiquement la tête pour protester.

– Me prends pas pour un con, La Poubelle. T'as vraiment pas intérêt. Maintenant, pousse le minibus. Grouille-toi. Je te donne un quart d'heure.

Une Austin se trouvait là, en travers de la ligne médiane. Le Kid ouvrit la portière du passager, sortit nonchalamment le cadavre gonflé d'une adolescente (quand son bras se détacha, il le lança derrière lui, comme un pique-niqueur distrait lance la cuisse de poulet qu'il vient de terminer), puis il s'assit dans le siège baquet, les pieds sur la chaussée. Commodément installé, il fit un geste amical avec ses deux pistolets dans la direction de La Poubelle qui attendait, la tête rentrée dans les épaules, tremblant de tous ses membres.

– Tu perds du temps, ma petite poule.

Puis le Kid renversa la tête en arrière et se mit à chanter :

– Tiens... voilà Johnny qui se pointe, la bite à la main, Johnny qui n'a qu'une couille, Johnny qui part au rodéo... Très bien, La Poubelle, tas de merde, au boulot, il te reste douze minutes seulement... en avant, marche ! Allez enfoiré de mes deux, oh... hisse !

La Poubelle s'appuya sur le minibus, arqua les jambes et poussa de toutes ses forces. Le minibus avança un peu, de cinq centimètres peut-être. Et dans son cœur, La Poubelle sentit renaître l'espoir – mauvaise herbe indestructible du cœur humain. Le Kid était complètement dingue, ce que Carley Yates et ses copains auraient appelé dingue comme une grenouille en rut. S'il arrivait à balancer le minibus dans le vide, s'il réussissait à dégager la voie pour le précieux coupé du Kid, le cinglé lui laisserait peut-être la vie sauve.

Peut-être.

Il baissa la tête, saisit le pare-chocs du minibus et poussa de toutes ses forces. Un éclair de douleur traversa son bras brûlé et il sut que la blessure à peine cicatrisée allait bientôt se rouvrir et que la douleur serait atroce.

Le minibus avança encore d'une dizaine de centimètres. La Poubelle était en nage. Une goutte de sueur tomba de son sourcil dans son œil, brûlante comme de l'huile de moteur.

– Tiens... voilà Johnny qui se pointe, la bite à la main, Johnny qui n'a qu'une couille, Johnny qui part au rodéo..., chantait le Kid. En avant, marche ! Oh... hisse !

La petite chanson se cassa net, comme une brindille sèche. La Poubelle leva les yeux, inquiet. Le Kid était sorti de l'Austin. Il était debout, tourné vers la pente rocailleuse et broussailleuse qui s'élevait derrière eux, masquant une bonne moitié du ciel.

– Bordel, qu'est-ce que c'était ? murmura le Kid.

– Je n'ai rien enten...

Puis il entendit quelque chose. Un petit bruit de pierre, de l'autre côté de la route. Et son rêve lui revint tout à coup, fulgurant, un souvenir qui lui glaça le sang et fit s'évaporer toute la salive de sa bouche.

– *Qui est là ?* cria le Kid. Répondez, nom de Dieu ! Répondez ou je tire !

Il obtint une réponse, mais pas d'une voix humaine. Un hurlement monta dans la nuit comme une sirène rauque, monta puis s'éteignit brusquement dans un grognement guttural.

– Merde alors ! fit le Kid d'une toute petite voix.

De l'autre côté de l'autoroute, des loups descendaient la pente, traversaient la bande médiane, des loups gris aux yeux rouges qui retroussaient leurs babines, découvrant des crocs menaçants. Ils étaient plus de deux douzaines. La Poubelle, perdu dans une extase de terreur, fit encore pipi dans son pantalon.

Le Kid fit le tour de l'Austin et tira deux fois. Des éclairs sortirent des deux canons et le bruit des coups de feu résonna dans les montagnes, comme un grondement de barrage d'artillerie. La Poubelle lança un cri et s'enfonça les doigts dans les oreilles. La fumée bleue de la poudre s'effilochait, emportée par la brise. L'odeur de la cordite lui piquait le nez.

Les loups continuaient à avancer, au petit trot, ni plus vite ni plus lentement que tout à l'heure. Leurs yeux... La Poubelle ne pouvait s'empêcher de regarder leurs yeux. Ce n'étaient pas des yeux de loups ordinaires, oh non. C'étaient les yeux du Maître, pensa-t-il. Leur Maître et le *sien*. Tout à coup, il se souvint de sa prière et la peur le quitta aussitôt. Il se déboucha les oreilles. Il oublia la grosse tache qui s'élargissait sur son pantalon. Et il se mit à sourire.

Le Kid avait vidé ses deux pistolets. Trois loups gisaient par terre. Il rengaina les 45 sans essayer de les recharger et se tourna vers l'ouest. Il fit une dizaine de pas, puis s'arrêta. D'autres loups s'avançaient, serpentant entre les voitures dans la nuit, comme des lambeaux de brume. L'un d'eux leva la tête et lança un hurlement. Puis un deuxième, un troisième. Et maintenant, tous hurlaient à la lune. Puis ils reprirent leur marche.

Le Kid reculait. Il essayait de recharger un de ses pistolets, mais ses doigts mous laissaient s'échapper les balles. Soudain, il renonça. Le pistolet tomba de sa main et rebondit sur la chaussée. Comme si c'était un signal, les loups se précipitèrent vers lui.

Avec un cri perçant de terreur, le Kid fit demi-tour et se précipita vers l'Austin. Son deuxième pistolet tomba par terre et rebondit sur la chaussée. Avec un grondement sourd, déchirant, un loup bondit sur lui au moment où il plongeait dans l'Austin et refermait la porte.

Il était temps. Le loup frappa contre la portière en grondant, faisant rouler ses horribles yeux rouges. D'autres vinrent le rejoindre et l'Austin fut bientôt encerclée. Derrière la vitre, le visage du Kid ressemblait à une petite lune blafarde.

Puis l'un des loups s'avança vers La Poubelle, baissant sa tête triangulaire, ses yeux scintillant dans la nuit comme deux lampes-tempête.

Je te donnerai ma vie...

D'un pas décidé, La Poubelle s'avança à la rencontre de la bête. Il lui tendit sa main brûlée et le loup la lécha. Puis la bête s'assit à ses pieds, sa grosse queue hirsute entre les jambes.

Le Kid le regardait, bouche bée.

La Poubelle se tourna vers lui, un sourire moqueur aux lèvres, puis lui fit un geste obscène avec l'index.

Avec *l'index et le majeur.*

– Va te faire foutre ! hurla-t-il. T'es enfermé ! Tu m'entends ? *T'AS COMPRIS, OU FAUT QUE JE TE FASSE UN DESSIN ? TA GUEULE, C'EST MOI QUI CAUSE !*

La gueule du loup se referma doucement sur la main droite de La Poubelle qui baissa les yeux. Debout à côté de lui, le loup le tirait doucement, l'entraînait vers l'ouest.

– D'accord, dit La Poubelle d'une voix très calme. D'accord, on y va.

Il se mit à marcher et le loup lui emboîta aussitôt le pas, comme un bon chien. Puis cinq autres vinrent les rejoindre. La Poubelle avait maintenant son escorte, un loup devant, un autre derrière, deux de chaque côté.

Il s'arrêta pour regarder derrière lui. Et jamais il n'allait oublier ce qu'il vit : les loups étaient sagement assis autour de la petite Austin, formant un cercle gris, et derrière la vitre de la portière on voyait la bouche du Kid s'ouvrir et se refermer au milieu de l'ovale blafard de son visage. Les loups se léchaient les babines, semblaient ricaner en regardant le Kid. On aurait dit qu'ils se moquaient de lui, qu'ils lui demandaient s'il comptait toujours faire la peau de l'homme noir. La Poubelle se demanda combien de temps ces loups resteraient là, assis autour de la petite Austin, encerclant le Kid de leurs dents menaçantes. Le temps qu'il faudrait, naturellement. Deux jours, trois, peut-être quatre. Le Kid allait rester assis derrière sa vitre. Rien à manger (sauf s'il y avait eu un passager avec l'adolescente, naturellement), rien à boire, plus de cinquante degrés dans la petite voiture quand le soleil frapperait de plein fouet. Et les bons chiens de l'homme noir attendraient que le Kid meure de faim, ou que la folie lui fasse ouvrir la porte pour tenter de s'enfuir. La Poubelle éclata de rire dans le noir. Le Kid n'était pas très gros. À peine une bouchée pour chacun. Une bouchée qui les empoisonnerait peut-être.

– T'as compris ? cria-t-il aux étoiles. Ta gueule, c'est moi qui cause, ou faut que je te fasse un dessin ! Enfoiré de mes deux !

Ses compagnons trottinaient à côté de lui sans se soucier de ses hurlements. Lorsqu'ils arrivèrent à la hauteur du coupé du Kid, le loup qui le suivait s'approcha de la voiture, flaira l'un des énormes pneus Goodyear, puis, avec un rictus sardonique, leva la patte et fit pipi. La Poubelle éclata de rire, si fort que des larmes perlèrent au coin de ses yeux, roulèrent le long de ses joues que dévorait une barbe de plusieurs jours. Comme un plat qui mijote, sa folie n'attendait plus que le soleil du désert pour devenir complète, pour prendre enfin toute sa délicate saveur.

La Poubelle marchait, accompagné de son escorte. Les voitures étaient de plus en plus serrées sur la route et les loups rampaient silencieusement dessous, traînant le ventre sur la chaussée, ou grimpaient sur les toits et les capots – silencieux compagnons aux yeux si rouges, aux crocs si blancs. Quand ils arrivèrent au tunnel Eisenhower, un peu après minuit, La Poubelle n'eut pas d'hésitation et s'enfonça dans l'énorme gueule béante. De quoi aurait-il eu peur ? De quoi aurait-il pu avoir peur, entouré d'une pareille escorte ?

Mais la route était longue dans le noir et, presque aussitôt, il perdit la notion du temps. À tâtons, il passait d'une voiture à l'autre. Une fois, sa main s'enfonça dans quelque chose de mouillé et de mou. Un jet de gaz puant s'échappa en sifflant. Même alors, il ne vacilla pas. De temps en temps, il voyait des yeux rouges dans l'obscurité, devant lui, ces yeux rouges qui le conduisaient.

Puis il sentit que l'air se faisait plus frais et il pressa le pas. Il trébucha, perdit l'équilibre et se cogna la tête contre un pare-chocs. Peu après, il leva les yeux et vit les étoiles qui pâlissaient dans l'aube naissante. Il était sorti.

Ses gardiens s'étaient évanouis. Mais La Poubelle tomba à genoux et se lança dans une longue prière confuse, incohérente. Il avait vu à l'œuvre la main de l'homme noir, il l'avait vue de ses yeux.

Malgré tout ce qui lui était arrivé depuis qu'il s'était réveillé la veille pour découvrir le Kid en train d'admirer sa coiffure dans la glace de la chambre du Golden Motel, La Poubelle était trop énervé pour dormir. Il continua à marcher, laissant derrière lui le tunnel. La route était toujours encombrée de voitures mais, cinq kilomètres plus loin, elle commença à se dégager et il put avancer plus facilement. De l'autre côté de la bande médiane, les véhicules immobilisés s'étendaient à perte de vue devant l'entrée du tunnel.

À midi, il arriva à Vail, petite ville perdue au fond d'une vallée. La fatigue tomba sur lui d'un seul coup. Il cassa une vitre, ouvrit une porte, trouva un lit. Et il s'endormit aussitôt jusqu'au lendemain matin.

La folie religieuse a ceci de merveilleux qu'elle peut tout expliquer. Dès lors qu'on accepte Dieu (ou Satan) comme cause première de tout ce qui survient dans le monde mortel, rien n'est plus laissé au hasard. Dès lors que l'on maîtrise des phrases incantatoires comme « et maintenant nous voyons dans la nuit » ou « les voies de Dieu sont insondables », rien n'empêche plus de jeter la logique aux orties. La folie religieuse est l'un des rares moyens infaillibles de faire face aux caprices du monde, car elle élimine totalement le simple accident. Pour le véritable maniaque religieux, tout avait été prévu.

C'est fort probablement pour cette raison que La

Poubelle parla à un corbeau pendant près de vingt minutes lorsqu'il sortit de Vail, convaincu que l'oiseau était un émissaire de l'homme noir... ou l'homme noir lui-même. Perché sur un fil de téléphonie, le corbeau le regarda longtemps en silence, puis finit par s'envoler, poussé par la fatigue ou la faim... à moins qu'il n'eût compris que les débordements de La Poubelle qui clamait les louanges de l'homme noir et lui promettait fidélité et loyauté étaient enfin terminés.

La Poubelle se trouva une autre bicyclette près de Grand Junction et, le 25 juin, il avait traversé l'ouest de l'Utah par la nationale 4 qui relie l'autoroute 89 à l'est à la grande artère du sud-ouest, l'autoroute 15 qui va du nord de Salt Lake City jusqu'à San Bernardino, en Californie. Et quand la roue avant de sa nouvelle bicyclette décida tout à coup de fausser compagnie au reste de la machine pour foncer toute seule dans le désert, La Poubelle pirouetta par-dessus son guidon et atterrit sur la tête, avec une violence qui aurait dû lui valoir une fracture du crâne (il roulait à plus de soixante à l'heure et ne portait pas de casque). Pourtant, moins de cinq minutes plus tard, il était debout, le visage couvert de sang, et reprenait sa petite danse incantatoire, sourire aux lèvres : « *Cibola, je te donne ma vie, Cibola, tam-tam boum !* » Rien n'est plus réconfortant pour un esprit abattu ou pour un crâne fêlé qu'une bonne dose de « que Ta volonté soit faite ».

Le 7 août, Lloyd Henreid entra dans la chambre où l'on avait installé La Poubelle la veille, complètement déshydraté, presque comateux. C'était une belle chambre, au treizième étage du MGM Grand Hotel. Un lit circulaire, avec des draps de soie. Au plafond, un miroir lui aussi circulaire qui paraissait taillé au même diamètre que le lit.

La Poubelle regarda Lloyd.

– Comment ça va, La Poubelle ?

– Bien, beaucoup mieux.

– Un bon repas, une bonne nuit, c'est tout ce qu'il te fallait. Je t'ai apporté des vêtements propres. J'espère qu'ils sont à ta taille.

– Ça a l'air d'aller.

La Poubelle n'avait jamais pu se souvenir de sa taille. Il prit le jeans et la chemise que Lloyd lui tendait.

– Descends prendre le petit déjeuner quand tu seras habillé, dit Lloyd d'une voix étrangement respectueuse. Nous mangeons généralement à la cafétéria.

– D'accord.

Dans la cafétéria, c'était un bourdonnement continu de conversations. La Poubelle s'arrêta à la porte, tout à coup rempli de terreur. Ils allaient tous le regarder quand il entrerait. Ils allaient le regarder et éclater de rire. Quelqu'un aurait le fou rire, tout au fond de la salle. Un autre l'imiterait. Et bientôt, tous allaient éclater de rire en le montrant du doigt.

Hé, planquez vos allumettes, voilà La Poubelle !

Hé, La Poubelle ! Qu'est-ce qu'elle a dit la vieille Semple quand t'as brûlé son chèque de pension ?

T'as bien pissé dans ton lit, La Poubelle ?

La sueur perlait sur son front et il se sentit gluant, même s'il avait pris une douche quelques minutes plus tôt. Il se souvenait de son visage dans le miroir de la salle de bains, son visage couvert de croûtes qui séchaient lentement, de son corps émacié, de ses yeux trop petits dans leurs orbites creuses. Oui, ils allaient rire. Il écouta le bourdonnement des conversations, le tintement des couverts, et pensa qu'il valait mieux filer.

Puis il se souvint du loup qui lui avait pris la main, si gentiment, qui lui avait montré la route, laissant derrière lui la tombe de métal du Kid. La Poubelle redressa les épaules et entra.

Quelques personnes levèrent les yeux, puis reprirent leurs conversations. Lloyd, assis à une grande table au milieu de la salle, lui faisait signe d'approcher. La Poubelle se faufila entre les tables. Trois hommes étaient assis avec Lloyd. Tous mangeaient du jambon et des œufs brouillés.

– Sers-toi, dit Lloyd. Il y a un buffet, là-bas.

La Poubelle prit un plateau et se servit. Debout derrière le buffet, un homme en tenue de cuisinier, plutôt sale, l'observait.

– Vous êtes monsieur Horgan ? demanda timidement La Poubelle.

– Ouais, répondit Horgan avec un grand sourire édenté, mais c'est pas comme ça qu'il faut m'appeler, mon gars. Je m'appelle Whitney. Ça va mieux aujourd'hui ? T'avais l'air drôlement mal foutu quand t'es arrivé.

– Ça va beaucoup mieux.

– Prends donc des œufs. Tant que t'en veux. Mais si j'étais toi, j'irais mollo avec les frites. Elles sont plutôt dégueulasses. Content de te voir en tout cas.

– Merci.

Et La Poubelle revint à la table de Lloyd.

– La Poubelle, voici Ken DeMott. Le chauve, c'est Hector Drogan. Et ce petit mec qui essaye de se faire pousser une balayette de chiottes au-dessous du nez s'appelle l'As.

Ils le saluèrent tous en inclinant la tête.

– C'est le nouveau, expliqua Lloyd. Il s'appelle La Poubelle.

La Poubelle serra la main de tout le monde et attaqua ses œufs. Puis il se tourna vers le jeune homme à la petite moustache et demanda très poliment :

– Vous voulez bien me passer le sel, s'il vous plaît, monsieur l'As ?

Les autres se regardèrent, étonnés, puis éclatèrent de rire. La Poubelle sentit la panique monter en lui, puis il entendit les rires et comprit qu'ils n'étaient pas méchants. Personne n'allait lui demander pourquoi il n'avait pas brûlé l'école au lieu de l'église. Personne n'allait se foutre de lui à propos du chèque de pension de la vieille Semple. Il pouvait sourire lui aussi, s'il en avait envie. Ce qu'il fit.

– *Monsieur l'As,* répéta Hector Drogan entre deux éclats de rire. Ça te fera les pieds, As. *Monsieur l'As,* j'adore. *Môôôsieur l'As*. Ça, c'est vraiment bien trouvé.

L'As tendit la salière à La Poubelle.

– Appelle-moi l'As tout court, mon pote. Ça suffit amplement.

– D'accord, répondit La Poubelle en souriant. Pas de problème.

– Môôôsieur l'As, gloussait Heck Drogan en prenant une petite voix de fausset. As, je te jure que je vais pas l'oublier, celle-là.

– En tout cas, c'est pas ça qui va m'empêcher de bouffer, dit l'As en se levant pour aller reprendre des œufs.

En passant, sa main se referma un instant sur l'épaule de La Poubelle. Une main chaude, solide. Une main amicale qui ne faisait pas mal.

La Poubelle sentit une vague de chaleur s'emparer de lui. Une chaleur qui lui était si étrangère qu'il crut presque être malade. Et, tout en mastiquant, il commença à comprendre. Il leva les yeux, regarda ces visages autour de lui, et se dit que – oui – il comprenait maintenant.

C'était le bonheur.

Quels braves types, pensa-t-il.

Et tout de suite après : *Je suis chez moi*.

Il passa le reste de la journée à dormir. Le lendemain, on l'emmena au barrage de Boulder en autocar avec un groupe. Toute la journée, il bobina du fil de cuivre sur des rotors qui avaient grillé. Il travaillait devant un établi d'où il voyait l'eau – le lac Mead – et personne ne le surveillait. La Poubelle se dit que, s'il n'y avait pas de contremaître, c'est que tout le monde adorait son travail, comme lui l'adorait déjà.

Mais il apprit le lendemain qu'il s'était trompé.

Il était dix heures et quart du matin. La Poubelle était assis sur son établi, toujours en train de bobiner du fil, l'esprit à des millions de kilomètres de ses doigts qui travaillaient tout seuls. Il composait dans sa tête un psaume à la louange de l'homme noir. Et il s'était dit qu'il devrait se procurer un gros livre (un Livre) pour noter ce qu'il pensait de *lui*. Un Livre que les gens liraient plus tard. Les gens qui sentaient la même chose que La Poubelle.

Ken DeMott s'approcha de l'établi. Il était pâle. Il avait l'air terrorisé.

– Viens. C'est fini pour aujourd'hui. On rentre à Las Vegas. Tout le monde. Les bus attendent.

– Ah bon ? Pourquoi ?

– Je sais pas. Ce sont *ses* ordres. Lloyd nous a informés. Magne-toi le cul, La Poubelle. Vaut mieux pas poser de questions.

Si bien qu'il n'en posa pas. Dehors, trois autobus scolaires attendaient, moteurs au ralenti. Des hommes et des femmes montaient. On ne parlait pas beaucoup. Et le trajet du retour, alors qu'il n'était pas midi, se fit dans un silence qui étonna La Poubelle. Pas de bousculade, presque pas de conversations, rien des habituelles taquineries entre la vingtaine de femmes et la trentaine d'hommes qui composaient le groupe. Tous semblaient s'être enfermés derrière un mur de silence.

Ils étaient presque arrivés quand La Poubelle entendit un homme assis de l'autre côté de l'allée dire à voix basse à son voisin :

– C'est Heck. Heck Drogan. Nom de Dieu, comment ça se fait qu'il sait tout celui-là ?

– Tais-toi, répondit l'autre en lançant un regard méfiant à La Poubelle.

La Poubelle détourna les yeux et regarda par la fenêtre. Une fois de plus, son pauvre esprit était troublé.

– Mon Dieu, soupira l'une des femmes en descendant de l'autobus.

Mais elle n'en dit pas plus.

La Poubelle regardait autour de lui, étonné. Tout

le monde était là, tous ceux qui vivaient à Cibola. On les avait rappelés, à l'exception des quelques éclaireurs qui sillonnaient le pays, quelque part entre la basse Californie et l'ouest du Texas. Ils étaient rassemblés en demi-cercle autour de la fontaine, sur six ou sept rangs, plus de quatre cents en tout. Ceux qui se trouvaient derrière étaient montés sur des chaises pour mieux voir et La Poubelle crut que c'était la fontaine qu'ils regardaient. Puis il s'approcha, tendit le cou et vit qu'il y avait quelque chose sur la pelouse, devant la fontaine, mais il voyait mal ce que c'était.

Une main le prit par le coude. C'était Lloyd. Il était blanc comme un linge.

– Je te cherchais. *Il* veut te voir plus tard. En attendant, il faut faire ce truc. Crois-moi, j'aime pas ça. Allez viens. J'ai besoin d'aide et on t'a élu.

Tout tourbillonnait dans la tête de La Poubelle. *Il* voulait le voir ! *Lui !* Mais avant, il y avait ce... mais qu'est-ce que c'était ?

– Qu'est-ce que tu dis, Lloyd ? Qu'est-ce que c'est ?

Lloyd ne répondit pas. Il tenait toujours La Poubelle par le coude, le poussait vers la fontaine. La foule s'écarta pour les laisser passer, créant devant eux un étroit corridor qui semblait enveloppé dans une couche glacée de peur et de mépris.

Whitney Horgan était debout devant la foule. Il fumait une cigarette. Son pied chaussé d'un Hush Puppies était posé sur l'objet que La Poubelle n'avait pas pu distinguer tout à l'heure. C'était une croix de bois, longue d'environ quatre mètres, semblable à un *t*.

– Tout le monde est là ? demanda Lloyd.

– Ouais, répondit Whitney, je crois bien. Winky a fait l'appel. Neuf types sont en balade. Flagg a dit que ça n'avait pas d'importance. Comment ça va, Lloyd ?

– Ça ira, répondit Lloyd. J'aime pas trop, tu sais – mais ça ira.

Whitney se tourna vers La Poubelle.

– Qu'est-ce qu'il sait, celui-là ?

– Je sais rien, répondit La Poubelle, de plus en plus perdu. Qu'est-ce que c'est ? Quelqu'un disait que Heck...

– Ouais, c'est Heck, répondit Lloyd. Il s'envoyait en l'air dans son petit coin. Foutue connerie, sacrée foutue connerie. Allez, Whitney, dis-leur de l'amener.

Whitney s'éloigna en enjambant un trou rectangulaire qui s'ouvrait dans le sol. Ses parois étaient cimentées. Il semblait avoir exactement la dimension voulue pour recevoir le pied de la croix. Quand Whitney escalada au petit trot les larges marches qui montaient entre les deux pyramides dorées, La Poubelle sentit sa salive sécher dans sa bouche. Il se tourna tout à coup, vit d'abord la foule silencieuse qui attendait en croissant sous le ciel bleu, puis Lloyd, pâle et silencieux lui aussi, qui regardait la croix en faisant éclater un bouton d'acné sur son menton.

– Vous... vous le clouez ? réussit enfin à dire La Poubelle. C'est ça ?

Lloyd chercha quelque chose dans la poche de sa chemise.

– Tu sais, j'ai quelque chose pour toi. *Il* m'a dit de te la donner. Tu n'es pas obligé de la prendre. Heureusement que j'ai pas oublié. Tu la veux ?

Il sortit de sa poche une petite chaîne d'or à laquelle pendait une pierre noire, du jais. La pierre était marquée en son centre d'un point rouge, comme celle de Lloyd. Il la fit balancer devant les yeux de La Poubelle, comme le pendule d'un hypnotiseur.

La Poubelle lisait la vérité dans les yeux de Lloyd, une vérité si claire qu'il ne pouvait pas ne pas la comprendre, et il sut qu'il ne pourrait jamais pleurer et se mettre à plat ventre – pas devant *lui,* pas devant un autre non plus, mais certainement pas devant *lui* – et prétendre qu'il n'avait pas compris. *Prends cela, et tu prends tout,* disaient les yeux de Lloyd. *Ce que je veux dire ? Heck Drogan, bien sûr. Heck et le trou cimenté, le trou juste assez grand pour la croix de Heck.*

Il tendit lentement la main, mais s'arrêta juste avant que ses doigts ne touchent la chaîne d'or.

C'est ma dernière chance. Ma dernière chance d'être encore Donald Merwin Elbert.

Mais une autre voix, plus forte (douce pourtant, comme une main fraîche sur un front brûlant), lui disait que l'heure des choix était depuis longtemps passée. S'il choisissait d'être Donald Merwin Elbert, il allait mourir. C'est librement qu'il était parti à la recherche de l'homme noir (s'il existe une liberté pour les poubelles du monde), qui avait accepté ses faveurs. L'homme noir lui avait sauvé la vie quand il avait fait la rencontre du Kid (que l'homme noir puisse avoir *envoyé* le Kid dans cette intention précise ne lui traversa jamais l'esprit), et donc il devait sa vie à ce même homme noir... une dette envers cet homme que certains ici appelaient le Promeneur. Sa vie ! Ne l'avait-il pas offerte lui-même, maintes et maintes fois ?

Mais ton âme... as-tu aussi offert ton âme ?

Trop tard maintenant, pensa La Poubelle et, tout doucement, il prit d'une main la chaîne d'or, de l'autre la pierre noire, froide et lisse. Il la garda quelque temps dans le creux de sa main pour voir s'il parvenait à la réchauffer. Il ne croyait pas pouvoir y parvenir, et il avait raison. Il la mit donc autour de son cou où elle toucha sa peau, comme une petite boule de glace.

Mais cette sensation glacée n'était pas désagréable.

Cette sensation glacée calmait le feu qu'il sentait déjà dans sa tête.

– T'as qu'à te dire que tu le connais pas, dit Lloyd. Je veux parler de Heck. C'est toujours comme ça que je fais. C'est plus facile. C'est...

Deux des grandes portes de l'hôtel s'ouvrirent brutalement. On entendit des hurlements hystériques. La foule poussa un soupir.

Neuf hommes descendaient l'escalier. Hector Drogan était au centre. Il se débattait comme un tigre pris dans un filet. Son visage était d'une pâleur mortelle, à l'exception de deux taches de fièvre sur ses pommettes. La sueur coulait à flots sur tout son corps. Il était nu comme un ver. Cinq hommes le tenaient. L'un d'eux était l'As, le jeune type dont Heck s'était gentiment moqué.

– As ! balbutiait Hector. As, qu'est-ce que tu fous ? Tu vas pas me laisser tomber ? Dis-leur d'arrêter – je vais changer, je le jure, je vais changer. Une dernière petite chance ! *Je t'en prie,* As !

L'As ne dit rien et serra plus fort le bras de Heck qui se débattait toujours. La réponse était claire et Hector Drogan se remit à hurler. Il fallut le traîner jusqu'à la fontaine.

Derrière lui, en cortège comme de lugubres croque-morts, trois hommes suivaient : Whitney Horgan, qui portait un grand sac ; Roy Hoopes, armé d'un escabeau ; et enfin Winky Winks, un chauve qui clignait constamment les yeux. Winky tenait une petite planchette sur laquelle était fixée une feuille de papier.

On traîna Heck jusqu'au pied de la croix. Une horrible odeur de terreur émanait de son corps ; ses yeux roulaient dans leurs orbites, découvrant le blanc sale des globes, les yeux d'un cheval laissé dehors en plein orage.

– Hé ! La Poubelle ! dit-il d'une voix rauque quand Roy Hoopes installa son escabeau derrière lui. La Poubelle ! Dis-leur d'arrêter. Dis-leur que je vais changer. Dis-leur qu'ils m'ont flanqué une sacrée trouille, que ça suffit comme ça. Dis-leur, s'il te plaît.

La Poubelle regarda par terre. Quand il se pencha en avant, la pierre noire fit un petit mouvement de pendule et il la vit devant ses yeux. L'éclat rouge, l'œil, semblait le regarder fixement.

– Je ne te connais pas, murmura-t-il.

Du coin de l'œil, il vit Whitney mettre un genou à terre, cigarette au coin de la bouche, l'œil gauche fermé à cause de la fumée. Il ouvrit le sac. Il en sortit de gros clous de bois. Horrifié, La Poubelle se dit qu'ils étaient presque aussi gros que des piquets de tente. Il les posa sur le gazon, puis sortit un maillet de son sac.

Malgré le murmure de la foule, la réponse de La Poubelle avait apparemment percé le brouillard de panique qui enveloppait le cerveau de Hector Drogan.

– Comment ça, que tu m'connais pas ? cria-t-il. On a pris le petit déjeuner ensemble il y a deux jours ! Et celui-là, tu l'as appelé monsieur l'As. *Qu'est-ce que tu veux dire, que tu m'connais pas, espèce de petit salopard de menteur ?*

– Je ne vous connais pas du tout, répéta La Poubelle, un peu plus fort cette fois.

Et il se sentit soulagé. Devant lui, il ne voyait plus qu'un étranger, un étranger qui ressemblait un peu à Carley Yates. Sa main se serra sur la pierre noire. Le froid de la pierre le rassura encore.

– *Espèce de menteur !* hurla Heck qui recommença à se débattre, tous les muscles tendus, la sueur dégoulinant sur sa poitrine, le long de ses bras. *Espèce de menteur ! Tu me connais ! Sale menteur !*

– Non, je ne vous connais pas. Je ne vous connais pas et je ne veux pas vous connaître.

Heck hurlait comme un fou. Haletants, ses quatre gardiens avaient du mal à le retenir.

– Allez-y, dit Lloyd.

L'un des gardiens fit un croc-en-jambe à Heck qui s'effondra en travers de la croix. Pendant ce temps, Winky avait commencé à lire pour la foule le message tapé à la machine sur la feuille de papier, si fort que sa voix couvrit les hurlements de Heck comme le sifflement d'une scie mécanique.

– Attention, attention, attention ! Par décision de Randall Flagg, Chef du Peuple et Premier Citoyen, cet homme, Hector Alonzo Drogan, coupable d'avoir consommé de la drogue, sera exécuté par crucifixion.

– *Non ! Non ! Non !*

Le bras gauche de Heck, luisant de sueur, échappa à l'As. Sans réfléchir, La Poubelle s'agenouilla et écrasa de tout son poids le poignet de Heck sur le bois de la croix. Une seconde plus tard, Whitney était à genoux à côté de La Poubelle, armé de son gros maillet et de deux grands clous. La cigarette pendait toujours au coin de sa bouche. On aurait dit un homme en train de réparer une clôture au fond de sa cour.

– C'est ça, très bien, tiens-le comme ça, La Poubelle. Je vais le clouer. Ça va prendre une minute.

– L'usage de la drogue est strictement interdit dans la Société du Peuple car la drogue empêche celui qui la consomme de contribuer pleinement à la Société du Peuple, lisait Winky d'une voix saccadée, comme s'il vendait des bestiaux à la criée, et ses yeux papillotaient follement pendant sa lecture. Dans le cas particulier, l'accusé, Hector Drogan, a été trouvé en possession d'un matériel chimique et d'un stock important de cocaïne.

Les hurlements de Heck avaient maintenant pris une telle intensité qu'ils auraient sans doute fait voler en éclats un verre de cristal, s'il y en avait eu un aux alentours. L'écume aux lèvres, il donnait de grands coups avec sa tête. Des rivières de sang couraient le long de ses bras quand les cinq hommes et La Poubelle redressèrent la croix et la firent descendre dans le trou cimenté. Et maintenant, la silhouette d'Hector Drogan se découpait sur le ciel, la tête renversée en arrière, le visage déformé par un rictus de douleur.

– ... pour le bien de la Société du Peuple, continuait Winky, imperturbable, en guise d'avertissement solennel. Salutations au peuple de Las Vegas. Que ce message soit cloué au-dessus de la tête du mécréant et qu'il soit marqué du sceau du Premier Citoyen, *RANDALL FLAGG*.

– *Mon Dieu, j'ai mal !* hurlait Hector Drogan du haut de sa croix. *Mon Dieu, mon Dieu, mon Dieu, mon Dieu, mon Dieu !*

La foule resta là près d'une heure, chacun craignant d'être le premier à partir. Le dégoût se lisait sur de nombreux visages, une sorte d'excitation hébétée sur de nombreux autres... mais s'il existait un dénominateur commun, c'était la peur.

La Poubelle n'avait pas peur. Pourquoi aurait-il eu peur ? Il ne connaissait pas cet homme.
Il ne le connaissait pas du tout.

Il était dix heures et quart, ce soir-là, quand Lloyd revint dans la chambre de La Poubelle.
– Tu es encore habillé. Parfait. Je pensais que tu t'étais peut-être déjà couché.
– Non. Pourquoi ?
La voix de Lloyd se fit plus basse.
– Maintenant, La Poubelle. Il veut te voir. Flagg.
– Il...
– Oui.
La Poubelle était transporté de bonheur.
– Où ça ? Je lui donnerai ma vie, oh oui...
– Au dernier étage, répondit Lloyd. Il est arrivé quand nous avons terminé de brûler le corps de Drogan. Il venait de la côte. Whitney et moi, on avait fini de reboucher la fosse quand on l'a vu. Personne ne le voit venir, La Poubelle, mais tout le monde sait quand il s'en va ou quand il revient. Allez, on y va.

Quatre minutes plus tard, l'ascenseur s'arrêta au dernier étage et La Poubelle en sortit, rayonnant, les yeux écarquillés. Lloyd resta dans la cabine.
– Tu ne..., dit La Poubelle en se tournant vers lui.
Lloyd se força pour esquisser un sourire.
– Non, il veut te voir tout seul. Bonne chance, La Poubelle.
Avant que La Poubelle puisse répondre, la porte de l'ascenseur s'était refermée et Lloyd n'était plus là.
La Poubelle se retourna. Il se trouvait dans un large couloir, somptueusement décoré. Deux portes... et celle du fond s'ouvrait lentement. Il faisait noir, mais La Poubelle put voir une forme dans l'embrasure de la porte. Et des yeux. Des yeux rouges.
Le cœur battant, la bouche sèche, La Poubelle s'avança vers la forme. Et l'air parut devenir de plus

en plus froid. La Poubelle sentit qu'il avait la chair de poule sur ses bras brûlés par le soleil. Quelque part au fond de lui, très profond, le cadavre de Donald Merwin Elbert se retourna dans sa tombe et lança un grand cri.

Puis ce fut à nouveau le silence.

– La Poubelle, fit une voix grave et chaleureuse. Comme je suis content de te voir.

Et les mots tombèrent comme des grains de poussière de la bouche de La Poubelle :

– Je... je vous donnerai ma vie.

– Oui, dit la forme d'une voix rassurante, et La Poubelle vit s'écarter deux lèvres, découvrant des dents d'une blancheur éclatante. Mais nous n'en sommes pas encore là. Entre donc. Laisse-moi te regarder.

Les yeux brillants, le visage impassible comme celui d'un somnambule, La Poubelle entra. La porte se referma, et ce fut l'obscurité. Une main terriblement chaude se referma sur le poignet glacé de La Poubelle... et tout à coup, il se sentit en paix.

– Une tâche t'attend dans le désert, La Poubelle. Une grande tâche. Si tu le veux.

– Ce que vous voudrez, murmura La Poubelle. Tout.

Randall Flagg le prit par les épaules.

– Tu vas aller brûler. Allez, viens, allons en parler devant un verre.

Et ce fut un très bel incendie.

49

Quand Lucy Swann se réveilla, il était minuit moins le quart à la montre Pulsar qu'elle portait au poignet. Des éclairs de chaleur illuminaient le ciel, à l'ouest, du côté des montagnes – les *Rocheuses*, précisa-t-elle mentalement, un peu impressionnée, elle qui n'avait jamais été plus à l'ouest que Philadelphie où vivait son beau-frère. Avait vécu, plus exactement.

L'autre moitié du sac de couchage double était vide ; et c'était cela qui l'avait réveillée. Elle pensa se retourner et se rendormir – il reviendrait se coucher quand il en aurait envie – mais décida finalement de se lever et se dirigea sans bruit vers le côté ouest du camp où elle croyait le trouver. Elle marchait à pas de loup et personne ne l'entendit. Sauf le juge, naturellement ; il était de garde de dix heures à minuit, et personne n'aurait pu surprendre le juge Farris en train de dormir quand il était de garde. Le juge avait soixante-dix ans et il s'était joint à leur groupe à Joliet. Ils étaient dix-neuf maintenant, quinze adultes, trois enfants et Joe.

– Lucy ? fit le juge d'une voix basse.

– Oui. Est-ce que vous avez vu...

Un petit gloussement étouffé.

– Oui, naturellement. Il est au bord de la route, comme hier soir, comme avant hier.

Elle s'approcha de lui et vit sa bible ouverte sur ses genoux.

– Vous allez vous faire mal aux yeux.

– Pas du tout. La lumière des étoiles est la meilleure pour ce genre de bouquin. Peut-être la seule d'ailleurs. Qu'est-ce que vous pensez de ça ? « *N'est-ce pas un service de soldat que fait le mortel sur terre, et ses jours ne sont-ils pas des jours de mercenaire ? Tel un esclave aspirant après l'ombre, et tel un mercenaire attendant son salaire, ainsi ai-je hérité de mois de déception, et des nuits de peine me sont échues.* »

– Super, dit Lucy sans trop d'enthousiasme. Vraiment joli.

– Non, ce n'est pas joli. Il n'y a rien de très joli dans le Livre de Job, Lucy, dit le juge en refermant sa bible. « *Des nuits de peine me sont échues.* » C'est le portrait de votre ami, Lucy, le portrait de Larry Underwood.

– Je sais, soupira-t-elle. Si seulement je savais ce qui le tracasse.

Le juge, qui avait sa petite idée là-dessus, ne répondit rien.

– Ce n'est sûrement pas à cause des rêves, reprit-elle, nous ne rêvons plus maintenant, sauf peut-être Joe. Et Joe est... différent.

– Oui, c'est vrai. Pauvre garçon.

– Tout le monde est en pleine forme. Du moins, depuis la mort de Mme Vollman.

Deux jours après le juge, un homme et une femme qui s'étaient présentés comme Dick et Sally Vollman étaient venus grossir le groupe de Larry et de ses compagnons. Lucy s'était dit qu'il était extrêmement peu probable que la grippe ait épargné un homme et sa femme. Elle en avait déduit qu'ils n'étaient sans doute pas vraiment mariés et qu'ils ne se connaissaient que depuis très peu de temps. Ils étaient tous les deux dans la quarantaine, et manifestement très épris l'un de l'autre. Et puis, il y avait de cela une semaine, chez la vieille dame, à Hemingford Home, Sally Vollman était tombée malade. Ils étaient restés là-bas deux jours, attendant qu'elle se rétablisse ou qu'elle meure. Elle était morte. Dick Vollman était toujours avec eux, mais il n'était plus le même à présent – silencieux, pensif, pâle.

– Il a vraiment très mal pris sa mort, vous ne croyez pas ? demanda-t-elle au juge Farris.

– Larry est un homme qui s'est trouvé relativement tard, répondit le juge en s'éclaircissant la gorge. En tout cas, c'est l'impression qu'il me donne. Et les hommes qui se découvrent tard ne sont jamais sûrs d'eux. Ils sont exactement ce que les manuels d'instruction civique nous disent qu'un bon citoyen doit être : engagés, mais jamais fanatiques ; respectueux des faits, sans jamais vouloir les déformer à leur convenance ; mal à l'aise dans un poste de commandement, mais rarement capables de décliner cette responsabilité lorsqu'elle leur est offerte... ou imposée. Dans une démocratie, ce sont les meilleurs chefs, car ils ne risquent pas d'aimer le pouvoir pour le pouvoir. Tout au contraire. Et quand les choses tournent mal... quand une Mme Vollman meurt...

Le juge s'interrompit.

– Et si c'était le diabète ? reprit-il un instant plus tard. Ce n'est pas impossible. La peau cyanosée, le coma rapide... Oui, c'est possible. Mais alors, où était son insuline ? S'est-elle laissée mourir ? Était-ce un suicide ?

Le juge s'arrêta encore, les mains sous le menton. Perdu dans ses pensées, il ressemblait à un oiseau de proie.

– Vous alliez dire quelque chose...

– Oui, quand les choses tournent très mal, quand une Sally Vollman meurt, du diabète, d'une hémorragie interne, d'autre chose, un homme comme Larry se sent responsable. Ces hommes connaissent rarement une fin heureuse. Melvin Purvis, le super-agent du FBI dans les années trente, s'est tué avec son arme de service en 1959. Quand Lincoln a été assassiné, il était déjà un vieillard avant l'âge, sur le point de faire une dépression nerveuse. À la télévision, nous avons tous vu les présidents s'user de mois en mois, et même de semaine en semaine – sauf Nixon, naturellement, Nixon qui vivait du pouvoir comme un vampire vit du sang de ses victimes, et Reagan, sans doute un peu trop stupide pour jamais vieillir. Gerald Ford était peut-être de la même espèce.

– Je pense qu'il y a autre chose, dit Lucy d'une voix triste.

Il lui lança un regard interrogateur.

– Comment disiez-vous tout à l'heure ? *Des nuits de peine me sont échues* ?

Le vieil homme hocha la tête.

– La description d'un homme amoureux, vous ne croyez pas ?

Il la regarda, surpris qu'elle ait su depuis le début ce qu'il ne voulait pas dire. Lucy haussa les épaules et sourit – tressaillement amer de ses lèvres.

– Les femmes savent ces choses-là, dit-elle. Les femmes savent presque toujours.

Avant qu'il n'ait eu le temps de répondre, elle était

déjà repartie vers la route, là où Larry était sûrement assis, en train de penser à Nadine Cross.

– Larry ?

– Je suis là. Qu'est-ce que tu fais ?

Larry était assis en tailleur au bord de la route, comme s'il méditait.

– J'avais froid. Tu me fais un peu de place ?

– Bien sûr.

Il se poussa un peu. La grosse pierre sur laquelle il s'était installé avait conservé un peu de la chaleur du jour. Lucy s'assit. Il la prit par les épaules. Selon les calculs de Lucy, ils devaient se trouver à environ quatre-vingts kilomètres à l'est de Boulder. S'ils repartaient à neuf heures demain matin, ils arriveraient dans la Zone libre de Boulder pour le déjeuner.

C'était l'homme de la radio, Ralph Brentner, qui l'appelait la Zone libre de Boulder. Et il avait expliqué (avec un peu de gêne) que la « Zone libre de Boulder » était essentiellement un indicatif radio. Mais Lucy aimait ce nom, un joli nom qui faisait penser à un nouveau départ. Nadine Cross l'avait adopté avec une ferveur presque religieuse, comme un talisman.

À Stovington, Larry, Nadine, Joe et Lucy avaient trouvé le centre épidémiologique complètement désert. Trois jours plus tard, Nadine leur avait proposé de se procurer une radio C.B. et d'écouter systématiquement les quarante canaux. Larry avait aussitôt accepté son idée – comme il acceptait d'ailleurs presque toutes ses idées, pensa Lucy. Mais elle ne comprenait pas du tout Nadine Cross. Larry était amoureux d'elle, c'était évident. mais Nadine ne semblait rien vouloir savoir de lui. On aurait même dit qu'elle cherchait à l'éviter.

En tout cas, Nadine avait eu une excellente idée, même si le cerveau dans lequel elle avait germé semblait aussi gelé que le Grand Nord (sauf lorsqu'il s'agissait de Joe). La C.B. serait le moyen le plus facile de localiser d'autres groupes et de les rejoindre, avait expliqué Nadine.

Ce qui avait entraîné une assez longue discussion. Ils étaient six maintenant, avec Mark Zellman, un soudeur qui vivait autrefois au nord de l'État de New York, et Laurie Constable, une infirmière de vingt-six ans. Une discussion qui avait mal tourné lorsqu'ils avaient reparlé de leurs rêves.

Laurie avait commencé par dire qu'ils savaient tous *exactement* où ils allaient. Ils suivaient Harold Lauder et son groupe, en route pour le Nebraska. Pas de doute. Et s'ils allaient là-bas, c'était pour la même raison que lui. La force de ces rêves était tout simplement trop grande pour qu'on puisse les ignorer.

Après quelques échanges d'arguments, Nadine était devenue complètement hystérique. Elle, elle ne rêvait pas. Point final. Si les autres voulaient jouer à l'auto-hypnose, tant mieux pour eux. Tant qu'il y avait une raison plus ou moins valable d'aller au Nebraska, par exemple la pancarte du Centre de Stovington, pas de problème. Mais elle voulait qu'il soit parfaitement clair qu'elle ne croyait pas un mot de toutes ces histoires métaphysiques. Et s'ils n'y voyaient pas d'inconvénient, elle préférait faire confiance aux radios plutôt qu'aux visions.

Mark s'était tourné vers Nadine en lui souriant gentiment.

– Mais si tu ne rêves pas, comment ça se fait que tu parlais en dormant hier soir ? Tu m'as même réveillé.

Nadine était devenue blanche comme un linge.

– Tu veux dire que je suis une menteuse ? Si c'est ça, il y en a un de nous qui est de trop ici !

Joe s'était blotti contre elle en pleurnichant. Larry avait essayé de calmer les choses. Oui, la C.B. était une bonne idée. En fait, depuis à peu près une semaine, ils captaient des messages qui venaient, non pas du Nebraska (abandonné avant leur arrivée – ils l'avaient su dans leurs rêves – mais les rêves eux-mêmes s'étaient estompés, s'étaient faits de moins en moins pressants), mais de Boulder, au Colorado, mille kilomètres à l'ouest – des signaux émis par le puissant émetteur de Ralph.

Lucy se souvenait encore de la joie de ses compagnons lorsqu'ils avaient entendu la voix nasillarde de Ralph Brentner, avec son accent traînant de l'Oklahoma, à moitié couverte par les parasites : « Ici Ralph Brentner, Zone libre de Boulder. Si vous m'entendez, répondez sur le canal 14. Je répète, canal 14. »

Ils entendaient Ralph, mais leur radio n'était pas assez puissante pour lui répondre. Ils s'étaient rapprochés cependant et, depuis ce premier message, ils avaient appris que la vieille femme, celle qu'on appelait Abigaël Freemantle (mais pour Lucy elle était toujours mère Abigaël), et son groupe étaient arrivés les premiers. Depuis, d'autres étaient venus les rejoindre, deux, trois, parfois trente personnes d'un coup. Et ils étaient deux cents à Boulder quand Brentner avait reçu leur premier message. Tout à l'heure, quand ils s'étaient parlé – ils étaient maintenant à portée d'antenne de leur C.B. – le groupe de Ralph comptait plus de trois cent cinquante personnes. Avec leur propre groupe, ils seraient bientôt près de quatre cents.

– À quoi penses-tu ? dit Lucy en posant la main sur le bras de Larry.

– Je pensais à cette montre et à la mort du capitalisme, répondit-il en montrant sa montre Pulsar. Autrefois, c'était pousse-toi de là que je m'y mette – et celui qui poussait le plus fort finissait par avoir la Cadillac bleu, blanc, rouge et la montre Pulsar. Maintenant, c'est la vraie démocratie. Toutes les Américaines peuvent avoir leur Pulsar à affichage numérique et leur manteau de vison.

– Peut-être. Mais je vais te dire quelque chose, Larry. Je ne suis peut-être pas très forte sur ces histoires de capitalisme et tout le reste, mais je peux te dire que cette montre de mille dollars ne vaut absolument rien.

– Ah bon ? Et pourquoi ?

Il l'avait regardée en souriant, surpris, et elle avait été heureuse de voir son sourire.

– Parce que plus personne ne sait l'heure qu'il est. Il y a quatre ou cinq jours, j'ai demandé l'heure à M. Jackson, à Mark et à toi. Vous m'avez tous donné des heures différentes et vous m'avez dit que vos montres s'étaient arrêtées au moins une fois... tu as entendu parler de ce laboratoire où on calculait l'heure pour le monde entier ? J'ai lu un article là-dessus, chez un médecin. C'était formidable. À la micro-micro-seconde près. Ils avaient des pendules, des horloges solaires, tout. Et maintenant, je pense à cet endroit, et je deviens folle. Toutes les horloges du labo sont sûrement arrêtées. Et moi, j'ai une Pulsar de mille dollars qui ne peut plus me donner l'heure juste, à la seconde près. À cause de la grippe. À cause de cette saleté de grippe.

Elle se tut et ils restèrent un moment silencieux. Puis, Larry montra quelque chose dans le ciel.

– Regarde !

– Quoi ? Où ?

– À trois heures... à deux heures maintenant.

Elle regarda, mais ne vit pas ce qu'il lui montrait. Il colla alors ses deux mains chaudes sur ses joues pour lui faire tourner la tête. Cette fois, elle vit, et sa gorge se serra. Un éclat de lumière, comme une étoile, mais fixe, qui traversait rapidement le ciel d'est en ouest.

– Mon Dieu ! s'exclama-t-elle. Un avion ! C'est bien un avion ?

– Non. Un satellite. Il va continuer à tourner là-haut pendant sept cents ans, probablement.

Ils regardèrent le petit point de lumière disparaître derrière la masse sombre des Rocheuses.

– Larry ? fit-elle tout bas. Pourquoi Nadine ne veut-elle pas admettre qu'elle rêve ?

Elle le sentit se raidir imperceptiblement et elle regretta aussitôt sa question. Mais le mal était fait. Autant continuer...

– Elle dit qu'elle ne rêve pas.

– Mais elle rêve sûrement – Mark avait raison. Elle

parle en dormant. Tellement fort qu'elle m'a réveillée une nuit.

Il la regardait.

– Et qu'est-ce qu'elle disait ? demanda-t-il après un long silence.

Lucy réfléchit, essayant de se souvenir.

– Elle se retournait dans son sac de couchage et répétait : « Non, c'est si froid, non, je ne veux pas, c'est si froid, si froid. » Ensuite, elle a commencé à s'arracher des cheveux. Elle s'arrachait les cheveux. Et elle gémissait. J'ai eu froid dans le dos.

– Les gens font des cauchemars, Lucy. Ça ne veut pas dire qu'ils rêvent de... qu'ils rêvent de lui.

– Mieux vaut ne pas trop parler de lui dans le noir, non ?

– Je crois que tu as raison.

– On dirait qu'elle va craquer, Larry. Tu comprends ce que je veux dire ?

– Oui.

Il savait. Elle prétendait ne pas rêver, mais les cernes bruns qui s'étaient formés sous ses yeux depuis qu'ils étaient arrivés à Hemingford Home la trahissaient. Ses splendides cheveux avaient visiblement blanchi. Et quand on la touchait, elle sursautait. Elle avait *peur*.

– Tu l'aimes, c'est ça ? dit Lucy.

– Oh, Lucy..., répondit-il d'une voix où l'on sentait comme un reproche.

– Non, je veux simplement que tu saches... je dois te le dire. J'ai vu comment tu la regardais... comment elle te regarde parfois, quand tu es occupé... quand il n'y a pas de danger. Elle t'aime, Larry. Mais elle a peur.

– Peur de quoi ? Peur de *quoi* ?

Il se souvenait de ce jour où il avait essayé de lui faire l'amour, trois jours après le fiasco de Stovington. Depuis, elle était devenue renfermée – joyeuse parfois, mais elle se forçait manifestement. Joe dormait. Larry était allé s'asseoir à côté d'elle et ils avaient parlé quelques minutes, pas de leur situation actuelle, mais de l'époque d'autrefois, quand tout était différent. Larry avait essayé de l'embrasser. Elle l'avait repoussé, avait tourné la tête, et Larry avait senti ces choses dont Lucy venait lui parler. Il avait essayé encore, doux et brutal à la fois, lui qui la voulait tellement. Un instant, elle s'était abandonnée à lui, lui avait montré comment elle aurait pu être si...

Mais elle s'était écartée aussitôt, livide, les bras croisés sur ses seins, les mains serrant ses coudes, la tête basse.

– *Ne refais plus jamais ça, Larry. S'il te plaît. Ou je devrais m'en aller avec Joe.*

– *Pourquoi ? Pourquoi, Nadine ? Pourquoi en faire toute une histoire ?*

Elle n'avait pas répondu. Elle était restée là, tête basse, avec ses cernes violacés qui commençaient déjà à se dessiner sous ses yeux.

– *Si je pouvais, je te le dirais,* avait-elle répondu finalement avant de s'éloigner sans jeter un regard derrière elle.

– J'ai eu une amie qui lui ressemblait beaucoup, dit Lucy. Elle s'appelait Joline. Joline Majors. Elle n'était pas au lycée avec moi. Elle avait abandonné ses études pour se marier. Son type était dans la marine. Elle était enceinte quand ils se sont mariés, mais elle a fait une fausse couche. Le type était souvent parti, et Joline... aimait bien s'amuser. Elle aimait ça, mais son mari était très jaloux. Alors, il lui a dit que, s'il découvrait un jour qu'elle faisait des trucs derrière son dos, il lui casserait les deux bras et lui esquinterait la figure. Tu imagines sa vie ? Ton mari rentre et te dit : « Bon, je m'en vais pour quelques semaines, ma chérie. Tu m'embrasses, on va batifoler un petit peu dans le foin, et puis, pendant que j'y pense, si j'apprends à mon retour que tu n'as pas été très sage, je te casse les deux bras et je t'esquinte la figure. »

– Oui, pas terrible.

– Alors, un peu plus tard, elle rencontre un type. Prof de gym au lycée de Burlington. Ils font leurs petites affaires, toujours en regardant derrière eux pour voir s'il y a quelqu'un. Je ne sais pas si son mari les faisait espionner, mais au bout d'un certain temps ça n'avait plus d'importance. Au bout d'un certain temps, Joline a complètement perdu la boule. Dès qu'elle voyait un type en train d'attendre l'autobus au coin de la rue, elle pensait que c'était un ami de son mari. Ou le représentant qui les voyait prendre une chambre dans un motel minable. Ou le flic qui leur indiquait la route pour trouver un endroit où pique-niquer. Finalement, elle poussait un cri dès que le vent faisait claquer une porte. Elle sursautait chaque fois que quelqu'un montait l'escalier. Et comme elle vivait dans un immeuble où il y avait sept petits appartements, il y avait toujours quelqu'un en train de monter l'escalier. Herb, son type, a fini par avoir peur et l'a laissée tomber. Il n'avait pas peur du mari de Joline – il avait peur d'*elle*. Juste avant le retour de son mari, Joline a fait une dépression. Tout ça, simplement parce qu'elle aimait un peu trop faire l'amour... et parce qu'il était dingue de jalousie. Nadine me fait penser à cette fille, Larry. J'ai de la peine pour elle. J'ai l'impression que je ne l'aime pas tellement, mais j'ai quand même de la peine pour elle. Elle a vraiment l'air d'avoir des problèmes.

– Est-ce que tu essayes de me dire que Nadine a peur de moi comme ta copine avait peur de son mari ?

– Peut-être. Mais une chose est sûre – si Nadine a un mari, il n'est pas ici avec nous.

Larry eut un petit rire gêné.

– On devrait aller se coucher. On va avoir une journée difficile demain.

– Oui, répondit-elle, persuadée qu'il n'avait pas compris un mot de ce qu'elle lui avait dit.

Et, tout à coup, elle éclata en sanglots.

– Mais qu'est-ce qui se passe ? dit Larry en essayant de la prendre par le cou.

Elle se dégagea brutalement.

– Tu as eu ce que tu voulais avec moi ! Pas la peine de faire ton cirque !

Il restait encore en lui suffisamment du Larry d'autrefois pour qu'il se demande si les autres l'avaient entendue.

– Lucy, je n'ai jamais voulu te forcer.

– Ce que tu peux être *stupide* ! cria-t-elle en lui donnant un coup de pied. Les hommes sont stupides ! Pour vous, tout est noir ou tout est blanc. Non, tu ne m'as jamais forcée. Je ne suis pas comme *elle*. Si tu essayes de la forcer, elle va te cracher en pleine figure et serrer les cuisses. Les filles comme moi, je sais comment les hommes les appellent. On voit ça écrit partout dans les toilettes publiques, si mes renseignements sont exacts. Mais tout ce que je veux, c'est de l'affection. J'ai *besoin* d'affection. J'ai *besoin* qu'on m'aime. C'est mal ?

– Non. Pas du tout. Mais, Lucy...

– Tu dis non, mais tu continues à cavaler derrière la Miss aux yeux pochés. En attendant, tu as toujours la petite Lucy pour faire la planche quand il fait noir.

Il ne répondit rien. C'était vrai. Absolument vrai. Et il était trop fatigué pour discuter. Elle parut le comprendre. Son visage s'adoucit et elle posa la main sur son bras.

– Si tu y arrives, Larry, je serai la première à applaudir. Je ne suis pas rancunière. Essaye... essaye seulement de ne pas être trop déçu.

– Lucy...

– Figure-toi que je pense que l'amour est très important, qu'il n'y a plus que ça ; autrement, c'est la haine ; ou pire, le vide.

Elle avait parlé d'une voix tout à coup très forte, amère, et Larry sentit un frisson dans son dos.

– Mais tu as raison, reprit-elle d'une voix plus douce. Il est tard. Je vais me coucher. Tu viens ?

– Oui, répondit-il en la prenant dans ses bras. Je t'aime de mon mieux, Lucy.

Et il l'embrassa en la serrant contre lui.

– Je sais, fit-elle avec un sourire las. Je sais, Larry.

Cette fois, lorsqu'il posa la main sur son épaule, elle le laissa faire. Ils retrouvèrent ensemble leur sac de couchage, firent maladroitement l'amour et s'endormirent.

Nadine se réveilla comme un chat dans le noir une vingtaine de minutes après que Larry Underwood et Lucy Swann eurent retrouvé leur sac de couchage, dix minutes après qu'ils eurent fini de faire l'amour.

Comme une enclume qui sonne sous les coups de marteau, la terreur chantait dans ses veines.

Quelqu'un me désire, pensa-t-elle en écoutant les battements affolés de son cœur ralentir peu à peu. Ses yeux, grand ouverts et remplis de l'obscurité de la nuit, étaient fixés sur les branches d'un orme qui cisaillaient le ciel de leurs ombres. *C'est bien cela. Quelqu'un me désire. C'est vrai.*

Mais... il fait si froid.

Ses parents et son frère étaient morts dans un accident de voiture quand elle avait six ans ; elle n'était pas allée avec eux ce jour-là chez sa tante et son oncle, préférant rester jouer avec une petite voisine. C'était surtout son frère qu'elle aimait. Un frère qui n'était pas comme *elle,* l'enfant naturel volé dans un berceau d'orphelinat à l'âge de quatre ans et six mois. Les origines de son frère étaient parfaitement claires. Son frère était *bien à eux,* sonnerie de trompettes s'il vous plaît. Alors que Nadine n'avait jamais été et ne serait jamais qu'à Nadine. Elle, l'enfant de la terre.

Après l'accident, elle était allée habiter avec sa tante et son oncle, seuls parents qu'il lui restait. Les montagnes Blanches, dans l'est du New Hampshire. Elle se souvenait qu'ils l'avaient emmenée en excursion dans le petit tortillard du mont Washington pour son huitième anniversaire.

Elle avait saigné du nez, à cause de l'altitude, et ils s'étaient fâchés. Oncle et Tante étaient trop vieux, la cinquantaine bien avancée quand elle avait eu ses seize ans, l'année où elle s'était mise à courir sur l'herbe humide de rosée, au clair de lune – la nuit de l'ivresse, une nuit où les rêves suintaient de l'air frais, comme une poussière d'étoiles. Une nuit d'amour. Et si le garçon l'avait rattrapée, elle l'aurait laissé prendre ce qu'il voulait. Quelle importance, s'il l'avait attrapée ? Ils avaient couru, n'était-ce pas là la seule chose importante ?

Mais il ne l'avait pas rattrapée. La lune s'était cachée derrière un nuage. La rosée était devenue froide, désagréable, terrifiante. Dans sa bouche, le vin avait pris un goût de salive acide, aigre sur sa langue. Une sorte de métamorphose s'était produite, et elle avait senti qu'elle *devait* attendre.

Où était-il donc, son fiancé, l'homme noir auquel elle était promise ? Dans quelle rue, sur quelle route de terre, arpentant la nuit, tandis que derrière les fenêtres les conversations anodines découpaient le monde en petits segments propres, bien rationnels ? Quels vents glacés étaient les siens ? Combien de bâtons de dynamite dans son sac usé jusqu'à la corde ? Qui savait quel était son nom à lui quand elle avait seize ans ? Qui savait son âge ? Où vivait-il ? Quelle mère l'avait tenu contre son sein ? Elle ne savait qu'une chose, qu'il était orphelin comme elle, que son heure n'avait pas encore sonné. Les routes qu'il parcourait n'étaient même pas encore construites, et elle n'osait qu'à peine y poser le pied. Le carrefour où ils se rencontreraient était loin, très loin. C'était un Américain, elle le savait, un homme qui aimait le lait et la tarte aux pommes, un homme qui apprécierait la simplicité d'un tissu à carreaux. Il était chez lui en Amérique, mais ses manières étaient secrètes, les manières du fugitif, de l'homme qui se cache, de l'homme à qui l'on remet des messages codés en vers. C'était l'autre, l'autre visage, l'homme noir, le Promeneur, et ses bottes éculées faisaient sonner les chemins parfumés des nuits d'été.

Qui sait quand le fiancé viendra ?

Elle l'avait attendu, intacte. À seize ans, elle avait failli commettre la faute. Et une autre fois, à l'université. Elle et lui s'étaient séparés, étonnés et fâchés, comme Larry maintenant qui sentait ces étranges carrefours dans son âme, point de rendez-vous mystique et inéluctable.

Boulder était le lieu où les chemins se séparaient.

L'heure était proche. *Il* l'avait appelée, l'invitait à venir.

Ses études terminées, elle s'était plongée dans le travail, avait loué une maison avec deux autres jeunes filles. Qui étaient-elles ? À vrai dire, elles changeaient souvent. Seule Nadine restait. Elle était agréable avec les jeunes gens que ramenaient ses compagnes. Mais elle n'avait jamais connu de jeune homme. Sans doute parlaient-ils d'elle, future vieille fille, peut-être même pensaient-ils qu'elle était tout simplement une lesbienne un peu trop prudente. Ce n'était pas cela. Elle était simplement...

Intacte.

Elle attendait.

Elle avait eu parfois l'impression que les choses allaient changer. Elle rangeait les jouets dans la salle de classe silencieuse à la fin de la journée et s'arrêtait tout à coup, les yeux inquiets, oubliant l'ours en peluche qu'elle tenait dans la main. Et elle pensait : *Les choses vont changer... un grand vent va souffler.* Il lui arrivait alors de regarder derrière elle comme un animal traqué. Puis cette idée s'envolait et elle se mettait à rire, d'un rire nerveux.

Ses cheveux avaient commencé à grisonner dès sa seizième année, l'année où le garçon l'avait poursuivie sans l'attraper – quelques mèches d'abord, très visibles au milieu de tout ce noir, pas gris, non, le mot n'était pas juste... des mèches *blanches*, complètement *blanches*.

Des années plus tard, des étudiants l'avaient invitée à une soirée. Les lumières étaient tamisées et des couples n'avaient pas tardé à se former. La plupart des filles – Nadine était du nombre – ne comptaient pas rentrer chez elles ce soir-là. Oui, sa décision était prise... mais quelque chose l'avait empêchée d'aller plus loin, une fois de plus. Et le lendemain, dans la froide lumière du matin, à sept heures tapant, quand elle s'était regardée dans la glace de la salle de bains, elle avait vu que le blanc avait encore progressé, apparemment en une seule nuit – bien que ce fût naturellement impossible.

Les années avaient passé ainsi, saisons de sécheresse. Pourtant, elle avait eu des sensations, oui, des *sensations*, et parfois, en plein cœur de la nuit, elle se réveillait à la fois chaude et froide, baignée de sueur, délicieusement consciente de son corps dans la tranchée de son lit, rêvant d'une débauche de sexe dans une sorte de caniveau, et elle se vautrait dans un liquide chaud, jouissait et mordait de toutes ses forces. Le lendemain, quand elle se levait, elle s'avançait vers la glace et s'étonnait de voir encore d'autres mèches blanches.

Pendant toutes ces années, elle n'avait cessé d'être Nadine Cross, extérieurement : douce, gentille avec les enfants, excellente institutrice, célibataire. À une époque, une telle femme aurait fait parler d'elle dans une petite ville, mais les temps avaient changé. Et sa beauté était si singulière qu'il paraissait tout à fait normal qu'elle soit simplement qui elle était.

Mais bientôt les choses allaient changer.

Dans ses rêves, elle avait commencé à connaître son fiancé, à le comprendre un peu, même si elle n'avait jamais vu son visage. Il était celui qu'elle attendait. Elle voulait aller à lui... et elle ne voulait pas. Elle était faite pour lui, mais il la terrorisait.

Puis Joe était arrivé, et après lui, Larry. Les choses étaient devenues terriblement compliquées. Elle avait eu l'impression d'être une sorte de prix qu'on se disputait dans une lutte acharnée. Elle savait que l'homme noir voulait qu'elle soit pure, qu'elle soit vierge. Que si elle laissait Larry (ou un autre homme) la posséder, le sombre enchantement prendrait fin aussitôt. Mais elle se sentait attirée par Larry. Elle voulait qu'il la prenne – une fois de plus, elle avait voulu aller jusqu'au bout. Qu'il la prenne, et qu'on en finisse, une bonne fois. Elle était lasse, et Larry était un type bien. Elle avait trop attendu l'autre, durant de trop longues années de sécheresse.

Mais Larry n'était pas un type bien... du moins,

c'est ce qu'elle avait cru au début. Elle avait repoussé ses premières avances avec mépris, comme une jument chasse une mouche d'un coup de queue. Elle se souvenait qu'elle avait alors pensé : *S'il ne pense qu'à ça, qui pourrait me reprocher de ne pas vouloir de lui ?*

Pourtant, elle l'avait suivi. C'était vrai. Mais elle cherchait désespérément la compagnie d'autres personnes, pas simplement à cause de Joe, mais parce qu'elle en était presque arrivée au point d'abandonner l'enfant pour partir toute seule à l'ouest, à la recherche de l'homme. Pourtant elle se sentait responsable de Joe, héritage de toutes ces années passées à travailler avec des enfants, et elle n'avait pu s'y résoudre... sachant aussi que, si elle l'abandonnait, Joe mourrait certainement.

Dans un monde où tant sont morts, être la cause d'une nouvelle mort est certainement le plus impardonnable des crimes.

Si bien qu'elle était partie avec Larry qui, tout compte fait, valait mieux que rien, ou que personne.

Mais il s'était trouvé que Larry Underwood était beaucoup plus que rien ou que personne – il était comme une de ces illusions d'optique (peut-être même pour lui-même) qui vous font croire que l'eau est peu profonde, à peine quelques centimètres, mais quand vous plongez la main dedans, tout à coup votre bras est mouillé jusqu'à l'épaule. D'abord, la manière dont il avait appris à connaître Joe. Ensuite, la manière dont Joe l'avait accepté. Enfin, sa propre réaction à elle, sa jalousie face à cette relation qu'elle voyait grandir entre Joe et Larry. À Wells, dans le magasin de motos, Larry avait tout misé sur l'enfant, et il avait gagné.

S'ils n'avaient pas eu les yeux fixés sur la trappe du réservoir d'essence, ils auraient vu sa bouche s'arrondir en un *oh* de totale surprise. Elle était là, debout, incapable de faire un geste, les yeux braqués sur le métal scintillant du levier, attendant qu'il tressaille, puis qu'il tombe. Elle attendait les hurlements de

Larry. Mais ce n'est que lorsque tout avait été fini qu'elle l'avait véritablement compris.

Puis la trappe s'était soulevée et elle avait dû admettre son erreur, une erreur totale de jugement. Ainsi Larry connaissait Joe mieux qu'elle, sans aucune formation particulière, sans le temps d'apprendre vraiment à connaître l'enfant. Rétrospectivement, elle voyait bien à quel point l'épisode de la guitare avait été important, avec quelle rapidité il avait fondamentalement défini les relations de Larry et de Joe. Et quel était l'essentiel de cette relation ?

La dépendance, naturellement – quoi d'autre aurait pu provoquer cette brusque bouffée de jalousie qu'elle avait sentie en elle ? Que Joe soit dépendant de Larry, c'était somme toute normal, acceptable. Mais ce qui la perturbait, c'est que Larry était également dépendant de Joe, avait besoin de Joe alors qu'elle n'en avait pas besoin... *et Joe le savait.*

S'était-elle trompée à propos de Larry ? Oui, sans doute. Cette nervosité, cet égocentrisme n'étaient qu'un vernis. N'était-ce pas grâce à lui qu'ils étaient restés ensemble tout au long de cet interminable voyage ?

La conclusion était claire. Elle laisserait Larry lui faire l'amour. Mais une partie d'elle-même était encore promise à l'autre homme... et faire l'amour avec Larry reviendrait à tuer à tout jamais cette partie d'elle-même. Pouvait-elle le faire ? Elle n'en était pas sûre.

Et puis, elle n'était plus la seule à rêver de l'homme noir.

La chose l'avait d'abord troublée, puis effrayée. De la peur, c'est tout ce qu'elle avait ressenti lorsqu'elle n'avait eu que Joe et Larry autour d'elle ; mais lorsqu'ils avaient rencontré Lucy Swann, lorsqu'elle leur avait dit qu'elle faisait les mêmes rêves, la peur s'était transformée en folle terreur. Elle ne pouvait plus se dire que leurs rêves à eux *ressemblaient* aux siens. Et si tout le monde faisait ces mêmes rêves ? Si l'heure de l'homme noir était enfin venue – pas simplement pour elle, *mais pour tous ceux qui vivaient encore sur la planète* ?

Cette idée, plus que toute autre, lui inspirait des émotions contradictoires – terreur irraisonnée, attraction irrésistible. Elle s'était désespérément accrochée à l'idée de retrouver des survivants à Stovington – symbole de certitude dans cette marée montante de magie noire qu'elle sentait tout envahir autour d'elle. Mais Stovington était désert, caricature du havre qu'elle s'était construit dans son imagination. Car au lieu de la certitude, c'est la mort qu'elle y avait trouvée.

À mesure qu'ils avançaient vers l'ouest, que leur groupe se faisait plus nombreux, l'espoir qu'elle avait eu que tout pourrait se terminer sans confrontation inévitable pour elle s'était peu à peu évanoui. Cet espoir était mort à mesure que Larry grandissait dans son estime. Il couchait maintenant avec Lucy Swann, mais quelle importance ? C'était écrit. Les autres faisaient deux rêves opposés : l'homme noir et la vieille femme. La vieille femme paraissait représenter une sorte de force élémentaire, comme l'homme noir. La vieille femme était le pôle d'attraction autour duquel les autres peu à peu se regroupaient. Nadine n'avait jamais rêvé d'elle.

Elle n'avait rêvé que de l'homme noir. Et quand les rêves des autres avaient tout à coup disparu, aussi inexplicablement qu'ils étaient venus, ses propres rêves à elle avaient semblé grandir en force et en clarté.

Elle savait tant de choses qu'ils ignoraient. L'homme noir s'appelait Randall Flagg. À l'ouest, ceux qui s'opposaient à lui étaient crucifiés. Ou bien, on les rendait fous et on les lâchait pour qu'ils errent sans fin dans la chaleur infernale de la Vallée de la mort. Il y avait de petits groupes de techniciens à San Francisco et à Los Angeles, mais leur présence là-bas n'était que temporaire. Bientôt, ils se rendraient à Las Vegas où grandissaient les forces de l'homme noir. Pour lui, rien ne pressait. L'été tirait à sa fin. La neige obstruerait bientôt les cols des montagnes Rocheuses. Bien sûr, il y avait des chasse-neige. Mais ils ne pourraient mobiliser suffisamment d'hommes pour les conduire. Et il y aurait un long hiver, tout le temps de consolider ses forces. En avril... ou peut-être en mai...

Allongée dans le noir, Nadine regardait le ciel.

Boulder était son dernier espoir. La vieille femme était son dernier espoir. Les certitudes qu'elle avait espéré trouver à Stovington avaient commencé à prendre forme à Boulder. Ces gens-là étaient bons. Si seulement les choses pouvaient être aussi simples pour elle, prise dans un inextricable écheveau de désirs contradictoires...

Comme un accord de dominante inlassablement répété, elle était absolument convaincue que le meurtre dans ce monde dépeuplé était le plus grave des crimes et son cœur lui disait sans aucune équivoque possible que la mort était le domaine de Randall Flagg. Mais comme elle désirait son baiser froid – plus qu'elle n'avait désiré les baisers de ce garçon, quand elle avait seize ans, ou de cet autre, à l'université... plus même, craignait-elle, qu'elle ne désirait les baisers et l'amour de Larry Underwood.

Nous serons à Boulder demain, pensa-t-elle. *Peut-être saurais-je alors si mon voyage est terminé ou...*

Une étoile filante déchira le ciel et, comme un enfant, elle fit un vœu.

50

Le jour se levait, teintant le ciel d'un rose délicat. Stu Redman et Glen Bateman approchaient du sommet du mont Flagstaff, à l'ouest de Boulder où les premiers contreforts des Rocheuses surgissent de la plaine comme une vision de la préhistoire. Dans la lumière du petit matin, Stu pensa que les pins qui s'accrochaient aux parois nues et presque perpendiculaires ressemblaient à des veines sillonnant une main de géant jaillie de la terre. Plus à l'est, quelque part, Nadine Cross trouvait enfin le sommeil. Un sommeil agité.

– Je vais avoir mal à la tête cet après-midi, dit

Glen. Il y a des années que je n'ai pas passé une nuit blanche à boire comme un trou, depuis le temps où j'étais étudiant.

– Le lever du soleil mérite bien ça, répliqua Stu.

– Oui, c'est magnifique. Vous connaissiez les Rocheuses ?

– Non, mais je suis bien content d'être ici, répondit Stu en levant sa bouteille de vin pour prendre une bonne gorgée. J'ai la tête qui tourne.

Il contempla le paysage, puis se retourna vers Glen avec un sourire en coin :

– Et maintenant ?

– Maintenant ? fit Glen en haussant les sourcils.

– Oui, maintenant. C'est pour ça que je suis monté avec vous ici. J'ai dit à Frannie : « Je vais le saouler comme une bourrique, et puis je vais voir ce qu'il a au fond de la tête. » Elle était d'accord.

– Figurez-vous, mon jeune ami, qu'il n'y a pas de marc au fond d'une bouteille de vin, répondit Glen avec un grand sourire.

– Non, mais elle m'a bien expliqué ce que vous faisiez autrefois. Sociologie. L'étude des interactions de groupes. Alors, j'aimerais bien avoir votre opinion.

– O toi qui aspires à la connaissance, il faudra d'abord me graisser la patte.

– Vous ne pensez qu'au fric, le prof. Si vous voulez, on va demain à la First National Bank de Boulder et je vous donne un million de dollars. D'accord ?

– Sérieusement, Stu, qu'est-ce que vous voulez savoir ?

– La même chose que le petit muet, Andros. Qu'est-ce qui va arriver maintenant ? Je ne sais pas comment vous poser la question autrement.

– Une société va se former, expliqua lentement Glen. De quel genre ? Impossible de le savoir pour le moment. Nous sommes déjà près de quatre cents. Au rythme des arrivées, je suppose que nous serons quinze cents d'ici le 1er septembre. Quatre mille cinq cents le 1er octobre et peut-être huit mille quand la neige commencera à tomber en novembre et que les routes seront fermées. Notez bien, c'est ma prévision numéro un.

Sous l'œil amusé de Glen, Stu sortit un carnet de la poche de son jeans et nota ce que le professeur venait de dire.

– J'ai du mal à vous croire, dit Stu. Nous venons de l'autre bout du pays et nous n'avons pas vu cent têtes de pipe.

– Oui, mais ils continuent à arriver. Vous n'êtes pas de cet avis ?

– Oui... à la goutte.

– À la quoi ? demanda Glen en souriant.

– À la goutte. Au compte-gouttes, si vous préférez. Ma mère parlait comme ça. Vous n'allez quand même pas en chier une pendule ?

– Plaise au ciel que je ne connaisse jamais le jour où je chierai une pendule sur la manière dont votre respectable mère s'exprimait, mon cher Stuart.

– Bon, ils arrivent, c'est sûr. Ralph est en contact avec cinq ou six groupes en ce moment, ce qui donnera un total de cinq cents à la fin de la semaine.

– Oui, et mère Abigaël est avec lui dans sa « station de radio », mais elle refuse de parler au micro. Elle a peur de recevoir une décharge.

– Frannie adore cette vieille dame. En partie parce qu'elle sait accoucher les femmes, en partie... parce qu'elle l'aime, c'est aussi simple que ça. Vous comprenez ?

– Oui. Nous pensons tous à peu près la même chose.

– Alors, vous dites huit mille au début de l'hiver ? C'est beaucoup.

– Question d'arithmétique. Disons que la grippe a rayé de l'état civil quatre-vingt-dix-neuf pour cent de la population. Peut-être moins. Mais prenons ce chiffre comme base. Si la grippe était mortelle à quatre-vingt-dix-neuf pour cent, elle a donc fait près de deux cent dix-huit millions de victimes, simplement dans ce pays. Oui, encore une fois, peut-être moins, mais mon chiffre ne doit pas être très loin de la vérité. Les nazis étaient loin du compte, hein ? Des rigolos !

– Mon Dieu, dit Stu d'une voix blanche.

– Ce qui nous laisse quand même plus de deux millions de personnes, un cinquième de la population de Tokyo avant l'épidémie, un quart de celle de New York. Dans ce pays seulement. Bien. Je pense aussi que dix pour cent de ces deux millions de personnes n'ont peut-être pas survécu très longtemps après l'épidémie. Celles que j'appellerais les victimes de l'effet boomerang. Comme le pauvre Mark Braddock avec son appendicite. Mais aussi les accidents, les suicides et les assassinats. Ce qui nous ramène à un million huit cent mille. Mais nous soupçonnons aussi l'existence d'un grand adversaire, n'est-ce pas ? L'homme noir dont nous rêvons tous. À l'ouest, quelque part. Sept États nous séparent de lui, sept États qu'on pourrait légitimement appeler son territoire... *à condition* qu'il existe vraiment.

– Moi, je suis sûr qu'il existe.

– C'est ce que je pense également. Mais exerce-t-il sa domination sur toute la population de son territoire ? Je ne le crois pas, pas plus que mère Abigaël ne règne sur les quarante et un autres États du territoire continental des États-Unis. Il me semble que les choses ont évolué assez lentement jusqu'à présent, mais que cette phase touche à sa fin. Les gens se regroupent. Quand nous avons parlé de tout cela, au New Hampshire, je pensais à des dizaines de sociétés minuscules. Je n'avais pas tenu compte – car je l'ignorais alors – de l'effet d'attraction pratiquement irrésistible de ces deux rêves opposés. C'est un fait nouveau que personne n'aurait pu prévoir.

– Est-ce que vous voulez dire que nous allons nous retrouver avec neuf cent mille personnes dans notre camp, et *lui*, avec neuf cent mille dans le sien ?

– Non. D'abord, l'hiver va faire des dégâts. Ici naturellement, mais plus encore dans les petits groupes qui ne nous rejoindront pas avant les premières neiges. Vous vous rendez compte que nous n'avons pas un seul médecin dans la Zone libre ? Notre personnel médical se compose en tout et pour tout d'un vétérinaire et de mère Abigaël qui a oublié plus de remèdes de bonnes femmes que vous et moi n'avons jamais eu la chance d'en connaître. Vous les voyez vous installer une petite plaque d'acier dans le crâne si vous vous cognez un peu trop fort la tête ?

– Le bon vieux Rolf Dannemont sortirait probablement son Remington et me ferait un joli trou dans la tête.

– Je suppose que la population américaine ne dépassera pas un million six cent mille habitants au printemps prochain – dans la meilleure hypothèse. Sur ce nombre, j'aimerais penser que nous serons un million.

– Un million ! s'exclama Stu en regardant la ville de Boulder, presque déserte, qui s'étendait au fond de la vallée, éclairée par les premiers rayons du soleil. Je n'arrive pas à le croire. La ville serait pleine à craquer.

– C'est vrai, elle sera trop petite. Je sais que c'est difficile à imaginer quand on voit toutes ces rues vides, mais c'est pourtant la vérité. Il faudra essaimer un peu plus loin. La situation sera en fait assez paradoxale : une énorme agglomération et le reste du pays, à l'est, totalement vide.

– Qu'est-ce qui vous fait penser que la plupart des survivants viendront avec nous ?

– Une raison qui n'a absolument rien de scientifique, reprit Glen en passant la main sur son crâne dégarni. J'aime à croire que la plupart des gens sont bons. Et je suis persuadé que celui qui est aux commandes à l'ouest est franchement mauvais. Mais j'ai dans l'idée que...

Il n'acheva pas sa phrase.

– Allez, crachez le morceau.

– D'accord, parce que je suis saoul. Mais ça doit rester entre nous, Stuart.

– C'est d'accord.

– J'ai votre parole ?

– Ma parole.

– J'ai l'impression que la plupart des techniciens vont se retrouver dans son camp. Ne me demandez pas pourquoi, ce n'est qu'une impression. Mais les techniciens aiment travailler dans une atmosphère très disciplinée, avec des buts bien précis. Ils aiment que les trains soient à l'heure. En ce moment, à Boulder, c'est la confusion totale. Chacun en fait à sa tête... et, comme auraient dit mes étudiants, c'est le bordel. Mais l'autre... je suis prêt à parier qu'avec lui les trains sont à l'heure et que tout le monde marche au pas de l'oie. Les techniciens sont des hommes comme les autres ; ils vont aller là où ils se sentiront chez eux. Je soupçonne que notre adversaire veut qu'ils soient aussi nombreux que possible. Tant pis pour les agriculteurs, il préfère sûrement quelques hommes capables de dépoussiérer les silos à missiles de l'Idaho. Même chose pour les tanks et les hélicoptères. Et pourquoi pas un bombardier B 52 ou deux, histoire de s'amuser un peu. Je ne pense pas qu'il en soit encore là – en fait, je suis sûr que non. Nous le saurions déjà. En ce moment, il en est sans doute encore à remettre les centrales électriques en marche, à rétablir les communications... peut-être a-t-il même commencé à faire une purge parmi les indécis. Rome ne s'est pas faite en un jour, et il le sait. Il a le temps. Mais, quand je vois le soleil se coucher le soir – c'est la vérité, Stuart, je ne rigole pas –, j'ai vraiment peur. Je n'ai plus besoin de faire des cauchemars pour avoir peur. Je n'ai qu'à penser à ces gens-là, de l'autre côté des Rocheuses, obéissants et travailleurs comme de bonnes abeilles ouvrières.

– Qu'est-ce qu'on devrait faire ?

– Vous voulez une liste ?

Stuart montra son carnet de notes. Sur la couverture rose phosphorescent, on voyait la silhouette de deux danseuses, et ces deux mots : COOL MAN !

– Oui, répondit Stu.

– Vous plaisantez ?

– Non, pas du tout. Vous l'avez dit vous-même, Glen, c'est le bordel ici. Je suis d'accord avec vous.

On perd du temps. On peut pas rester comme ça sans rien foutre, à écouter la C.B. On risque de se réveiller un beau matin et de voir débouler ce type à la tête d'une colonne de tanks, avec couverture aérienne et tout le tremblement.

– Ce n'est pas pour demain.

– Non. Mais en mai ?

– Possible. Oui, tout à fait possible.

– Et alors, qu'est-ce qui va nous arriver ?

Glen se contenta de faire le geste d'appuyer sur une gâchette, puis il se précipita sur la bouteille de vin et but ce qui restait du précieux liquide.

– Vous voyez bien, reprit Stu. Il faut se mettre au boulot. Par où on commence ?

Glen ferma les yeux. Les rayons du soleil caressaient ses joues et son front ridés.

– D'accord. Alors voilà, Stu. Premièrement : recréer l'Amérique. Notre petite Amérique. Par tous les moyens, bons ou mauvais. Priorité absolue à l'organisation et au gouvernement. Si nous commençons tout de suite, nous aurons le gouvernement que nous voulons. Si nous attendons que la population triple, nous aurons des problèmes. Disons que nous convoquons une assemblée dans une semaine, c'est-à-dire le 18 août. Tout le monde y assiste. Avant la réunion, constitution d'un comité organisateur. Sept membres, par exemple. Vous, moi, Andros, Fran, Harold Lauder peut-être, quelques autres. Son travail consistera à établir l'ordre du jour de l'assemblée du 18 août. Et je peux déjà vous donner quelques points qui devront figurer dans cet ordre du jour, si vous voulez.

– Allez-y.

– Premièrement, lecture et ratification de la Déclaration de l'indépendance. Deuxièmement, lecture et ratification de la Constitution. Troisièmement, lecture et ratification de la Déclaration des droits du citoyen. Scrutin à main levée.

– Vous y allez fort, Glen, nous sommes tous des Américains...

– Non, c'est là que vous vous trompez, répondit

Glen en ouvrant ses yeux injectés de sang. Nous ne sommes plus qu'une bande de survivants, sans aucun gouvernement. Un méli-mélo de groupes d'âges, de groupes religieux, de groupes de classes, de groupes ethniques. Le gouvernement est une idée, Stu. Rien de plus, une fois que vous supprimez les fonctionnaires et toute la merde. J'irais même plus loin. C'est une doctrine, rien d'autre qu'un sentier que l'habitude a gravé dans nos mémoires. Nous avons cependant un atout : l'inertie culturelle. La plupart des gens qui sont ici croient encore au gouvernement représentatif, à la république – ce qu'ils pensent être la « démocratie ». Mais l'inertie culturelle ne dure jamais longtemps. Au bout de quelque temps, ils vont commencer à réagir avec leurs tripes : le président est mort, le Pentagone est à louer, personne ne discute plus de rien à la chambre ni au sénat, sauf peut-être les termites et les cancrelats. Les gens vont vite comprendre que les structures d'autrefois ont bel et bien disparu, et qu'ils peuvent remodeler la société comme bon leur semble. Nous voulons – nous *devons* – les prendre en main avant qu'ils se réveillent et qu'ils fassent des bêtises.

Glen pointa le doigt vers Stu.

– Si quelqu'un se levait à l'assemblée du 18 août et proposait de donner le pouvoir absolu à mère Abigaël, avec vous et moi comme conseillers, et aussi le petit Andros, la proposition serait adoptée à l'unanimité. Personne ne se rendrait compte que nous viendrions de voter pour la première dictature américaine depuis l'époque de Huey Long.

– Je ne peux pas vous croire. Il y a des universitaires ici, des avocats, des gens qui ont fait de la politique...

– Autrefois. Maintenant, ce ne sont plus que des gens fatigués, des gens qui ont peur, qui ne savent pas ce qui va leur arriver. Certains protesteraient peut-être, mais ils la fermeraient quand vous leur diriez que mère Abigaël et ses conseillers se démettraient de leurs fonctions au bout de soixante jours. Non, Stu, c'est très important : la première chose que nous devons faire, c'est de ratifier l'*esprit* de l'ancienne société. C'est ce que je veux dire quand je parle de recréer l'Amérique. Et il faudra qu'il en soit ainsi tant que nous serons directement menacés par l'homme que nous appelons l'Adversaire.

– Continuez.

– D'accord. Deuxième point de l'ordre du jour : que le gouvernement fonctionne comme dans les villages de Nouvelle-Angleterre, au début de la colonisation. Démocratie directe. Tant que nous ne serons pas trop nombreux, le système fonctionnera très bien. À la place des édiles, nous aurons sept... comment les appeler ?... sept représentants. Représentants de la Zone libre. Vous trouvez que ça fait bien ?

– Très bien.

– Moi aussi. Et nous ferons en sorte que les représentants élus soient les mêmes que les membres du comité organisateur. Nous ne perdrons pas de temps et nous passerons au vote avant que les gens aient eu le temps de penser à leurs petits copains. Nous choisirons nous-mêmes ceux qui proposeront nos candidatures et la proposition passera comme une lettre à la poste.

– Vous avez pensé à tout.

– Évidemment, répondit Glen d'un air lugubre. Si vous voulez court-circuiter le processus démocratique, demandez comment faire à un sociologue.

– Ensuite ?

– Une proposition qui sera très populaire : « Il est décidé de donner à mère Abigaël le droit de veto sur toute décision proposée par le conseil. »

– Nom d'un chien ! Et vous croyez qu'elle sera d'accord ?

– Je pense que oui. Mais je ne crois pas qu'elle exerce son veto, du moins pas dans des circonstances que je peux prévoir actuellement. Nous ne pouvons tout simplement pas espérer avoir ici un gouvernement viable si nous faisons d'elle notre chef en titre. Elle représente tout ce que nous avons en commun. Nous avons eu tous une expérience paranormale qui tournait autour d'elle. Et elle a... elle a quelque chose en elle. Tout le monde se sert des mêmes adjectifs pour la décrire : bonne, gentille, douce, vieille, sage, droite. Tous ces gens ont eu un rêve qui leur fout une trouille de tous les diables, et un autre qui les rassure. Ils aiment celle qui est la source du rêve qui les rassure d'autant plus que l'autre les terrorise. Et nous pouvons parfaitement lui dire qu'elle n'est notre chef qu'en titre. Je suppose que c'est ce qu'elle veut de toute façon. Elle est vieille, fatiguée...

Stu secouait la tête.

– Elle est peut-être vieille et fatiguée, mais pour elle la lutte contre l'homme noir est une sorte de croisade religieuse. Elle n'est pas la seule à le penser d'ailleurs. Vous le savez bien, Glen.

– Vous croyez qu'elle pourrait prendre le mors aux dents ?

– Pas exactement. Mais après tout, c'est d'*elle* que nous avons rêvé, pas d'un conseil de représentants.

– Non, répondit Glen, rêves ou pas, je ne peux quand même pas croire que nous sommes tous des pions dans une sorte de jeu post-apocalyptique entre le Bien et le Mal. Ce serait quand même trop irrationnel !

– L'avenir nous le dira, dit Stu en haussant les épaules. Pour le moment, je pense que votre idée de lui donner le droit de veto est bonne. En fait, je crois que vous n'allez pas assez loin : nous devrions lui donner le pouvoir de proposer autant que celui de disposer.

– Oui, mais pas de pouvoir absolu de ce côté de la balance, s'empressa d'ajouter Glen.

– Non, ses idées devront être ratifiées par le conseil des représentants. Mais nous risquons de ne plus avoir rien d'autre à faire que d'approuver ses décisions, au lieu du contraire.

Il y eut un long silence. Glen réfléchissait, le front dans la main.

– Vous avez raison, dit-il finalement. Elle ne peut pas être une simple figurante... Au minimum, nous devons accepter la possibilité qu'elle ait ses idées à elle. Et c'est là que je dois remballer ma boule de cristal, mon vieux. Car mes collègues sociologues diraient sans doute d'elle qu'elle est à l'écoute de l'*autre*.

– Qu'est-ce que vous voulez dire ? Quel autre ?

– Dieu ? Thor ? Allah ? Aucune importance. Elle ne se laissera pas nécessairement influencer par les besoins de notre société, ni par les usages qu'elle adoptera. Elle écoutera une autre voix. Comme Jeanne d'Arc. Ce que vous venez de me faire comprendre, c'est que nous pourrions bien finir avec une théocratie sur les bras.

– Une théo quoi ?

– À devenir des fous de Dieu, répondit Glen, pas très satisfait de son explication. Quand vous étiez petit garçon, Stu, avez-vous jamais rêvé de devenir l'un des sept grands prêtres ou prêtresses d'une vieille femme noire de cent huit ans que vous seriez allé chercher au Nebraska ?

Stu le regarda un long moment.

– Il reste encore du vin ? demanda-t-il enfin.

– Plus une goutte.

– Merde.

– Comme vous dites.

En silence, ils s'étudièrent longuement, puis tout à coup éclatèrent de rire.

C'était certainement la plus jolie maison où mère Abigaël avait jamais vécu. Et d'être assise là, sous la véranda grillagée, lui fit penser à ce voyageur de commerce qui était venu faire un tour à Hemingford, en 1936 ou 1937. Comme il savait parler celui-là ! Il aurait convaincu jusqu'aux petits oiseaux perchés sur leurs branches. Elle avait demandé à ce jeune homme, M. Donald King, c'était son nom, ce qu'il voulait. Et l'autre lui avait répondu : « Ce que je veux, Madame, c'est le bonheur. *Votre* bonheur. Vous aimez lire ? Écouter la radio peut-être ? Ou simplement poser vos jambes lasses sur un joli coussin, écouter le monde rouler dans le grand bowling de l'univers ? »

Elle avait bien dû admettre qu'elle aimait toutes ces choses, sans avouer cependant qu'ils avaient vendu la radio Motorola un mois plus tôt, pour acheter quatre-vingt-dix bottes de foin.

– Voyez-vous, c'est tout cela que je vends, lui avait dit le voyageur de commerce qui parlait si bien. Vous pouvez l'appeler un aspirateur Électrolux avec tous les accessoires, mais ce dont il s'agit vraiment, c'est de temps libre, de loisirs. Branchez-le et vous découvrirez un océan de détente. Et vous verrez que les mensualités seront presque aussi faciles que de faire votre ménage avec cet appareil.

On était en plein cœur de la dépression, elle n'avait même pas pu trouver vingt cents afin d'acheter des rubans à ses petites filles pour leurs anniversaires, comment songer à cet Électrolux ? Mais comme il parlait bien, ce M. Donald King, de Peru, Indiana. Mon Dieu ! Elle ne l'avait pas revu, mais elle n'avait jamais oublié son nom. Sans doute avait-il continué sa route, sans doute avait-il brisé quelque part le cœur d'une dame blanche. Elle n'avait eu son premier aspirateur qu'à la fin de la guerre contre les nazis, quand tout à coup on eût dit que tout le monde pouvait se payer n'importe quoi, quand même les pauvres petits Blancs avaient leur Mercury cachée derrière la réserve à bois.

Et maintenant, cette maison, la sienne lui avait dit Nick, cette maison du quartier Mapleton Hill de Boulder (mère Abigaël était sûre que les Noirs n'avaient pas été trop nombreux à y vivre avant l'épidémie), équipée de tous les gadgets dont elle avait jamais entendu parler et de quelques autres encore. Lave-vaisselle. *Deux* aspirateurs, un réservé pour l'étage du haut. Un broyeur dans l'évier. Un four à micro-ondes. Machine à laver, sèche-linge. Il y avait aussi un appareil dans la cuisine. On aurait dit une simple boîte d'acier. Mais Ralph Brentner, l'ami de Nick, lui avait expliqué que c'était un « compacteur d'ordures ». Vous y mettiez cinquante kilos de cochonneries et il vous rendait un petit paquet pas plus gros qu'un tabouret pour les pieds. On n'arrêtait pas le progrès.

Pourtant, à bien y penser, on pouvait l'arrêter.

Assise sous la véranda, dans un fauteuil à bascule, ses yeux étaient tombés par hasard sur une prise électrique encastrée dans la plinthe. Sans doute pour que les gens puissent s'installer là l'été, écouter la radio ou même regarder le match de base-ball sur cette mignonne petite télé toute ronde. Rien de plus banal que ces petites plaques de plastique sur les murs. Elle en avait, elle aussi, dans sa cabane de Hemingford. On n'y pensait jamais... sauf quand elles ne fonctionnaient plus. C'est alors que vous compreniez toute l'importance qu'elles avaient eue dans votre vie. Tout ce temps libre, tous ces plaisirs dont Donald King lui avait parlé autrefois... tout cela sortait de ces petites plaques au bas des murs. Sans électricité, autant se servir de toutes ces mécaniques, comme le four à micro-ondes et le « compacteur d'ordures », pour poser son chapeau dessus.

Ma parole ! Sa petite maison était mieux équipée que celle-ci maintenant que toutes ces petites plaques étaient mortes. Ici, quelqu'un devait lui apporter de l'eau qu'on allait puiser très loin, à la rivière, et il fallait la faire bouillir avant de s'en servir, pour plus de sûreté. Là-bas, elle avait sa pompe. Ici, Nick et Ralph avaient dû lui apporter en camion une vilaine petite guérite de plastique, une toilette portative ; ils l'avaient installée dans la cour. Chez elle, elle avait ses cabinets derrière la maison. Et elle n'aurait pas hésité à échanger sa machine à laver Maytag contre sa lessiveuse. Nick avait d'ailleurs fini par lui en trouver une et Brad Kitchner lui avait apporté une grosse brosse et de la bonne vieille lessive d'autrefois. Ils pensaient sans doute qu'elle n'était qu'une vieille emmerdeuse à vouloir faire elle-même sa lessive – et souvent avec ça – mais la propreté du corps et du linge était le reflet de la propreté de l'âme, jamais elle n'avait fait laver son linge de toute sa vie, et ce n'était pas maintenant qu'elle allait commencer. Elle avait de temps en temps de petits accidents, comme bien des vieilles gens, mais tant qu'elle pouvait laver elle-même son linge, personne n'en saurait rien.

Naturellement, ils allaient rétablir l'électricité. C'était l'une des choses que Dieu lui avait fait voir dans ses rêves. Elle en savait des choses sur ce qui allait bientôt se passer – certaines vues dans ses rêves, certaines que son bon sens imaginait tout simplement. Mais où s'arrêtait le rêve, où commençait le bon sens ?

Bientôt, tous ces gens allaient cesser de courir comme des poulets auxquels on a coupé la tête. Ils allaient se regrouper. Elle n'était pas sociologue comme ce Glen Bateman (qui la regardait toujours comme un caissier examine un billet de dix dollars sur un champ de courses), mais elle savait que les gens finissent toujours par s'unir. C'était à la fois la malédiction et la bénédiction de la race humaine. Voyez donc : une inondation, et six malheureux s'en vont à la dérive sur le Mississippi, perchés sur le toit d'une église ; mais dès que le toit s'échoue sur un banc de sable, ils organisent aussitôt une partie de bingo.

D'abord, ils allaient vouloir former un gouvernement, probablement organisé autour d'elle. Et cela, elle ne pouvait pas le permettre, naturellement, même si elle l'eût bien voulu ; ce n'était pas la volonté de Dieu. Qu'ils s'occupent des choses de la terre. Rétablir le courant ? Parfait. Elle, la première chose qu'elle ferait alors, ce serait d'essayer cette machine, le compacteur d'ordures. Rétablir le gaz pour qu'ils ne se gèlent pas le derrière cet hiver. Qu'ils adoptent leurs résolutions, qu'ils fassent leurs plans, tout cela était bien. Elle ne mettrait pas son nez là-dedans. Elle insisterait cependant pour que Nick ait son mot à dire, et peut-être Ralph. Ce Texan semblait avoir la tête sur les épaules et il était assez malin pour ne pas ouvrir la bouche quand son cerveau tournait dans le vide. Ils voudraient sans doute aussi de ce gros garçon, Harold. Elle ne les en empêcherait pas, mais elle ne l'aimait pas celui-là. Harold la rendait nerveuse. Toujours le sourire aux lèvres, mais jamais dans les yeux. Il était gentil, il disait ce qu'il fallait dire, mais ses yeux étaient comme deux silex froids sortant de la terre.

Harold avait sans doute un secret. Une sale petite chose enveloppée dans un cataplasme puant, tout au fond de son cœur. Elle ne savait pas du tout ce que c'était ; si Dieu n'avait pas voulu qu'elle le sache, c'est que cela n'avait pas d'importance pour Ses desseins. Quand même, elle s'inquiétait que ce gros garçon fasse partie de leur grand conseil... mais elle ne dirait rien.

Sa place à elle, pensait-elle paisiblement, assise dans son fauteuil à bascule, son rôle dans leurs conseils et délibérations ne concernait que l'homme noir.

Il n'avait pas de nom, même s'il aimait se faire appeler Flagg... au moins pour le moment. Et, de l'autre côlé des montagnes, son travail était déjà bien avancé. Elle ne connaissait pas ses plans ; ils étaient aussi invisibles pour ses yeux que les secrets cachés dans le cœur du gros Harold. Mais elle n'avait pas besoin d'en connaître les détails. Le but de l'homme noir était clair et simple : les détruire tous.

Elle comprenait parfaitement qui était cet homme. Les gens qui arrivaient dans la Zone libre venaient tous la voir ici, et elle les recevait même s'ils la fatiguaient parfois... et tous voulaient lui dire qu'ils avaient rêvé d'elle et de *lui*. L'homme noir les terrifiait. Elle les écoutait, les réconfortait, les calmait de son mieux, sachant pourtant que la plupart d'entre eux n'auraient pas reconnu ce Flagg s'ils l'avaient croisé dans la rue... à moins que lui ne *veuille* qu'ils le remarquent. Peut-être auraient-ils *senti* sa présence – un froid soudain, ou au contraire comme un accès de fièvre, une douleur vive mais brève aux oreilles ou aux tempes. Mais ces gens se trompaient s'ils pensaient qu'il avait deux têtes, ou six yeux, ou de grosses cornes sur le crâne. Sans doute n'était-il pas tellement différent de l'homme qui livrait autrefois le lait ou distribuait le courrier.

Elle supposait que derrière le mal conscient se cachait une noirceur inconsciente. C'était ce qui distinguait les enfants de la noirceur sur cette terre ; ils ne pouvaient faire les choses, seulement les briser. Dieu le créateur avait fait l'homme à Son image, ce qui voulait dire que tout homme (et toute femme) qui vivait dans la lumière de Dieu était un créateur d'une sorte ou d'une autre, une personne qui voulait mettre la main à la pâte, donner au monde une forme rationnelle. L'homme noir ne voulait – ne pouvait – que défaire. L'Antéchrist ? Peut-être, mais tout aussi bien l'anticréation.

Il aurait ses adeptes, naturellement ; il en avait toujours été ainsi. L'homme noir était un menteur, et son père était le Père des Mensonges. Comme une énorme enseigne au néon, il se dresserait très haut dans le ciel devant eux, émerveillerait leurs yeux avec ses feux d'artifice. Et eux ne verraient pas, ces apprentis de la destruction, qu'il ne faisait que répéter sans cesse les mêmes gestes simples, comme une enseigne au néon. Ils ne comprendraient pas que, si vous laissez échapper le gaz qui crée ces jolis motifs dans cet assemblage complexe de tubes, le gaz se dissipe silencieusement, ne laissant derrière lui aucun goût, pas même une légère odeur.

Certains comprendraient avec le temps que son royaume ne serait jamais un royaume de paix. Mais les sentinelles et les fils barbelés aux frontières de son domaine seraient là autant pour écarter l'envahisseur que pour retenir les convertis.

Finirait-il par l'emporter ?

Elle n'était pas absolument sûre du contraire. Elle savait qu'il la connaissait comme elle le connaissait lui, et que rien ne lui procurerait plus de plaisir que de voir son corps maigre crucifié sur deux poteaux téléphoniques, offert à la voracité des corbeaux. Elle savait que quelques-uns avaient rêvé comme elle de crucifixions, mais ils n'étaient pas nombreux. Ceux qui avaient fait ces rêves lui en avaient tous parlé. Mais personne n'avait répondu à cette question :

Allait-il l'emporter ?

Il ne lui était pas donné de le savoir. Dieu œuvrait dans le secret, comme Il lui plaisait. Il Lui avait plu que les enfants d'Israël peinent sous le joug égyptien pendant des générations. Il Lui avait plu de réduire Joseph en esclavage, de lui arracher son somptueux manteau. Il Lui avait plu d'infliger d'innombrables souffrances au pauvre Job, et il Lui avait plu de permettre que Son fils soit crucifié sur l'arbre de mort, une mauvaise plaisanterie inscrite sur une pancarte au-dessus de sa tête.

Dieu était joueur. S'Il avait été mortel, Il aurait passé son temps penché sur un damier, devant l'épicerie de Pop Mann, là-bas, à Hemingford Home. Il jouait les Blancs contre les Noirs, les Noirs contre les Blancs. Pour Lui, le jeu valait plus que la chandelle, le jeu *était* la chandelle. Avec le temps, Il finirait par l'emporter. Mais pas nécessairement cette année, ni dans mille ans... Et elle se gardait bien de sous-estimer l'habileté et la fourberie de l'homme noir. Si lui était comme un tube au néon, elle était comme l'une de ces minuscules particules de terre noire que le vent fait tourbillonner dans le ciel par temps de sécheresse. Un soldat parmi tant d'autres – depuis longtemps atteint par la limite d'âge, c'était vrai ! – au service du Seigneur.

– Ta volonté sera faite, dit-elle en cherchant dans la poche de son tablier un sachet de cacahuètes Planters.

Son dernier médecin, le docteur Staunton, lui avait dit d'éviter tout ce qui était salé. Mais qu'en savait-il ? Elle avait enterré les deux médecins qui avaient cru pouvoir lui donner des conseils depuis le jour de ses quatre-vingt-six ans, et elle prendrait quelques cacahuètes si elle en avait envie. Elles lui faisaient affreusement mal aux gencives, mais mon Dieu ! comme elles étaient bonnes !

Ralph Brentner arrivait justement, son chapeau

solidement planté sur la tête. Il se découvrit cependant quand il frappa à la porte.

– Vous êtes réveillée, mère ?

– Ça, oui, répondit-elle, la bouche pleine. Entre, Ralph, je n'arrive plus à mâcher ces méchantes cacahuètes. C'est un vrai carnage.

Ralph entra en riant.

– Il y a des gens à la grille qui aimeraient bien venir vous dire bonjour, si vous n'êtes pas trop fatiguée. Ils sont arrivés il y a une heure. Des gens bien, à mon avis. Le type qui est leur chef a les cheveux longs, mais ça n'a pas l'air de l'avoir dérangé. Il s'appelle Underwood.

– Alors, fais-les venir, Ralph, je serai heureuse de les voir.

– Très bien.

– Où est Nick ? Je ne l'ai pas vu de la journée, et pas davantage hier. Est-ce qu'il nous bouderait par hasard ?

– Il est allé au réservoir du barrage, avec l'électricien, Brad Kitchner, pour voir un peu la centrale électrique, répondit Ralph en se frottant le nez. Je me suis promené ce matin. Et je trouve qu'il y a beaucoup de chefs, et pas assez d'Indiens.

Mère Abigaël gloussa. Elle aimait bien ce Ralph. C'était un homme simple, mais il était loin d'être bête. Il comprenait comment les choses fonctionnent. Rien d'étonnant si c'était lui qui avait mis en place ce que tout le monde appelait maintenant la Radio de la Zone libre. C'était le genre d'homme qui n'hésiterait pas à essayer de réparer avec de la colle époxy une batterie de tracteur qui commence à se fendre. Et si la réparation tenait, eh bien, il enlèverait tout simplement son chapeau cabossé pour gratter son crâne chauve, avec un grand sourire, le sourire d'un garçon de onze ans qui part avec sa canne à pêche sur l'épaule, ses devoirs terminés. Le genre d'homme qu'il fait bon avoir à côté de soi quand tout va plutôt mal, et qui s'efface ensuite quand tout le monde se sent bien. Le type qui sait adapter la valve d'un pneu de vélo quand le raccord de la pompe est trop gros, qui comprend du premier coup d'œil ce qui fait ce drôle de bruit dans le four, mais aussi le type qui pointe toujours trop tard à l'usine, qui repart toujours trop tôt et qui finit par se faire mettre dehors. Le genre de type qui sait engraisser un champ de maïs avec du purin de porc, dans les bonnes proportions, qui sait faire des conserves de concombres, mais qui ne comprendra jamais un mot du papier qu'il signe à la banque pour emprunter l'argent dont il a besoin afin de s'acheter une voiture, qui ne comprendra jamais comment le concessionnaire arrive chaque fois à le blouser. Rempli par Ralph Brentner, un formulaire de demande d'emploi aurait eu l'air de sortir d'un mixer électrique... fautes d'orthographe, pages cornées, taches d'encre et de graisse. Son *curriculum vitae*, d'un jeu de cartes qui aurait fait le tour du monde sur un caboteur poussif. Mais, lorsque le tissu du monde commençait à se déchirer, c'étaient les hommes comme Ralph Brentner qui n'avaient pas peur de dire : « Mettons un petit peu de colle ici, on va voir si ça tient. » Et le plus souvent, ça tenait.

– Tu es un brave type, Ralph, tu le savais ? Tu es un brave type.

– Vous aussi, mère. Non, pas un brave type... Enfin, vous comprenez. Bon, ce gars-là, Redman, est venu nous trouver pendant qu'on était en train de travailler. Il voulait parler à Nick, lui dire qu'il devait être membre d'un comité... je ne sais pas trop quoi.

– Et qu'est-ce que Nick a répondu ?

– Oh là là ! Il en a écrit des pages ! Mais ça peut se résumer comme ça: si mère Abigaël est d'accord, je suis d'accord. Qu'est-ce que vous en dites ?

– Qu'est-ce que tu veux qu'une vieille dame comme moi ait à dire sur ces choses-là ?

– Beaucoup, répondit Ralph, presque choqué. C'est à cause de vous que nous sommes ici. Et je crois que nous ferons tout ce que vous voulez.

– Eh bien, ce que je veux, c'est de continuer à vivre libre comme je l'ai toujours fait, comme une Américaine. Je veux simplement dire ce que j'ai sur le cœur quand j'en ai envie. Comme une Américaine.

– Vous aurez votre mot à dire.

– Les autres pensent comme toi, Ralph ?

– Oui, vous pouvez en être sûre.

– Alors, tout va très bien, dit-elle en se balançant dans son fauteuil. Le temps passe. Et tous ces gens se tournent les pouces. Ils attendent que quelqu'un vienne leur dire où se poser le derrière.

– Alors, je peux y aller ?

– Quoi faire ?

– Nick et Stu m'ont demandé de trouver une imprimerie et de voir si je pouvais la faire fonctionner, si eux me trouvaient un peu d'électricité. Je leur ai dit que je n'avais pas besoin d'électricité, que j'allais simplement trouver une école quelque part, avec une bonne vieille ronéo à manivelle. Ils veulent imprimer des tracts. Et beaucoup ! Sept cents. Je me demande pourquoi, puisque nous sommes juste un peu plus de quatre cents.

– Plus les dix-neuf qui attendent devant la grille et qui vont sans doute avoir une insolation si nous continuons à papoter. Va donc les chercher, mon enfant.

– J'y vais, dit Ralph en s'éloignant.

– Ralph ?

Il se retourna.

– Tu ferais bien d'en imprimer mille.

Ralph leur ouvrit la barrière et ils entrèrent. Elle sentit alors son péché, celui qu'elle considérait comme la mère des péchés. Le père des péchés était le vol ; les dix commandements se résumaient en fait à « Tu ne voleras point ». Le meurtre était le vol d'une vie, l'adultère le vol d'une épouse, l'envie, le vol secret et furtif qui se cachait dans l'ombre d'un cœur. Le blasphème était le vol du nom de Dieu, chassé de la maison du Seigneur, profané dans la rue comme une putain sur ses talons hauts. Elle n'avait jamais connu vraiment le vol, à peine un petit chapardage de temps en temps.

La mère du péché était l'orgueil.

L'orgueil était le côté féminin de Satan dans la race humaine, l'œuf paisible du péché, toujours fertile. C'est l'orgueil qui avait empêché Moïse de connaître le pays de Canaan où les grappes de raisins étaient si grosses qu'il fallait se mettre à plusieurs pour les porter. *Qui a fait jaillir l'eau du rocher quand nous avions soif ?* avaient demandé les enfants d'Israël. Et Moïse avait répondu : *moi.*

Elle avait toujours été fière. Fière du plancher qu'elle lavait à grande eau, à quatre pattes (mais Qui lui avait donné ces mains, ces genoux et l'eau qui remplissait son seau ?), fière que tous ses enfants aient bien tourné – pas un seul en prison, pas un seul pris par la drogue ou la bouteille, pas un seul possédé par le vice qui doit taire son nom – mais les mères des enfants étaient les filles de Dieu. Elle était fière de sa vie, mais ce n'était pas elle qui l'avait faite. La fierté était la malédiction des forts car, comme une femme, la fierté avait ses artifices. Malgré son grand âge, elle n'avait pas encore appris toutes ses illusions, pas encore maîtrisé ses chants de sirène.

Et lorsqu'ils franchirent la barrière, un par un, elle pensa : *C'est moi qu'ils sont venus voir.* Sur les talons de ce péché, une série d'images blasphématoires surgit toute seule dans son esprit : ils entraient un par un, comme des communiants, et elle voyait leur jeune chef baisser les yeux à terre, à son côté une jeune femme aux cheveux blonds, un petit garçon derrière lui accompagné d'une femme aux yeux sombres dont les cheveux noirs étaient parcourus de mèches grises. Et derrière eux, les autres, à la queue leu leu.

Le jeune homme gravit les marches de la véranda, mais sa femme s'arrêta au pied de l'escalier. Il avait les cheveux longs, comme Ralph l'avait dit, mais ils étaient propres. Il avait une barbe rousse semée de fils d'or, très longue. Un visage fort, récemment buriné par les soucis, des rides toutes fraîches autour de la bouche, en travers du front.

– Vous existez vraiment, dit-il à voix basse.

– Figurez-vous que je n'en avais jamais douté. Je m'appelle Abigaël Freemantle, mais par ici, on m'appelle généralement mère Abigaël. Soyez les bienvenus chez vous.

– Merci, répondit-il d'une voix étouffée, et elle vit qu'il avait peine à retenir ses larmes. Je suis... nous sommes très heureux d'être ici. Je m'appelle Larry Underwood.

Elle lui tendit la main et il la serra tout doucement, respectueusement. Elle sentit à nouveau poindre en elle la fierté, cette chose qui vous fait raidir la nuque. Comme si ce jeune homme croyait qu'elle avait en elle un feu qui allait le brûler.

– J'ai... j'ai rêvé de vous.

Elle hocha la tête en souriant. Il se retourna maladroitement, manquant de trébucher, et redescendit les marches, le dos voûté. Bientôt il serait soulagé de son fardeau, pensa-t-elle, quand il comprendrait qu'il n'avait pas à porter tout le poids du monde sur ses épaules. Un homme qui doute de lui ne doit pas être trop longtemps mis à l'épreuve, pas avant qu'il n'ait mûri, et cet homme, ce Larry Underwood, était encore un peu vert, comme une jeune tige qu'un rien fait fléchir. Mais elle l'aimait.

Sa femme, une jolie petite chose aux yeux comme des violettes, vint ensuite. Elle regarda mère Abigaël droit dans les yeux, mais sans aucune arrogance.

– Je m'appelle Lucy Swann. Je suis heureuse de faire votre connaissance.

Elle portait un pantalon. Pourtant, elle esquissa une petite révérence.

– Heureuse de vous voir, Lucy.

– Est-ce que je peux vous demander... je voudrais...

Le rouge lui monta aux joues et elle baissa les yeux.

– Cent huit ans, sauf erreur, répondit-elle gentiment. Mais il y a des jours où j'ai l'impression d'en avoir deux cent seize.

– J'ai rêvé de vous, dit Lucy qui redescendit aussitôt l'escalier, un peu mal à l'aise.

Ce fut ensuite le tour de la femme aux yeux sombres et du garçon. La femme la regarda gravement, sans ciller ; quant au garçon, il semblait totalement émerveillé. L'enfant ne l'inquiétait pas. Mais quelque chose chez cette femme lui fit froid dans le dos. *Il est ici* pensa-t-elle. *Il est venu sous la forme de cette femme... car sachez qu'il revêt bien d'autres formes que la sienne... le loup... le corbeau... le serpent.*

Elle aussi pouvait connaître la peur et, un instant, elle eut l'impression que cette étrange femme aux cheveux parcourus de mèches blanches allait tendre la main, presque nonchalamment, et lui briser la nuque. Un instant, mère Abigaël crut que le visage de la femme avait disparu et qu'elle voyait devant elle un trou dans l'espace et le temps, un trou au sein duquel deux yeux sombres et damnés la fixaient – des yeux perdus, hagards, désespérés.

Mais ce n'était qu'une femme, pas lui. L'homme noir n'oserait jamais s'approcher d'elle, même pas sous une forme autre. Ce n'était qu'une femme – une très jolie femme d'ailleurs – avec un visage expressif et sensible. Elle tenait le petit garçon par les épaules. Mais oui, elle avait rêvé, c'était tout. Certainement.

Pour Nadine Cross, la rencontre fut un moment de totale confusion. Elle s'était sentie bien quand elle avait franchi la barrière. Elle s'était sentie bien jusqu'à ce que Larry commence à parler à la vieille dame. Mais alors, un sentiment presque intolérable d'horreur et de terreur s'était emparé d'elle. La vieille femme pouvait... pouvait quoi ?

Pouvait voir.

Oui, elle avait peur que la vieille femme puisse voir en elle, découvre cette noirceur déjà ensemencée qui commençait à germer. Elle avait peur que la vieille femme se lève, la dénonce, exige qu'elle quitte Joe et qu'elle aille vers ceux (vers *lui*) auxquels elle appartenait.

L'une comme l'autre agitées par leurs troubles frayeurs, les deux femmes se regardèrent dans les yeux. Elles se jaugèrent. Un instant seulement, mais qui leur parut à toutes deux interminable.

Il est en elle, la créature du Diable, pensa Abby Freemantle.

Tout leur pouvoir est là, pensa Nadine à son tour. *Ils n'ont rien d'autre qu'elle, même s'ils l'ignorent peut-être.*

Joe s'agitait à côté d'elle, la tirait par la main.

– Bonjour, dit-elle d'une petite voix blanche. Je m'appelle Nadine Cross.

– Je sais qui vous êtes, répondit la vieille femme.

Les mots planèrent dans l'air, et toutes les conversations s'interrompirent brusquement. Les gens se retournèrent, étonnés, pour voir ce qui se passait.

– Vraiment ?

Tout à coup, elle eut l'impression que Joe était sa seule protection, l'unique. Elle fit passer l'enfant devant elle, comme un otage. Les étranges yeux couleur de mer de Joe se levèrent vers mère Abigaël.

– Voici Joe. Vous le connaissez lui aussi ? demanda Nadine.

Les yeux de mère Abigaël restaient fxés sur ceux de la femme qui se faisait appeler Nadine Cross, mais un mince voile de sueur lui baignait maintenant la nuque.

– Je ne pense pas qu'il s'appelle Joe, pas plus que je m'appelle Cassandre, et je ne pense pas que vous soyez sa maman.

La vieille femme baissa les yeux vers le petit garçon, soulagée d'une certaine manière, incapable de s'empêcher de croire que cette femme venait de remporter une victoire – qu'elle avait placé ce petit bonhomme entre elles, qu'elle l'avait utilisé pour l'empêcher de faire ce que son devoir lui commandait... ah, mais tout avait été si vite, elle n'avait pas eu le temps de se préparer.

– Comment t'appelles-tu, mon petit ?

L'enfant voulait répondre, mais on aurait cru qu'un os s'était pris dans sa gorge.

– Il ne peut pas vous le dire, dit Nadine en posant la main sur l'épaule de l'enfant. Il ne peut pas vous le dire. Je ne crois pas qu'il se souv...

Joe s'écarta brusquement.

– *Leo !* dit-il tout à coup d'une voix forte et claire. Leo Rockway, c'est moi ! Je suis Leo !

Et il se précipita dans les bras de mère Abigaël en riant aux éclats. Les autres rirent eux aussi et certains applaudirent. Personne ne semblait plus s'intéresser à Nadine. Abby sentit à nouveau que quelque chose venait de basculer.

– Joe ! lança Nadine.

Elle avait retrouvé son calme. Son visage paraissait si lointain. Le garçon s'écarta un peu de mère Abigaël et regarda Nadine.

– Viens, dit Nadine en soutenant le regard d'Abby. Elle est vieille. Tu vas lui faire mal. Elle est très vieille et... plus très forte.

– Oh, je crois être bien assez forte pour aimer un peu un petit garçon comme lui, répondit mère Abigaël, mais sa voix lui parut étrangement incertaine. On dirait qu'il a fait un bien long voyage.

– Oui, il est fatigué. Et vous l'êtes vous aussi. Allez, viens, Joe.

– Je l'aime beaucoup, dit le petit garçon sans bouger.

Nadine tressaillit. Sa voix se durcit :

– Allez, viens tout de suite, Joe !

– *Ce n'est pas mon nom ! Leo ! Leo ! C'est comme ça que je m'appelle !*

Les conversations cessèrent de nouveau. Tous comprenaient que quelque chose d'imprévu s'était produit, pouvait se produire encore, mais sans savoir quoi au juste.

Les deux femmes se regardaient comme si elles croisaient le fer.

Je sais qui vous êtes, disaient les yeux d'Abby.

Et Nadine répondait : *Oui. Et je vous connais moi aussi.*

Mais, cette fois, ce fut Nadine qui baissa les yeux la première.

– Très bien, dit-elle. Leo, ou ce que tu voudras. Mais viens, avant de trop la fatiguer.

L'enfant quitta à regret les bras de mère Abigaël.

– Reviens me voir quand tu veux, dit Abby, sans regarder Nadine.

– D'accord, répondit le petit garçon en lui envoyant un baiser.

Nadine était de glace. Elle ne disait pas un mot. Quand ils redescendirent les marches, le bras de Nadine sur ses épaules parut lourd à l'enfant, comme une chaîne de forçat. Mère Abigaël les regarda s'éloigner, sachant que tout allait se dissiper dans le brouillard. Maintenant qu'elle ne voyait plus le visage de la femme, cette impression d'avoir eu une révélation commençait à s'estomper. Elle n'était plus très sûre de ce qu'elle avait ressenti. Ce n'était qu'une femme parmi d'autres, sans aucun doute... mais était-ce bien vrai ?

Le jeune homme, Underwood, était toujours en bas des marches, le visage tourmenté comme un nuage d'orage.

– Pourquoi as-tu fait ça ? demanda-t-il tout bas à la femme, mais mère Abigaël le comprit parfaitement.

La femme fit comme si elle n'avait pas entendu et s'éloigna sans répondre. Le petit garçon lança un regard suppliant à Underwood, mais la femme commandait, au moins pour le moment, et l'enfant la laissa l'emmener, l'emporter avec elle.

Il y eut un moment de silence et elle ne sut comment le combler, alors qu'il le fallait...

– Il le fallait ?

N'était-ce pas sa *mission* de le combler ?

Une voix demandait doucement : *Oui ? Ta mission ? C'est pour cela que Dieu t'a emmenée ici, femme ? Pour être celle qui accueille aux portes de la Zone libre ?*

Je ne peux plus penser, protesta-t-elle. *Cette femme avait raison : je suis fatiguée.*

Il revêt bien d'autres formes que la sienne, poursuivait la petite voix intérieure. *Loup, corbeau, serpent... femme.*

Qu'est-ce que cela voulait dire ? Que s'était-il passé ? Mon Dieu, quoi ?

J'étais assise, heureuse, attendant qu'ils se prosternent – oui, c'est bien cela que je faisais, inutile de me le cacher – et cette femme approche, quelque chose arrive, et je ne sais plus quoi. Mais il y avait quelque chose dans cette femme... est-ce bien vrai ? En es-tu sûre ?

Dans le silence, tous semblaient la regarder, attendant qu'elle fasse ses preuves. Et elle en était incapable. La femme et l'enfant avaient disparu ; ils étaient partis comme si eux étaient les justes et elle, rien d'autre qu'une vieille pharisienne grimaçante dont aussitôt ils avaient vu le jeu.

Oh, mais je suis vieille ! Ce n'est pas juste !

Et tout de suite vint une autre voix, toute petite, claire et précise, une voix qui n'était pas la sienne : *Pas trop vieille pour ne pas savoir que la femme est...*

Un autre homme s'approchait, hésitant, respectueux.

– Bonjour, mère Abigaël. Je m'appelle Zellman. Mark Zellman. De Lowville, État de New York. J'ai rêvé de vous.

Elle se trouva tout à coup en face d'un choix qui ne resta parfaitement clair que quelques instants seulement dans son esprit agité. Elle pouvait répondre au salut de cet homme, le taquiner un peu pour le mettre à l'aise (mais pas trop à l'aise, car ce n'était pas précisément ce qu'elle voulait), puis passer au suivant, et encore au suivant, recevant leurs hommages comme de nouvelles palmes, ou bien elle pouvait l'ignorer, lui et les autres. Elle pouvait suivre le fil de ses pensées, tout au fond de son cœur, chercher au plus profond ce que le Seigneur voulait qu'elle sache.

La femme est...

... quoi ?

Était-ce important ? La femme n'était plus là.

– J'ai eu un petit neveu qui vivait dans cette région, répondit-elle d'une voix placide à Mark Zellman. Une petite ville qui s'appelait Rouse's Point. Au bord du lac Champlain, tout près du Vermont. Vous n'en avez sans doute jamais entendu parler.

Et Mark Zellman répondit que si, il en avait entendu parler ; comme tout le monde dans l'État de New York. Y avait-il jamais été ? Et son visage s'assombrit. Non, jamais. Mais il aurait tant voulu.

– D'après ce que Ronnie me disait dans ses lettres, vous n'avez pas manqué grand-chose.

Et Zellman repartit, un large sourire aux lèvres.

Les autres montèrent tour à tour présenter leurs respects comme tant d'autres l'avaient fait avant eux, comme d'autres le feraient encore dans les jours et dans les semaines à venir. Un adolescent, Tony Donahue. Un mécanicien, Jack Jackson. Une jeune infirmière, Laurie Constable – elle allait être bien utile. Un vieil homme, Richard Farris, que tout le monde appelait Le Juge ; il la regarda avec une telle intensité qu'elle en fut presque mal à l'aise. Dick Vollman. Sandy DuChien – joli nom, sûrement une descendante de trappeurs français. Harry Dunbarton, un homme qui, trois mois plus tôt, gagnait sa vie en vendant des lunettes. Andrea Terminello. Un certain Smith. Un certain Rennett. Et tant d'autres. Elle leur parla à tous, hochant la tête, souriant, faisant de son mieux pour les mettre à l'aise, mais le plaisir qu'elle avait senti les autres jours avait disparu maintenant. Elle ne sentait plus que ses rhumatismes dans ses poignets, ses doigts et ses genoux, et puis aussi cette impression lancinante qu'elle devrait bientôt utiliser la toilette portative si elle ne voulait pas mouiller sa robe.

Tout cela, et l'impression de plus en plus vague (elle aurait complètement disparu à la tombée de la nuit) qu'elle avait manqué quelque chose de très important et qu'elle allait peut-être beaucoup le regretter plus tard.

Comme il avait les idées plus claires lorsqu'il écrivait, il notait tout ce qui lui paraissait important avec deux crayons-feutres : un bleu et un noir. Nick Andros était assis dans le petit bureau de la maison qu'il partageait avec Ralph Brentner et l'amie de Ralph, Elise. Il faisait presque nuit. La maison était très jolie, tapie à l'ombre du mont Flagstaff, mais un peu au-dessus de la ville. À travers la baie vitrée du salon, les rues de la ville paraissaient dessiner un gigantesque damier. Les vitres étaient revêtues d'une pellicule réfléchissante qui permettait de voir à travers sans être vu de l'extérieur. Nick supposait que la maison devait valoir entre 450 000 et 500 000 dollars... et le propriétaire et sa famille avaient mystérieusement disparu.

Au cours du long périple qui l'avait conduit de Shoyo à Boulder, d'abord tout seul, puis en compagnie de Tom Cullen et des autres, il avait traversé des dizaines et des dizaines de villes, grandes et petites, toutes des charniers qui empestaient à des kilomètres à la ronde. Boulder n'aurait pas dû être différente... et pourtant elle l'était. Naturellement, il y avait des cadavres, par milliers, et il faudrait faire quelque chose avant la fin de la saison sèche, quand les pluies d'automne accéléreraient la décomposition des corps, avec les risques de maladie qui pourraient en résulter... mais il n'y avait pas *suffisamment* de cadavres. Nick se demandait si quelqu'un d'autre, à part lui et Stu Redman, l'avait remarqué... Lauder, peut-être. Lauder remarquait presque tout.

Pour une maison ou un immeuble que vous trouviez rempli de cadavres, il y en avait des dizaines d'autres totalement vides. Durant les derniers spasmes de l'épidémie, la plupart des habitants de Boulder, malades et valides, avaient donc décidé de quitter la ville. Pourquoi ? La réponse n'avait probablement pas d'importance et sans doute ne la connaîtraient-ils jamais. Le fait étonnant demeurait que mère Abigaël, sans avoir vu la ville, avait réussi à les conduire tous vers ce qui était peut-être la seule petite ville des États-Unis qui ne soit pas littéralement jonchée de cadavres. Même pour un sceptique comme lui, c'était suffisant pour qu'il se demande d'où elle tirait ses informations.

Nick s'était installé dans trois jolies chambres au sous-sol, meublées en pin. Ralph avait eu beau insister pour qu'il utilise le reste de la maison, il s'y était absolument refusé – il se sentait déjà comme un intrus, mais il aimait bien Ralph et Elise... et jusqu'à ce voyage qui l'avait mené de Shoyo à Hemingford Home, il ne s'était pas rendu compte à quel point la compagnie des autres lui avait manqué. Un manque qui n'était toujours pas comblé.

Cette maison était certainement la plus belle de toutes celles où il avait habité. Nick disposait de sa propre entrée, à l'arrière, où il gardait son vélo dont les roues s'enfonçaient jusqu'aux moyeux dans une épaisse couche de feuilles de trembles qui pourrissaient en dégageant une douce odeur. Il avait commencé à se constituer une petite bibliothèque, chose qu'il avait toujours voulu faire au cours de ses années d'errance. Il lisait beaucoup à l'époque (depuis quelque temps, il n'avait que rarement le loisir de s'asseoir pour entreprendre une longue conversation avec un livre), et certains de ceux qui s'alignaient sur les étagères encore pratiquement vides étaient de vieux amis, la plupart empruntés dans des bibliothèques publiques pour la somme de deux cents par jour ; ces dernières années, il n'était jamais resté suffisamment longtemps au même endroit pour pouvoir obtenir une carte de lecteur. Les autres volumes étaient des livres qu'il n'avait pas encore lus, mais que ses lectures précédentes lui avaient donné envie de connaître. Et, tandis qu'il était assis dans le petit bureau devant sa feuille de papier et ses deux crayons-feutres, un de ces livres était juste à côté de lui sur la table – *Les Confessions de Nat Turner*, de William Styron. Il avait marqué l'endroit où il avait interrompu sa lecture avec un billet de dix dollars trouvé dans la rue. Il y avait beaucoup d'argent dans les rues, des billets que le vent balayait dans les caniveaux, et il était encore surpris et amusé de voir combien de gens – dont lui –

s'arrêtaient pour les ramasser. Pourquoi ? Les livres ne coûtaient plus rien à présent. Les *idées* ne coûtaient plus rien. Parfois cette pensée le remplissait d'enthousiasme. Parfois aussi elle l'effrayait.

La feuille sur laquelle il écrivait provenait d'un classeur dans lequel il notait toutes ses idées – sorte de journal, sorte d'aide-mémoire. Il avait découvert qu'il prenait grand plaisir à dresser ces listes, au point de se demander s'il n'avait pas eu un comptable parmi ses ancêtres. Quand il se sentait troublé et inquiet, cette activité suffisait souvent à le tranquilliser.

Il revint à sa page blanche, gribouillant distraitement dans la marge.

Il avait l'impression que tout ce qu'ils voulaient ou désiraient de leur ancienne vie se trouvait dans la centrale électrique de Boulder, aujourd'hui silencieuse, comme un trésor caché dans une cassette poussiéreuse, au fond d'un placard. Les gens qui s'étaient rassemblés à Boulder semblaient partager une même sensation confuse, vaguement désagréable – ils étaient comme des enfants cherchant leur chemin dans une maison hantée. D'une certaine façon, Boulder était une ville fantôme. Tous avaient l'impression de n'y être que de passage. Il y avait aussi ce type, Impening, qui avait autrefois habité Boulder où il travaillait à l'usine IBM. Impening semblait vouloir semer le trouble. Il ne cessait de dire à qui voulait l'entendre qu'en 1984, le 14 septembre pour être précis, il était tombé quatre centimètres de neige sur la ville et qu'en novembre il faisait assez froid pour geler les roupettes d'un singe de béton. C'était le genre de conversation que Nick ne souhaitait pas voir se répandre. Le défaitisme d'Impening lui aurait valu des ennuis s'il avait été dans l'armée, mais il ne s'agissait pas d'une armée ici. L'important, c'était que le bavardage d'Impening ne risquait pas de faire de mal si les gens pouvaient s'installer dans des maisons où les ampoules s'allument, où le chauffage se met en marche dès qu'on pousse le doigt sur un bouton. Et si ce résultat n'était pas obtenu d'ici les premiers froids, Nick craignait que les gens ne commencent à s'en aller. Toutes les assemblées, tous les représentants, toutes les ratifications du monde ne pourraient les en empêcher.

Selon Ralph, il n'y avait rien de bien sérieux à la centrale électrique, du moins à première vue. Les techniciens avaient arrêté certaines machines ; d'autres s'étaient arrêtées toutes seules. Deux ou trois des grosses turbines avaient sauté, peut-être à la suite d'une dernière surtension. Il faudrait remplacer quelques circuits, avait dit Ralph, mais il pensait que Brad Kitchner, lui et une douzaine d'hommes pourraient s'en charger. Par contre, il faudrait beaucoup plus de main-d'œuvre pour refaire les bobinages des alternateurs qui avaient sauté. Mais ce n'était pas le fil de cuivre qui manquait à Denver ; Ralph et Brad avaient fait une tournée de reconnaissance dans les entrepôts la semaine précédente. S'ils disposaient de suffisamment de bras, ils pourraient sans doute avoir de la lumière dans une ou deux semaines.

– Et alors, on va organiser une bringue de tous les diables, une foire comme il n'y en a jamais eu dans cette ville, avait dit Brad.

La loi et l'ordre. C'était un autre point qui l'inquiétait. Stu Redman pouvait-il s'en charger ? Il ne souhaiterait certainement pas cette responsabilité, mais Nick espérait parvenir à le persuader... Et au besoin, demander à Glen de lui donner un coup de main. Ce qui l'inquiétait vraiment, c'était le souvenir, encore trop frais et trop douloureux pour qu'il veuille y penser longtemps, de sa courte et terrible expérience comme gardien de la prison de Shoyo. Vince et Billy en train de mourir, Mike Childress qui sautait à pieds joints dans son assiette : *Je fais la grève de la faim ! Tu m'entends, ordure ?*

L'idée qu'ils puissent avoir besoin de tribunaux, de prisons... peut-être même d'un bourreau, lui faisait mal. Après tout, ils étaient les fils de mère Abigaël, pas ceux de l'homme noir ! Mais l'homme noir ne s'embarrasserait sans doute pas de tribunaux et de prisons. Son châtiment serait rapide, sûr, brutal. Il n'aurait pas besoin de prisons pour faire peur aux gens, quand les cadavres s'aligneraient le long de l'autoroute 15, crucifiés sur les poteaux de téléphone, offerts aux oiseaux.

Nick espérait que la plupart des délits seraient mineurs. Il y avait déjà eu quelques cas d'ivresse sur la voie publique et de tapage nocturne. Un jeune adolescent, beaucoup trop jeune pour conduire, s'était promené à fond de train sur Broadway, semant la panique sur son passage. Il avait finalement embouti le camion d'un boulanger et son aventure s'était soldée par une belle entaille au front – il avait eu de la chance de s'en tirer à si bon compte, pensait Nick. Bien des gens l'avaient vu, avaient compris qu'il était beaucoup trop jeune, mais personne ne s'était senti en droit de l'arrêter.

Autorité. Organisation. Il écrivit ces deux mots sur sa feuille et les entoura de deux cercles. Les enfants de mère Abigaël n'étaient pas à l'abri de la faiblesse, de la stupidité, des mauvaises compagnies. Nick ignorait s'ils étaient ou non les enfants de Dieu, mais ce qu'il savait, c'est que, lorsque Moïse était descendu de la montagne, ceux qui n'étaient pas en train d'adorer le veau d'or étaient occupés à faire des conneries. Un jour, quelqu'un finirait bien par tricher dans une partie de poker, ou déciderait de piquer la femme d'un autre.

Autorité. Organisation. Il entoura d'un autre cercle les deux mots qui semblaient maintenant prisonniers derrière leur triple clôture. Comme ils allaient bien ensemble... et comme Nick n'aimait pas ces deux mots.

Quelques minutes plus tard, Ralph entra dans le petit bureau.

– Nous attendons quelques personnes demain, et toute une ribambelle après-demain. Plus de trente dans le deuxième groupe.

– *Parfait,* écrivit Nick. *Je suis sûr que nous allons bientôt avoir un médecin. La loi des grands nombres.*

– Oui, nous devenons une vraie petite ville.

Nick hocha la tête.

– J'ai parlé avec le type qui était le chef du groupe d'aujourd'hui. Il s'appelle Larry Underwood. Un type intelligent. Malin comme un singe.

Nick haussa les sourcils et dessina en l'air un point d'interrogation.

Ralph savait ce que voulait dire ce signe : donne-moi plus de détails, si tu peux.

– Eh bien, voilà. Il a six ou sept ans de plus que toi, je crois, et peut-être huit ou neuf de moins que Redman. Mais c'est le genre de type que tu nous as demandé de chercher. Il pose les bonnes questions.

?

– D'abord, qui commande ici. Ensuite, qu'est-ce qu'on fait maintenant. Enfin, qui va le faire.

Nick hocha la tête. Oui – les bonnes questions. Mais était-il l'homme qu'ils cherchaient ? Ralph avait peut-être raison. Mais il pouvait aussi se tromper.

– *Je vais essayer d'aller lui dire bonjour demain,* écrivit Nick sur une nouvelle feuille de papier.

– Oui, tu devrais. Je t'assure qu'il est bien. Et j'ai parlé un petit peu à la mère avant que Underwood et ses copains viennent lui dire bonjour. Je lui ai parlé de ce que tu m'avais dit.

?

– Elle m'a donné le feu vert. Elle trouve que les gens tournent en rond et qu'ils ont besoin qu'on leur dise où se poser le derrière.

Nick se renversa dans sa chaise et rit silencieusement :

– *J'étais presque sûr qu'elle serait d'accord. Je vais parler à Stu et à Glen demain. Est-ce que tu as imprimé les affiches ?*

– Oh ! Je n'y pensais plus ! Évidemment. Ça m'a pris presque tout l'après-midi, figure-toi.

Il montra à Nick une affiche qui sentait encore l'encre fraîche. Ralph l'avait dessinée lui-même. De gros caractères pour attirer l'œil :

ASSEMBLÉE GÉNÉRALE ! ! !
NOMINATION DES CANDIDATS ET
ÉLECTION DU CONSEIL !

18 août 1990 à 20 h 30
Parc Bandshell s'il fait BEAU
Salle Chautauqua s'il fait MAUVAIS

DES RAFRAÎCHISSEMENTS SERONT SERVIS

Au-dessous, un petit plan à l'intention de ceux qui ne connaissaient pas encore très bien Boulder. Puis, en petits caractères, les noms que Stu, Glen et Nick avaient retenus un peu plus tôt, après quelques discussions :

Comité spécial

Nick Andros
Glen Bateman
Ralph Brentner
Richard Ellis
Fran Goldsmith
Stuart Redman
Susan Stern

Nick montra du doigt la phrase qui parlait des rafraîchissements et haussa les sourcils.

– Oh, oui, c'est une idée de Frannie. Elle pense que les gens seront plus nombreux si on leur donne quelque chose à boire. Elle va s'en occuper avec son amie, Patty Kroger. Gâteaux secs et limonade, précisa Ralph en faisant la grimace. Si je devais choisir entre de la limonade et de la tisane, eh bien figure-toi que je réfléchirais un bon coup. Je te laisse ma part, Nicky.

Nick lui répondit avec un sourire.

– La seule chose dans tout ce truc, c'est que vous voulez que je fasse partie du comité. Et moi, je sais ce que c'est un comité. Ça veut dire : « Félicitations pour votre dévouement, pour votre excellent travail. » D'accord, j'aime bien les compliments et j'ai travaillé dur toute ma vie. Mais les comités, c'est fait pour donner des idées. Et moi, je suis pas tellement fort là-dedans.

Sur son bloc-notes, Nick dessina rapidement un gros émetteur radio et une antenne qui lançait des ondes dans le ciel.

– D'accord, mais ça c'est complètement différent.

– *Tout ira bien, tu verras.*

– Si tu le dis... Je vais essayer en tout cas. Mais je crois que vous feriez mieux de prendre ce type, Underwood.

Nick hocha la tête et lui donna une tape amicale sur l'épaule. Ralph lui souhaita bonne nuit et sortit. Seul dans le petit bureau, Nick regarda longtemps l'affiche. Si Stu et Glen l'avaient vue – et c'était certainement le cas –, ils savaient maintenant qu'il avait décidé sans les consulter de rayer le nom de Harold Lauder sur la liste des membres du comité spécial. Comment allaient-ils le prendre ? Il n'en savait rien. Mais le fait qu'ils ne soient pas venus aussitôt le voir était probablement un bon signe. Peut-être attendaient-ils de lui qu'il fasse maintenant des concessions. Et s'il le fallait, il n'hésiterait pas à en faire, mais à condition d'écarter ce Harold. S'il le fallait, il renoncerait à Ralph. De toute façon, Ralph ne tenait pas vraiment à ce poste. Mais Ralph avait la tête sur les épaules. C'était un type qui savait ne pas s'arrêter à la surface des choses. Il serait précieux comme membre d'un comité permanent. Quant à Stu et à Glen, ils avaient déjà nommé tous leurs amis dans ce comité. Si lui, Nick, voulait tenir Lauder à l'écart, il allait falloir qu'ils acceptent. Pour qu'ils réussissent leur coup, il ne fallait pas de dissension entre eux. Dis, maman, comment il fait le monsieur pour sortir le lapin de son chapeau ? Eh bien, mon fils, je ne sais pas exactement, mais je pense qu'il a *peut-être* utilisé le vieux truc des gâteaux secs et de la limonade. Ça marche presque à tous les coups.

Il revint à la feuille sur laquelle il griffonnait

lorsque Ralph était entré. Et il contempla les deux mots qu'il avait entourés de trois cercles, comme pour les empêcher de s'échapper. *Autorité. Organisation.* Tout à coup, il en écrivit un autre au-dessous – il y avait juste assez de place. Trois mots maintenant à l'intérieur des trois cercles :

Autorité. Organisation. Politique.

Mais s'il essayait d'écarter Lauder, ce n'était pas simplement parce qu'il avait l'impression que Stu et Glen Bateman essayaient de prendre toute la couverture. Il était un peu agacé, naturellement. Il aurait été étrange qu'il ne le soit pas. D'une certaine manière, lui, Ralph et la mère Abigaël étaient les *fondateurs* de la Zone libre de Boulder.

Nous sommes des centaines maintenant, et des milliers vont bientôt arriver si Bateman a raison, pensait-il en tapotant la feuille de papier avec son crayon. Et plus il regardait ces trois mots, plus ils lui paraissaient vilains. *Mais quand Ralph, moi, la mère, Tom Cullen et les autres, quand nous sommes arrivés ici, il n'y avait plus que des chats dans les rues de Boulder, et les cerfs qui étaient descendus du parc national pour se nourrir dans les potagers... et même dans les magasins. Tu te souviens de celui qui avait réussi à entrer dans le supermarché et qui ne trouvait plus la sortie ? Il courait dans les allées comme un fou en renversant tout par terre.*

Bien sûr, il n'y a pas longtemps que nous sommes ici, même pas un mois, mais nous étions les premiers ! Il y a certainement un peu de dépit dans mon attitude, mais ce n'est pas pour ça que je veux écarter Harold. Si je veux l'écarter, c'est parce que je ne lui fais pas confiance. Il sourit tout le temps, mais il y a une cloison étanche entre sa bouche et ses yeux. Il y a eu des frictions entre lui et Stu à une époque, à propos de Frannie, mais tous les trois disent que c'est terminé maintenant. Je me demande si c'est vrai. Parfois, je vois que Frannie observe Harold et elle a l'air mal à l'aise, comme si elle essayait de savoir dans quelle mesure tout est bien « fini ». Il n'est pas bête du tout, mais j'ai l'impression qu'il est instable.

Nick secouait la tête. Ce n'était pas tout. En plusieurs occasions, il s'était en fait demandé si Harold Lauder n'était pas fou.

C'est surtout ce sourire. Je ne veux pas partager de secrets avec quelqu'un qui sourit de cette façon, quelqu'un qui donne l'impression de ne jamais dormir bien la nuit.

Pas de Lauder. Il faudra bien qu'ils l'acceptent.

Nick referma son classeur et le rangea dans le dernier tiroir du bureau. Puis il se leva et commença à se déshabiller. Il avait envie de prendre une douche. Confusément, il se sentait sale.

Le monde, pensait-il, non pas selon Garp, mais selon la super-grippe. Le nouveau monde, le meilleur des mondes. Mais il ne lui semblait pas particulièrement meilleur que l'autre, ni particulièrement nouveau. C'était comme si l'on avait caché un gros pétard dans le coffre à jouets d'un enfant. Bang ! et les jouets s'étaient éparpillés partout. Certains étaient fichus, d'autres pouvaient être reparés, surtout, ils étaient éparpillés d'un bout à l'autre de la pièce. Encore un peu trop chauds pour qu'on les touche. Mais bientôt ils se seraient suffisamment refroidis.

En attendant, il fallait faire un tri. Jeter ce qui ne servait plus. Mettre de côté les jouets qu'on pouvait réparer. Faire une liste de tout ce qui fonctionnait encore. Trouver un nouveau coffre pour tout ranger, un joli coffre à jouets. Un coffre *solide*. Il y a quelque chose de maladivement terrifiant dans la facilité – presque la volonté – qu'ont les choses de vouloir sauter en l'air. Le plus difficile, c'est ensuite de remettre de l'ordre. De trier. De réparer. De faire la liste. De jeter ce qui ne sert plus à rien, naturellement.

Mais... peut-on *jamais* se résoudre à jeter ce qui n'est plus bon ?

Nick s'arrêta devant la porte de la salle de bains, nu, ses vêtements dans les bras.

Oh, la nuit était si silencieuse... Mais toutes ses

nuits n'étaient-elles pas des symphonies de silence ? Pourquoi donc avait-il tout à coup la chair de poule ?

Pourquoi ? Parce qu'il sentit tout à coup que ce n'étaient pas des jouets que le comité de la Zone libre allait devoir ramasser, pas des jouets du tout. Il sentit tout à coup qu'il faisait partie d'un cercle d'étranges couturiers de l'esprit humain – lui, Redman, Bateman, mère Abigaël, et oui, même Ralph avec sa grosse radio et ses amplis qui envoyaient le signal de la Zone libre à travers l'immense solitude du continent. Ils avaient chacun une aiguille et peut-être travaillaient-ils ensemble à confectionner une couverture douillette qui leur tiendrait bien chaud en hiver... ou peut-être ne faisaient-ils, après une brève pause, que recommencer à coudre un grand linceul pour ensevelir la race humaine, en commençant modestement par les orteils.

Après avoir fait l'amour, Stu s'était endormi. Il ne dormait pas beaucoup depuis quelque temps et, la veille, il avait passé une nuit blanche à se saouler avec Glen Bateman, préparant l'avenir. Frannie avait mis une chemise de nuit et elle était sortie sur le balcon.

L'immeuble où ils habitaient se trouvait en plein centre, à l'angle de Pearl et de Broadway. Leur appartement était au deuxième et, du balcon, elle pouvait voir le carrefour ; Pearl, dans le sens est-ouest, Broadway dans le sens nord-sud. Elle aimait cet endroit. Comme si elle et Stu se trouvaient au centre de la rose des vents. La nuit était douce. Pas une brise. Un million d'étoiles faisaient briller la dalle noire du ciel. Et sous leur clarté glacée, Fran voyait la masse imposante des Flatirons se dresser plus à l'ouest.

Lentement, elle se caressa du cou jusqu'aux cuisses. Sous sa chemise de nuit en soie, elle était nue. Sa main frôla ses seins puis, au lieu de continuer tout droit vers le petit promontoire de son pubis, elle traça un arc de cercle sur son ventre, suivant une courbe qui n'était pas aussi prononcée quinze jours plus tôt.

On commençait à voir qu'elle était enceinte. Pas beaucoup, mais Stu lui en avait fait la remarque dans la soirée. Très décontracté, il avait préféré poser une question drôle : *Et combien de temps peut-on continuer sans que... hum... sans que je le coince ?*

Quatre mois. Ça te va ?

Parfait, avait-il répondu. Et, délicieusement, il était entré en elle.

Plus tôt, la conversation avait été beaucoup plus sérieuse. Peu après leur arrivée à Boulder, Stu lui avait dit qu'il avait parlé du bébé à Glen. Le prof pensait, sans en être sûr, que le virus de la super-grippe n'avait peut-être pas encore disparu. Si c'était le cas, le bébé risquait de mourir. Une idée troublante (on pouvait toujours compter, songea-t-elle, sur Glen Bateman pour vous glisser une ou deux Idées Troublantes à l'oreille), mais si la mère était immunisée, il était clair que l'enfant... ?

Oui, mais bien des gens ici avaient perdu leurs enfants durant l'épidémie.

Oui, mais cela voudrait dire...

Qu'est-ce que cela voudrait dire ?

Eh bien, cela pourrait vouloir dire que tous ces gens réunis ici n'étaient que l'épilogue de la race humaine, une brève coda. Elle ne voulait pas le croire, ne *pouvait* pas le croire. Si c'était vrai...

En bas, dans la rue, quelqu'un s'approchait, se tournait de côté pour se faufiler entre la vitrine d'un restaurant et l'avant d'un camion qui s'était immobilisé sur le trottoir. Une veste légère jetée sur l'épaule, il portait à la main quelque chose, soit une bouteille, soit une arme à long canon. Dans l'autre main, il tenait un bout de papier où une adresse était sans doute inscrite, car il semblait examiner les numéros des portes. Finalement, il s'arrêta devant leur immeuble. Il regardait la porte, ne sachant encore ce qu'il allait faire. Frannie trouva qu'il ressemblait un peu à un détective dans une vieille émission de télévision. Elle était à moins de dix mètres au-dessus de sa tête, mais la situation n'avait rien de facile. Si elle l'appelait, elle risquait de lui faire peur. Si elle se taisait, il allait sans doute frapper à la porte et réveiller Stuart. Et puis, que faisait-il avec un fusil à la main... si c'était un fusil ?

L'homme regarda en l'air, sans doute pour voir s'il y avait de la lumière dans l'immeuble. Frannie était toujours en train de l'observer. Leurs yeux se rencontrèrent.

– Mon Dieu ! cria l'homme sur le trottoir.

Et, sans le vouloir, il fit un pas en arrière, trébucha dans le caniveau et tomba per terre.

– Oh ! s'écria Frannie au même instant.

Et elle aussi fit un pas en arrière sur son balcon.

Une plante grimpante dans un grand pot était posée sur un socle derrière elle. Frannie le heurta en reculant. Il hésita un peu, décida presque de vivre plus longtemps, puis s'écrasa sur le balcon.

Dans la chambre, Stu grogna en se retournant dans son lit.

Comme c'était à prévoir, Frannie fut prise d'une crise de fou rire. Les mains collées sur la bouche, elle essayait de se pincer les lèvres, sans parvenir à étouffer son rire qui fusait en petits hennissements rauques. Et c'est reparti, pensa-t-elle. S'il était venu me chanter la sérénade avec une mandoline, j'aurais pu lui faire tomber le pot sur la tête. *O sole mio... BOUM !* Elle cherchait si fort à s'empêcher de rire qu'elle en avait mal au ventre.

Un murmure de conspirateur monta jusqu'à elle de la rue :

– Eh, vous... sur le balcon... *Psssst !*

– *Psssst,* murmura Frannie pour elle-même. *Psssst,* il ne manquait plus que ça.

Elle dut prendre la fuite pour ne pas se mettre à braire comme un âne. Rien ne pouvait l'arrêter quand elle avait le fou rire. Elle traversa donc à pas de loup la chambre plongée dans le noir, décrocha derrière la porte de la salle de bains un peignoir et fila vers la porte de l'appartement en essayant d'enfiler les manches. Son visage était parcouru de tressaillements bizarres, comme un masque de caoutchouc. Elle arriva sur le palier et se précipita dans l'escalier avant que son rire n'éclate, victorieux. Et c'est ainsi qu'elle descendit les deux étages en cancanant comme une folle.

L'homme – c'était un jeune homme – s'était relevé. Il était mince, bien bâti. Une barbe qui était sans doute blonde, ou peut-être légèrement roussâtre à la lumière du jour, lui dévorait le visage. Des cercles noirs soulignaient ses yeux, mais il souriait timidement.

– Qu'est-ce que vous avez renversé ? Un piano ?

– Un pot de fleurs. Il... il...

Mais le fou rire la reprit et elle ne put que le montrer du doigt, secouée par un rire silencieux, se tenant le ventre à deux mains. Des larmes ruisselaient sur ses joues.

– Vous étiez irrésistible, reprit-elle. Je sais que ce n'est pas très gentil de dire ça à quelqu'un qu'on ne connaît pas mais... Je vous jure ! C'était tellement drôle !

– Autrefois, répondit-il avec un grand sourire, je vous aurais fait un procès pour au moins deux cent cinquante mille dollars. Monsieur le juge, j'ai levé la tête et cette jeune femme me regardait. Eh oui, je crois bien qu'elle faisait une grimace. En tout cas, c'est ce que j'ai vu. Le tribunal statue en faveur du demandeur, pauvre garçon. L'audience est suspendue pour dix minutes.

Ils rirent un peu. Le jeune homme était vêtu d'un jeans propre et d'une chemise bleu foncé. La nuit d'été était chaude. Frannie était contente finalement d'être sortie.

– Vous ne vous appelleriez pas Fran Goldsmith, par hasard ?

– Si. Mais je ne vous connais pas.

– Larry Underwood. Nous sommes arrivés aujourd'hui. En réalité, je cherchais un certain Harold Lauder. On m'a dit qu'il habitait au 261

Pearl, avec Stu Redman, Frannie Goldsmith et quelques autres.

Le fou rire de Frannie s'arrêta aussitôt.

– Harold habitait l'immeuble quand nous sommes arrivés à Boulder. Mais il est parti il y a déjà pas mal de temps. Il habite rue Arapahoe, du côté ouest de la ville. Je peux vous donner son adresse si vous voulez, et vous dire comment y aller.

– J'aimerais bien, si c'est possible. Mais j'attendrai demain pour aller le voir. Je n'ai pas envie de me retrouver dans la même situation que tout à l'heure.

– Vous connaissez Harold ?

– Oui et non – comme je vous connais un peu, mais sans vous connaître vraiment. Pour être franc, je dois dire que vous ne ressemblez pas à celle que j'imaginais. Dans ma tête, je vous voyais comme une blonde germanique, probablement avec deux 45 à la ceinture. Mais je suis quand même très content de faire votre connaissance.

Il lui tendit la main et Frannie la serra avec un petit sourire un peu étonné.

– Figurez-vous que je ne comprends pas un mot de ce que vous me racontez.

– Asseyons-nous sur le trottoir une minute. Je vais tout vous expliquer.

Elle s'assit. Un coup de vent venu de nulle part souleva quelques papiers et agita les vieux ormes qui se dressaient sur la pelouse du palais de justice, trois rues plus loin.

– J'ai quelque chose pour Harold Lauder. Mais en principe, c'est une surprise. Alors, si vous le voyez avant moi, ne dites rien.

– Naturellement, répondit Frannie, de plus en plus perplexe.

Et il souleva ce qu'elle avait pris pour le canon d'une arme. En fait, c'était une bouteille de vin. Frannie lut l'étiquette à la lumière des étoiles : BORDEAUX 1947.

– La meilleure année du siècle, expliqua Larry. Au moins, c'est ce qu'un de mes amis me disait. Il s'appelait Rudy.

– Mais... 1947... ça fait quarante-trois ans. Est-ce que... il ne risque pas d'être un peu... abîmé ?

– Rudy disait qu'un bon bordeaux ne s'abîme jamais. De toute façon, il a fait la route depuis l'Ohio. Si c'est un mauvais vin, au moins c'est un mauvais vin qui a beaucoup voyagé.

– Et vous l'avez apporté pour Harold ?

– Oui, avec toute une provision de ces trucs-là.

Il sortit quelque chose de la poche de sa veste. Cette fois, elle vit aussitôt ce que c'était et éclata de rire.

– Une tablette de chocolat Payday ! Harold en raffole... mais comment pouviez-vous le savoir ?

– C'est ce que je voulais vous expliquer.

– Alors, racontez-moi tout !

– Très bien. Il était une fois un type qui s'appelait Larry Underwood. Il habitait en Californie et était allé à New York voir sa chère vieille maman. Ce n'était pas la seule raison de son voyage, mais les autres raisons étaient un peu moins jolies. Restons-en à la première explication, d'accord ?

– Pourquoi pas ?

– Et voilà que la grande sorcière, ou peut-être un imbécile du Pentagone, déclenche une terrible épidémie qui dévaste tout le pays. En moins de deux, pratiquement tout le monde à New York est mort. Y compris la mère de Larry.

– Je suis désolée. Ma mère et mon père sont morts eux aussi.

– Oui, tout le monde a perdu son père et sa mère. Si nous devions nous envoyer des condoléances, il n'y aurait plus assez d'enveloppes. Mais Larry a eu de la chance. Il est parti de New York avec une dame qui s'appelait Rita et qui n'avait pas exactement tout ce qu'il fallait pour faire face à la situation. Malheureusement, Larry n'avait pas ce qu'il fallait non plus pour l'aider à s'en sortir.

– Personne ne l'avait.

– Mais certains l'ont trouvé plus vite que les autres. Bref, Larry et Rita ont pris la direction de la côte du Maine. Ils sont allés jusqu'au Vermont. Là, la dame a malheureusement pris quelques pilules de trop.

– C'est terrible.

– Et Larry a très mal digéré la chose. En fait, il y a vu plus ou moins un signe de Dieu, un jugement sur son caractère. J'ajouterai qu'une ou deux personnes qui l'avaient connu pensaient que son principal trait de caractère était un égocentrisme à toute épreuve, aussi visible et manifeste qu'une Sainte Vierge phosphorescente sur le tableau de bord d'une Cadillac 59.

Assise au bord du trottoir, Frannie bougea un peu.

– J'espère que je ne vous embête pas avec mes histoires, mais tout ça me trotte dans la tête depuis pas mal de temps, et il y a un rapport avec Harold. Je continue ?

– Allez-y.

– Merci. J'ai l'impression que depuis notre arrivée, depuis que nous avons rencontré cette vieille dame, je cherche quelqu'un de gentil pour lui raconter mes affaires. Et je pensais que ce serait Harold. Je continue. Larry a poursuivi sa route, toujours en direction du Maine. En fait, il ne savait pas où aller. Il faisait des cauchemars. Mais comme il était seul, il ne pouvait pas savoir que d'autres personnes en faisaient elles aussi. Il s'est simplement dit qu'il ne s'agissait que d'un symptôme supplémentaire de sa constante détérioration mentale. Il est arrivé dans une petite ville, sur la côte, Wells, où il a rencontré une femme qui s'appelait Nadine Cross et un curieux petit garçon qui finalement s'appelle Leo Rockway.

– Wells...

– Nos trois voyageurs ont tiré au sort, si on veut, pour savoir dans quelle direction ils devraient prendre la nationale 1. Comme ils ont tiré pile, ils sont partis vers le sud et ont fini par arriver à...

– Ogunquit !

– Exactement. Et là, sur le toit d'une grange, en énormes lettres, j'ai vu pour la première fois les noms de Harold Lauder et de Frances Goldsmith.

– C'était l'idée de Harold ! Oh, Larry, vous pouvez être sûr qu'il va être content !

– Nous avons suivi l'itinéraire indiqué, d'abord jusqu'à Stovington. Puis jusqu'au Nebraska, chez mère Abigaël, et enfin jusqu'à Boulder. Nous avons rencontré des gens en cours de route. Notamment une fille qui s'appelle Lucy Swann et qui est ma femme. J'aimerais bien que vous fassiez sa connaissance un de ces jours. Je crois que vous l'aimerez. Mais quelque chose s'était produit en cours de route, quelque chose que Larry n'avait pas vraiment voulu. Son petit groupe de quatre personnes a grandi. D'abord six. Un peu plus tard, dix. Lorsque nous sommes arrivés devant la porte de mère Abigaël et que nous avons lu le message de Harold, nous étions seize. Dix-neuf lorsque nous sommes repartis. Et Larry était à la tête de cette petite bande. Il n'y avait pas eu de vote, pas de décision. Les choses s'étaient faites toutes seules. Il ne voulait pas vraiment de cette responsabilité. Pour lui, c'était plus un fardeau qu'autre chose. Il n'arrivait plus à dormir la nuit. Mais la tête fonctionne d'une drôle de manière. Je ne pouvais pas les laisser tomber. Question d'honneur peut-être. Pourtant j'avais une peur terrible de tout bousiller, de me réveiller un jour et de trouver quelqu'un mort dans son sac de couchage, comme Rita, là-bas dans le Vermont, et tout le monde en train de me montrer du doigt : « C'est ta faute. Tu n'étais pas meilleur que nous, c'est ta faute. » Mais je n'avais personne à qui en parler, même pas au Juge...

– Quel juge ?

– Le juge Farris, un vieux bonhomme de Peoria. Je crois qu'il a vraiment été juge vers les années cinquante, mais il était depuis longtemps en retraite quand l'épidémie est arrivée. Il a une tête de première classe. Quand il vous regarde, vous avez l'impression qu'il vous passe aux rayons X. Bon, tout ça pour dire que Harold était devenu important pour moi. Plus ils devenaient nombreux, plus il devenait important, proportionnellement, si on veut. Et quand je repense au toit de la grange... la dernière ligne, celle de votre nom... je me demande comment il a fait. Il devait avoir les fesses dans le vide.

– Oui. Je dormais. Sinon, je l'aurais empêché.

– Je m'étais fait une certaine idée de lui. J'avais trouvé un papier de chocolat dans le grenier de cette grange, à Ogunquit, et puis ce qu'il avait gravé sur la poutre...

– Qu'est-ce qu'il avait gravé ?

Elle sentit que Larry l'observait dans le noir. Elle tira le bas de son peignoir sur ses jambes... pas un geste de pudeur, car elle ne sentait rien de menaçant chez cet homme, mais un geste de nervosité.

– Ses initiales, reprit Larry d'une voix neutre. H.E.L. Mais s'il n'y avait eu que ça, je ne serais pas là aujourd'hui. Ensuite, il y a eu le magasin de motos, à Wells...

– Nous avons été là-bas !

– Je sais. J'ai vu qu'on avait pris deux motos. Et ce qui m'a encore plus impressionné, c'est que Harold avait siphonné de l'essence dans le réservoir. Vous avez dû l'aider, Fran. J'ai failli me couper le doigt moi, en faisant la même chose.

– Non. Harold a cherché un peu partout jusqu'à ce qu'il trouve quelque chose, une prise d'air je crois...

Larry grogna et se frappa le front.

– La prise d'air ! Nom de Dieu ! Je n'y ai même pas pensé ! Vous voulez dire qu'il a simplement cherché le tuyau... dévissé le bouchon... mis son tuyau dedans.

– Mais... oui.

– Oh, Harold, dit Larry avec dans la voix une note d'admiration qu'elle n'avait jamais entendue auparavant, du moins pas à propos de Harold Lauder. Eh bien, là, il m'a eu. Bon. Finalement, nous sommes arrivés à Stovington. La surprise a été si mauvaise pour Nadine qu'elle est tombée dans les pommes.

– Moi, j'ai pleuré, dit Fran. J'ai beuglé comme une vache. J'ai cru que je ne m'arrêterais jamais. J'avais imaginé que, lorsque nous arriverions là-bas, quelqu'un allait nous dire : « Bonjour ! Entrez donc, salle de désinfection sur la droite, cafétéria sur la gauche. » Ça semble tellement bête maintenant.

– Moi, je n'ai pas été étonné. L'indomptable

Harold était arrivé avant moi, avait laissé ses instructions, puis était reparti. J'avais l'impression d'être un petit gars de la ville en train de suivre les instructions d'un grand chef sioux.

L'opinion qu'il se faisait de Harold la fascinait et l'étonnait. N'était-ce pas Stu qui avait en fait dirigé le groupe depuis qu'ils avaient quitté le Vermont, en route pour le Nebraska ? Honnêtement, elle ne s'en souvenait plus. Ils étaient tous trop préoccupés par leurs rêves. Larry lui rappelait des choses qu'elle avait oubliées... ou pire, dont elle ne s'était pas aperçue. Harold, qui avait risqué sa vie pour inscrire son message sur le toit de la grange – une idée qu'elle avait trouvée un peu idiote à l'époque, mais qui avait quand même servi à quelque chose. Siphonner de l'essence dans cette citerne... Apparemment une opération de première importance pour Larry, mais Harold s'en était tiré les doigts dans le nez. Elle se sentait coupable, inutile. Ils avaient tous plus ou moins supposé que Harold n'était qu'un fantoche un peu ridicule. Mais Harold avait eu plus d'une bonne idée au cours de ces six semaines. Avait-elle donc été tellement amoureuse de Stu qu'il lui avait fallu attendre ce parfait étranger pour comprendre certaines choses à propos de Harold ? Ce qui la rendait encore plus mal à l'aise, c'était qu'une fois la situation acceptée, Harold s'était comporté vraiment comme un adulte avec elle et Stuart.

– Et naturellement, reprenait Larry, des instructions nous attendaient à Stovington, avec un itinéraire détaillé, comme d'habitude. Dans l'herbe, un autre papier de chocolat Payday. Un peu comme un jeu de piste, mais au lieu de flèches, c'était des papiers de chocolat que Harold nous laissait. Nous n'avons pas toujours suivi votre itinéraire. Nous sommes partis un peu au nord près de Gary, en Indiana, à cause d'un terrible incendie qui brûlait là-bas. On aurait dit que tous les réservoirs des compagnies pétrolières de la ville avaient pris feu. En cours de route, nous avons rencontré Le Juge et nous nous sommes arrêtés à Hemingford Home – nous savions qu'elle n'était plus là, à cause des rêves, mais nous voulions tous voir cet endroit. Le maïs... la balançoire... vous comprenez ?

– Oh oui, je comprends.

– J'avais l'impression de devenir fou. Je pensais toujours que quelque chose allait nous arriver, que nous allions nous faire attaquer par une bande de motards, manquer d'eau, n'importe quoi. Ma mère avait un livre qu'elle avait reçu de sa grand-mère, je crois. *Dans les pas de Jésus,* c'était le titre. Une collection de petites histoires à propos de gens qui se trouvaient dans des situations épouvantables. Des problèmes de morale, la plupart du temps. Et le type qui avait écrit ce livre disait que pour résoudre les problèmes, il suffisait de se demander : « Que ferait Jésus ? » Et tout s'arrangeait aussitôt. Vous savez ce que je pense ? Que c'est une question Zen. Pas une question en réalité, mais une manière de faire le vide dans votre tête, comme ces types qui murmurent *Om... Om...* en se regardant le bout du nez.

Fran sourit. Elle savait parfaitement ce que sa mère aurait dit si elle avait entendu ça.

– Alors, quand je me sentais vraiment mal, Lucy... – c'est la fille avec qui je suis, je vous l'ai dit ? –... Lucy me disait : « Vite, Larry, pose la question. »

– Que ferait Jésus ? demanda Fran, un peu ironique.

– Non, que ferait *Harold* ? répondit Larry, très sérieusement.

Fran n'en croyait pas ses oreilles. Et elle se dit qu'elle aimerait bien être là quand Larry rencontrerait Harold. Comment allait-il réagir ?

– Un soir, nous campions dans une ferme et nous n'avions presque plus d'eau. Il y avait bien un puits, mais impossible de s'en servir, naturellement, puisqu'il n'y avait pas d'électricité et que la pompe ne fonctionnait donc pas. Joe – Leo, je suis désolé, son vrai nom est Leo –, Leo n'arrêtait pas de venir me dire : « Soif, Larry, très soif. » Il commençait à me rendre complètement dingue. J'étais pratiquement à bout et, s'il était venu encore une autre fois, je crois bien que je l'aurais frappé. Pas mal, hein ? Frapper un pauvre petit garçon plutôt perturbé. Mais on ne change pas du jour au lendemain. J'ai encore pas mal de progrès à faire.

– Vous les avez quand même emmenés tous jusqu'ici, dit Frannie. Dans notre groupe, nous avons eu un mort. Appendicite. Stu a essayé de l'opérer, mais ça n'a pas marché. Tout compte fait, Larry, je dirais que vous vous en êtes très bien tiré.

– Vous voulez dire, avec l'aide de Harold. En tout cas, Lucy m'a dit : « Vite, Larry, pose la question. » Et c'est ce que j'ai fait. Il y avait une éolienne un peu plus loin pour amener l'eau jusqu'à l'étable. Elle tournait. Mais, quand j'ai ouvert les robinets dans l'étable, l'eau ne coulait pas. Alors, j'ai regardé dans une grosse boîte au pied de l'éolienne, une boîte qui protégeait le mécanisme. J'ai vu que l'axe était sorti de son logement. Je l'ai simplement remis en place, et ça a marché ! Toute l'eau que nous voulions. Bien fraîche, très bonne. Grâce à Harold.

– Grâce à *vous*. Harold n'était pas là, quand même.

– Il était là, dans ma tête. Et maintenant, je suis ici, je lui apporte du vin et du chocolat. Vous savez, continua-t-il en lui lançant un regard oblique, j'ai presque cru que vous étiez son amie.

Elle secoua la tête et regarda le bout de ses doigts.

– Non... je ne suis pas avec Harold.

Il ne répondit rien, mais elle sentit qu'il l'observait.

– Bon, dit-il enfin. Je me suis trompé à propos de Harold ?

Frannie se leva.

– Il faut que je rentre. J'ai été contente de faire votre connaissance, Larry. Revenez demain. Je vous présenterai Stu. Et venez avec Lucy, si elle n'a rien d'autre à faire.

– Mais... Harold ?

– Oh, je ne sais pas, répondit-elle d'une voix chevrotante, et elle sentit tout à coup qu'elle allait bientôt se mettre à pleurer. À vous entendre, j'ai l'impression que... que je me suis vraiment mal comportée avec Harold. Et je ne sais pas... pourquoi ni comment j'ai fait ça... est-ce qu'on peut m'en vouloir si je ne l'aime pas de la même manière que Stu... est-ce que c'est ma faute ?

– Non, pas du tout, naturellement. Écoutez, je suis vraiment désolé. Je devrais apprendre à m'occuper de mes affaires. Je m'en vais maintenant.

– Il a *changé* ! Je ne sais pas pourquoi. Et parfois, je crois qu'il est mieux qu'avant... mais... mais je n'en suis pas vraiment sûre. Parfois j'ai peur.

– Peur de Harold ?

Elle regarda par terre sans lui répondre. Elle avait déjà sans doute trop parlé.

– Est-ce que vous pouvez me dire comment je peux le trouver ? demanda doucement Larry.

– Très facile. Tout droit sur la rue Arapahoe, jusqu'à ce que vous trouviez un square, sur votre droite. Harold habite une petite maison, juste en face.

– D'accord. Et merci. J'ai vraiment été très heureux de faire votre connaissance, Fran, avec le pot de fleurs et tout le reste.

Elle sourit, mais le cœur n'y était plus. Sa belle humeur de tout à l'heure s'était envolée.

Larry leva sa bouteille en l'air.

– Et si vous le voyez avant moi... vous ne lui dites rien, d'accord ?

– Naturellement.

– Bonne nuit, Frannie.

Elle le regarda disparaître dans la nuit, puis remonta se coucher à côté de Stu qui dormait toujours à poings fermés.

Harold, pensa-t-elle en tirant les couvertures sous son menton. Comment aurait-elle pu dire à ce Larry, qui semblait si gentil et tellement perdu (mais n'étaient-ils pas tous un peu perdus ?), que Harold Lauder était un gros garçon sans maturité, complètement perdu lui-même ? Devait-elle lui dire qu'un jour, il n'y avait pas si longtemps, elle était tombée sur le sage Harold, le Harold plein de ressources, le Harold qui avait la réponse à tout comme Jésus, en train de tondre sa pelouse en costume de bain, pleurant à chaudes larmes ? Devait-elle lui dire que le Harold parfois grognon, souvent effrayé qu'elle avait connu à Ogunquit, était devenu un politicien redoutable, un type qui distribuait les poignées de main en souriant, mais qui vous regardait avec les yeux vides et glacés d'un monstre de Gila ?

Elle allait certainement avoir du mal à s'endormir. Harold était tombé follement amoureux d'elle et elle était tombée follement amoureuse de Stu Redman. Non, la vie n'était pas rose. Et maintenant, chaque fois que je vois Harold, j'ai *froid dans le dos.* Même s'il a bien perdu cinq kilos et qu'il soit moins boutonneux qu'avant, j'ai...

Sa gorge se serra tout à coup et elle se dressa sur ses coudes, écarquillant les yeux dans le noir.

Quelque chose avait bougé dans son ventre.

Ses mains coururent vers la petite bosse que l'on commençait à voir. Mais il était sûrement trop tôt. Elle avait dû imaginer que...

Non, elle n'avait rien imaginé.

Elle se recoucha lentement, le cœur battant. Elle pensa réveiller Stu mais se ravisa. Si seulement c'était lui qui lui avait fait ce bébé, au lieu de Jess. Si c'était lui, elle l'aurait réveillé, elle aurait partagé ce moment avec lui. Elle le ferait pour le prochain. S'il y en avait un, naturellement.

Puis le mouvement reprit, si discret qu'elle aurait pu croire simplement que ses intestins lui jouaient des tours. Mais elle savait. C'était le bébé. Et le bébé était vivant.

– Mon Dieu, murmura-t-elle.

Elle ne pensait plus à Larry Underwood ni à Harold Lauder. Elle ne pensait plus à ce qui lui était arrivé depuis que sa mère était tombée malade. Elle attendait qu'il bouge encore, elle guettait le moindre signe de sa présence. Et elle s'endormit ainsi. Son bébé était vivant.

Harold était assis sur la pelouse de la petite maison qu'il s'était choisie. Il regardait le ciel en pensant à une vieille chanson rock qu'il avait entendue autrefois. Il détestait le rock, mais il se souvenait pourtant de presque toutes les paroles de cette chanson, et même du nom du groupe : Kathy Young and The Innocents. La chanteuse avait une voix prenante, un peu rauque. Harold s'était imaginé une blondinette de seize ans, pâle, plutôt quelconque. Comme si elle chantait devant une photo qui restait la plupart du temps au fond d'un tiroir, une photo qui ne sortait que tard le soir, quand tous les autres dormaient à la maison. Elle chantait comme si elle n'avait plus aucun espoir. Et la photo devant laquelle elle chantait avait peut-être été chipée dans l'album de sa sœur aînée, une photo du beau mec local – capitaine de l'équipe de football et président de l'association des étudiants. Le beau mec était en train de s'amuser avec une splendide majorette au fond d'une ruelle déserte tandis que, perdue dans sa banlieue, cette pauvre fille aux nichons plats, avec un gros bouton au coin de la bouche, chantait :

« *Mille étoiles dans le ciel... me disent et me répètent... que tu es celui que j'aime... celui que j'adore... dis-moi que tu m'aimes... dis-moi que je suis à toi...* »

Il y avait bien plus de mille étoiles dans le ciel ce soir-là, mais ce n'étaient pas des étoiles d'amoureux. La Voie lactée était muette. Ici, à plus de mille cinq cents mètres au-dessus du niveau de la mer, les étoiles étaient dures et cruelles comme un milliard de trous dans un voile de velours noir, coups de poignard divins. Étoiles de haine. Et leur présence donna envie à Harold de faire un vœu. Je déteste, un peu, beaucoup, passionnément, à la folie. Crevez tous, les potes.

Il était assis, la tête renversée en arrière, astronome perdu dans sa lugubre contemplation. Il avait les cheveux plus longs que jamais, mais bien propres, soigneusement brossés. Il ne sentait plus la bouse de vache. Même ses boutons disparaissaient, maintenant que le chocolat ne l'intéressait plus. Et avec tout ce travail, toute cette longue marche, il avait maigri. Il commençait à être parfaitement présentable. Ces dernières semaines, il lui était arrivé de se voir dans une vitrine et de se retourner, surpris, comme s'il découvrait un étranger.

Il changea de position sur sa chaise. Un livre était posé sur ses genoux, un grand livre relié en similicuir. Chaque fois qu'il sortait de chez lui, il le cachait sous une pierre de la cheminée. Si quelqu'un avait trouvé ce livre, sa carrière à Boulder aurait été terminée. Un mot s'étalait en lettres d'or sur la couverture du livre : REGISTRE. C'était le journal qu'il avait commencé à tenir après avoir lu celui de Fran. Il avait déjà rempli de sa petite écriture serrée les soixante premières pages, sans laisser de marge. Aucun paragraphe, un texte d'un seul bloc, débordement de haine, comme un abcès laissant s'échapper son pus. Il n'avait jamais cru posséder une telle réserve de haine. Une réserve qui aurait dû être épuisée déjà, mais dont il semblait n'avoir fait qu'effleurer la surface.

Mais pourquoi cette haine ?

Il se redressa, comme si quelqu'un lui avait posé la question. Une question à laquelle il n'était pas facile de répondre, sauf peut-être pour quelques rares élus. Einstein n'avait-il pas dit que seulement six personnes au monde comprenaient toutes les incidences de la formule $E=mc^2$? Et cette équation-là, dans son crâne ? La relativité de Harold. L'énergie de la haine. Oh, il aurait pu écrire encore des pages et des pages sur la question, de plus en plus obscures, jusqu'à se perdre dans les rouages de son cerveau sans avoir pourtant trouvé le ressort qui les faisait tourner. Presque... un viol. Il se violait lui-même. Était-ce bien cela ? Pas très loin, en tout cas. De l'auto-sodomisation.

Il n'allait plus rester bien longtemps à Boulder. Un mois ou deux, pas davantage. Quand il aurait finalement trouvé le moyen de régler ses comptes. Alors il partirait vers l'ouest. Et quand il arriverait là-bas, il parlerait, vomirait tout ce qu'il savait sur cet endroit.

Il leur raconterait ce qu'on disait aux assemblées publiques et, bien plus important, aux réunions à huis clos. Il était sûr d'être nommé au comité de la Zone libre. On l'accueillerait à bras ouverts et le type qui s'occupait de tout là-bas lui donnerait une belle récompense... non pas en mettant fin à sa haine, mais en lui donnant le parfait véhicule pour l'exprimer, une Cadillac de la haine, longue, noire, menaçante. Il prendrait le volant et il foncerait sur eux. Flagg et lui renverseraient cette minable colonie comme on donne un coup de pied dans une fourmilière. Mais d'abord, il fallait s'occuper de Redman qui lui avait menti, qui lui avait volé sa femme.

Oui, Harold, mais pourquoi cette haine ?

Non, il n'y avait pas de réponse satisfaisante à cette question, seulement une sorte de... d'évidence, crue et brutale. Était-ce même une question que l'on pouvait poser ? Autant demander à une femme pourquoi elle a donné naissance à un enfant handicapé.

Il y avait eu un temps, une heure ou une seconde, où il avait pensé se débarrasser de sa haine. Après avoir terminé de lire le journal de Fran, quand il avait découvert qu'elle était irrémédiablement attachée à Stu Redman. Cette découverte lui avait fait l'effet d'un jet d'eau froide sur une limace. Elle se contracte, se met en boule. À ce moment précis, il avait compris qu'il pouvait simplement *accepter les choses,* découverte qui l'avait à la fois terrifié et rempli d'une sorte d'ivresse. Il avait compris qu'il pouvait devenir une autre personne, un nouveau Harold Lauder, copie améliorée de l'ancien grâce au scalpel de la super-grippe. Mieux que tous les autres, il comprenait que la Zone libre de Boulder, c'était cela. Les gens avaient changé. La société qui s'était formée dans cette petite ville ne ressemblait en rien à celles qui avaient existé avant. Les gens ne s'en rendaient pas compte, parce qu'ils ne prenaient pas leurs distances comme lui le faisait. Hommes et femmes vivaient en couple, sans désir apparent d'instituer à nouveau la cérémonie du mariage. Des groupes de personnes habitaient ensemble en petites sous-communautés, comme des communes. Les disputes étaient rares. Tout le monde semblait s'entendre. Et le plus étrange, c'est que personne ne semblait se douter des profondes implications théologiques de leurs rêves... et de l'épidémie elle-même. Boulder avait fait table rase, à tel point qu'elle était incapable d'apprécier sa nouvelle beauté.

Harold le comprenait, et cette compréhension alimentait sa haine.

Très loin, de l'autre côté des montagnes, une autre créature était née d'une obscure tumeur maligne, cellule en folie prélevée sur le cadavre de l'ancien corps politique, seul représentant du carcinome qui avait dévoré vivante l'ancienne société. Une seule cellule, mais elle avait déjà commencé à se reproduire, à engendrer d'autres cellules anarchiques. Et pour la société, ce serait bientôt la lutte de toujours, la lutte des tissus sains pour rejeter l'intrusion maligne. Mais pour chaque cellule individuelle, c'était la vieille, vieille question, celle qui remontait au jardin d'Éden – As-tu mangé la pomme ou l'as-tu laissée sur l'arbre ? De l'autre côté des montagnes, à l'ouest, ils s'empiffraient déjà de tartes aux pommes. Les assassins de l'Éden étaient là, les sombres fusiliers.

Et lui, quand il avait compris qu'il était libre de *s'accepter*, il avait rejeté cette nouvelle option. La saisir au vol aurait été comme se tuer lui-même. Le fantôme de toutes les humiliations qu'il avait subies était revenu le hanter. Ses rêves brisés, ses ambitions anéanties étaient revenus défiler devant ses yeux, lui demander s'il pouvait oublier si facilement. Dans la nouvelle société de la Zone libre, il ne serait jamais que Harold Lauder. Là-bas, il pouvait être un prince.

C'était le cancer qui l'attirait, le carnaval de la noirceur – les grandes roues brillant de toutes leurs lumières qui tournaient au-dessus de la terre plongée dans l'obscurité, défilé incessant de monstres comme lui, et sous le chapiteau les lions mangeaient les spectateurs. Ce qui l'attirait, c'était la musique discordante du chaos.

Il ouvrit son journal et, d'une main ferme, se mit à écrire à la lumière des étoiles :

> *12 août 1990 (tôt le matin).*
> *On dit que les deux grands péchés de l'homme sont l'orgueil et la haine. Est-ce vrai ? Je préfère y voir les deux grandes vertus de l'homme. Renoncer à l'orgueil et à la haine, c'est dire que vous voulez changer pour le bien d'autrui. Les cultiver, leur donner libre cours est cent fois plus noble, car c'est dire que le monde doit changer pour votre bien à vous. Je me suis embarqué dans une grande aventure.*
> *HAROLD EMERY LAUDER*

Il referma le registre, rentra dans la maison, cacha le livre dans son trou, replaça soigneusement la grosse pierre. Puis il se rendit à la salle de bains, posa sa lampe Coleman sur le lavabo pour qu'elle éclaire le miroir et, pendant un bon quart d'heure, s'entraîna à sourire. Il faisait de grands progrès.

51

Les murs de Boulder se couvrirent des affiches de Ralph annonçant l'assemblée du 18 août. Les conversations allaient bon train, la plupart du temps sur les qualités et les défauts des sept membres du comité spécial.

Il faisait encore jour quand mère Abigaël décida de se coucher, complètement épuisée. Toute la journée, elle avait reçu un flot ininterrompu de visiteurs qui voulaient tous savoir ce qu'elle pensait. Elle avait bien voulu dire que la plupart des membres du comité lui paraissaient tout à fait acceptables. Mais on voulait savoir aussi si elle accepterait de faire partie d'un comité permanent, au cas où l'assemblée déciderait d'en constituer un. Elle avait répondu qu'une telle charge serait trop fatigante pour elle, mais qu'elle aiderait certainement un comité de représentants élus, si on lui demandait son aide. Et ces visiteurs n'avaient cessé de lui répéter qu'un comité permanent qui refuserait son aide serait aussitôt désavoué. Mère Abigaël alla se coucher fatiguée mais contente.

Nick Andros était fatigué et content lui aussi ce soir-là. En un seul jour, grâce à une seule affiche reproduite sur une malheureuse ronéo à manivelle, la Zone libre s'était transformée d'un groupe informe de réfugiés en une société d'électeurs. Et les gens étaient contents. Ils avaient l'impression de retrouver la terre ferme sous leurs pieds, après des semaines de chute libre.

Dans l'après-midi, Ralph l'avait emmené à la centrale électrique. Ralph, Nick et Stu avaient décidé de tenir une réunion préliminaire chez Stu et Frannie le surlendemain. Ce qui leur donnait encore deux jours pour écouter ce que les gens avaient à dire.

Nick avait souri en faisant semblant de se déboucher les oreilles.

– On écoute encore mieux en lisant sur les lèvres, lui avait dit Stu. Tu sais, Nick, je crois bien qu'on va pouvoir remettre en marche les turbines. Brad Kitchner fait un boulot formidable. Si nous en avions dix comme lui, toute la ville fonctionnerait comme une machine à coudre le 1er septembre.

Ce même après-midi, Larry Underwood et Leo Rockway avaient pris la rue Arapahoe, en direction de l'ouest, pour se rendre chez Harold. Larry portait le sac à dos qui l'avait accompagné durant tout son voyage, mais cette fois il était vide, à l'exception d'une bouteille de vin et d'une demi-douzaine de barres de chocolat Payday.

Lucy était partie avec cinq ou six personnes à bord de deux dépanneuses pour commencer à dégager les rues et les routes. Le problème, c'est qu'ils travaillaient tous sans méthode, quand l'envie les en prenait. De bonnes petites abeilles ouvrières, pensa Larry, mais plutôt bordéliques. C'est alors qu'il vit, clouée sur un poteau de téléphone, une des affiches annonçant l'assemblée. Peut-être était-ce là la solution. Les gens étaient manifestement pleins de bonne volonté ; ce qu'il leur fallait, c'était quelqu'un pour coordonner les activités, pour leur dire quoi faire. Et par-dessus tout, les gens voulaient effacer le souvenir de ce qui s'était passé ici au début de l'été (l'été qui tirait déjà à sa fin, était-ce possible ?) comme on prend un chiffon pour effacer un gros mot sur le tableau noir. Peut-être pourrons-nous faire la même chose d'un bout à l'autre de l'Amérique, songea Larry, mais nous devrions pouvoir y parvenir ici à Boulder avant les premières neiges, si la nature n'est pas trop méchante.

Un bruit de verre cassé le fit se retourner. Leo venait de lancer une grosse pierre dans la lunette arrière d'un vieux camion Ford. Sur le pare-chocs du camion, un sticker d'inspiration humoristico-touristique : POUR VOUS REMUER LES FESSES, EXPLOREZ LE GRAND CANYON.

– Ne fais pas ça, Joe.

– Je m'appelle Leo.

– C'est vrai, Leo. Ne fais pas ça.

– Pourquoi ?

Larry tarda à trouver une réponse satisfaisante.

– Parce que ça fait un vilain bruit, dit-il finalement.

– Ah bon. D'accord.

Ils reprirent leur marche. Larry enfonça ses mains dans ses poches. Leo fit la même chose. Larry donna un coup de pied dans une canette de bière. Leo shoota aussitôt dans une pierre. Larry se mit à siffler. Leo fit un drôle de bruit pour l'accompagner. Larry ébouriffa les cheveux de l'enfant. Leo le regarda avec ses étranges yeux bridés et sourit. Et Larry se dit : *Merde alors, je suis en train de tomber amoureux de ce mioche. C'est quand même plutôt bizarre.*

Ils arrivèrent devant le square dont Frannie avait parlé. De l'autre côté de la rue se trouvait une maison verte à volets blancs. Sur l'allée de ciment qui menait à la porte d'entrée, une brouette pleine de briques. À côté, un couvercle de poubelle rempli de mortier. Accroupi, le dos tourné, un type large d'épaules, torse nu, et sur le dos un mauvais coup de soleil qui achevait de peler. Une truelle à la main, il construisait un muret de brique autour d'un massif de fleurs.

Larry pensa à ce que lui avait dit Fran : *Il a changé... Je ne sais pas comment ni pourquoi, je ne sais même pas s'il est mieux qu'avant... et parfois j'ai peur.*

Il s'avança, prononçant les mots qu'il avait préparés tout au long de ce long voyage :

– Harold Lauder, je présume ?

Harold sursauta, puis il se retourna, une brique dans une main, sa truelle dégoulinant de mortier dans l'autre, à moitié levée, comme une arme. Du coin de l'œil, Larry crut voir que Leo avait un mouvement de recul. Et sa première pensée fut que Harold ne ressemblait pas du tout à ce qu'il s'était imaginé. Sa deuxième, ce fut à propos de la truelle : *Nom de Dieu, il ne va quand même pas me la balancer dans la figure ?* Les yeux de Harold, profondément enfoncés dans leurs orbites, étaient sombres et durs. Une mèche retombait lourdement sur son front trempé de sueur. Ses lèvres étaient presque blanches, tant il les serrait.

Puis la transformation fut si soudaine et si complète que Larry ne parvint jamais tout à fait à comprendre plus tard comment il avait pu voir un Harold aussi tendu, aussi peu souriant, avec le visage d'un homme prêt à se servir de sa truelle pour emmurer quelqu'un dans sa cave, plutôt que pour construire un muret autour d'un massif de fleurs.

Harold souriait maintenant d'un large sourire bon enfant qui lui creusait de petites fossettes. Ses yeux avaient perdu leur éclat menaçant (ils étaient vert bouteille; comment des yeux si clairs et si limpides avaient-ils jamais pu paraître menaçants ?). Il plongea la truelle dans le mortier – *plof !* –, s'essuya les mains sur son pantalon, puis s'avança en tendant la main. *Mon Dieu,* pensa Larry, *c'est encore un gosse. S'il a dix-huit ans, je veux bien bouffer toutes les bougies de son dernier gâteau d'anniversaire.*

– Je ne crois pas vous connaître, dit Harold, toujours souriant.

Sa poigne était ferme. Il pompa exactement trois fois la main de Larry, puis la relâcha. Et Larry se souvint du jour où George Bush lui avait serré la main, à l'époque où le vieux politicard était candidat à la présidence. La chose s'était passée lors d'un meeting politique auquel il avait assisté sur les conseils de sa mère, conseils qu'elle lui avait donnés bien des années plus tôt : si tu n'as pas assez d'argent pour aller au cinéma, alors va au zoo ; si tu n'as pas assez d'argent pour aller au zoo, alors va voir un politicien.

Mais le sourire de Harold était contagieux et Larry se laissa convaincre. Très jeune ou pas, poignée de main de politicard ou pas, le sourire lui parut absolument authentique. Et après tout ce temps, après tous ces papiers de chocolat, il avait enfin Harold Lauder devant lui, en chair et en os.

– Non, vous ne me connaissez pas, répondit Larry. Mais moi, oui.

– Vraiment ! s'exclama Harold, et son sourire s'élargit encore.

S'il pousse encore d'un cran, pensa Larry, les coins de sa bouche vont se rejoindre derrière sa tête et les deux tiers supérieurs de son crâne vont foutre le camp.

– Je vous ai suivi à travers tout le pays, depuis le Maine.

– Non ? C'est vrai ?

– Mais si, dit Larry en défaisant son sac à dos. Tenez, je vous ai apporté quelque chose.

Il sortit la bouteille de bordeaux et la tendit à Harold.

– Vous n'auriez pas dû, dit Harold en regardant la bouteille, un peu étonné. Quarante-sept ?

– Une bonne année. Et j'ai encore autre chose.

Il lâcha une bonne demi-douzaine de barres de chocolat Payday dans l'autre main de Harold. Une tablette glissa entre les doigts du jeune homme et tomba sur le gazon. Harold se pencha pour la ramasser. À cet instant précis, Larry crut retrouver l'expression que le jeune homme avait eue tout à l'heure. Mais Harold était déjà debout, tout sourires.

– Comment saviez-vous?

– J'ai suivi vos instructions... et les papiers de chocolat.

– Eh bien... pour une surprise... mais entrez donc. Nous allons bavarder un peu, comme disait mon père. Le petit garçon prendra bien un Coca ?

– Certainement. Leo, est-ce que tu...

Il regarda autour de lui, mais Leo n'était plus là. L'enfant s'était réfugié sur le trottoir et contemplait les fissures de l'asphalte comme si c'était la chose la plus intéressante du monde.

– Hé, Leo ! Tu veux un Coca ?

Leo marmonna quelque chose que Larry ne put entendre.

– Parle plus fort ! Tu as une langue, non ? Je t'ai demandé si tu voulais un Coca.

D'une voix à peine audible, Leo répondit :

– Je crois que je vais aller voir maman Nadine.

– Qu'est-ce qui se passe ? On vient d'arriver !

– Je veux rentrer ! fit Leo en levant les yeux.

Le soleil les faisait briller très fort. *Mais qu'est-ce qui arrive ? Il va se mettre à pleurer, pensa Larry.*

– Une seconde, dit-il à Harold.

– Naturellement. Les enfants sont parfois timides. J'étais comme ça.

Larry s'approcha de Leo et s'accroupit pour le regarder dans les yeux.

– Qu'est-ce qui ne va pas, la puce ?

– Je veux rentrer, répondit Leo sans le regarder. Je veux voir maman Nadine.

– Bon, tu...

Et Larry s'arrêta, ne sachant que faire.

– Je veux rentrer.

Leo jeta un rapide coup d'œil à Larry, ses yeux cherchèrent derrière son épaule la silhouette de Harold debout au milieu de sa pelouse, puis ils revinrent se fixer sur l'asphalte.

– Tu n'aimes pas Harold ?

– Je ne sais pas... il n'a pas l'air méchant... je veux simplement rentrer.
Larry soupira.
– Tu sauras retrouver ton chemin ?
– Naturellement.
– Bon, alors vas-y. Mais j'aurais bien aimé que tu viennes prendre un Coca avec nous. Il y a longtemps que j'ai envie de connaître Harold. Tu sais ça, non ?
– Oui...
– Et on pourrait rentrer ensemble.
– Je ne veux pas entrer dans cette maison, répondit Leo d'une voix sifflante, et un instant il redevint le Joe d'autrefois, l'enfant aux yeux fous.
– Bon, d'accord, se hâta de dire Larry en se relevant. Rentre tout de suite. Je ne veux pas que tu traînes dans la rue.
– Promis.
Et tout à coup Leo murmura quelque chose :
– Pourquoi tu rentres pas avec moi ? Tout de suite ? On rentre ensemble. S'il te plaît, Larry. D'accord ?
– Écoute, Leo, qu'est-ce que...
– Ça fait rien.
Avant que Larry ait pu ouvrir la bouche, Leo était parti. Larry le regarda disparaître. Puis il revint vers Harold, les sourcils froncés.
– Ne vous en faites pas, dit Harold, les enfants sont souvent bizarres.
– Celui-là l'est certainement, mais il a sans doute le droit de l'être. Il a eu son compte de problèmes.
– Sans aucun doute.
Larry se sentit mal à l'aise. Cette sympathie instantanée de Harold pour un enfant qu'il n'avait jamais vu lui parut à peu près aussi authentique que des jaunes d'œufs en poudre.
– Entrez donc, dit Harold. Vous savez, vous êtes pratiquement la première personne que je reçois chez moi. Frannie et Stu sont venus plusieurs fois, mais ils ne comptent pas vraiment.
Son large sourire était devenu un peu amer et Larry éprouva soudain de la pitié pour ce garçon –

c'était encore un adolescent, après tout. Il se sentait seul et voilà que Larry, le Larry de toujours, jamais une parole agréable pour personne, le jugeait sur de simples impressions. Ce n'était pas juste. Il était temps qu'il cesse de se méfier de tout le monde.

– Eh bien, je suis content d'être le premier.

Le salon était petit mais confortable.

– Je vais changer les meubles quand j'en aurai le temps. Du moderne. Chrome et cuir. Maintenant que j'ai la carte American Express... comme tout le monde d'ailleurs.

Larry rit de bon cœur.

– Il y a des verres pas trop moches au sous-sol. Je vais aller les chercher. Oh, je peux vous tutoyer ?

– Naturellement.

– Parfait. Si tu n'y vois pas d'inconvénient, tes chocolats, ce sera pour une autre fois. J'ai arrêté de bouffer ces cochonneries, j'essaye de perdre du poids. Mais on va certainement faire un sort à ton vin pour saluer l'événement. Tu arrives de l'autre côté du pays, du Maine, rien que ça, et tu suivais mes – nos – instructions. C'est quand même quelque chose. Il faudra que tu me racontes ça. En attendant, installe-toi dans le fauteuil vert. C'est le moins mauvais.

Larry eut une dernière hésitation devant ce débordement d'amitié : *Il parle même comme un politicien – vite, vite, et je t'embobine.*

Harold sortit et Larry s'installa dans le fauteuil vert. Il entendit une porte s'ouvrir, puis les pas lourds de Harold qui descendaient un escalier. Larry regarda autour de lui. Non, ce n'était pas le plus joli salon du monde, mais avec un bon tapis et des meubles modernes il ne serait sans doute pas trop mal. La cheminée était même assez belle. Beau travail d'artisan. Une pierre était descellée cependant. Larry eut l'impression qu'on l'avait remise en place un peu n'importe comment. Et la laisser comme ça, c'était un peu comme un puzzle où il manque une pièce, ou comme un tableau accroché de travers.

Il se leva et souleva la pierre. Harold était toujours en bas. Larry allait la remettre en place quand il vit un livre caché dans le trou, la couverture légèrement saupoudrée de débris de pierre, mais pas assez pour masquer ce mot écrit en lettres d'or : REGISTRE.

Un peu honteux, comme s'il avait voulu être indiscret, il remit la pierre en place juste au moment où Harold commençait à remonter l'escalier. Cette fois, la pierre était parfaitement à sa place et, lorsque Harold revint dans le salon avec deux verres dans les mains, Larry s'était rassis dans son fauteuil.

– J'ai dû les rincer. Ils n'avaient pas servi depuis longtemps.

– Ils ont l'air impeccables. Écoute, je ne suis pas sûr que ce bordeaux soit encore bon. C'est peut-être du vinaigre.

– Qui n'ose rien n'a rien, répondit Harold avec son sourire habituel.

Une fois de plus, Larry se sentit vaguement mal à l'aise et se souvint du registre – était-ce celui de Harold, ou avait-il appartenu aux anciens propriétaires de la maison ? Et si c'était celui de Harold, qu'est-ce qu'il pouvait bien y avoir écrit ?

Larry déboucha la bouteille et ils découvrirent à leur satisfaction mutuelle que le bordeaux était parfait. Une demi-heure plus tard, ils étaient tous les deux agréablement pompettes, Harold un peu plus que Larry. Même ainsi, Harold gardait son perpétuel sourire, encore plus radieux si c'était possible.

La langue un peu déliée par l'alcool, Larry se risqua à aborder un sujet délicat.

– Ces affiches. La grande assemblée du 18. Comment ça se fait que tu ne fasses pas partie du comité, Harold ? J'aurais cru qu'un type comme toi aurait fait un candidat idéal.

Le sourire de Harold devint béat.

– C'est que je suis très jeune. Ils ont sans doute trouvé que je n'avais pas assez d'expérience.

– Je trouve que c'est dommage.

Le pensait-il vraiment ? Ce sourire... Cette expression de méfiance qu'il avait devinée... Le pensait-il vraiment ? Il ne savait pas.

– Mais qui peut prédire l'avenir ? dit Harold, sourire aux lèvres. Chacun son tour, tôt ou tard.

Larry prit congé de Harold vers cinq heures. Ils se serrèrent la main amicalement. Avec un grand sourire, Harold lui dit de revenir le voir bientôt. Mais Larry eut la vague impression que Harold se moquait éperdument qu'il revienne ou pas.

Arrivé sur le trottoir, au bout de l'allée de ciment, il se retourna pour lui faire un signe de la main, mais Harold était déjà rentré et la porte s'était refermée. Il faisait très frais dans la maison, car les stores vénitiens étaient baissés. À l'intérieur, Larry ne s'en était pas vraiment aperçu. Mais, une fois dehors, il se rendit compte tout à coup que cette maison était la seule de Boulder dont les stores étaient baissés. Naturellement, il y en avait des tas d'autres dont les rideaux étaient fermés ou les stores baissés : les maisons des morts... Quand les gens étaient tombés malades, ils avaient fermé leurs rideaux pour se mettre à l'abri du monde, pour mourir dans le secret de leurs chambres, comme tous les animaux préfèrent se cacher pour crever. Mais les vivants – peut-être par peur inconsciente de la mort – ouvraient tout grands leurs rideaux.

Le vin lui faisait un peu mal à la tête et il essaya de se convaincre que cette sensation de froid venait de là, une petite gueule de bois, juste punition administrée pour avoir englouti un excellent vin comme s'il s'agissait d'une minable piquette. Mais l'explication ne tenait pas très bien – non, vraiment pas.

Ses idées étaient un peu brouillées. Il eut soudain la certitude que Harold l'observait derrière son store, que ses mains s'ouvraient et se refermaient comme celles d'un étrangleur, que son sourire s'était transformé en une grimace de haine... *Chacun son tour, tôt ou tard.* Au même moment, il se souvint de cette nuit à Bennington, quand il dormait sous le kiosque à musique et qu'il s'était réveillé avec l'impression horrible que quelqu'un était là... puis qu'il avait entendu (ou imaginé ?) des talons de bottes qui s'éloignaient en direction de l'ouest.

Arrête. Arrête de te faire du cinéma.

Arrête ça, je n'aurais jamais dû penser à tous ces morts, derrière leurs rideaux, leurs volets, leurs stores, enfermés dans le noir, comme dans le tunnel, le tunnel Lincoln, et s'ils se mettaient tous à bouger, à grouiller partout, nom de Dieu, arrête ça...

Tout à coup, il pensa à ce jour où il était allé au zoo du Bronx avec sa mère, quand il était petit. Ils étaient entrés dans la maison des singes et l'odeur l'avait frappé en plein visage, comme un objet physique, un poing qui lui aurait écrasé le nez. Il avait voulu s'enfuir à toutes jambes, mais sa mère l'avait arrêté.

Respire normalement, Larry. Dans cinq minutes, tu ne remarqueras plus que ça sent mauvais.

Il était resté, sans la croire, essayant de son mieux de ne pas vomir (même à sept ans, il détestait dégueuler). Et sa mère avait eu raison. Quand il avait regardé sa montre, un peu plus tard, il avait vu qu'ils étaient restés une demi-heure dans la maison des singes et il ne pouvait plus comprendre pourquoi ces dames, à la porte, se bouchaient le nez en prenant un air dégoûté. Il l'avait dit à sa mère. Alice Underwood avait ri.

Oh, ça sent toujours mauvais. Mais plus pour toi.

Mais comment, maman ?

Je ne sais pas. C'est comme ça pour tout le monde. Maintenant, dis-toi : « Je veux sentir comment la maison des singes sent VRAIMENT » et prends une grande respiration.

C'est ce qu'il avait fait. L'odeur était toujours là, encore plus forte même que lorsqu'ils étaient entrés. Et il avait senti les hot-dogs et la tarte aux cerises remonter en une grosse bulle dégueulasse. Il s'était précipité vers la porte, vers l'air frais, juste à temps – tout juste – pour se retenir.

C'est ce qu'on appelle la perception sélective, pensait-il maintenant. *Elle le savait, même si elle ignorait le mot.* Cette idée s'était à peine formée dans sa tête qu'il entendit la voix de sa mère : *Dis-toi seulement : « Je veux sentir comment Boulder sent VRAIMENT. »* Et curieusement, il le put. Il sentit ce qui se cachait derrière toutes ces portes closes, tous ces rideaux fermés, tous ces stores baissés, il sentit l'odeur de putréfaction qui progressait lentement, même dans cette ville dont presque tous les habitants avaient fui.

Il accéléra le pas, se mit presque à courir, sentant maintenant cette riche odeur dont lui – et tous les autres – avaient cessé d'être conscients car elle était partout, imprégnait tout, colorait leurs pensées, et vous ne fermiez pas les rideaux même lorsque vous faisiez l'amour, car seuls les morts sont couchés derrière des rideaux fermés, et les vivants veulent toujours voir le monde.

Il avait envie de vomir, pas des hot-dogs et de la tarte aux cerises cette fois, mais du vin et une barre de chocolat Payday. Car de cette maison de singes, il ne parviendrait jamais à sortir, à moins de s'installer sur une île où personne n'aurait jamais habité, et même s'il avait toujours horreur de dégueuler, c'est ce qu'il allait faire dans un instant...

– Larry ? Ça va ?

Il fut tellement surpris que sa gorge fit un petit bruit – *yik !* – et il sursauta. C'était Leo, assis au bord du trottoir, trois rues plus loin que la maison de Harold. Il jouait avec une balle de ping-pong qu'il faisait rebondir par terre.

– Qu'est-ce que tu fais ici ?

Le cœur de Larry retrouvait peu à peu son rythme normal.

– Je voulais rentrer avec toi, répondit timidement l'enfant. Mais je ne voulais pas entrer dans la maison de ce type.

– Pourquoi ? demanda Larry en s'asseyant à côté de Leo.

L'enfant haussa les épaules et recommença à jouer

avec sa balle de ping-pong. Elle faisait un petit *poc ! poc !* en heurtant l'asphalte, puis rebondissait dans sa main.

– Je ne sais pas.

– Leo!

– Quoi ?

– C'est très important pour moi, tu sais. Parce que j'aime Harold... et je ne l'aime pas. Je sens deux choses différentes quand je pense à lui. Ça t'est déjà arrivé ?

– Moi, je sens seulement une chose.

Poc ! Poc !

– Qu'est-ce que tu sens ?

– J'ai peur, répondit simplement Leo. Est-ce qu'on peut rentrer maintenant pour voir maman Nadine et maman Lucy ?

– On y va.

Ils se mirent en marche et restèrent silencieux un moment. Leo continuait à jouer avec sa balle de ping-pong.

– Tu as attendu bien longtemps. Je suis désolé, dit Larry.

– Oh, ça fait rien.

– Si j'avais su, je me serais dépêché.

– Je me suis pas ennuyé. J'ai trouvé ça sur une pelouse. C'est une balle de pong-ping.

– Ping-pong, corrigea distraitement Larry. À ton avis, pourquoi Harold ferme ses stores ?

– Pour que personne le voie. Comme ça, il peut faire des secrets. Comme les morts...

Poc ! Poc !

Ils arrivèrent à l'angle de Broadway et prirent au sud. Ils n'étaient plus seuls dans la rue ; des femmes regardaient des vêtements derrière les vitrines, un homme armé d'une pioche rentrait de quelque part, un autre examinait des cannes à pêche sur l'étalage d'un magasin d'articles de sport. Larry vit Dick Vollman, son compagnon de route, qui s'en allait en bicyclette dans l'autre direction. Il leur fit un grand signe de la main.

– Des secrets, murmura Larry comme s'il se parlait à lui-même.

– Peut-être qu'il prie l'homme noir.

Larry tressaillit, comme s'il venait de recevoir une décharge électrique. Leo ne s'en rendit pas compte. Il faisait ricocher sa balle, d'abord sur le trottoir, puis contre le mur de brique qu'ils longeaient... *Poc-plac !*

– Tu crois vraiment, demanda Larry d'une voix qu'il voulait aussi neutre que possible.

– Je ne sais pas. Mais il n'est pas comme nous. Il sourit tout le temps. Mais je pense qu'il est plein de vers quand il sourit. Des gros vers blancs qui lui mangent le cerveau. Comme des asticots.

– Joe... je veux dire Leo...

Les yeux de Leo – lointains, bridés, s'éclairèrent tout à coup. Et il sourit.

– Regarde, voilà Dayna. Je l'aime bien. Bonjour, Dayna ! Tu as du chewing-gum ?

Dayna qui graissait le pignon d'une magnifique bicyclette ultra-légère se retourna et leur sourit. Elle fouilla dans sa poche et en sortit cinq tablettes de chewing-gum Juicy Fruit qu'elle étala en éventail dans sa main, comme un joueur de poker étale ses cartes. Avec un rire joyeux, Leo bondit vers elle, ses longs cheveux flottant au vent, serrant dans sa main sa balle de ping-pong, laissant derrière lui Larry. Ces vers blancs derrière le sourire de Harold... Où Joe *(non, Leo, il s'appelle Leo, du moins je crois)* avait-il pu trouver une idée aussi bizarre... et horrible ? L'enfant semblait être parfois en état de transe. Et il n'était pas le seul ; combien de fois, depuis quelques jours qu'il était ici, Larry avait-il vu quelqu'un s'arrêter net en pleine rue, regarder dans le vide, puis reprendre sa route ? Les choses avaient changé. La perception humaine semblait s'être aiguisée.

Et c'était un peu terrifiant.

Larry se remit en marche et rejoignit Leo et Dayna qui se partageaient les tablettes de chewing-gum.

Le même après-midi, Stu trouva Frannie en train de faire la lessive dans la petite cour de leur immeuble. Elle avait rempli d'eau une lessiveuse, y avait versé près de la moitié d'une boîte de Tide et remué le tout avec un manche à balai jusqu'à obtenir une épaisse mousse. Elle n'était pas tout à fait sûre de la marche à suivre, mais elle n'allait certainement pas demander conseil à mère Abigaël pour étaler ainsi son ignorance. Elle jeta ses vêtements dans l'eau savonneuse, absolument glacée, puis sauta à pieds joints dans la lessiveuse et commença à piétiner le linge, comme un Sicilien écrasant ses raisins. *Machine à laver dernier cri, Maytag 5000,* pensa-t-elle. *Système d'agitation à double pied, parfait pour la couleur, les lainages délicats et...*

Elle se retourna et découvrit son ami, à l'entrée de la cour, qui la regardait d'un air amusé. Frannie s'arrêta, un peu essoufflée.

– Ha-ha, très drôle. Il y a longtemps que tu es là, espèce de voyeur ?

– Une minute ou deux. Et comment ça s'appelle, ton petit numéro ? La danse nuptiale du petit canard sauvage ?

– Ha-ha, de plus en plus drôle. Moque-toi encore, et tu peux passer la nuit sur le divan, ou à Flagstaff avec ton ami Glen Bateman.

– Je ne voulais pas...

– Je lave aussi votre linge, monsieur Stuart Redman. Vous avez beau être un respectable père fondateur, vous laissez quand même de temps en temps des traces de pneus dans vos caleçons.

Stu éclata de rire.

– C'est un peu grossier, tu ne trouves pas ?

– En ce moment, je n'ai pas particulièrement envie d'être distinguée.

– Bon, sors de ta bassine une minute. J'ai quelque chose à te dire.

Elle ne demandait pas mieux, même si elle allait devoir se laver les pieds avant de rentrer. Son cœur battait plutôt vite, mais sans entrain, comme une fidèle machine maltraitée par son propriétaire insouciant. Si c'était comme ça que mon arrière-arrière-grand-mère devait faire, pensa Fran, alors je comprends qu'elle se soit réservé cette pièce qui est finalement devenue le précieux salon de ma mère. Une prime de risque, ou quelque chose du genre.

Un peu découragée, elle regarda ses pieds et ses mollets, couverts d'une mousse grisâtre un peu dégoûtante qu'elle essaya de racler avec les mains.

– Quand ma femme décidait de laver à la main, dit Stu, elle se servait d'un... comment appelle-t-on ça ? Une planche à lessive, je crois. Ma mère en avait trois, je m'en souviens très bien.

– Je sais, je sais. J'ai fait la moitié de Boulder avec June Brinkmeyer pour en trouver une et nous sommes rentrées bredouilles. Vive la technologie.

Stu souriait d'un air vaguement ironique.

Frannie se mit les mains sur les hanches :

– Est-ce que par hasard tu voudrais me mettre en colère ?

– Pas du tout, madame. Je pensais simplement que je crois savoir où trouver une planche à lessive. Et une autre pour June, si elle en veut une.

– Où ça ?

– Il faut que j'aille voir d'abord, répondit-il en la prenant par la taille. Tu sais que je trouve très bien que tu laves mon linge, dit-il en collant son front contre le sien, et je sais qu'une femme enceinte sait parfaitement ce qu'elle doit faire, mieux que son bonhomme. Mais pourquoi te donner tant de mal, Frannie ?

– *Pourquoi ?* Mais qu'est-ce que tu vas te mettre si je ne lave pas ton linge ? Tu veux te balader avec des vêtements sales ?

– Frannie, les magasins sont pleins de vêtements. Et je suis bâti sur un modèle tout à fait courant.

– Tu veux jeter tes fringues simplement parce qu'elles sont sales ?

Il haussa les épaules, mal à l'aise.

– Eh bien, certainement pas, ça non, dit-elle. Ça, c'était autrefois, Stu. Comme les boîtes de Big Mac, ou les bouteilles qu'on jetait partout. Il ne faut pas recommencer.

Il lui donna un baiser.

– D'accord. Mais alors, la prochaine fois, c'est mon tour.

– Si tu veux. Et ce sera quand ? Quand j'aurai mon bébé ?

– Quand on aura l'électricité. Je vais te trouver une énorme machine à laver et je la brancherai tout seul, comme un grand.

– Proposition acceptée.

Elle lui planta un solide baiser sur la joue. Il l'embrassa lui aussi en lui caressant les cheveux. Et elle sentit couler en elle une douce chaleur (une forte chaleur, soyons francs, je suis en chaleur, il me met toujours en chaleur quand il fait ça) qui d'abord fit se dresser la pointe de ses seins, puis réchauffa son bas-ventre.

– Tu ferais mieux d'arrêter, dit-elle entre deux soupirs, à moins que tu n'aies envie de faire autre chose que de parler.

– On pourrait peut-être parler plus tard.

– La lessive...

– Il faut faire tremper longtemps quand la saleté s'est incrustée.

Elle se mit à rire. Il l'arrêta en collant sa bouche sur la sienne. Quand il la prit dans ses bras, la reposa par terre, puis l'emmena chez eux, elle fut surprise par la chaleur du soleil sur ses épaules. *Le soleil était aussi chaud avant ? Je n'ai plus un seul bouton sur le dos... les rayons ultraviolets, ou l'altitude ? C'est comne ça tous les étés ? Il fait toujours aussi chaud ?*

Mais il avait commencé sa petite affaire, en plein dans l'escalier, il la déshabillait, la touchait, lui faisait l'amour.

– Non, assieds-toi.

– Mais...

– Je suis sérieux, Frannie.

– Stuart, la lessive va *congeler.* J'ai mis une demi-boîte de Tide là-dedans.

– Ne t'inquiète pas.

Elle s'assit donc sur la chaise de jardin qu'il avait installée à l'ombre de leur immeuble. En fait, il en avait descendu deux de leur appartement. Stu retira ses chaussures et ses chaussettes, retroussa ses pantalons jusqu'aux genoux. Quand il grimpa dans la lessiveuse et se mit à piétiner gravement le linge, Frannie fut naturellement prise de son habituel fou rire.

– Tu veux passer la nuit sur le divan ? lui dit Stu en la regardant d'un air sévère.

– Non, Stuart, fit-elle d'un air contrit.

Mais le fou rire repartit... jusqu'à ce que les larmes ruissellent sur ses joues, que les muscles de son estomac commencent à lui faire mal, si mal...

– Pour la troisième et dernière fois, qu'est-ce que tu voulais me dire ? finit-elle par demander quand elle se fut un peu calmée.

Stu piétinait toujours la lessive qu'une épaisse mousse recouvrait maintenant. Un blue-jeans remonta à la surface. Il l'enfonça d'un coup de pied, envoyant un petit jet crémeux d'eau savonneuse sur le gazon. Et Frannie pensa : *On dirait du... oh non, pense à autre chose, sinon tu vas encore te mettre à rire et tu vas finir par faire une fausse couche.*

– C'est à propos de la première réunion du comité spécial, ce soir.

– J'ai préparé deux caisses de bière, des crackers au fromage, du saucisson, de la crème de gruyère... Ça devrait suffire.

– Je ne veux pas parler de ça, Frannie. Dick Ellis est venu me dire aujourd'hui qu'il ne voulait pas faire partie du comité.

– Ah bon ?

Elle était vraiment surprise. Dick ne lui avait pas fait l'impression d'un type qui cherche à éviter les responsabilités.

– Il m'a expliqué qu'il ne demanderait pas mieux de donner un coup de main dès que nous aurons un vrai médecin, mais que pour le moment il ne peut pas. Un groupe de vingt-cinq personnes est encore arrivé aujourd'hui.

Une femme avait la gangrène, à la jambe. Une simple égratignure en passant sur des barbelés rouillés, apparemment.

– Oh ! C'est très grave, non ?

– Dick a pu la sauver... Dick et cette infirmière qui est arrivée avec Underwood. Une belle fille. Elle s'appelle Laurie Constable. Dick m'a dit que la femme serait morte sans elle. Ils lui ont coupé la jambe au genou, et ils sont tous les deux complètement épuisés. Il leur a fallu trois heures. Il y a aussi un petit garçon qui a des convulsions. Dick s'arrache les cheveux. Il ne sait pas si c'est de l'épilepsie, peut-être le diabète, ou encore quelque chose qui ferait pression dans le crâne, tu vois le genre. En plus, plusieurs cas d'intoxication alimentaire. Les gens mangent n'importe quoi. Et il est sûr que nous allons avoir des morts bientôt si on ne sort pas très vite une affiche pour expliquer aux gens comment choisir ce qu'ils mangent. Et quoi encore ? Deux bras cassés, un cas de grippe...

– Quoi ! Tu as dit la *grippe* ?

– Pas de panique. La grippe ordinaire. Avec de l'aspirine, la fièvre tombe toute seule... et elle ne revient pas. Pas de taches noires sur le cou non plus. Mais Dick ne sait pas trop quels antibiotiques utiliser et il se donne un mal de chien pour essayer de trouver. Il a peur que la grippe ne se répande et que les gens se mettent à paniquer.

– Qui est le malade ?

– Une certaine Rona Hewett. Elle est arrivée à pied de Laramie, dans le Wyoming. Tellement fatiguée qu'elle était prête à se faire avoir par n'importe quel microbe.

Fran hocha la tête.

– Heureusement pour nous, on dirait que cette Laurie Constable a un petit béguin pour Dick, même s'il est à peu près deux fois plus âgé qu'elle. Mais je pense que ce n'est pas un problème.

– Tu es quand même bien gentil de leur donner ta bénédiction, Stuart.

– De toute façon, Dick a quarante-huit ans et il a eu des ennuis cardiaques. Pour le moment, il a l'impression qu'il doit quand même se ménager un peu. Et puis, à toutes fins utiles, il est en train de faire ses études de médecine. Je comprends que cette Laurie lui trouve quelque chose. Moi, je dirais que c'est un héros. Imagine-toi : un vétérinaire de campagne qui joue les médecins. Et il a une trouille de tous les diables de tuer quelqu'un. Il sait que les gens vont continuer à arriver et que certains seront pas mal amochés.

– Alors il faut trouver quelqu'un d'autre pour le comité.

– Oui. Ralph Brentner pense à ce Larry Underwood. D'après cè que tu disais, tu le trouves bien toi aussi.

– Oui. Je crois qu'il ferait l'affaire. J'ai fait la connaissance de son amie aujourd'hui. Elle s'appelle Lucy Swann. Délicieuse. Et elle adore Larry.

– J'ai l'impression qu'il fait pas mal d'effet sur les bonnes femmes. Mais, pour être franc, je n'aime pas beaucoup la façon dont il a raconté sa vie à quelqu'un qu'il venait à peine de rencontrer.

– C'est sans doute simplement parce que j'ai été avec Harold depuis le début. Je ne crois pas qu'il ait compris pourquoi j'étais avec toi et pas avec lui.

– Je me demande quelle idée il se faisait de Harold.

– Tu n'as qu'à le lui demander.

– C'est ce que je vais faire.

– Est-ce que tu vas l'inviter à faire partie du comité ?

– Sans doute, répondit Stuart en se levant. J'aimerais aussi avoir ce vieux bonhomme qu'ils appellent Le Juge. Mais il a soixante-dix ans, et c'est vraiment trop vieux.

– Est-ce que tu lui as parlé de Larry ?

– Non, mais Nick l'a fait. Ce Nick Andros n'est pas bête du tout, Fran. Il nous a fait changer d'avis, Glen et moi. Glen était un peu agacé, mais il a quand même dû admettre que les idées de Nick n'étaient pas mauvaises. En tout cas, Le Juge a dit à Nick que Larry était exactement le genre de personne que nous recherchions, que c'était un type qui venait de se rendre compte qu'il valait quelque chose et qu'il n'allait sûrement pas s'arrêter là.

– Comme recommandation, ça se pose un peu là.

– Oui. Mais je veux d'abord savoir ce qu'il pense de Harold avant de lui demander d'entrer dans l'équipe.

– Qu'est-ce qui ne va pas avec Harold ? interrogea-t-elle, déjà inquiète.

– Je pourrais aussi bien te demander ce qui ne va pas avec *toi,* Fran. Tu te sens encore responsable de lui.

– Tu crois ? Je ne sais pas. Quand je pense à lui, je me sens encore un peu coupable, ça c'est vrai.

– Pourquoi ? Parce que j'ai pris la place qu'il voulait ? Fran, est-ce que tu as jamais eu envie de lui ?

– Non, certainement pas, répondit-elle en frissonnant.

– Je lui ai menti une fois. Ou plutôt... ce n'était pas vraiment mentir. Le jour où nous nous sommes rencontrés, tous les trois. Le 4 juillet. Je pense qu'il avait peut-être déjà compris ce qui allait se passer. Je lui ai dit que je n'avais pas envie de toi. Je ne pouvais pas savoir, non ? Les coups de foudre, ça existe peut-être dans les livres, mais dans la vie réelle...

Il s'arrêta. Un grand sourire se dessina sur ses lèvres.

– Qu'est-ce qui te fait sourire, Stuart Redman ?

– Je pensais simplement que, dans la vie réelle, ça m'a pris au moins... au moins quatre bonnes heures.

Elle l'embrassa sur la joue.

– C'est très gentil quand même.

– Mais c'est la vérité. Mais je suis presque sûr qu'il m'en veut encore de ce que je lui ai dit.

– Il ne m'a jamais dit un mot contre toi, Stu... ni à personne d'autre.

– Non. Il *sourit*. C'est ça que je n'aime pas.

– Tu ne crois pas qu'il... cherche à se venger ?

– Non, pas Harold, répondit Stu en se levant. Glen pense qu'un parti d'opposition finira peut-être par se rassembler autour de lui. Pourquoi pas ? Mais j'espère qu'il ne foutra pas en l'air ce que nous essayons de faire.

– N'oublie pas qu'il a peur et qu'il est seul.

– Et qu'il est jaloux.

– Jaloux ? Je ne crois pas, vraiment pas. Je lui ai parlé. J'ai l'impression que j'aurais vu s'il était jaloux. Il peut se sentir rejeté, ça oui. Je pense qu'il s'attendait à faire partie du comité spécial...

– C'est une des décisions... unilatérales de Nick – c'est bien ça, le mot ? – une de ces décisions que nous avons tous acceptées. En fait, personne ne lui faisait tout à fait confiance.

– À Ogunquit, c'était le type le plus imbuvable de toute la création. Sans doute à cause de sa situation familiale... ses parents ont dû se demander comment ils avaient fait pour pondre un oiseau pareil... mais, après la grippe, on aurait dit qu'il avait changé. C'est ce que j'ai cru, en tout cas. Il semblait essayer de devenir... comment dire, un homme. Et puis il a changé encore une fois. D'un seul coup. Il s'est mis à sourire tout le temps. Impossible de lui parler vraiment. Il s'est... enfermé dans son cocon. Comme les gens qui se convertissent à la religion ou qui lisent...

Elle s'arrêta tout à coup et un éclair de frayeur sembla traverser ses yeux.

– Qui lisent quoi ?

– Quelque chose qui change leur vie. *Das Kapital. Mein Kampf*. Ou des lettres d'amour qui ne leur sont pas adressées.

– De quoi parles-tu ?

– Quoi ? répondit-elle en regardant autour d'elle, comme si elle sortait d'un rêve. De rien. Tu n'allais pas voir Larry Underwood ?

– Si... si tu es d'accord.

– Mais naturellement. La réunion est à sept

heures. Si tu te dépêches, tu as juste le temps de revenir pour dîner.

– D'accord.

Stu s'en allait déjà quand elle le rappela.

– Et n'oublie pas de lui demander ce qu'il pense de Harold.

– Ne t'inquiète pas. Je ne vais pas oublier.

– Et regarde bien ses yeux quand il te répondra, Stuart.

Lorsque Stu demanda à Larry Underwood ce qu'il pensait de Harold (Stu ne lui avait pas encore parlé de la place vacante au comité spécial), Larry parut étonné et un peu inquiet.

– Fran t'a parlé de ma fixation à propos de Harold, c'est ça ?

– Exactement.

Larry et Stu se trouvaient dans le salon d'une petite maison de Table Mesa. Dans la cuisine, Lucy préparait le dîner. Elle faisait réchauffer des conserves sur un petit réchaud à butane que Larry avait bricolé pour elle. Elle chantait en travaillant et semblait parfaitement heureuse.

Stu alluma une cigarette. Il n'en fumait plus que cinq ou six par jour. Dick Ellis ne lui paraissait pas être un choix idéal pour l'opérer d'un cancer des poumons.

– Bon. Tout ce temps que j'ai suivi Harold, je me répétais qu'il ne ressemblerait sans doute pas à l'image que je me faisais de lui. Et je ne me suis pas trompé. Mais j'essaye encore de comprendre exactement qui il est. Il a été extrêmement gentil. Nous avons bu ensemble une bouteille de vin que je lui avais apportée. J'ai passé un moment très agréable. Mais...

– Mais ?

– Quand nous sommes arrivés, Leo et moi, il nous tournait le dos. Il était en train de construire un mur de brique autour d'un massif de fleurs... Il ne nous a pas entendus arriver. Quand je lui ai parlé, il s'est retourné d'un seul coup et... un instant, je me suis dit : « Ce type va me tuer. »

Lucy apparut à la porte.

– Stu, tu restes à dîner ? Il y a tout ce qu'il faut.

– Merci, mais Frannie m'attend à la maison. Je ne vais rester qu'un petit quart d'heure.

– Sûr ?

– La prochaine fois, Lucy, merci.

– Comme tu veux, répondit Lucy qui retourna à sa cuisine.

– Alors, tu es simplement venu me demander ce que je pensais de Harold ?

– Non. Je voulais te demander si tu accepterais d'être membre de notre petit comité spécial. Dick Ellis a dû se désister.

Larry s'approcha de la fenêtre et regarda la rue silencieuse.

– Tout de suite ? J'espérais un peu redevenir pioupiou.

– À toi de décider, naturellement. Mais nous avons besoin de quelqu'un. Et on t'a recommandé.

– Qui ça, si je peux. . .

– Nous nous sommes renseignés un peu partout. Frannie pense que tu es un type bien et Nick Andros a parlé de toi – bon, il est muet, mais tu comprends ce que je veux dire – il a parlé à l'un des types qui sont arrivés avec toi. Le juge Farris.

Larry eut l'air content.

– Comme ça, Le Juge m'a recommandé ? C'est sympa. Vous savez, vous devriez le prendre avec vous. Il a une cervelle du tonnerre.

– C'est ce que Nick nous a dit. Mais il a soixante-dix ans, et nos services médicaux sont plutôt primitifs.

Larry regarda Stu avec un petit sourire.

– Si je comprends bien, ce comité n'est pas aussi temporaire que ça, non ?

Stu se détendit un peu. Il ne savait pas encore vraiment ce qu'il pensait de Larry Underwood, mais il était clair que l'homme n'était pas né de la dernière pluie.

– Heu... disons que nous voudrions que notre comité présente sa candidature aux élections.

– De préférence sans opposition, reprit Larry en lançant à Stu un regard amical mais pénétrant – très pénétrant. Je peux te servir une bière ?

– Je préfère pas. J'ai un peu trop bu avec Glen Bateman il y a quelques jours. Fran est patiente, mais pas plus qu'il ne faut. Alors, Larry ? Tu marches avec nous ?

– Je crois que... oui, d'accord. Je pensais que je n'aurais plus de responsabilités en arrivant ici, que quelqu'un se chargerait de décider à ma place, pour changer un peu. Mais, apparemment, il faut que je me fasse pomper jusqu'à la moelle, pardonnez l'expression, je vous prie.

– Nous avons une petite réunion ce soir, chez moi. Nous allons parler de la grande assemblée du 18. Tu pourrais venir ?

– Certainement. Lucy peut m'accompagner ?

Stu secoua la tête.

– Et tu ne dois pas lui en parler non plus. Pour le moment, nous voulons être discrets sur certaines choses.

Le sourire de Larry s'évanouit.

– Tu sais, Stu, je n'aime pas tellement les mystères, les petits trucs en dessous. Je préfère te le dire tout de suite pour éviter les problèmes. Cette catastrophe du mois de juin, je suis sûr qu'elle est arrivée parce qu'un tas de petits malins voulaient faire leurs petites affaires en dessous. Ce n'était pas la malchance. Ni la fatalité. De la pure connerie humaine.

– Sur ce point, tu ne seras vraiment pas d'accord avec mère Abigaël. Moi je pense plutôt comme toi. Mais est-ce que tu dirais la même chose si nous étions en temps de guerre ?

– Je ne comprends pas.

– Cet homme dont nous rêvions... Je n'ai pas l'impression qu'il se soit évaporé dans la nature.

Larry eut l'air très étonné.

– Glen dit qu'il comprend pourquoi personne ne

veut en parler, reprit Stu, les gens sont encore en état de choc. Ils en ont vu de toutes les couleurs pour arriver jusqu'ici. Et tout ce qu'ils veulent, c'est panser leurs plaies et enterrer leurs morts. Mais si mère Abigaël est ici, alors *lui* est là-bas – et Stu fit un signe du menton dans la direction de la fenêtre d'où l'on voyait les Flatirons enveloppés dans la brume. La plupart des gens qui sont ici ne pensent peut-être pas à lui. Mais moi, je parierais ma chemise que *lui* pense à nous.

Larry lança un coup d'œil vers la porte de la cuisine, mais Lucy était sortie bavarder avec Jane Hovington, la voisine.

– Tu penses qu'il veut notre peau ? dit-il à voix basse. Pas si mal de penser à tout ça juste avant le dîner... Ça ouvre l'appétit.

– Larry, je ne suis sûr de rien. Mais mère Abigaël dit que rien ne sera terminé, dans un sens ou dans l'autre, tant que l'un des deux camps n'aura pas été battu.

– J'espère qu'elle ne raconte pas ça à tout le monde. Les gens foutraient le camp jusqu'en Australie.

– Je croyais que tu n'aimais pas beaucoup les secrets.

– C'est vrai, mais ça...

Larry s'arrêta. Stu lui souriait. Larry lui rendit son sourire, un peu à regret.

– D'accord, tu as gagné. On parle entre nous et on ne dit rien à personne pour le moment.

– Parfait. On se voit à sept heures.

– Entendu.

– Et remercie encore Lucy pour son invitation. Ce sera pour une autre fois, avec Frannie peut-être.

– D'accord.

Stu arrivait à la porte quand Larry le rappela.

– Une minute !

Stu se retourna.

– Il y a encore ce garçon qui est venu du Maine avec nous. Il s'appelle Leo Rockway. Il a eu des tas de problèmes. Lucy et moi, on le partage – si on peut dire – avec une femme qui s'appelle Nadine Cross. Nadine sort un peu de l'ordinaire elle aussi, tu es au courant ?

Stu fit signe que oui. On lui avait parlé de la petite scène un peu bizarre entre mère Abigaël et Nadine Cross, lorsque Larry était allé voir la vieille dame avec son groupe.

– Nadine s'occupait de Leo avant que j'arrive. Et Leo semble voir très clair dans les gens. Il n'est pas le seul d'ailleurs. Il y a peut-être toujours eu des gens comme ça, mais on dirait qu'il y en a un peu plus maintenant, depuis la grippe. Et Leo... Leo n'a pas voulu entrer chez Harold. Il n'a même pas voulu rester sur la pelouse. C'est... un peu bizarre, tu ne trouves pas ?

– Oui, répondit Stu.

Ils se regardèrent, puis Stu s'en alla. Pendant le dîner, Fran parut préoccupée et ne parla pas beaucoup. Elle lavait la dernière assiette dans un seau de plastique rempli d'eau chaude quand les membres du comité spécial de la Zone libre commencèrent à arriver pour leur première réunion.

Quand Stu s'en était allé chez Larry, Frannie était aussitôt montée dans sa chambre. Au fond du placard se trouvait le sac de couchage qui avait fait tout le voyage avec elle et quelques objets personnels rangés dans un petit sac de voyage : plusieurs flacons de lotion pour la peau – elle avait eu une forte éruption de boutons après la mort de sa mère et de son père – une boîte de mini-serviettes Stay-Free au cas où elle se mettrait à saigner (elle avait entendu dire que cela arrivait parfois aux femmes enceintes), deux boîtes de mauvais cigares, une avec l'inscription C'EST UN GARÇON ! et l'autre C'EST UNE FILLE ! et enfin, son journal.

Elle le sortit et resta quelque temps à le regarder. Elle n'y avait écrit que huit ou neuf fois depuis leur arrivée à Boulder, la plupart du temps des notes plutôt courtes, presque elliptiques. Le grand débordement s'était produit pendant qu'ils étaient encore sur la route, puis il s'était tari... un peu comme un accouchement, pensa-t-elle, étonnée elle-même de cette comparaison. Depuis quatre jours, elle n'avait rien écrit. En réalité, elle avait complètement oublié son journal, alors qu'elle avait eu la ferme intention de le tenir plus régulièrement lorsqu'ils se seraient installés. Pour le bébé. Mais pour une fois, elle y repensait. Autant profiter de l'occasion.

Comme les gens qui se convertissent à la religion... ou qui lisent quelque chose qui change leur vie... comme des lettres d'amour qui ne leur étaient pas adressées...

Tout à coup, il lui sembla que son journal était plus lourd, que le simple fait de tourner la couverture de carton avait fait jaillir des gouttes de sueur sur son front et... et...

Elle regarda derrière elle, le cœur battant. Quelque chose avait bougé ?

Une souris qui grattait derrière le mur, peut-être. Sûrement pas. Plus probablement, son imagination, tout simplement. Il n'y avait aucune raison, vraiment aucune raison, de penser tout à coup à l'homme à la robe noire, à l'homme au cintre en fil de fer. Son bébé était vivant, bien à l'abri, et ce qu'elle tenait dans ses mains n'était qu'un livre. De toute façon, aucun moyen de savoir si quelqu'un l'avait lu, et même s'il y avait eu un moyen, impossible de savoir si cette personne qui l'avait lu était Harold Lauder.

Elle ouvrit le livre et commença à le feuilleter lentement, instantanés de son passé récent, comme des photos noir et blanc d'amateur. Instantanés de la mémoire.

Ce soir, nous les admirions et Harold débitait des histoires de couleur, de texture, de timbre. Stu m'a fait un clin d'œil. Vilaine, vilaine ! Je lui ai répondu...

Naturellement, Harold n'est pas d'accord, pour des raisons de principe. Tu nous emmerdes, Harold ! Essaye de grandir un peu !

... et j'ai vu qu'il était prêt à lancer une de ses conneries brevetées Harold Lauder...

(mon Dieu, Fran, pourquoi dis-tu des choses pareilles sur lui ? Mais *pourquoi* ?)

Harold... sous ses apparences pontifiantes... un petit garçon qui n'a pas confiance en lui...

C'était le 12 juillet. Avec une petite grimace, elle tourna rapidement les pages, pressée d'arriver à la fin. Des phrases lui sautaient cependant aux yeux, sautaient de la page comme pour la gifler : *Harold sentait plutôt bon pour une fois... L'haleine de Harold aurait fait peur à un dragon ce soir...* Et cette phrase, presque prophétique : *On dirait qu'il court après les coups sur la gueule, comme les pirates courent après leurs trésors.* Pourquoi ? Pour s'encourager dans son sentiment de supériorité et de persécution ? Ou pour se punir ?

Il fait une liste... il l'a refaite deux fois... il veut savoir... qui sont les gentils et qui sont les méchants...

Et puis, le 1er août, il y avait donc seulement quinze jours. Le texte débutait au bas de la page. *Rien écrit hier soir. Trop nerveuse. Trop heureuse. Nous sommes ensemble maintenant, Stu et moi. Nous*

Fin de la page. Et les premiers mots en haut de la page suivante : *avons fait l'amour deux fois.* Elle les avait à peine lus que ses yeux glissèrent au milieu de la page. Là, à côté d'une phrase bébête sur l'instinct maternel, quelque chose attira son regard.

Une tache sombre, l'empreinte d'un pouce.

Elle réfléchissait, affolée : je faisais de la moto toute la journée, tous les jours. Naturellement, je me lavais chaque fois que je pouvais, mais on se salit les mains et...

Elle tendit la main et ne s'étonna pas de voir qu'elle tremblait très fort. Elle posa son pouce sur l'empreinte. La tache était nettement plus grande.

Naturellement, pensa-t-elle, quand on écrase quelque chose avec le pouce, la tache est plus grande. C'est pour ça, c'est simplement pour *ça*...

Mais cette marque de pouce était parfaitement nette. On y voyait très bien les sillons, les boucles, les tourbillons.

Et ce n'était ni de la graisse ni de l'huile. Inutile de jouer les autruches.

C'était du chocolat.

Payday, pensa Fran avec un haut-le-cœur. *Des barres de chocolat Payday.*

Un instant, elle eut peur de se retourner – peur de voir le sourire grimaçant de Harold derrière elle, comme le sourire du chat Cheshire dans *Alice au pays des merveilles.* Les lèvres épaisses de Harold en train de prononcer : *Chacun son tour, Frannie, tôt ou tard. Les chiens sont lâchés.*

Mais même si Harold avait jeté un coup d'œil à son journal, est-ce que cela voulait dire qu'il préparait une vendetta secrète contre elle, Stu ou les autres ? Non, évidemment.

Mais Harold a changé, murmurait une voix intérieure.

– Pas tant que ça ! cria-t-elle dans la pièce vide.

Le son de sa voix lui fit un peu peur, puis elle éclata d'un rire nerveux. Elle redescendit et commença à préparer le dîner. Ils allaient manger tôt, à cause de la réunion... mais tout à coup la réunion ne lui parut plus aussi importante que tout à l'heure.

Extraits du compte rendu
de la séance du comité spécial
13 août 1990

La séance a eu lieu dans l'appartement de Stu Redman et de Frances Goldsmith. Tous les membres du comité spécial étaient présents, à savoir : Stuart Redman, Frances Goldsmith, Nick Andros, Glen Bateman, Ralph Brentner, Susan Stern et Larry Underwood...

Stu Redman a été élu président et Frances Goldsmith rapporteur...

Ces notes (plus l'enregistrement complet des moindres rots, gargouillements et apartés, le tout enregistré sur cassettes Memorex à l'intention de ceux qui pourraient être assez fous pour vouloir les écouter) seront placées dans un coffre de la First Bank of Boulder...

Stu Redman a présenté un projet d'affiche sur la question des intoxications alimentaires, préparé par Dick Ellis et Laurie Constable (avec ce titre accrocheur : SI VOUS MANGEZ, LISEZ !). Il a expliqué que Dick souhaitait qu'elle soit imprimée et affichée partout dans la ville avant la grande assemblée du 18 août, car il y a déjà eu quinze cas d'intoxication alimentaire à Boulder, dont deux assez graves. Le comité a décidé à l'unanimité que Ralph devrait imprimer mille exemplaires de l'affiche de Dick et trouver dix personnes pour l'aider à les poser en ville...

Susan Stern a ensuite présenté une autre proposition de Dick et de Laurie (nous aurions tous voulu qu'au moins l'un des deux soit là). Ils sont d'avis qu'il faudrait instituer un comité des inhumations ; selon Dick, il faudrait inscrire la question à l'ordre du jour de l'assemblée générale et la présenter non pas comme un danger pour la santé publique – afin de ne pas provoquer de panique – mais comme une chose « plus convenable ». Nous savons tous qu'il y a très peu de cadavres à Boulder, compte tenu de la population de la ville avant l'épidémie, mais nous ne savons pas pourquoi... ce qui n'a pas d'importance d'ailleurs. Il reste quand même des milliers de cadavres et il faudra bien s'en débarrasser si nous avons l'intention de rester ici.

Stu a demandé si la situation était grave. Sue a répondu qu'elle ne le serait probablement pas avant la fin de la saison sèche, c'est-à-dire avant l'automne, au début des pluies.

Larry a proposé d'inscrire la suggestion de Dick – constitution d'un comité des inhumations – à l'ordre du jour de l'assemblée du 18 août. La proposition a été adoptée à l'unanimité.

Nick Andros a alors demandé la parole et Ralph Brentner a lu le texte qu'il avait préparé et que je cite ici dans son intégralité :

« L'une des questions les plus importantes que

doit aborder ce comité consiste à savoir s'il veut ou non mettre mère Abigaël totalement au courant et s'il faut tout lui dire de ce qui se passe à nos séances, aussi bien les séances publiques que les séances à huis clos. La question peut également se poser à l'envers : " Mère Abigaël acceptera-t-elle de mettre au courant le comité – et le comité permanent qui lui succédera – de toutes ses activités et informera-t-elle le comité de tout ce qui se passe au cours de ses entretiens avec Dieu, ou qui vous voudrez... particulièrement lorsqu'il s'agit d'entretiens à huis clos ? "

« Ça va vous paraître peut-être idiot, mais je voudrais vous expliquer ce que j'ai derrière la tête. C'est en fait une question très pratique. Nous devons décider dès maintenant de la place de mère Abigaël dans la communauté, car il ne s'agit pas simplement de nous " remettre debout ". Si ce n'était que ça, nous n'aurions pas vraiment besoin d'elle. Comme nous le savons tous, il y a un autre problème, celui de l'homme que nous appelons parfois l'homme noir, celui que Glen appelle l'Adversaire. Pour moi, son existence se démontre très simplement, et je pense que la plupart des gens de Boulder seraient d'accord avec moi – s'ils avaient envie de penser à cette question. Voici ma démonstration : " J'ai rêvé de mère Abigaël ; or elle existe ; j'ai rêvé de l'homme noir, donc il doit exister, même si je ne l'ai jamais vu. " Ici, tout le monde aime mère Abigaël, et je l'aime moi aussi. Mais nous n'irons pas loin – en fait, nous n'irons nulle part – si nous ne commençons pas par lui faire approuver ce que nous sommes en train de faire.

« Cet après-midi, je suis allé la voir et je lui ai posé directement la question, sans fioritures : Est-ce que vous allez nous appuyer ? Elle a répondu que oui – mais à certaines conditions. Elle a été parfaitement claire. Elle m'a dit que nous serions totalement libres de guider la communauté dans tout ce qui concerne les " questions terrestres " – c'est son expression :

nettoyer les rues, attribuer les logements, remettre en marche l'électricité.

« Mais elle a dit aussi très clairement qu'elle voulait être consultée sur *toutes* les questions qui concernent l'homme noir. Elle croit que nous sommes tous des pions dans une partie d'échecs entre Dieu et Satan. Que le principal agent de Satan dans cette partie est l'Adversaire, qui s'appelle Randall Flagg selon elle (“ le nom qu'il utilise cette fois ”) ; que pour des raisons connues de Lui seul, Dieu l'a choisie comme *Son* agent dans cette affaire. Elle croit, et je suis d'accord avec elle sur ce point, qu'un affrontement se prépare et que ce sera une lutte à mort. Pour elle, cette lutte passe avant tout et elle veut absolument être consultée lorsque nous en parlerons... ou lorsque nous parlerons de *lui*.

« Je ne veux pas entrer dans des considérations religieuses, ni savoir si elle a tort ou raison. Mais il est évident que nous nous trouvons devant une certaine situation et que nous *devons* y faire face. J'ai donc plusieurs propositions à faire. »

Un débat s'est alors engagé sur la déclaration de Nick.

Puis Nick a présenté une première proposition : Le comité peut-il accepter de ne pas parler des questions théologiques, religieuses ou surnaturelles concernant l'Adversaire durant ses séances ? À l'unanimité, le comité a décidé de ne pas parler de ces questions, du moins pas « en séance ».

Nick a ensuite présenté une deuxième proposition : Le comité estime-t-il que sa véritable mission secrète consiste à savoir comment faire face à cette force connue sous le nom de l'homme noir, l'Adversaire ou Randall Flagg ? Glen Bateman a appuyé la proposition en ajoutant que le comité pourrait de temps en temps juger nécessaire de garder le secret sur certaines autres questions – comme la véritable raison d'être du comité des inhumations. La proposition a été adoptée à l'unanimité.

Nick a alors présenté sa dernière proposition : Que nous tenions mère Abigaël au courant de toutes les affaires publiques et confidentielles dont s'occupera le comité.

La proposition a été adoptée à l'unanimité.

Ayant réglé la question de mère Abigaël pour le moment, le comité est passé à celle de l'homme noir, à la demande de Nick qui a proposé d'envoyer trois volontaires à l'ouest pour rejoindre les forces de l'homme noir, dans le but d'obtenir des renseignements sur ce qui se passe réellement là-bas.

Sue Stern s'est immédiatement portée volontaire. Après une discussion animée, Stu a donné la parole à Glen Bateman qui a présenté la proposition suivante : Le comité décide qu'aucun membre du comité spécial ou du comité permanent ne pourra se porter volontaire pour cette mission de reconnaissance. Sue Stern a voulu savoir pourquoi.

Glen : Nous comprenons tous que vous cherchez sincèrement à vous rendre utile, Susan, mais le fait est que nous ne savons tout simplement pas si les gens que nous envoyons là-bas reviendront, ni quand ils reviendront, ni dans quel état. Parallèlement, nous avons un travail à faire à Boulder qui n'est pas du tout négligeable, à savoir remettre de l'ordre dans tout ce bordel, si vous me passez l'expression. Si vous partez, nous devrons expliquer à la personne qui vous remplacera tout ce que nous aurons fait jusque-là. Je crois tout simplement que nous ne pouvons pas nous permettre de perdre tout ce temps.

Sue : Je suppose que vous avez raison... ou du moins que vous êtes raisonnable... mais je me pose quand même des questions. Ce que vous dites en réalité, c'est que nous ne pouvons envoyer aucun membre du comité, parce que nous sommes des types formidables et qu'on ne peut pas se passer de nous. Alors nous restons... nous restons simplement... je ne sais pas...

Stu : Nous restons assis sur nos fesses ?

Sue : Oui. Merci. C'est exactement ce que je voulais dire. Nous restons assis sur nos fesses et nous envoyons là-bas un pauvre type qui va peut-être se faire crucifier sur un poteau de téléphone, ou même pire.

Ralph : Comment ça, pire ?

Sue : Je ne sais pas, mais si quelqu'un sait, c'est Flagg. Je n'aime pas du tout ça.

Glen : Vous n'aimez peut-être pas ça, mais vous avez très bien résumé notre position. Nous sommes des hommes politiques, les premiers d'une nouvelle époque. Nous espérons simplement que notre cause est plus juste que certaines de celles pour lesquelles d'autres hommes politiques ont envoyé des gens se faire tuer, ou risquer de se faire tuer.

Sue : Je n'aurais jamais cru que je ferais de la politique.

Larry : Bienvenue à bord.

La proposition de Glen – qu'aucun membre du comité spécial ne soit envoyé en éclaireur – a été adoptée à l'unanimité, mais sans enthousiasme. Fran Goldsmith a alors demandé à Nick quelles qualités devraient posséder les candidats et ce qu'on pouvait attendre de leur mission clandestine.

Nick (lu par Ralph) : Nous ne le saurons pas tant qu'ils ne seront pas revenus. S'ils reviennent. Nous n'avons absolument aucune idée de ce qui se passe là-bas. Nous partons à la pêche, avec des appâts humains.

Stu a dit que le comité devrait sélectionner un certain nombre de personnes à qui il proposerait de se porter volontaires. Le comité a été d'accord. Par décision du comité, la majeure partie des débats à partir de ce point sont transcrits textuellement. Il nous a paru important de disposer d'un compte rendu complet de nos délibérations sur la question des éclaireurs (ou des espions), question extrêmement délicate et troublante.

Larry : Je voudrais vous proposer un nom, si vous permettez. Vous serez peut-être un peu surpris si vous ne connaissez pas cette personne, mais je crois que ce serait une très bonne idée. J'aimerais proposer le juge Farris.

Sue : Quoi ! Le vieux ! Larry, tu pédales dans la choucroute !

Larry : C'est le type le plus malin que j'aie jamais vu. Il n'a que soixante-dix ans, soit dit en passant. Ronald Reagan était plus vieux quand il était président.

Fran : Ce n'est pas exactement ce que j'appellerais une très bonne recommandation.

Larry : Mais il est pétant de santé. Et je suppose que l'homme noir ne soupçonnera peut-être pas que nous lui envoyons un vieux corbeau comme Farris pour l'espionner... car l'homme noir se méfie sûrement. Je ne serais pas tellement surpris s'il avait des gardes frontières pour contrôler les gens qui arrivent sur son territoire. D'après un certain « profil type », comme pour les terroristes aux aéroports. Et je sais que je vais vous paraître un peu brutal – excuse-moi, Fran – mais si nous le perdons, nous ne perdrons pas quelqu'un qui a encore devant lui cinquante bonnes années à vivre.

Fran : Comme tu disais, c'est plutôt brutal.

Larry : Tout ce que je voudrais ajouter, c'est que je sais que Le Juge serait d'accord. Il veut vraiment donner un coup de main. Et je pense qu'il pourrait parfaitement s'en tirer.

Glen : Vous marquez un point. Que pensent les autres ?

Ralph : Je ne sais pas. Je ne connais pas ce monsieur. Mais je ne crois pas que nous devrions l'écarter simplement à cause de son âge. Après tout, regardez qui mène la danse ici – une vieille dame qui a bien plus de cent ans.

Glen : Encore un point.

Stu : On dirait que vous arbitrez un match de tennis, monsieur le prof.

Sue : Écoute, Larry. Suppose qu'il arrive à tromper l'homme noir et qu'il tombe raide mort, victime d'une crise cardiaque, en essayant de se dépêcher pour rentrer ici ?

Stu : Ça pourrait arriver à n'importe qui. Un accident aussi.

Sue : D'accord... mais avec un vieillard, les risques sont plus élevés.

Larry : C'est vrai, mais tu ne connais pas Le Juge, Sue. Si tu le connaissais, tu verrais que les avantages pèsent plus lourd que les inconvénients. C'est un type vraiment très fort.

Stu : Je crois que Larry a raison. Flagg pourrait bien ne pas avoir prévu un coup du genre. J'appuie la proposition. Qui vote pour ?

Le comité a adopté la proposition à l'unanimité.

Sue : Bon, j'ai voté pour toi, Larry – peut-être que tu pourrais me renvoyer l'ascenseur maintenant.

Larry : Puisque nous sommes en train de faire de la politique, d'accord. [Rires.] À qui penses-tu ?

Sue : Dayna.

Ralph : Dayna qui ?

Sue : Dayna Jurgens. Elle est incroyablement gonflée pour une femme. Naturellement, elle n'a pas soixante-dix ans. Mais je crois que, si on lui propose l'idée, elle marchera.

Fran : Oui... si nous devons vraiment en arriver là. Je crois qu'elle serait bien. J'appuie la candidature.

Stu : Bon. On nous propose de demander à Dayna Jurgens de se porter volontaire. La proposition est appuyée. Qui vote pour ?

Le comité a adopté la proposition à l'unanimité.

Glen : O.K. Qui pour le numéro trois ?

Nick (lu par Ralph) : Si Fran n'a pas aimé la proposition de Larry, j'ai peur qu'elle n'aime pas du tout la mienne. Je propose...

Ralph : Nick, tu es complètement dingue... tu n'es pas sérieux !

Stu : Continue, Ralph. Lis son truc.

Ralph : Eh bien... il dit qu'il veut proposer... Tom Cullen.

Tumulte dans la salle.

Stu : S'il vous plaît ! Nick a la parole. Il n'arrête pas d'écrire, celui-là. Tu ferais mieux de commencer à le lire, Ralph.

Nick (lu par Ralph) : Tout d'abord, je connais Tom aussi bien que Larry connaît le juge, et probablement mieux. Il adore mère Abigaël. Il ferait n'importe quoi pour elle, y compris se faire cuire à petit feu. Je ne blague pas. Il se jetterait dans le feu si elle le lui demandait.

Fran : Oh, Nick, personne ne dit le contraire, mais Tom est...

Stu : Attends un peu, Fran. C'est Nick qui a la parole.

Nick (lu par Ralph) : Mon deuxième argument est le même que celui de Larry à propos du Juge. L'Adversaire ne pensera pas qu'un retardé mental est un espion. Vos réactions sont peut-être le meilleur argument en faveur de mon idée.

Mon troisième et dernier argument est que Tom est peut-être retardé, mais il n'est sûrement pas idiot. Il m'a sauvé la vie un jour quand j'aurais pu me faire tuer par une tornade, et je ne connais personne qui aurait réagi plus vite que lui. Tom est comme un enfant, mais un enfant peut apprendre, naturellement. Je suis sûr que nous n'aurions aucun mal à lui faire apprendre par cœur une histoire très simple. Et les autres supposeront probablement que nous l'avons renvoyé parce que...

Sue : Parce que nous ne voulions pas polluer notre patrimoine génétique ? Ce n'est pas idiot du tout.

Nick (lu par Ralph) : ... parce qu'il est retardé. Il pourrait même dire qu'il en veut terriblement à ces gens qui l'ont renvoyé et qu'il veut se venger. La chose qu'il faudrait absolument lui apprendre, c'est de ne jamais modifier son histoire, quoi qu'il arrive.

Fran : Oh, non, je ne peux pas croire...

Stu : Attends, Nick a la parole. Il faut quand même un peu d'ordre.

Fran : Oui... je suis désolée.

Nick (lu par Ralph) : Vous pensez peut-être que Tom est retardé et qu'il serait donc plus facile de le forcer à dire la vérité, mais...

Larry : Oui, c'est ce que je pense.

Nick (lu par Ralph) : ... mais en réalité, c'est le contraire. Si je dis à Tom qu'il *doit* toujours raconter la même histoire, *toujours, quoi qu'il arrive,* il le fera.

Une personne dite normale ne résistera qu'à tant de gouttes d'eau, à tant de chocs électriques, à tant d'éclisses sous les ongles...

Fran : Ils ne vont quand même pas aller jusque-là... vous croyez ? Non, personne ne croit sérieusement qu'ils feraient ça ?

Nick (lu par Ralph) : ... avant de dire : *O.K, j'abandonne. Je vais vous dire tout ce que je sais.* Tom ne fera tout simplement jamais ça. S'il répète son histoire suffisamment souvent, il ne la saura pas simplement par cœur ; il finira presque par croire qu'elle est vraie. Personne ne pourra lui faire dire le contraire. À mon avis, le fait que Tom soit retardé est en réalité un atout dans une mission comme celle-ci. Une mission, c'est peut-être un mot prétentieux, mais c'est pourtant exactement ce dont il s'agit.

Stu : C'est tout, Ralph ?

Ralph : Non, pas tout à fait.

Sue : S'il commence à croire que son histoire est vraie, Nick, comment veux-tu qu'il sache quand ce sera le moment de revenir ?

Ralph : Pardonnez-moi, chère madame, mais je crois bien que j'ai la réponse sur ce bout de papier.

Sue : Pardon.

Nick (lu par Ralph) : Nous pouvons hypnotiser Tom avant de l'envoyer là-bas. Encore une fois, ce n'est pas un truc en l'air que je vous dis là. Quand j'ai eu cette idée, je suis allé demander à Stan Nogotny s'il pouvait essayer d'hypnotiser Tom. Je l'avais entendu dire qu'il faisait parfois un peu d'hypnotisme pour amuser les gens. Stan ne croyait pas que ça marcherait... mais Tom est parti en moins de six secondes.

Stu : Comme ça, Stan sait faire ce genre de truc ? J'aurais jamais cru.

Nick (lu par Ralph) : Je pense que Tom est peut-être ultrasensible à l'hypnose depuis que je l'ai rencontré en Oklahoma. Apparemment, il a appris depuis des années à s'hypnotiser *tout seul,* jusqu'à un certain point en tout cas. On dirait que ça l'aide à établir un rapport entre les choses. Il ne comprenait pas du tout ce que je voulais, le jour où je l'ai rencontré – pourquoi je ne lui parlais pas, pourquoi je ne répondais pas à ses questions. Pour lui montrer que j'étais muet, je mettais ma main sur ma bouche, sur ma gorge, je recommençais, mais il ne pigeait rien du tout. Et puis d'un seul coup, j'ai eu l'impression qu'il se débranchait. Je ne trouve pas de meilleur mot. Il est devenu totalement immobile. Ses yeux étaient complètement vides. Et puis il est revenu sur terre, exactement comme le patient se réveille quand l'hypnotiseur lui en donne l'ordre. Et il avait compris. Comme ça, c'est tout. Il a fait le vide autour de lui, et puis il est revenu avec la réponse.

Glen : C'est tout à fait étonnant.

Stu : Comme vous dites, le prof.

Nick (lu par Ralph) : Quand nous avons fait notre expérience, il y a cinq jours, j'ai demandé à Stan d'essayer quelque chose. Quand Stan lui dirait : *J'aimerais bien voir un éléphant,* Tom devrait avoir très envie d'aller dans un coin et de faire le poirier. Après l'expérience, quand Tom s'est réveillé, nous avons attendu à peu près une demi-heure. Et puis, Stan a essayé son truc. Tom est parti se mettre dans un coin, et il a fait le poirier. Tous les jouets et les billes qu'il avait dans ses poches sont tombés par terre. Ensuite, il s'est assis, il a souri, et il nous a dit : *Je me demande pourquoi Tom Cullen est allé faire ça ?*

Glen : C'est lui tout craché.

Nick (lu par Ralph) : Toute cette histoire d'hypnose se résume à deux choses très simples. Premièrement, nous pouvons hypnotiser Tom pour qu'il revienne à un moment donné. Le plus simple serait d'utiliser la lune. La pleine lune. Deuxièmement, en le mettant en hypnose profonde, il se souviendra presque parfaitement de tout ce qu'il aura vu quand il reviendra.

Ralph : Et j'ai fini de lire le papier de Nick. Ouf !

Sue : Je voudrais poser une question, Nick. Est-ce que vous programmeriez aussi Tom – je pense que c'est le mot juste – pour qu'il ne donne pas de renseignements sur ce qu'il est en train de faire ?

Glen : Nick, permettez-moi de répondre. Si votre raisonnement est différent, vous n'aurez qu'à me faire signe. Je dirais que Tom n'a pas besoin d'être programmé du tout. Laissons-le cracher tout ce qu'il sait sur nous. Pour tout ce qui concerne Flagg, nous travaillons à huis clos de toute façon, et le reste, il pourrait sans doute parfaitement le deviner tout seul... même si sa boule de cristal est pleine de toiles d'araignée.

Nick (lu par Ralph) : Exactement.

Glen : Je suis prêt à appuyer tout de suite la proposition de Nick. Nous avons tout à gagner et rien à perdre. Une idée tout à fait audacieuse et originale.

Stu : Proposition appuyée. Nous pouvons en discuter encore un peu si vous voulez, mais pas trop. Sinon nous allons rester ici toute la nuit. Est-ce que vous voulez vraiment discuter encore de la proposition ?

Fran : Pas qu'un peu. Vous dites que nous avons tout à gagner et rien à perdre, Glen. Peut-être, mais Tom ? Et notre foutue *conscience* ? Peut-être que ça ne vous dérange pas de penser qu'on flanque des... des choses sous les ongles de Tom, qu'on lui donne des chocs électriques. Mais moi, ça me dérange. Et toi, Nick. L'hypnotiser, pour qu'il fonctionne comme... comme un poulet quand on lui met la tête dans un sac ! Tu devrais avoir honte... je croyais que c'était ton *ami* !

Stu : Fran...

Fran : Non, je veux dire ce que j'ai sur le cœur. Je ne vais pas m'en laver les mains et partir en claquant la porte si vous n'êtes pas d'accord avec moi. Je veux vous dire ce que je pense. Vraiment, vous voulez prendre ce pauvre garçon, complètement perdu, tellement gentil, pour en faire un U-2 humain ? Vous ne comprenez pas que ça revient à recommencer toute cette merde d'autrefois ? Vous ne voyez donc pas *ça* ? Et qu'est-ce que nous ferons s'ils le tuent, Nick ? Qu'est-ce que nous ferons s'ils les tuent *tous* ?

Concocter un nouveau petit microbe ? Une version améliorée de l'Étrangleuse, du Grand Voyage ?

Moment de silence pendant que Nick écrit sa réponse.

Nick (lu par Ralph) : Ce que vient de dire Fran me fait très mal, mais je maintiens ma proposition. Non, je n'aime pas que Tom fasse le poirier quand on lui dit de le faire. Non, je n'aime pas qu'il risque d'être torturé et même tué. Je répète simplement qu'il le ferait pour *mère Abigaël,* pour ses idées, pour son Dieu, pas pour nous. Je crois aussi que nous devons nous servir de tous les moyens dont nous disposons pour mettre fin à la menace que cet être pose. Il crucifie des gens là-bas. J'en suis sûr. Je l'ai vu dans mes rêves, et je sais que certains d'entre vous ont fait le même rêve. Mère Abigaël a vu la même chose que moi. Je sais que Flagg est mauvais. Si quelqu'un invente une nouvelle version du Grand Voyage, Frannie, ce sera lui, pour s'en servir contre nous. J'aimerais l'arrêter pendant qu'il est encore temps.

Fran : Tout ce que tu dis est vrai, Nick. Je ne peux pas dire le contraire. Je sais qu'il est mauvais. Qu'il pourrait même être la créature de Satan, comme dit mère Abigaël. Mais nous tirons sur le même levier que lui pour l'arrêter. Tu te souviens du bouquin d'Orwell, *Les Animaux* ? « Ils regardèrent les porcs puis les hommes, et ne purent voir la différence. » Je crois que ce que j'aimerais vraiment t'entendre dire – même si c'est Ralph qui le lit – c'est que si nous *devons* tirer ce levier pour l'arrêter... si nous le *faisons*... eh bien, que nous serons capables de le lâcher ensuite. Est-ce que tu peux dire ça ?

Nick (lu par Ralph) : ... Je n'en suis pas sûr. Non, je ne peux pas le dire.

Fran : Dans ces conditions, je vote non. Si nous devons envoyer des gens à l'ouest, alors au moins envoyons des gens qui savent ce qui les attend.

Stu : Quelqu'un veut ajouter quelque chose ?

Sue : Je suis contre moi aussi, mais pour des raisons plus pratiques. Si nous continuons comme ça, nous allons nous retrouver avec un vieux bonhomme et un débile mental. Excusez-moi, je l'aime bien moi aussi, mais c'est ce qu'il est. Je suis contre, et je n'ai plus rien à dire.

Glen : Posez la question, Stu.

Stu : D'accord. On va faire un tour de table. Je vote pour. Frannie ?

Fran : Contre.

Stu : Glen ?

Glen : Pour.

Stu : Sue ?

Sue: Contre.

Stu : Nick ?

Nick : Pour.

Stu : Ralph ?

Ralph : Eh bien... je n'aime pas trop ça moi non plus, mais si Nick est pour, je vote comme lui. Pour.

Stu : Larry ?

Larry : Vous voulez que je parle franchement ? Je trouve que cette idée pue tellement que j'ai l'impression de me trouver dans une vieille pissotière. Mais il faut sans doute en passer par là. Je déteste tout ça, mais je vote pour.

Stu : Proposition adoptée, cinq voix contre deux.

Fran : Stu ?

Stu : Oui ?

Fran : Je voudrais modifier mon vote. Si nous devons vraiment envoyer Tom là-bas, nous ferions mieux de nous serrer les coudes. Je suis désolée d'avoir fait toute cette histoire, Nick. Je sais que je t'ai fait du mal – je le vois sur ta figure. C'est tellement dingue ! Pourquoi tout ça ? Franchement, je préférerais faire partie du comité des fêtes... Bon, je vote pour.

Sue : Puisque c'est comme ça, moi aussi. Front uni. Je vote pour.

Stu : Après modification du vote, la proposition est adoptée à l'unanimité. Et voilà un mouchoir pour toi, Fran. J'aimerais ajouter pour le procès verbal que je t'adore.

Larry : Puisqu'on en est rendu là, je pense qu'on devrait lever la séance.

Sue : Proposition appuyée.

Stu : Le monsieur et la dame disent que nous devons lever la séance. Ceux qui sont pour, levez la main, ceux qui sont contre, préparez-vous à recevoir une bouteille de bière sur la tête.

À l'unanimité, le comité a décidé de lever la séance.

– Tu viens te coucher, Stu...

– Oui. Il est tard ?

– Près de minuit.

Stu qui était sorti sur le balcon rentra dans la chambre. Il n'était vêtu que d'un caleçon dont la blancheur contrastait violemment avec sa peau bronzée. Frannie, un oreiller derrière le dos, une lampe Coleman posée sur la table de nuit à côté d'elle, s'étonna encore de l'amour qu'elle éprouvait pour cet homme qu'elle avait la certitude d'aimer.

– Tu pensais à la réunion ?

– Oui.

Stu prit une carafe qui se trouvait elle aussi sur la table de nuit et se versa un verre d'eau. Il but une gorgée et fit la grimace. L'eau bouillie était parfaitement insipide.

– Je trouve que tu as très bien présidé. Glen t'a demandé de diriger l'assemblée générale, non ? Ça t'ennuie ? Tu as refusé ?

– Non. Je suppose que j'arriverai à m'en tirer. Je pensais aux trois personnes que nous allons envoyer de l'autre côté des montagnes. Une sale histoire. Tu avais raison, Frannie. Le seul problème, c'est que Nick avait raison lui aussi. Et quand c'est comme ça, qu'est-ce qu'on doit faire ?

– Voter selon ta conscience, et puis dormir si tu peux. Je peux éteindre ? demanda-t-elle en tendant la main vers la lampe Coleman.

– Oui. Bonne nuit, Frannie. Je t'aime.

Elle éteignit la lampe et il s'allongea à côté d'elle.

Fran ne s'endormit pas tout de suite. Longtemps, elle resta les yeux ouverts. Elle était en paix maintenant, à propos de Tom Cullen... mais elle ne pouvait s'empêcher de penser à l'empreinte de ce pouce taché de chocolat.

Chacun son tour, Fran, tôt ou tard. Les chiens sont lâchés.

Je devrais peut-être en parler tout de suite à Stu, pensa-t-elle. Mais s'il y avait un problème, c'était son problème à elle. Elle n'avait qu'à attendre... garder l'œil ouvert... et voir s'il se passait quelque chose.

Elle fut bien longue à s'endormir.

52

Il était encore très tôt. Mère Abigaël ne dormait pas. Elle essayait de prier. Elle se leva dans le noir, s'agenouilla dans sa robe de nuit de coton blanc et posa le front sur sa bible ouverte aux Actes des apôtres. La conversion de Saül sur le chemin de Damas. La lumière l'avait aveuglé et les écailles qui recouvraient ses yeux étaient tombées. Les Actes, dernier livre de la Bible, où la doctrine s'appuyait sur des miracles. Et qu'étaient les miracles sinon la divine main de Dieu à l'œuvre sur terre ?

Oh, elle aussi avait des écailles sur les yeux. Tomberaient-elles jamais ?

Dans la chambre silencieuse, on n'entendait que le petit sifflement de la lampe à pétrole, le tic-tac de son vieux réveil Westclox, le murmure de sa prière.

– Montre-moi mon péché, Seigneur. Je l'ignore. Je sais que j'ai manqué quelque chose que Tu voulais me faire voir. Je ne peux pas dormir, je ne peux pas aller au cabinet, je ne Te vois plus, Seigneur. J'ai l'impression de parler dans un téléphone en panne quand je Te prie. Ce n'est pourtant pas le moment. En quoi T'ai-je offensé ? Je T'écoute, Seigneur. J'attends que parle la petite voix dans mon cœur.

Elle écoutait. Elle posa ses doigts gonflés par l'arthrite sur ses yeux et se pencha encore plus en avant, essayant de voir clair dans sa tête. Mais tout était noir, noir comme sa peau, noir comme la terre en friche qui attend la bonne semence.

Je t'en prie Seigneur, Seigneur, je t'en prie...

Mais l'image qui lui apparut fut celle d'une route solitaire de terre dans une mer de maïs. Une femme portait un sac de jute plein de poulets fraîchement tués. Et les belettes arrivèrent. Elles fonçaient en avant et donnaient des coups de dents dans le sac. Elles sentaient le sang – le vieux sang du péché, le sang frais du sacrifice. Elle entendit la vieille femme appeler Dieu, mais sa voix geignarde ne portait pas, c'était une voix récriminatrice qui ne priait pas humblement que la volonté de Dieu soit faite, quelle que soit sa place à elle dans l'ordre des choses décidé par le Seigneur, une voix qui exigeait que Dieu la sauve pour qu'elle puisse accomplir son travail... son travail... comme si elle lisait dans l'esprit de Dieu et qu'elle pût subordonner Sa volonté à la sienne. Les belettes se firent plus audacieuses ; le sac de jute commença à se déchirer sous leurs coups de dents. Et ses doigts à elle étaient trop vieux, trop faibles. Quand il n'y aurait plus de poulets, les belettes auraient encore faim et reviendraient la manger. Oui. Elles reviendraient...

Puis les belettes s'éparpillèrent, piaillant dans la nuit, laissant le sac à moitié dévoré, et elle pensa, ivre de joie : *Dieu m'a sauvée finalement ! Loué soit Son nom ! Dieu a sauvé Sa bonne et fidèle servante.*

Pas Dieu, vieille femme. Moi.

Dans sa vision, elle se retourna et, dans sa gorge que la peur étranglait, elle sentit comme un goût de cuivre. Là, se frayant un passage à travers le maïs comme un fantôme d'argent, avançait un énorme loup des montagnes, mâchoires béantes en une grimace sardonique, ses yeux comme des braises. Il portait autour du cou un collier d'argent massif d'une beauté barbare, duquel pendait une petite pierre du jais le plus noir. Et au centre de la pierre, un petit éclat rouge, comme un œil. Ou une clé.

Elle se signa et fit le geste qui chasse le mauvais œil, mais les mâchoires de la bête ne s'en ouvrirent que plus grandes, et entre elles pendait le muscle rose de sa langue.

Je viens te chercher, mère. Pas maintenant, mais bientôt. Nous te chasserons comme les chiens chassent le cerf. Je suis tout ce que tu penses, mais plus encore. Je suis l'homme magique. Je suis l'homme de la dernière heure. Tes gens me connaissent mieux que toi, mère, ils m'appellent Jean le Conquérant.

Va-t'en ! Laisse-moi, au nom du Dieu tout-puissant !

Mais elle avait si peur ! Pas pour les gens qui l'entouraient, représentés dans son rêve par les poulets dans le sac, mais bien pour elle. Elle avait peur dans son âme, peur pour son âme.

Ton Dieu n'a pas de pouvoir sur moi, mère. Sa flamme vacille.

Non ! Ce n'est pas vrai ! Ma force est celle de dix, je monterai au ciel avec des ailes, comme les aigles...

Mais le loup grimaçait toujours et se rapprocha encore. Elle s'écarta de son haleine, lourde et sauvage. C'était la terreur de l'heure de midi, la terreur de la nuit profonde. Elle avait peur, affreusement peur. Et le loup, toujours grimaçant, se mit à parler avec deux voix différentes, répondant aux questions qu'il se posait.

– *Qui a fait jaillir l'eau du rocher quand nous étions assoiffés ?*

– *Moi !* claironna le loup.

– *Qui nous a sauvés quand nous manquions de forces ?* demanda le loup grimaçant dont la gueule n'était plus qu'à quelques pouces d'elle, dont l'haleine respirait le charnier.

– *Moi !* répondit le loup, toujours plus près, la gueule pleine de crocs acérés, les yeux rouges et remplis de morgue. *Tombe à genoux et loue mon nom, je suis celui qui fait jaillir l'eau dans le désert, loue mon nom, je suis le bon et fidèle serviteur qui fait jaillir l'eau dans le désert, et mon nom est aussi le nom de mon Maître...*

La gueule du loup s'ouvrit toute grande pour l'engloutir.

– ... mon nom, murmurait-elle. Loue mon nom, béni soit Dieu qui nous prodigue ses bienfaits, que la création tout entière loue Son nom...

Elle leva la tête et regarda autour d'elle, comme si elle était ivre. Sa bible était tombée par terre. L'aube embrasait déjà la fenêtre qui donnait vers l'est.

– Oh mon Dieu ! cria-t-elle d'une voix tremblante.

Qui a fait jaillir l'eau du rocher quand nous étions assoiffés ?

Était-ce cela ? Dieu du ciel, était-ce cela ? Était-ce pour cela que des écailles avaient recouvert ses yeux, l'empêchant de voir les choses qu'elle aurait dû connaître ?

Des larmes amères roulèrent de ses yeux. Péniblement, elle se releva et s'avança vers la fenêtre. Ses hanches et ses genoux lui faisaient si mal, comme si on lui transperçait les articulations avec de grosses aiguilles émoussées.

Elle regarda dehors et sut alors ce qu'il lui fallait faire.

Elle se dirigea vers le placard, fit passer sa chemise de nuit de coton blanc par-dessus sa tête, la laissa tomber sur le plancher. Elle était nue maintenant et son corps était sillonné de rides si nombreuses qu'il aurait pu être le lit du grand fleuve du temps.

– Que Ta volonté soit faite.

Elle commença à s'habiller.

Une heure plus tard, elle descendait l'avenue Mapleton en direction de l'ouest, vers les forêts et les ravins qui bordaient ce côté de la ville.

Stu était à la centrale électrique avec Nick quand Glen les rejoignit, hors d'haleine.

– Mère Abigaël ! Elle est partie !

Nick lui lança un regard dur.

– Qu'est-ce que vous dites ? s'écria Stu en l'attirant aussitôt à l'écart des ouvriers qui refaisaient le bobinage d'un alternateur.

Glen hocha la tête. Il était venu en bicyclette, plus de huit kilomètres, et il essayait encore de reprendre son souffle.

– Je suis allé la voir pour lui parler de la réunion d'hier soir et pour lui passer l'enregistrement si elle voulait l'entendre. Je voulais qu'elle soit au courant de l'histoire de Tom. Cette idée me tracasse beaucoup... tout ce que Frannie nous a dit m'a travaillé pendant la nuit. Je voulais la voir assez tôt, parce que Ralph m'avait dit que deux autres groupes arrivent aujourd'hui, et vous savez qu'elle aime accueillir les nouveaux. Je suis arrivé chez elle vers huit heures et demie. J'ai frappé. Comme elle ne répondait pas, je suis entré. Je pensais repartir si elle dormait encore... mais je voulais être sûr qu'elle n'était pas... pas morte... elle est si *vieille.*

Les yeux de Nick étaient rivés sur les lèvres du professeur.

– Mais elle n'était pas là. Et j'ai trouvé ça sur son oreiller.

Il leur tendit une serviette de papier sur laquelle était écrit ce message, en grosses lettres tremblées :

Je dois partir un bout de temps. J'ai péché par présomption en croyant connaître la volonté de Dieu. J'ai commis le péché d'ORGUEIL, et Il veut que je retrouve ma place dans Son œuvre.

Je serai bientôt de retour parmi vous, si telle est la volonté de Dieu.

Abby Freemantle

– Putain de bordel, dit Stu. Qu'est-ce qu'on fait maintenant ? Qu'est-ce que tu en penses, Nick ?

Nick prit le message et le relut, puis il le rendit à Glen. L'expression dure qu'il avait eue tout à l'heure avait complètement disparu. Son visage n'était plus marqué que d'une infinie tristesse.

– Je pense qu'il faut convoquer l'assemblée pour ce soir, dit Glen.

Nick secoua la tête. Il sortit son bloc-notes, écrivit

sa réponse, déchira la feuille et la tendit à Glen. Stu lisait par-dessus son épaule.

– *L'homme propose, Dieu dispose. Mère A. aimait cette maxime. Elle la citait souvent. Glen, vous avez dit vous-même qu'elle obéissait à une voix intérieure, qu'elle obéissait aux commandements de Dieu, ou à ses illusions. On ne peut rien faire. Elle est partie. Nous n'y pouvons rien.*

– Mais la réaction..., commença Stu.

– Naturellement, il va y avoir des réactions, dit Glen. Nick, tu ne penses pas que nous devrions au moins nous réunir pour en discuter ?

– *Pour quoi faire ? Pourquoi une réunion qui ne servira à rien ?*

– Mais nous pourrions organiser des recherches. Elle ne peut pas être bien loin.

Nick entoura de deux cercles la phrase *L'homme propose, Dieu dispose.* Et au-dessous, il écrivit : *Si vous la trouviez, comment feriez-vous pour la ramener ? Vous lui mettriez des chaînes ?*

– Non, certainement pas ! s'exclama Stu. Mais nous ne pouvons pas la laisser comme ça se promener toute seule. Elle s'est mis dans la tête qu'elle a offensé Dieu. Et si elle se disait maintenant qu'elle doit aller faire pénitence dans la solitude du désert, comme un prophète de l'Ancien Testament ?

– *Je suis presque sûr que c'est exactement ce qu'elle a fait,* répondit Nick.

– Alors, tu vois bien !

Glen posa la main sur le bras de Stu.

– Du calme, mon garçon. Voyons d'abord quelles sont les conséquences de tout ça.

– Je m'en fous des conséquences ! On ne va pas laisser une vieille femme se promener jour et nuit jusqu'à ce qu'elle meure de froid ou de faim !

– Ce n'est pas simplement une vieille femme. C'est mère Abigaël. Et ici, elle est le pape. Si le pape décide qu'il doit aller à pied à Jérusalem, est-ce que vous allez discuter avec lui si vous êtes un bon catholique ?

– Bon sang, ce n'est pas la même chose, et vous le savez bien !

– Si, c'est la même chose. Absolument. Du moins, c'est ainsi que les gens de la Zone libre vont le comprendre. Stu, seriez-vous prêt à dire que vous êtes sûr que Dieu ne lui a pas dit d'aller se perdre dans le désert ?

– Non... mais...

Nick avait écrit quelque chose et il tendit son message à Stu qui eut du mal à déchiffrer certains mots. L'écriture de Nick était généralement impeccable, mais cette fois il était pressé, peut-être impatient.

– Stu, ça ne change rien. Sauf que le moral de la Zone libre va probablement en souffrir. Mais ce n'est même pas sûr. Les gens ne vont pas s'en aller parce qu'elle est partie. En revanche, ça veut dire que nous n'aurons plus pour le moment à lui demander son approbation. Et c'est peut-être préférable.

– Je deviens dingue, dit Stu. Parfois, nous parlons d'elle comme si c'était un obstacle à contourner. Parfois vous parlez d'elle comme si c'était le pape, comme si elle était incapable de rien faire de mal, même si elle le voulait. Mais il se trouve que je l'aime, moi. Qu'est-ce que tu veux, Nicky ? Que quelqu'un tombe sur son cadavre à l'automne, dans un de ces canyons à l'ouest de la ville ? Tu veux qu'on la laisse là-bas où elle va faire un... un beau festin pour les corbeaux ?

– Stu, dit doucement Glen, c'est elle qui a décidé de partir.

– Mon Dieu, quelle merde !

À midi, toute la communauté savait que mère Abigaël avait disparu. Comme Nick l'avait prévu, la réaction générale fut plus de la résignation attristée que de l'inquiétude. Mère Abigaël était partie « prier pour voir plus clair », afin de pouvoir les aider à trouver le droit chemin lors de l'assemblée du 18.

– Je ne veux pas blasphémer en disant qu'elle est

Dieu, dit Glen au cours du pique-nique qu'ils firent dans le parc, mais elle est quand même une sorte de Dieu par procuration. La force de la foi d'une société se mesure à la dégradation que cette foi subit quand son objet empirique disparaît.

– Vous voulez bien répéter ?

– Quand Moïse a détruit le veau d'or, les Israélites ont cessé de l'adorer. Quand le temple de Baal a été détruit par une inondation, les adorateurs de Baal ont décidé que leur dieu n'était pas si formidable que ça, tout compte fait. Toutefois Jésus est parti à la pêche depuis deux mille ans et les gens continuent non seulement à suivre ses enseignements, mais ils vivent et meurent en croyant qu'il finira par revenir, et que tout redeviendra comme avant quand il sera revenu. C'est la même chose qui se passe avec mère Abigaël pour les gens de la Zone libre. Ils sont parfaitement sûrs qu'elle va revenir. Est-ce que vous leur avez parlé ?

– Oui, répondit Stu. J'ai vraiment du mal à le croire. Une vieille femme se promène en pleine nature et tout le monde dit : j'espère bien qu'elle va ramener les tables de la Loi à temps pour l'assemblée.

– C'est peut-être ce qui va arriver, reprit Glen sans enthousiasme. Mais tout le monde n'est pas aussi décontracté. Ralph Brentner s'arrache les cheveux. S'il continue, il sera bientôt aussi chauve que moi.

– Bon point pour Ralph, dit Stu en regardant Glen dans les yeux. Et vous, le prof ? Comment vous réagissez ?

– Je préférerais que vous m'appeliez autrement. Ce n'est quand même pas très digne. Mais je vais vous répondre... C'est quand même drôle. Voilà qu'un bon gars du Texas est beaucoup plus insensible aux paroles d'évangile de cette vieille dame que le vieux sociologue agnostique et mal embouché que je suis. Je pense qu'elle va revenir. Je ne sais pas pourquoi. Et qu'en pense Frannie ?

– Je n'en sais rien. Je ne l'ai pas vue de toute la matinée. Elle pourrait tout aussi bien être en train de bouffer des sauterelles et du miel sauvage avec mère

Abigaël, répondit Stu en contemplant les monts Flatirons qui se dressaient dans le brouillard bleuté du début de l'après-midi. Nom de Dieu, Glen, j'espère que la vieille va bien.

Fran ne savait pas que mère Abigaël était partie. Elle était restée enfermée toute la matinée à la bibliothèque, en train de feuilleter des ouvrages de jardinage. Elle n'était pas la seule étudiante, d'ailleurs. Deux ou trois autres personnes consultaient des livres sur l'agriculture. Un jeune homme à lunettes d'environ vingt-cinq ans était plongé dans un livre intitulé *Sept moyens de faire vous-même votre électricité*. Une jolie petite blonde d'environ quatorze ans était absorbée dans la lecture de *Six cents recettes faciles*.

Elle sortit de la bibliothèque vers midi et descendit la rue Walnut pour rentrer chez elle. À mi-chemin, elle tomba sur Shirley Hammett, la femme d'un certain âge qui avait fait partie du groupe de Dayna, Susan et Patty Kroger. Shirley allait beaucoup mieux depuis qu'elle était arrivée à Boulder. Jolie, pleine d'assurance. Elle s'arrêta pour dire bonjour à Fran.

– Quand pensez-vous qu'elle reviendra ? Je pose la question à tout le monde. Si nous avions un journal, ce serait un sujet formidable pour faire un sondage. Comme dans le temps : « Que pensez-vous de la position du sénateur Bouchetrou sur la crise pétrolière ? » Vous voyez ce que je veux dire.

– Mais de qui parlez-vous ?

– De mère Abigaël, naturellement. Vous débarquez, ma chère ?

– Je ne comprends pas du tout. Que s'est-il passé ?

– Personne n'en sait rien.

Et Shirley raconta à Fran ce qu'elle savait.

– Elle est partie... comme ça ?

– Oui. Naturellement, elle va revenir. C'est ce que disait son message.

– *Si telle est la volonté de Dieu...*

– C'est simplement une façon de parler, j'en suis sûre, répondit Shirley en regardant Fran avec une certaine froideur.

– Oui... je l'espère en tout cas. Merci de la nouvelle, Shirley. Vous avez encore la migraine ?

– Non. Plus du tout. Je vais voter pour vous, Fran.

– Pardon ?

Fran avait l'esprit ailleurs. Elle essayait encore d'assimiler la nouvelle de la disparition de mère Abigaël. Un instant, elle n'eut pas la moindre idée de ce que voulait dire Shirley.

– Je veux parler du comité permanent !

– Oh ! Merci. Je ne suis même pas sûre de vouloir en faire partie.

– Vous vous en tirerez très bien. Vous et Susy. Je dois m'en aller, Fran. À bientôt.

Elles se séparèrent. Fran se dépêcha de rentrer, espérant que Stu en saurait plus long. La disparition de la vieille dame, juste après leur réunion de la veille au soir, lui inspirait une sorte de crainte superstitieuse. Elle n'aimait pas que la vieille dame ne soit plus là pour approuver leurs grandes décisions – comme d'envoyer des espions à l'Ouest. Elle partie, Fran avait l'impression que ses responsabilités n'en seraient que plus lourdes.

L'appartement était vide quand elle arriva. Stu était parti depuis un quart d'heure. Le mot laissé sous le sucrier disait simplement : *De retour à neuf heures et demie. Je suis avec Ralph et Harold. Ne t'inquiète pas. Stu.*

Ralph et Harold ? pensa-t-elle. Et elle sentit une vague crainte qui n'avait rien à voir avec mère Abigaël. Mais pourquoi aurait-elle peur ? Mon Dieu, si Harold essayait de faire quelque chose... quelque chose de pas très correct... Stu n'en ferait qu'une bouchée. À moins... à moins que Harold n'arrive par-derrière et...

Elle eut froid tout à coup. Elle se prit les coudes. Que pouvait bien faire Stu avec Ralph et Harold ?

De retour à neuf heures et demie.

Mon Dieu, c'est encore bien loin.

Elle resta un moment dans la cuisine en regardant le sac à dos qu'elle avait posé sur la table.

Je suis avec Ralph et Harold.

La petite maison de Harold, rue Arapahoe, serait donc vide jusqu'à neuf heures et demie ce soir. À moins, naturellement, qu'ils ne soient tous là. Et s'ils étaient là, elle pouvait les rejoindre et satisfaire sa curiosité. Une affaire de quelques minutes à bicyclette. S'il n'y avait personne, elle découvrirait peut-être quelque chose qui la tranquilliserait... ou... mais elle préférait ne pas y penser.

Te tranquilliser ? lui dit une petite voix. *Ou te rendre encore plus folle ?*

Suppose que tu trouves quelque chose de bizarre ? Alors quoi ? Qu'est-ce que tu feras ?

Elle n'en savait rien. Pas la moindre idée, pas la plus minuscule.

Ne t'inquiète pas. Stu.

Mais il y avait de quoi s'inquiéter. À cause de l'empreinte de ce pouce dans son journal. Parce qu'un homme qui vole votre journal, qui fouille dans vos pensées intimes, cet homme-là n'a pas beaucoup de principes ni de scrupules. Et cet homme peut parfaitement se glisser derrière quelqu'un qu'il déteste et le pousser dans le vide. Ou prendre une grosse pierre. Ou un couteau. Ou un revolver.

Ne t'inquiète pas. Stu.

Mais si Harold faisait ça, il serait fini à Boulder. Qu'est-ce qu'il ferait ensuite ?

Fran savait ce qu'il ferait. Elle n'était pas encore sûre que Harold soit le genre d'homme qu'elle imaginait maintenant, mais elle savait dans son cœur qu'il y avait un endroit pour les gens comme lui. Oh oui, sans aucun doute.

Elle remit son sac à dos et sortit. Trois minutes plus tard, elle remontait Broadway en direction de la rue Arapahoe, sous un soleil éclatant. *Ils sont sûrement dans le salon de Harold. Ils prennent le café et ils parlent de mère Abigaël. Tout va bien. Tout va parfaitement bien.*

Mais la petite maison de Harold était vide, plongée dans le noir... et fermée à clé.

Une chose étrange à Boulder. Autrefois, vous fermiez derrière vous pour que personne ne vole votre télé, votre stéréo, les bijoux de votre femme. Mais maintenant, les stéréos et les télés ne coûtaient rien. De toute façon, elles ne vous auraient pas servi à grand-chose puisqu'il n'y avait pas d'électricité. Et pour les bijoux, il suffisait d'aller à Denver pour en ramasser un plein sac.

Pourquoi fermes-tu ta porte, Harold, quand il n'y a rien à voler ? Parce que personne n'a aussi peur de se faire voler qu'un voleur ? C'est ça ?

Frannie n'avait pas l'étoffe d'un cambrioleur. Elle s'était résignée à repartir quand elle eut l'idée d'essayer les vasistas du sous-sol. Le premier qu'elle poussa bascula en grinçant et la poussière qui recouvrait la vitre tomba à l'intérieur.

Fran regarda derrière elle, mais il n'y avait personne. Harold était seul à habiter ce quartier plutôt excentrique. Étrange. Harold pouvait bien sourire à s'en décrocher la mâchoire, il pouvait bien vous donner des tapes dans le dos, passer toute la journée à bavarder avec les gens, il pouvait bien vous offrir un coup de main quand c'était nécessaire et parfois même quand ça ne l'était pas, il pouvait bien tout faire pour que les gens l'aiment – et les gens l'estimaient beaucoup à Boulder. Mais cet endroit où il avait choisi de vivre... encore autre chose, non ? Autre chose qui révélait un aspect légèrement différent de la vision que Harold se faisait de la société et de la place qu'il y occupait... peut-être. Ou peut-être aimait-il simplement le calme.

Elle se glissa par le vasistas, salissant son chemisier, et se laissa tomber à l'intérieur. Le vasistas était maintenant à hauteur de ses yeux. Frannie n'avait pas plus l'étoffe d'un gymnaste que d'un cambrioleur. Pour ressortir tout à l'heure, elle allait devoir grimper sur quelque chose.

Elle jeta un coup d'œil autour d'elle. Le sous-sol avait été aménagé en salle de jeu. Un projet dont son père avait toujours parlé mais qu'il n'avait jamais entrepris, pensa-t-elle avec un petit pincement de tristesse. Pin noueux sur les murs. Haut-parleurs quadraphoniques encastrés. Faux plafond insonorisé. Un grand coffre rempli de puzzles et de livres. Un train électrique. Un circuit de petites voitures. Et puis un baby-foot sur lequel Harold avait posé une caisse de Coca. C'était la pièce des enfants. Des posters partout sur les murs – le plus grand, un peu jauni déjà, montrait George Bush à la sortie d'une église de Harlem, les bras levés, un grand sourire aux lèvres. Et une énorme légende en lettres rouges : PAS DE BOOGIE-WOOGIE POUR LE PRINCE DU ROCK AND ROLL !

Tout à coup, elle se sentit plus triste qu'elle ne l'avait été depuis... elle ne s'en souvenait pas, à vrai dire. Elle avait eu son compte de chocs, de peurs, de terreurs, elle avait connu le chagrin sauvage, ravageur, mais cette tristesse profonde et tranquille était quelque chose de nouveau. Et avec elle déferla soudain une vague de nostalgie pour Ogunquit, pour l'océan, pour les jolies collines et les forêts du Maine. Sans aucune raison, elle pensa à Gus, le gardien du parking de la plage municipale d'Ogunquit, et un instant elle crut que son cœur allait éclater. Que faisait-elle ici, prise entre les immenses plaines et les montagnes qui séparaient le pays en deux ? Ce n'était pas son pays. Elle n'avait rien à faire ici.

Elle laissa échapper un sanglot qui lui parut si désolé, si solitaire qu'elle colla ses deux mains sur sa bouche, pour la deuxième fois de la journée. *Ça suffit, Frannie, vieille savate. Ces choses-là ne s'oublient pas comme ça. Petit à petit. Si tu veux pleurer, pleure plus tard, pas ici, dans la cave de Harold Lauder. Le boulot d'abord.*

Elle s'avança vers l'escalier et elle eut un petit sourire amer en passant devant le poster de George Bush, rayonnant. Ils t'ont quand même fait danser le boogie-woogie, pensa-t-elle. Quelqu'un, en tout cas.

En haut des marches, elle crut que la porte allait être fermée, mais elle s'ouvrit sans difficulté. La cuisine était propre et bien rangée, la vaisselle faite et mise à sécher dans l'égouttoir, le petit réchaud à gaz Coleman brillant comme un sou neuf... mais une odeur de graillon flottait dans l'air, comme un fantôme de l'ancien Harold, le Harold qui était entré dans cette partie de sa vie au volant de la Cadillac de Roy Brannigan, alors qu'elle était en train d'enterrer son père.

Je serais bien embêtée si Harold rentrait maintenant, pensa-t-elle. L'idée la fit tout à coup regarder derrière elle. Elle s'attendait presque à voir Harold debout à la porte du salon, avec son éternel sourire. Il n'y avait personne, mais son cœur s'étais mis à cogner un peu trop fort dans sa poitrine. Rien dans la cuisine. Elle se dirigea donc vers le salon. Il faisait sombre, si sombre qu'elle en fut mal à l'aise. Non seulement Harold fermait ses portes à clé, mais il ne levait pas ses stores. Une fois de plus, elle eut l'impression de découvrir une manifestation inconsciente de la vraie personnalité de Harold. Pourquoi garder les stores baissés dans une petite ville où, pour les vivants, stores baissés et rideaux fermés marquaient les maisons des morts ?

Le salon, comme la cuisine, était d'une propreté impeccable, mais meublé sans aucun goût. La cheminée était belle pourtant, une énorme cheminée de pierre dont le foyer était si grand qu'on aurait pu s'asseoir à l'intérieur. Ce qu'elle fit un instant, en regardant autour d'elle. Elle sentit une pierre bouger en s'asseyant. Elle allait se lever pour la regarder lorsqu'on frappa à la porte.

Comme étouffée sous un énorme matelas de plumes, elle sentit la peur tomber sur elle. Paralysée par la terreur, elle ne respirait plus et ce n'est que plus tard qu'elle se rendit compte qu'elle s'était mouillée un peu.

On frappait encore, une demi-douzaine de coups secs, décidés.

Mon Dieu, au moins les stores sont baissés, heureusement.

Mais aussitôt elle se rappela qu'elle avait laissé sa bicyclette dehors où tout le monde pouvait la voir. L'avait-elle vraiment laissée là ? Elle essayait désespérément de réfléchir, mais rien ne lui venait à l'esprit, sauf cette phrase sans queue ni tête qui lui rappelait cependant quelque chose : avant de retirer la taupe de l'œil de ton voisin, retire la tarte du tien...

Des coups encore, et une voix de femme :

– Il y a quelqu'un ?

Fran était figée comme une statue. Elle se souvint tout à coup qu'elle avait laissé sa bicyclette derrière la maison, sous la corde à linge. On ne la voyait pas de devant. Mais si le visiteur décidait d'essayer la porte de derrière...

Le bouton de la porte de devant – Frannie pouvait le voir au fond du petit couloir – commença à tourner dans un sens et dans l'autre.

Je ne sais pas qui c'est, mais j'espère qu'elle est aussi gourde que moi avec les serrures, pensa Frannie. Et elle dut aussitôt s'écraser les deux mains sur la bouche pour étouffer un bêlement insensé qui faillit bien sortir malgré elle. C'est alors qu'elle vit la tache sur son pantalon de coton et qu'elle comprit à quel point elle avait eu peur. *Au moins, elle ne m'a pas fait chier dans mon froc,* se dit-elle. *Pas encore.* Et le rire voulut repartir de plus belle, hystérique.

Puis, avec un soulagement indescriptible, elle entendit des pas qui s'éloignaient de la porte, s'éloignaient sur l'allée de ciment de Harold.

Fran ne décida pas consciemment de faire ce qu'elle fit ensuite. À pas de loup, elle courut à la fenêtre et souleva légèrement le store. Elle vit une femme dont les longs cheveux noirs étaient parcourus de mèches blanches. La femme monta sur un petit scooter Vespa et, quand le moteur démarra, elle rejeta ses cheveux en arrière et les attacha avec une barrette.

C'est Nadine Cross – celle qui est arrivée avec Larry Underwood ! Elle connaît Harold ?

Puis le scooter démarra avec une petite secousse et disparut bientôt. Les jambes molles, Fran poussa un profond soupir. Elle ouvrit la bouche pour laisser fuser le rire qu'elle retenait depuis si longtemps, sachant le bruit qu'il ferait, un petit rire chevrotant. Mais au lieu de rire, elle éclata en sanglots.

Cinq minutes plus tard, trop nerveuse pour poursuivre ses recherches, elle grimpa sur une chaise d'osier pour sortir par le vasistas du sous-sol. Une fois dehors, elle parvint à repousser suffisamment loin la chaise pour ne pas laisser un indice trop révélateur. Elle n'était quand même plus à la même place, mais les gens remarquent rarement ce genre de choses... et Harold ne semblait utiliser le sous-sol que pour ranger ses caisses de Coca-Cola.

Elle referma le vasistas et alla chercher sa bicyclette. Elle avait eu si peur qu'elle se sentait très faible et que la tête lui tournait un peu. Au moins, ma culotte est en train de sécher, pensa-t-elle. La prochaine fois, mets-toi des culottes de caoutchouc, Frances Rebecca.

Elle sortit de la cour de Harold et s'éloigna de la rue Arapahoe dès qu'elle put. Un quart d'heure plus tard, elle était de retour chez elle.

L'appartement était silencieux. Elle ouvrit son journal, contempla la tache de chocolat et se demanda où pouvait bien être Stu.

Et elle se demanda si Harold était avec lui.

Oh Stu, rentre s'il te plaît. J'ai besoin de toi.

Après le déjeuner, Stu avait quitté Glen pour rentrer chez lui. Assis dans le salon, il pensait à mère Abigaël. Nick et Glen avaient-ils vraiment raison de ne rien vouloir faire ? C'est alors qu'on frappa à la porte.

– Stu ? Tu es là ?

C'était Ralph Brentner.

Harold Lauder était avec lui. Son sourire était plus discret que d'habitude, comme quelqu'un qui essaye de prendre un air compassé à un enterrement.

Ralph, encore sous le coup de la disparition de mère Abigaël, avait rencontré Harold une demi-heure plus tôt. Ralph aimait ce Harold qui semblait toujours avoir le temps d'écouter ce que vous aviez à dire quand quelque chose n'allait pas... Harold qui ne semblait jamais attendre quoi que ce soit en retour. Ralph lui avait raconté toute l'histoire de la disparition de mère Abigaël et lui avait fait part de ses inquiétudes : la vieille femme risquait d'avoir une crise cardiaque, de se casser quelque chose, de mourir de faim ou de froid.

– Et tu sais qu'il pleut presque tous les après-midi, dit Ralph tandis que Stu leur servait du café. Si elle se mouille, elle va certainement attraper froid. Et ensuite ? La pneumonie. À coup sûr.

– Qu'est-ce qu'on peut faire ? demanda Stu. On ne peut pas la forcer à revenir si elle ne veut pas.

– Non, répondit Ralph. Mais Harold a une idée.

Stu se tourna vers le jeune homme.

– Et comment ça va, Harold ?

– Très bien. Et toi ?

– Pas mal.

– Et Fran ? Tu t'occupes bien d'elle ?

Harold regardait Stu avec des yeux légèrement moqueurs. Mais Stu eut l'impression que les yeux de Harold étaient comme le soleil sur l'eau de l'ancienne carrière de Brakeman, dans son petit village – l'eau avait l'air si agréable, mais elle cachait un trou si profond que le soleil n'y avait jamais pénétré. Quatre jeunes garçons s'étaient noyés dans la jolie carrière de Brakeman.

– De mon mieux, répondit-il. Et cette idée, Harold ?

– Voilà. Je peux comprendre la position de Nick. Et celle de Glen. Ils ont compris que mère Abigaël est un symbole théocratique pour la Zone libre... et apparemment ils vont bientôt devenir les porte-parole de la Zone.

Stu avala une gorgée de café.

– Qu'est-ce que tu veux dire avec ton symbole théocratique ?

– Un symbole matériel d'une alliance avec Dieu, expliqua Harold dont les yeux se voilèrent un peu. Comme la sainte communion, ou les vaches sacrées de l'Inde.

Stu commençait à comprendre.

– Oui, je vois. Ces vaches... elles marchent dans la rue et empêchent les voitures de circuler, c'est bien ça ? Elles peuvent se balader dans les magasins, décider de s'en aller où elles veulent.

– Oui, c'est bien ça. Mais la plupart de ces vaches sont malades, Stu. Elles meurent de faim. Certaines ont la tuberculose. Et tout cela parce qu'elles sont un symbole. Les gens sont convaincus que Dieu s'occupera d'elles, comme les gens de la Zone sont convaincus que Dieu s'occupera de mère Abigaël. Mais j'ai mes doutes sur un Dieu qui dit de laisser une pauvre vache se balader toute seule jusqu'à ce qu'elle en crève.

Ralph avait l'air mal à l'aise. Stu comprenait sa réaction. Il n'aimait pas qu'on parle ainsi de mère Abigaël. Harold n'était pas loin du blasphème.

– De toute façon, reprit Harold, nous ne pouvons pas changer les gens, ni l'idée qu'ils se font de mère Abigaël.

– Et nous ne voulons pas d'ailleurs, s'empressa d'ajouter Ralph.

– C'est exact ! s'exclama Harold. Après tout, c'est elle qui nous a rassemblés ici. Mon idée, c'est d'enfourcher nos fidèles coursiers et d'explorer cet après-midi les environs de Boulder, du côté ouest. Si nous ne nous éloignons pas trop, nous pourrons rester en liaison par walkie-talkie.

Stu hochait la tête. C'était exactement ce qu'il voulait faire. Vaches sacrées ou pas, Dieu ou pas, ce n'était pas juste de laisser une vieille dame toute seule dans la nature. Rien à voir avec la religion ; on ne pouvait tout simplement pas la laisser toute seule.

– Et si nous la trouvons, dit Harold, nous lui demanderons si elle a besoin de quelque chose.

– Par exemple, qu'on la ramène, ajouta Ralph.

– Au moins, nous saurons où elle est, dit Harold.

– D'accord, je pense que c'est une très bonne idée, Harold. Laisse-moi simplement le temps d'écrire un mot pour Fran.

Mais tandis qu'il écrivait son mot, il sentit le besoin de regarder derrière lui – de voir ce que Harold faisait quand Stu ne le regardait pas, de voir l'expression de ses yeux.

Avec l'accord des autres, Harold avait choisi de prendre la route sinueuse de Nederland, pour la bonne raison que la vieille femme ne se trouverait sans doute pas dans les parages. Si lui n'aurait pas pu faire à pied la route de Boulder à Nederland en un jour, encore moins cette vieille conne. Mais le trajet était joli et la promenade lui donnerait l'occasion de réfléchir.

Il était maintenant sept heures moins le quart et Harold était sur le chemin du retour. Il avait laissé sa Honda au bord de la route et il s'était assis à une table de pique-nique. Un Coca devant lui, il mangeait une saucisse fumée avec les doigts. Le walkie-talkie accroché au guidon de la Honda, antenne sortie, crachota un peu. C'était la voix de Ralph Brentner. Les radios ne portaient pas très loin. Et Ralph était plus haut, sur le mont Flagstaff.

– ... au cirque Sunrise... rien par ici... de l'orage.

Puis la voix de Stu, plus forte. Il était dans le parc Chautauqua, à six kilomètres environ de Harold.

– Répète, Ralph.

Ralph répéta son message en criant tant qu'il pouvait dans son micro. Il va avoir une attaque, pensa Harold. Splendide façon de terminer la journée.

– Elle n'est pas par ici ! Je redescends avant qu'il fasse nuit ! Terminé !

– Bien compris, répondit Stu d'une voix découragée. Harold, tu es là ?

Harold se leva et s'essuya les doigts sur son pantalon.

– Harold ? Tu es là ? Harold, tu m'entends ?

Harold fit un geste obscène avec son index – l'index que ces crétins d'hommes des cavernes appelaient le gratte-con au lycée d'Ogunquit ; puis il appuya sur le bouton du micro et dit d'une voix agréable, avec juste ce qu'il fallait de découragement :

– Je suis là. Je m'étais éloigné un peu... J'avais cru voir quelque chose dans le fossé. Simplement un vieux blouson. À toi.

– D'accord. Tu veux venir à Chautauqua, Harold ? On pourrait attendre Ralph tous les deux.

Tu aimes donner des ordres, enfoiré ? J'ai peut-être une petite surprise pour toi. Peut-être.

– Harold, tu m'entends ?

– Oui. Excuse-moi, Stu. J'étais dans les nuages. J'arrive dans un quart d'heure.

– *Tu as bien entendu, Ralph ?* hurla Stu.

Harold fit une grimace et pointa son gratte-con dans la direction de la voix de Stu en esquissant un petit sourire. Prends ça, enfoiré de mes deux.

– Bien compris, on se retrouve dans le parc Chautauqua, répondit la voix lointaine de Ralph au milieu des craquements des parasites. J'arrive. Terminé.

– J'arrive moi aussi, dit Harold. Terminé.

Il éteignit le walkie-talkie et rentra l'antenne. Mais il resta à califourchon sur la Honda sans démarrer. Il portait un gros blouson rembourré des surplus de l'armée ; très confortable quand on fait de la moto à mille huit cents mètres d'altitude, même au mois d'août. Mais le blouson avait une autre utilité. Il était pourvu de nombreuses poches à fermeture Éclair et dans l'une de ces poches se trouvait un 38 Smith & Wesson. Harold sortit le revolver et le soupesa. L'engin était chargé. Il était lourd, très lourd, comme s'il comprenait que sa mission était de donner la mort.

Ce soir ?

Pourquoi pas ?

Il s'était embarqué dans cette expédition dans l'espoir de se trouver seul avec Stu. Et ce moment n'allait plus tarder, tout à l'heure, dans le parc Chautauqua, dans moins d'un quart d'heure. Mais il n'avait pas perdu son temps en cours de route.

Harold n'avait jamais eu l'intention d'aller jusqu'à Nederland, un misérable petit village perché au-dessus de Boulder dont le seul titre de gloire avait été de servir autrefois de refuge à Patty Hearst quand elle était en fuite. Mais, alors qu'il montait de plus en plus haut, la Honda bourdonnant doucement entre ses cuisses, que l'air froid coupant comme une lame de rasoir lui tailladait le visage, quelque chose s'était produit.

Si vous posez un aimant a un bout d'une table et un bout de fer à l'autre, il ne se passe rien. Si vous rapprochez progressivement le bout de fer de l'aimant (il aimait bien cette image, il fallait qu'il la note dans son journal ce soir), il arrive un moment où le mouvement que vous imprimez au bout de fer semble le propulser plus loin qu'il n'aurait dû aller. Le bout de fer s'arrête, mais comme s'il hésitait à le faire, comme s'il était devenu vivant, comme s'il en voulait à cette loi physique de l'inertie. Encore une petite poussée ou deux, et vous pouvez presque voir – ou même vous voyez vraiment – le bout de fer trembloter sur la table, comme s'il vibrait légèrement. Une dernière poussée et l'équilibre entre frottement (inertie) et attraction de l'aimant se rompt. Le bout de fer, bien vivant maintenant, se déplace tout seul, de plus en plus vite, et vient finalement se coller à l'aimant.

Horrible et fascinante expérience.

Lorsque le monde s'était écroulé en juin dernier, on ne comprenait pas encore très bien le magnétisme, mais Harold croyait savoir (même s'il n'avait jamais eu une tournure d'esprit très scientifique) que les physiciens qui étudiaient ces choses estimaient que le phénomène était intimement lié à celui de la gravité, et que la gravité était la clé de voûte de l'univers.

Et tandis que Harold approchait de Nederland, qu'il avançait en direction de l'ouest, qu'il montait, que l'air devenait de plus en plus froid, que les cumulo-nimbus s'entassaient toujours plus haut derrière Nederland, Harold avait senti la même chose. Il s'approchait du point d'équilibre... et presque aussitôt après, il atteindrait le point de rupture. Il était ce bout de fer, si proche de l'aimant qu'une petite poussée le propulserait plus loin que l'élan ainsi donné ne l'aurait fait en temps normal. Il se sentait vibrer.

Jamais il n'avait connu d'aussi près une expérience religieuse. Les jeunes rejettent le sacré, car l'accepter revient à accepter que tous les objets empiriques finissent par mourir. Harold n'était pas différent. La vieille femme était une sorte de médium. Et Flagg aussi, l'homme noir. Ils étaient des radios humaines, en quelque sorte. Rien de plus. Leur véritable pouvoir résiderait dans les sociétés qui se formeraient autour de leurs signaux, si différents. C'est ce qu'il avait cru.

Mais assis sur sa moto au bout de cette rue minable de Nederland, tandis qu'un voyant vert brillait sur le tableau de bord de sa Honda comme l'œil d'un chat, alors qu'il écoutait hurler le vent dans les pins et les trembles, il avait ressenti plus qu'une simple attraction magnétique. Il s'était senti investi d'un effroyable pouvoir, d'une puissance irrationnelle venue de l'ouest, d'une attraction si grande que de trop y repenser maintenant le rendrait fou. Il avait senti que, s'il s'aventurait beaucoup plus loin sur le fléau de la balance, toute volonté propre finirait par l'abandonner. Et il se retrouverait comme il était, les mains vides.

Et pour cela, même s'il n'en était pas responsable, l'homme noir le tuerait.

Il avait donc reculé, avec ce froid soulagement du candidat au suicide qui tourne le dos après avoir longtemps contemplé le précipice. Mais il pouvait revenir ce soir, s'il le voulait. Oui, il pouvait tuer Redman d'une seule balle tirée à bout portant. Et puis, rester tranquille, attendre l'arrivée du plouc de l'Oklahoma. Une autre balle dans la tempe. Personne ne remarquerait les coups de feu ; le gibier était abondant et les gens avaient commencé à faire des cartons sur les cerfs qui s'aventuraient jusque dans les rues de Boulder.

Il était maintenant sept heures moins dix. Il en aurait fini avec eux avant sept heures et demie. Fran ne donnerait pas l'alarme avant dix heures et demie, au plus tôt. Ce qui lui laisserait amplement le temps de prendre la fuite, de s'en aller en direction de l'ouest, son journal caché au fond de son sac à dos. Mais pour cela, il ne fallait pas rester là assis sur sa moto, en attendant que le temps passe.

La Honda démarra au deuxième essai. Une bonne moto. Harold sourit. Harold au large sourire. Harold à la si belle humeur. Et il prit la direction du parc Chautauqua.

La nuit commençait à tomber quand Stu entendit la moto de Harold. Un instant plus tard, il apercevait son phare entre les arbres qui bordaient la route. Puis le casque de Harold, Harold qui tournait la tête à gauche et à droite, Harold qui le cherchait.

Assis sur une grosse pierre, Stu l'appela en faisant de grands gestes. Une minute plus tard, Harold le vit, agita la main et continua à monter en seconde.

Après cet après-midi dans la montagne, Stu avait bien meilleure opinion de Harold... pour la première fois peut-être. C'était Harold qui avait eu cette idée, une excellente idée même si elle n'avait rien donné. Et Harold avait insisté pour prendre la route de Nederland... il avait dû avoir très froid, malgré son blouson. Quand Harold arriva près de lui, Stu vit son perpétuel sourire qui ressemblait tellement à une grimace ; son visage était blanc, marqué par la fatigue. Déçu de n'avoir rien trouvé, pensa Stu. Et tout à coup il se sentit coupable de la manière dont Frannie et lui l'avaient traité, comme si son sourire perpétuel et ses manières un peu trop amicales avec tout le monde avaient été une sorte de camouflage. Avaient-ils jamais pensé que le type essayait peut-être tout simplement de tourner la page, et qu'il s'y prenait peut-être un peu bizarrement, parce que pour lui c'était la première fois ? Non, ils n'y avaient sans doute jamais pensé.

– Rien trouvé, hein ? demanda-t-il à Harold en sautant en bas de la pierre où il était assis.

– *Nada.*

Le sourire réapparut, mais un sourire mécanique, sans force, comme un rictus. D'une pâleur mortelle, son visage avait une étrange expression. Harold avait les mains enfoncées dans les poches de son blouson.

– Tant pis, c'était une bonne idée quand même. Et puis, elle est peut-être déjà rentrée chez elle. Sinon, on pourra recommencer demain.

– Et nous risquons de tomber sur un cadavre.

– Peut-être, soupira Stu, c'est bien possible. Tu veux venir dîner chez nous, Harold ?

– Quoi ?

Harold tressaillit dans la pénombre qui s'épaississait sous les arbres. Son sourire parut encore plus forcé que d'habitude.

– Dîner, répéta patiemment Stu. Frannie serait contente de te voir. C'est vrai. Elle serait vraiment contente.

– C'est vraiment gentil, répliqua Harold, manifestement mal à l'aise. Mais je suis... bon, tu sais bien qu'elle me plaisait. On ferait peut-être mieux... de s'abstenir pour le moment. Rien contre toi en particulier. Vous avez l'air de bien vous entendre tous les deux. Je sais.

Et son sourire réapparut, débordant de sincérité, contagieux.

– Comme tu veux, Harold. Mais la porte est ouverte, quand tu voudras.

– Merci.

– Non, c'est moi qui te remercie, répondit Stu très sérieusement.

– Moi ?

– De nous avoir aidés à chercher mère Abigaël quand tous les autres avaient décidé de laisser la nature suivre son cours. Même si nous n'avons rien trouvé. On se serre la main ?

Stu tendit la main. Harold la regarda et Stu crut un instant qu'il allait refuser son geste. Puis Harold sortit la main de la poche de son blouson – elle parut accrocher quelque chose, la fermeture Éclair peut-être – et serra rapidement la main que lui tendait Stu. La main de Harold était moite.

Stu lui tourna le dos pour regarder la route.

– Ralph devrait déjà être arrivé. J'espère qu'il ne s'est pas cassé la figure en descendant la montagne. Ah... le voilà.

La lumière d'un phare clignotait en jouant à cache-cache avec les arbres.

– Oui, c'est lui, dit Harold d'une voix étrangement blanche, derrière Stu.

– Il est avec quelqu'un.

– Quoi ?

– Regarde.

Stu montrait un deuxième phare, derrière le premier.

– Ah bon.

Encore cette voix blanche. Cette fois, Stu se retourna.

– Ça va, Harold ?

– Je suis fatigué, c'est tout.

Le deuxième phare était celui du vélomoteur de Glen Bateman qui ne voulait rien savoir des motos. À côté de sa petite machine, la Vespa de Nadine aurait presque fait l'effet d'une Harley. Nick Andros était assis derrière Ralph. Nick les invitait tous à prendre le café dans la maison qu'il partageait avec Ralph. Un café arrosé de cognac si le cœur leur en disait. Stu accepta, mais Harold déclina l'invitation. Il avait l'air épuisé.

Il est tellement déçu, pensa Stu, et il se dit que c'était le premier mouvement de sympathie qu'il ressentait pour Harold, une sympathie qui s'était trop longtemps fait attendre. Il reprit l'invitation de Nick à son compte, mais Harold secoua la tête. Non, décidément, il était complètement crevé. Il allait rentrer chez lui et dormir un bon coup.

Quand il arriva chez lui, Harold tremblait si fort qu'il eut du mal à glisser sa clé dans la serrure. La porte s'ouvrit finalement et il fonça à l'intérieur comme s'il se croyait poursuivi par un maniaque. Il claqua la porte derrière lui, ferma à double tour, tira le verrou. Puis il s'appuya contre la porte, la tête penchée, les yeux fermés, au bord de la crise de larmes. Quand il se fut ressaisi, il s'avança à tâtons vers le salon et alluma ses trois lampes à gaz. Il faisait clair maintenant dans la pièce. Et c'était mieux ainsi.

Il s'assit dans son fauteuil favori et ferma les yeux. Quand les battements de son cœur eurent un peu ralenti, il s'avança vers la cheminée, retira la pierre et prit son REGISTRE. Sa présence le rassura. Un registre, c'est un livre où vous tenez vos comptes, tant de prêté, tant de rendu, intérêt et principal. Le livre où vous finissez par régler tous vos comptes.

Il s'assit, chercha l'endroit où il s'était arrêté, hésita, puis se mit à écrire : *14 août 1990.* Il écrivit pendant près d'une heure et demie. Son stylo bille courait d'une ligne à l'autre, page après page. Et son visage, tandis qu'il écrivait, était tantôt férocement ironique, tantôt vertueusement indigné, terrifié et joyeux, blessé et grimaçant. Quand il eut terminé, il lut ce qu'il avait écrit *(Voici mes lettres au monde/qui ne m'a jamais écrit...)* tout en se massant distraitement la main droite.

Il remit le journal à sa place et reposa la pierre. Il était calme ; il avait vidé ce qu'il avait en lui ; sa terreur et sa fureur habitaient désormais les pages du journal ; sa détermination était plus forte que jamais. Et c'était bien ainsi. Parfois, écrire le rendait encore plus nerveux. Il savait alors qu'il n'écrivait pas la vérité, ou qu'il n'écrivait pas avec l'effort nécessaire pour affûter le bord émoussé de la vérité afin de lui donner une arête tranchante – d'en faire une lame capable de faire jaillir le sang. Mais, ce soir, il pouvait ranger son livre, l'esprit serein. La rage, la peur, la frustration avaient trouvé leur exacte transcription dans le livre, le livre qui resterait caché sous sa pierre pendant qu'il dormirait.

Harold releva l'un des stores et regarda dans la rue silencieuse. En voyant les monts Flatirons, il pensa calmement qu'il avait bien failli continuer quand même, sortir le 38 et essayer de les abattre tous les quatre. Il en aurait fini une bonne fois avec leur comité spécial qui puait l'hypocrisie. Sans eux, ils n'auraient même pas eu le quorum.

Mais, au dernier moment, un dernier fil avait tenu au lieu de casser. Il avait réussi à lâcher son arme, à serrer la main de ce plouc, de ce salaud de traître. Comment ? Il ne le saurait jamais. Mais grâce à Dieu, il l'avait fait. La marque du génie est qu'il sait attendre son heure – et il attendait.

Il avait sommeil ; la journée avait été longue, mouvementée.

Tandis qu'il déboutonnait sa chemise, Harold éteignit deux des lampes et prit la troisième pour l'emporter dans sa chambre. Il traversait la cuisine quand il s'arrêta net. La porte du sous-sol était ouverte.

Il s'approcha en tenant bien haut sa lampe, descendit les trois premières marches. La peur montait en lui, chassait la sérénité de tout à l'heure.

– Qui est là ?

Pas de réponse. Il pouvait voir le baby-foot. Les posters. Et, au fond de la pièce, les maillets de croquet debout dans leur râtelier.

Il descendit encore trois marches.

– Il y a quelqu'un ?

Non. Il était sûr qu'il n'y avait personne. Mais la peur refusait de s'en aller.

Il descendit jusqu'en bas, sa lampe brandie bien haut au-dessus de sa tête. Sur le mur du fond, une ombre monstrueuse, énorme et noire comme un grand singe, imita son geste.

Y avait-il quelque chose par terre, là-bas ? Oui.

Il passa derrière le circuit de voitures électriques, s'approcha du vasistas par où Fran était entrée. Sur le sol, il y avait un petit tas de poussière brune. Harold posa sa lampe à côté. Au centre, aussi nettes qu'une empreinte digitale, les marques laissées par une chaussure de tennis... pas en quadrillé, pas en zigzag, mais des groupes de cercles et de lignes. Il contempla l'empreinte, la grava dans sa mémoire, puis l'effaça d'un coup de pied. Son visage était blanc comme de la cire à la lumière de la lampe Coleman.

– Tu me le paieras ! siffla Harold. Je ne sais pas qui tu es, mais tu me le paieras ! Tu peux en être sûr !

Il remonta l'escalier et fouilla toutes les pièces de la maison, à la recherche d'un autre signe de profanation. Il n'en trouva aucun. Quand il revint au salon, il n'avait plus du tout envie de dormir. Il était sur le point de conclure que quelqu'un – un enfant peut-être – s'était introduit chez lui par pure curiosité quand l'idée de son REGISTRE explosa dans son esprit comme une fusée en plein cœur de la nuit. Le motif de l'effraction était si clair, si terrible, qu'il avait failli ne pas y penser.

Il courut vers la cheminée, souleva la pierre, sortit le REGISTRE. Pour la première fois, il se rendait compte à quel point son journal était dangereux. Si quelqu'un l'avait trouvé, tout était PERDU. Il était payé pour le savoir. Tout n'avait-il pas commencé à cause du journal de Fran ?

Le REGISTRE. L'empreinte d'un pied. Allait-il en conclure qu'on avait découvert son secret ? Naturellement pas. Mais comment en être sûr ? Aucun moyen d'être sûr. C'était la pure vérité, dans toute son horreur.

Il remit la pierre en place, emportant le REGISTRE dans sa chambre avec lui. Il le glissa sous son oreiller avec le revolver Smith & Wesson, pensant qu'il devrait le brûler, sachant qu'il ne s'y résoudrait jamais. Les meilleures pages qu'il avait écrites de toute sa vie se trouvaient dans le REGISTRE, seule fois où il avait jamais écrit ce qu'il pensait vraiment.

Il s'allongea, résigné à passer une nuit blanche, cherchant une nouvelle cachette. Sous une lame de parquet ? Au fond d'un placard ? Peut-être ce vieux truc : le laisser bien en évidence sur une étagère, un volume parmi d'autres, coincé entre *La Femme totale* d'un côté et un volume du *Reader's Digest* de l'autre ? Non – c'était quand même trop risqué. Il ne pourrait plus sortir de chez lui sans être rongé par l'inquiétude. Un coffre à la banque ? Non – il le voulait à côté de lui, à portée de la main, il voulait pouvoir l'ouvrir et le lire.

Il finit cependant par s'assoupir et son esprit, libéré par le sommeil tout proche, partit lentement à la dérive, comme une balle de flipper au ralenti. *Il faut le cacher, c'est certain... si Frannie avait mieux caché le sien... si je n'avais pas lu ce qu'elle pensait réellement de moi... son hypocrisie... si elle avait...*

Harold se redressa tout d'un coup dans son lit en poussant un petit cri, les yeux écarquillés.

Il resta assis un long moment, puis se mit à frissonner. Savait-elle ? Étaient-ce les traces de pas de Fran ? Journal... registre...

Finalement il se recoucha, mais le sommeil tarda longtemps à venir. Il se demandait si Fran Goldsmith portait des tennis. Et si c'était le cas, à quoi ressemblait le motif de leurs semelles ?

Motif des semelles, motif des âmes. Lorsqu'il s'endormit, il fit de mauvais rêves et cria plusieurs fois dans le noir, comme pour écarter des choses qui désormais ne pouvaient plus l'être.

Stu rentra à neuf heures et quart. Fran était pelotonnée sur le double lit. Elle était vêtue d'une de ses chemises – elle lui arrivait presque jusqu'aux genoux – et lisait un livre, *Cinquante plantes utiles*. Elle se leva quand elle l'entendit.

– Où étais-tu passé ? J'étais inquiète !

Stu lui expliqua que Harold avait eu l'idée d'essayer de retrouver mère Abigaël, au moins pour savoir où elle était. Il ne parla pas des vaches sacrées.

– On t'aurait emmenée, dit-il en déboutonnant sa chemise, mais je ne savais pas où tu étais partie.

– J'étais à la bibliothèque, répondit-elle en le regardant retirer sa chemise qu'il jeta dans le sac à linge sale, derrière la porte.

Stu était très poilu, aussi bien sur la poitrine que dans le dos, et elle se souvint qu'avant de le connaître elle avait toujours trouvé les hommes velus un peu dégoûtants. Et elle se dit aussi que son soulagement à le voir revenu la rendait vraiment un peu bête.

Harold avait lu son journal, elle le savait maintenant. Elle avait eu terriblement peur que Harold ne s'arrange pour se retrouver seul avec Stu et... eh bien, pour lui faire quelque chose. Mais pourquoi aujourd'hui, quand elle venait de le découvrir ? Si Harold avait laissé si longtemps le chat dormir, n'était-il pas logique de supposer qu'il ne voulait tout simplement pas réveiller le chat ? Et n'était-il pas tout aussi logique de supposer qu'en lisant son journal Harold avait finalement compris qu'il était inutile de courir après elle ? Encore sous le coup de la nouvelle de la disparition de mère Abigaël, elle s'était trouvée dans l'état d'esprit voulu pour voir de mauvais présages dans les entrailles d'un malheureux poulet, mais tout compte fait, c'était simplement son *journal* que Harold avait lu, pas une confession des crimes du monde. Et si elle racontait à Stu ce qu'elle avait découvert, elle aurait l'air d'une idiote et ne réussirait sans doute qu'à le mettre en colère contre Harold... et probablement contre elle, vraiment trop bête.

– Alors, vous n'avez rien trouvé ?

– Non.

– Et Harold ?

– Il avait l'air crevé, répondit Stu en enlevant son pantalon. Je regrette que son idée n'ait rien donné. Je l'ai invité à dîner quand il voulait. J'espère que tu es d'accord. Tu sais, j'ai vraiment l'impression que je pourrais finir par aimer ce connard. Je ne l'aurais jamais cru, ce jour-là, quand je vous ai rencontrés tous les deux dans le New Hampshire. J'ai eu tort de l'inviter ?

– Non, répliqua-t-elle après un instant de réflexion. Non, j'aimerais être en bons termes avec Harold.

Je suis assise chez moi, je me dis que Harold veut lui faire sauter le caisson, et Stu l'invite à dîner. Quand on dit que les femmes enceintes ont de drôles d'idées !

– Si mère Abigaël n'est pas rentrée demain, je crois que je vais demander à Harold s'il veut repartir avec moi pour essayer de la trouver.

– J'aimerais bien vous accompagner. Et il y en a d'autres qui ne sont pas totalement convaincus que les corbeaux vont la nourrir. Dick Vollman, par exemple. Et aussi Larry Underwood.

– C'est d'accord, dit Stu en se couchant à côté d'elle. Dis donc, tu as quelque chose sous cette chemise ?

– Un grand garçon comme toi devrait pouvoir trouver ça tout seul.

Sous sa chemise, elle était nue.

Le lendemain, les recherches reprirent dès huit heures, modestement d'abord, avec un groupe de six personnes – Stu, Fran, Harold, Dick Vollman, Larry Underwood et Lucy Swann. À midi, ils étaient vingt et, à la tombée de la nuit (accompagnée comme d'habitude par de brèves averses et des orages dans les montagnes), plus de cinquante personnes passaient la forêt au peigne fin, pataugeaient dans les rivières, parcouraient dans tous les sens les canyons, s'appelaient par radio dans une confusion indescriptible.

La résignation et l'appréhension avaient peu à peu remplacé l'insouciance de la veille. Malgré la puissance des rêves qui conféraient à mère Abigaël un statut presque divin dans la Zone, la plupart avaient traversé suffisamment d'épreuves pour être réalistes quand il s'agissait de survie : la vieille femme avait plus de cent ans et elle avait passé la nuit seule, en pleine nature. Une deuxième nuit allait bientôt commencer.

Le Louisianais qui était arrivé la veille à midi avec un groupe de douze personnes trouva les mots qu'il fallait pour résumer la situation. Lorsqu'il apprit que mère Abigaël était partie, cet homme, Norman Kellog, jeta sa casquette de base-ball par terre.

– C'est bien ma veine... j'espère que vous avez envoyé des gars lui courir au derrière ?

Charlie Impening, qui était devenu le prophète de malheur de la Zone (c'est lui qui avait parlé des premières neiges en septembre), commençait à dire un peu partout que, si mère Abigaël avait foutu le camp, c'était peutêtre un signe pour qu'eux foutent le camp aussi. Après tout, Boulder était bien trop près. Trop près de quoi ? Beaucoup trop près de ce que tu sais. Charlie se sentirait bien plus en sécurité à New York ou à Boston. Mais il n'y avait pas eu preneurs. Les gens étaient fatigués. S'il faisait froid et s'il n'y avait toujours pas d'électricité, ils s'en iraient peut-être, mais pas avant. Ils pansaient leurs blessures. On demanda poliment à Impening s'il persistait dans son idée. Impening répondit qu'il allait sans doute attendre que d'autres voient la lumière comme lui l'avait vue. Et on entendit Glen Bateman opiner que Charlie Impening aurait fait un bien mauvais Moïse.

Appréhension et résignation – si la réaction de la communauté se résumait à ces deux mots, pensait Glen Bateman, c'est parce qu'elle n'avait pas encore perdu toute rationalité, malgré les rêves, malgré cette profonde peur de ce qui se passait à l'ouest des Rocheuses. La superstition, comme le véritable amour, a besoin de temps pour grandir et pour se connaître. Quand on construit une grange, dit-il à Nick, à Stu et à Fran lorsque la nuit eut mis un terme à leurs recherches, on cloue un fer à cheval sur la porte, comme porte-bonheur. Mais, si l'un des clous tombe et que le fer à cheval bascule, on n'abandonne pas la grange pour autant.

– Le jour viendra peut-être où nous et nos enfants

abandonnerons la grange si le fer à cheval annonce un malheur, mais pas avant des années. En ce moment, nous nous sentons tous un peu étranges, un peu perdus. Mais ça passera, je crois. Si mère Abigaël est morte – et Dieu sait si j'espère qu'elle ne l'est pas –, sa mort n'aurait probablement pas pu tomber à un meilleur moment pour la santé mentale de cette communauté.

– *Mais si elle était là pour faire obstacle à notre Adversaire,* écrivit Nick, *si quelqu'un l'avait mise là pour maintenir l'équilibre...*

– Oui, je sais, fit Glen d'un air pensif. L'époque où le fer à cheval n'avait pas d'importance tire peut-être à sa fin... ou même est déjà révolue. Crois-moi, je sais.

– Vous ne pensez pas vraiment que nos petits-enfants vont devenir des espèces de sauvages superstitieux, demanda Frannie ? Qu'ils vont se mettre à brûler les sorcières, à cracher par terre pour conjurer le mauvais sort ?

– Je ne lis pas dans l'avenir, répondit Glen et, à la lumière de la lampe, son visage paraissait vieux et usé – peut-être le visage d'un magicien déchu. Je ne parvenais même pas à me faire une idée convenable de l'effet que mère Abigaël avait sur la communauté jusqu'à ce que Stu m'en parle un soir, sur le mont Flagstaff. Mais je sais ceci : nous sommes tous ici à cause de deux événements. La super-grippe, nous pouvons l'imputer à la stupidité de la race humaine. Peu importe si c'est nous qui avons fait ce splendide coup, ou les Russes, ou les Lettons. Peu importe qui a renversé l'éprouvette. Subsiste cette vérité d'application générale : *À la fin de tout rationalisme, la fosse commune.* Les lois de la physique, les lois de la biologie, les axiomes des mathématiques, tout cela fait partie de la même illusion mortelle, car nous sommes ce que nous sommes. S'il n'y avait pas eu le Grand Voyage, il y aurait eu autre chose. Autrefois, il était à la mode de blâmer la *technologie,* mais la technologie n'est que le tronc de l'arbre, pas ses racines. Les racines, c'est le rationalisme, et je définirais ce mot comme ceci : le rationalisme est l'idée que nous pouvons tout comprendre de l'existence. Une illusion mortelle, un trip mortel. Il en a toujours été ainsi. Alors, vous pouvez bien rendre le rationalisme responsable de la super-grippe si vous voulez. Mais l'autre raison pour laquelle nous sommes ici, ce sont ces rêves, et les rêves sont *irrationnels*. Nous avons décidé de ne pas parler de ce fait tout simple quand nous sommes réunis en comité. Mais nous ne sommes pas en séance en ce moment. Alors, je vais vous dire ce que nous savons tous : nous sommes ici parce que des puissances que nous ne comprenons pas nous l'ont ordonné. Pour moi, cela veut dire que nous commençons peut-être à accepter – encore au niveau subconscient, avec d'innombrables retours en arrière dus à l'inertie culturelle –, à accepter une définition différente de l'existence. L'idée que nous ne pourrons jamais comprendre *quoi que ce soit* à l'existence. Et si le rationalisme est un trip de mort, alors l'irrationalisme pourrait fort bien être un trip de vie... en tout cas jusqu'à preuve du contraire.

– Moi, j'ai mes petites superstitions, dit Stu d'une voix très lente. On s'est moqué de moi, mais tant pis. Je sais bien que ça ne fait aucune différence si un type allume deux cigarettes ou trois avec la même allumette, mais quand j'en allume deux, je ne sens rien du tout et, si j'en allume trois, je suis nerveux. Je ne passe pas sous les échelles et je n'aime pas voir un chat noir traverser devant moi. Mais vivre sans la science... adorer le soleil peut-être... penser que des monstres font rouler de grosses boules dans le ciel quand il y a du tonnerre... je ne peux pas dire que tout ça m'excite beaucoup, le prof. Pour moi, ça ressemble un peu trop à de l'esclavage.

– Et si toutes ces choses étaient vraies ? demanda doucement Glen.

– Quoi ?

– Supposez que l'âge du rationalisme soit révolu. J'en suis d'ailleurs pratiquement convaincu. La chose s'est déjà produite, vous savez; le rationalisme a failli nous quitter au cours des années soixante, ce qu'on appelait l'ère du Verseau, et il a pris des vacances qui ont bien failli être permanentes au Moyen Âge. Et supposez... supposez que, lorsque le rationalisme s'en va, ce soit comme si une lumière éblouissante s'éteignait et que nous ne puissions voir...

Il ne termina pas sa phrase. Ses yeux étaient perdus dans le vague.

– Voir quoi ? demanda Fran.

Le professeur leva les yeux vers elle ; ils étaient gris, étranges, brûlants d'une sorte de lumière intérieure.

– Magie noire, répondit-il doucement. Un univers de merveilles où l'eau remonte les collines, où les lutins vivent au fond des bois, où les dragons se tapissent sous les montagnes. Merveilles des merveilles, Lazare, lève-toi. L'eau transformée en vin. Et... et peut-être... l'exorcisme des démons.

Il s'arrêta, puis sourit.

– Le voyage de vie.

– Et l'homme noir ? demanda Fran à voix basse.

– Mère Abigaël l'appelle la créature de Satan, répondit Glen en haussant les épaules. Peut-être n'est-il que le dernier magicien de la pensée rationnelle, celui qui rassemble les outils de la technologie contre nous. Peut-être est-il bien davantage, bien plus sombre. Je sais seulement qu'il est, et je ne crois plus que la sociologie, que la psychologie ou qu'une autre discipline vienne jamais à bout de lui. Je crois seulement que la magie blanche y parviendra... Et notre bonne magicienne est là-bas quelque part, en train d'errer dans la solitude.

La voix de Glen s'était presque brisée. Il regardait par terre. Dehors, la nuit était opaque. Le vent chassait la pluie qui crépitait contre la vitre du salon de Stu et de Fran. Glen alluma sa pipe. Stu avait sorti une poignée de pièces de monnaie de sa poche et jouait à pile ou face. Nick faisait des gribouillis compliqués sur son bloc-notes. Et, dans sa tête, il revoyait les rues vides de Shoyo, il entendait – oui, il entendait – une voix murmurer : *Il vient te chercher, sale muet, il se rapproche.*

Puis Glen et Stu firent du feu dans la cheminée et tous regardèrent les flammes sans dire grand-chose.

Quand les autres furent repartis, Fran se sentit abattue, malheureuse. Stu n'était pas en très grande forme lui non plus. Il avait l'air fatigué, pensa-t-elle. Nous devrions rester à la maison demain, nous parler, faire une petite sieste dans l'après-midi. Décompresser un peu. Elle regarda la lampe Coleman et se dit qu'elle aurait préféré la lumière électrique, la belle lumière électrique qui s'allume en posant le doigt sur un interrupteur.

Elle sentit ses yeux se mouiller. Et elle se le reprocha. Non, il ne fallait pas commencer, compliquer encore les choses, mais cette partie d'elle-même qui contrôlait les grandes eaux ne semblait pas vouloir l'écouter.

Tout à coup, le visage de Stu s'éclaira.

– Eh bien ! J'ai failli oublier !

– Oublier quoi ?

– Je vais te montrer ! Ne bouge pas !

Il sortit et elle l'entendit descendre l'escalier. Elle s'avança jusqu'à la porte, mais il revenait déjà. Il avait quelque chose à la main, et c'était un...

– Stuart ! Où as-tu trouvé ça ? demanda-t-elle, heureuse et surprise.

– Dans un magasin d'instruments de musique.

Elle prit la planche à laver, la regarda sous tous les angles. La planche était encore tachée de bleu de lessive.

– Où ça ?

– Rue Wallnut.

– Une planche à laver dans un magasin de *musique* ?

– Oui. On frotte ça avec une baguette. Ça fait un drôle de son. Il y avait aussi une lessiveuse formidable, mais quelqu'un avait déjà percé un trou pour en faire une contrebasse.

Elle éclata de rire, posa la planche à laver sur le sofa, s'approcha de Stu, le prit par la taille. Quand ses mains coururent jusqu'à ses seins, elle le serra encore plus fort.

– Le médecin a dit qu'il fallait lui jouer de temps en temps un peu de trombone, murmura-t-elle.

– Quoi ?

Elle se colla contre son cou.

– On dirait qu'il aime ça. Et moi aussi. Tu veux bien jouer du trombone ?

– Je veux bien essayer.

Le lendemain après-midi, à deux heures et quart, Glen Bateman fit irruption dans leur appartement sans frapper. Fran était chez Lucy Swann. Les deux femmes essayaient de faire un quatre-quarts. Stu lisait un roman de cow-boys et d'Indiens. Quand il vit Glen, pâle, les yeux hagards, il jeta son livre par terre.

– Stu ! Oh, mon vieux Stu ! Je suis content que vous soyez là.

– Qu'est-ce qu'il y a ? C'est... on l'a trouvée ?

– Non, répondit Glen en se laissant tomber dans un fauteuil, comme si ses jambes avaient tout à coup refusé de le porter. Ce ne sont pas de mauvaises nouvelles, ni de bonnes nouvelles. Mais c'est très étrange.

– Quoi ? Qu'est-ce qui se passe ?

– Kojak. J'ai fait la sieste après le déjeuner. Quand je me suis réveillé, Kojak était là, sous la véranda. Il dormait. Il est en très mauvais état. On dirait qu'il est passé à la moulinette. Mais c'est lui.

– Vous voulez parler du *chien* ? De *Kojak* ?

– Exactement.

– Vous êtes sûr ?

– La même médaille – Woodsville, N.H. Le même collier de cuir rouge. Le même *chien*. Il est vraiment squelettique. Et il s'est battu. Dick Ellis – Dick était ravi de s'occuper d'un animal pour changer un peu –, Dick m'a dit qu'il a perdu un œil. Il a de vilaines blessures sur les flancs et le ventre, certaines infectées, mais Dick s'en est occupé. Il lui a donné un sédatif et lui a bandé le ventre. Le vétérinaire pense qu'il a dû se battre avec un loup, peut-être plusieurs. Mais il n'a pas la rage, c'est certain. Ce foutu chien, continua Glen en hochant lentement la tête, et deux larmes roulèrent sur ses joues, ce foutu chien est revenu me voir. Si j'avais su, je ne l'aurais jamais laissé, Stu. J'ai l'impression d'être un salaud.

– Vous ne pouviez pas l'emmener, Glen. Pas en moto.

– Oui, mais... il m'a *suivi*, Stu. Ces choses-là, ça n'arrive que dans *Sélection... Trois mille kilomètres à la poursuite de son maître.* Comment a-t-il pu ? Mais comment ?

– Peut-être comme nous. Les chiens rêvent, vous savez – j'en suis sûr. Vous avez déjà vu un chien endormi dans la cuisine, quand ses pattes se mettent à tressaillir ? Je connaissais un vieux bonhomme à Arnette, Vic Palfrey. Il disait que les chiens font deux rêves, un bon et un mauvais. Le bon, quand les pattes gigotent. Le mauvais, quand ils grognent. Réveillez un chien en plein milieu d'un mauvais rêve, et il risque de vous mordre.

Glen secouait la tête, médusé.

– Vous dites qu'il a *rêvé*...

– Ce que je dis, c'est pas tellement plus bizarre que ce que vous nous disiez hier soir.

– Oh, je peux parler de *ça* pendant des heures et des heures. Le plus grand moulin à paroles de tous les temps. Mais quand ça arrive *vraiment*...

– Bon pour la théorie, zéro pour la pratique.

– Allez vous faire foutre ! Vous voulez voir mon chien ?

– Évidemment.

Glen habitait à deux rues de l'hôtel Boulderado. Le lierre qui grimpait sur le treillis de la véranda était moribond, comme la plupart des pelouses et des fleurs à Boulder – sans arrosage quotidien, l'aridité du climat avait fait des ravages.

Sous la véranda, une petite table ronde avec un gin-tonic.

– Vous trouvez pas que ce truc-là est dégueulasse ? demanda Stu.

– Si, mais ça n'a plus tellement d'importance après le troisième, répondit Glen.

À côté du verre, un cendrier avec cinq pipes, quelques livres : *Le Zen et la Motocyclette, Tout du cru, Macho Pistolet* – tous ouverts. Et un sachet de crackers Kraft au fromage.

Kojak était couché par terre, son museau lacéré appuyé sur ses pattes de devant. Maigre comme un clou, le chien avait manifestement passé un mauvais quart d'heure, mais Stu le reconnut aussitôt. Il s'accroupit et lui caressa la tête. Kojak se réveilla et le regarda d'un air joyeux. Il semblait sourire, à la manière des chiens, naturellement.

– Bon chien, dit Stu en sentant un gros noyau monter et descendre bêtement dans sa gorge.

Comme un jeu de cartes que l'on étale sur la table, il vit tous les chiens qu'il avait eus depuis ce jour où sa maman lui avait donné Old Spike pour ses cinq ans. Combien de chiens ? Peut-être pas autant que de cartes dans un jeu, mais beaucoup quand même. Il aimait les chiens et, à sa connaissance, Kojak était le seul à Boulder. Il jeta un coup d'œil à Glen, mais détourna aussitôt les yeux. Même un vieux sociologue chauve qui lit trois livres d'un seul coup n'aime pas trop qu'on le voie faire de l'eau avec ses yeux.

– Bon chien.

Kojak frappait les planches avec sa queue, acceptant probablement le fait qu'il était effectivement un bon chien.

– Je reviens dans une minute, dit Glen d'une voix enrouée. Il faut que je fasse un petit tour à la salle de bains.

– D'accord, dit Stu sans le regarder. Bon chien, hein, mon bon vieux Kojak. Oh oui, le bon chien.

Et la queue de Kojak continuait à tambouriner.

– Tu peux te retourner ? Fais le mort, mon vieux. Tourne-toi.

Et Kojak se tourna sur le dos, pattes de derrière écartées, pattes de devant en l'air. Stu eut l'air inquiet quand il passa doucement la main sur les bandes blanches qui couvraient le ventre de la bête, comme un accordéon. Plus haut, il vit de vilaines marques rouges. Le pansement recouvrait sûrement des plaies très profondes. Kojak s'était fait attaquer, c'était sûr, et certainement pas par un autre chien errant. Un chien aurait attaqué au museau ou à la gorge. Ce qu'il voyait là était l'œuvre d'un animal plus petit qu'un chien. Plus sournois. Une meute de loups, peut-être, mais Stu ne croyait pas vraiment que Kojak ait pu échapper à une meute. En tout cas, il avait eu de la chance de ne pas se faire tailler en pièces.

La porte claqua. Glen était revenu.

– Il a eu de la chance de s'en tirer, dit Stu.

– Les blessures étaient profondes et il a perdu beaucoup de sang. Et moi qui l'ai laissé...

– Dick parlait de loups ?

– Des loups, ou peut-être des coyotes... mais il ne croyait pas vraiment que des coyotes puissent faire autant de dégâts. Je suis de son avis.

Stu donna une petite tape amicale sur la croupe du chien qui se remit sur le ventre.

– Je n'arrive pas à comprendre qu'il n'y ait pratiquement plus un chien et qu'il reste suffisamment de loups dans un seul endroit – et à l'est des Rocheuses, par-dessus le marché – pour abîmer autant un brave chien.

– Nous ne saurons sans doute jamais pourquoi. Pas plus que nous ne saurons pourquoi cette foutue épidémie a éliminé tous les chevaux, mais pas les vaches, et la plupart des êtres humains, mais pas nous. Je ne veux même pas y penser. Je vais essayer de lui trouver de la viande hachée, ou du moins ce qu'on vous vendait comme de la viande hachée, ces espèces de trucs tout secs en sacs de plastique.

Stu regardait Kojak qui avait refermé les yeux.

– Il est vraiment amoché, mais rien d'irréparable – je l'ai vu quand il s'est retourné. On pourrait peut-être lui trouver une chienne, qu'est-ce que vous en pensez ?

– Bonne idée. Vous voulez un gin-tonic bien tiède, le Texan ?

– Sûrement pas. Je n'ai peut-être pas fait beaucoup d'études, mais je ne suis quand même pas un barbare. Vous avez unc bière ?

– Je crois bien pouvoir mettre la main sur une boîte de Coors. Tiède, naturellement.

– Je suis preneur, répondit Stu en suivant Glen, mais il s'arrêta à la porte et regarda le chien endormi. Dors bien, mon vieux. Content de te revoir.

•

Kojak ne dormait pas.

Il se trouvait quelque part dans cette région nébuleuse où la plupart des êtres vivants passent pas mal de temps lorsqu'ils sont gravement blessés, mais pas suffisamment pour se trouver plongés dans l'ombre de la mort. Son ventre le démangeait férocement, son ventre brûlant qui commençait à se cicatriser. Glen allait devoir passer des heures à essayer de lui faire oublier cette démangeaison, pour qu'il n'arrache pas ses bandes, rouvre ses plaies, les réinfecte. Mais tout cela viendrait plus tard. Pour le moment, Kojak (qui se prenait encore parfois pour Big Steve, le nom que lui avait donné son premier propriétaire) se contentait de flotter dans cette région incertaine. C'est au Nebraska que les loups étaient tombés sur lui, alors qu'il flairait la maison posée sur des vérins, dans la petite ville de Hemingford Home. L'odeur de L'HOMME l'avait conduit jusqu'à cet endroit, puis s'était évanouie. Où était-elle passée ? Kojak ne le savait pas. C'est alors que les loups, quatre d'entre eux, étaient sortis du champ de maïs comme des esprits de la mort. Fourrures hirsutes, yeux étincelants, babines retroussées qui découvraient leurs crocs, et ce sourd grondement qui ne laissait aucun doute sur leurs intentions. Kojak avait battu en retraite en grondant lui aussi, toutes griffes dehors. Sur sa gauche, le pneu de la balançoire jetait son ombre circulaire. Le chef de la meute avait attaqué juste au moment où l'arrière-train de Kojak se glissait dans l'ombre de la véranda. Il avait attaqué bas, au ventre, et les autres avaient suivi. Kojak avait sauté en l'air par-dessus la gueule du chef de la meute, offrant au loup son ventre, et quand la bête avait mordu, Kojak avait plongé profondément ses crocs dans le cou du loup. Le sang coulait, le loup hurlait et essayait de s'enfuir, tout son courage envolé. Avec la vitesse de l'éclair, les mâchoires de Kojak se refermèrent sur la truffe du loup qui poussa un hurlement abject, le museau en lambeaux. Il s'enfuit en poussant des cris, secouant la tête comme un fou, projetant autour de lui des gouttes de sang, et par cette télépathie rudimentaire que partagent tous les animaux de même genre, Kojak comprit assez clairement ce que l'animal pensait :

(les guêpes oh les guêpes les guêpes dans ma tête les guêpes montent dans ma tête oh)

Puis les autres foncèrent sur lui, l'un sur la gauche, l'autre sur la droite, comme d'énormes balles de fusil, le dernier du trio restant à l'écart, échine basse, babines retroussées, prêt à lui arracher les intestins. Kojak était parti sur la droite en poussant des aboiements rauques, d'abord tuer celui-là pour se glisser sous la véranda s'il pouvait y arriver, et là il parviendrait à les tenir à distance, peut-être indéfiniment. Et maintenant, couché sous l'autre véranda, il revivait le combat au ralenti : les grognements, les hurlements, les attaques et les feintes, l'odeur du sang qui avait fini par s'emparer de son cerveau, faisant peu à peu de lui une machine parfaitement insensible à la douleur. Il expédia d'abord le loup qui l'avait attaqué sur sa droite, un œil crevé, une énorme blessure ruisselante de sang, probablement mortelle, à la gorge. Mais le loup ne l'avait pas épargné ; la plupart de ses blessures étaient superficielles, sauf deux, extrêmement profondes, des blessures qui plus tard laisseraient un long sillon de chairs dures. Et même lorsqu'il serait devenu un très, très vieux chien (Kojak vécut encore seize ans, bien longtemps après la mort de Glen Bateman), ses cicatrices lui feraient encore mal les jours de pluie. Il s'était dégagé, avait rampé sous la véranda et, lorsque l'un des deux loups qui restaient, enivré par l'odeur du sang, voulut se faufiler derrière lui, Kojak s'élança sur lui, le cloua au sol, lui ouvrit la gorge d'un coup de dents. L'autre recula presque jusqu'au champ de maïs, hurlant d'une voix mal assurée. Si Kojak s'était élancé à sa poursuite, il se serait enfui la queue entre les jambes. Mais Kojak ne sortit pas, pas alors. À bout de forces, il se coucha sur le flanc, haletant, lécha ses plaies, grondant sourdement chaque fois qu'il voyait s'approcher l'ombre du dernier loup. Puis ce fut la nuit. Une demi-lune brumeuse monta dans le ciel du Nebraska. Et chaque fois que le loup entendait Kojak bouger, sans doute prêt à se battre, il reculait en hurlant. Un peu après minuit, il s'en alla, laissant Kojak seul, entre la vie et la mort. Aux petites heures du matin, il avait senti la présence d'un autre animal et, terrorisé, s'était mis à pousser des gémissements plaintifs. Il y avait quelque chose dans le champ, une chose qui marchait au milieu du maïs, qui le cherchait peut-être. Tremblant de tous ses membres, Kojak attendait de voir si cette chose allait le trouver, cette chose horrible qui faisait penser à un Homme, à un Loup, a un Œil, une chose noire comme un vieux crocodile dans le maïs. Plus tard, beaucoup plus tard, quand la lune eut disparu du ciel, Kojak sentit que la chose était partie. Il s'endormit. Et il resta couché trois jours sous la véranda, ne sortant de sa cachette que pour manger et boire. Il y avait toujours une flaque d'eau sous le bec de la pompe, dans la cour, et dans la maison une bonne provision de délicieux restes, ceux du repas que mère Abigaël avait préparé pour Nick et ses amis. Quand Kojak se sentit la force de repartir, il savait où aller. Ce n'était pas une odeur ; c'était comme une chaleur profonde venue de nulle part, une poche de chaleur qui l'attirait vers l'ouest. Et il repartit donc, parcourut en boitillant sur trois pattes les huit cents derniers kilomètres, rongé par cette douleur qui ne cessait de lui tenailler le ventre. Parfois, il parvenait à flairer l'odeur de L'HOMME, sachant alors qu'il était sur la bonne voie. Et finalement il le trouva. Il trouva L'HOMME. Désormais, il n'y aurait plus de loups. Et il y aurait de quoi manger. Il ne sentait plus cette chose noire... l'Homme qui puait le loup, l'homme qui vous faisait croire qu'un Œil pouvait vous voir à des kilomètres de distance s'il se tournait vers vous. Pour le moment, tout allait bien. Et Kojak se laissa aller plus profond, se laissa emporter par le sommeil, et maintenant par un rêve, un bon rêve de course après des lapins dans un champ de trèfle et de fléoles des prés qui lui arrivaient jusqu'au ventre, humides de rosée. Et il s'appelait Big Steve. Et là-bas, c'était la route 40. Comme il y avait des lapins ce matin, ce matin gris qui n'en finissait plus...

Ses pattes tressaillaient tandis qu'il rêvait.

53

Extraits du compte rendu
de la séance du comité spécial
17 août 1990

La séance a eu lieu chez Larry Underwood, Quarante-deuxième rue Sud, quartier de Table Mesa. Tous les membres du comité étaient présents...

Le premier point à l'ordre du jour portait sur l'élection du comité spécial comme comité permanent de Boulder. Fran Goldsmith a pris la parole.

Fran : Stu et moi, nous pensons que le meilleur moyen de nous faire tous élire aurait été que mère Abigaël appuie globalement toutes nos candidatures. Nous aurions évité de voir vingt petits copains présenter la candidature de leurs vingt petits copains, ce qui pourrait tout foutre par terre. Comme ce n'est plus possible maintenant, il faut trouver une autre solution. Je n'ai pas l'intention de proposer quelque chose qui ne soit pas parfaitement démocratique. Je voudrais simplement rappeler que nous devons tous nous assurer que quelqu'un présentera notre candidature et l'appuiera. Nous ne pouvons pas le faire entre nous, évidemment – nous ne voulons pas donner l'impression d'être une mafia. Mais si vous ne pouvez pas trouver quelqu'un pour présenter votre candidature et un autre bonhomme pour vous appuyer, autant tout laisser tomber.

Sue : Ça sent quand même un peu la combine, Fran.

Fran : Oui, un peu.

Glen : Nous revenons à la question de la moralité du comité, question que nous trouvons tous absolument fascinante, je n'en doute pas. J'aimerais qu'elle soit inscrite à l'ordre du jour pour les quelques mois à venir. Mais il me semble que nous essayons tous de servir les intérêts de la Zone libre et que nous ferions mieux d'en rester là pour le moment.

Ralph : Vous avez l'air un peu fâché, Glen.

Glen : Effectivement, je suis un peu fâché. Le fait que nous ayons passé tant de temps à nous ronger les sangs sur cette question devrait quand même nous faire comprendre que nos intentions sont pures.

Sue : L'enfer est pavé...

Glen : De bonnes intentions, oui. Et, comme nous semblons tous nous méfier tellement de nos intentions, nous sommes sûrement en route pour le paradis.

Glen a dit ensuite qu'il avait pensé aborder la question des éclaireurs – ou des espions – mais qu'il préférait maintenant proposer formellement que nous nous réunissions le 19 pour en parler. Stu lui a demandé pourquoi.

Glen : Parce que nous ne serons peut-être pas là le 19. Nous ne serons peut-être pas tous élus. C'est une possibilité assez peu probable, mais personne ne peut vraiment prédire le comportement d'un groupe important dans ces circonstances. Nous devons être aussi prudents que possible.

Long moment de silence, puis le comité a décidé à l'unanimité de se réunir le 19 – comme comité permanent – pour parler de la question des éclaireurs... ou des espions... ou de ce qu'on voudra bien les appeler.

Stu a pris la parole pour proposer l'inscription d'un troisième point à l'ordre du jour du comité, à propos de mère Abigaël.

Stu : Comme vous le savez, si elle est partie, c'est qu'elle a cru devoir le faire. Son message nous dit qu'elle sera absente « un bout de temps », ce qui est bien vague, et qu'elle reviendra « si telle est la volonté de Dieu », ce qui n'est pas très encourageant. Nous la cherchons depuis trois jours, et nous n'avons rien trouvé. Nous ne voulons pas la ramener de force si elle n'en a pas envie, mais si elle est couchée quelque part, inconsciente ou avec une jambe cassée, ce n'est plus du tout la même chose. Le problème est en partie que nous ne sommes pas assez nombreux pour explorer la région. Mais ce n'est pas tout. Comme pour notre travail à la centrale électrique, nous n'avançons pas vite parce que nous ne sommes pas organisés. Je demande donc l'autorisation d'inscrire la question des recherches à l'ordre du jour de l'assemblée de demain soir, comme pour la centrale électrique et pour les inhumations. Et j'aimerais que Harold Lauder soit nommé responsable, car c'est lui qui a eu l'idée de faire ces recherches.

Glen a répondu qu'il ne croyait pas que les recherches puissent donner grand-chose maintenant. Le comité a été de cet avis, puis il a adopté à l'unanimité la proposition de Stu. Afin que ce compte rendu soit aussi fidèle que possible, je dois ajouter que plusieurs n'étaient pas tout à fait d'accord pour confier ce travail à Harold... mais comme Stu l'a fait remarquer, c'était lui qui avait eu cette idée. À moins de vouloir lui donner une gifle en pleine figure, nous devions lui confier la responsabilité des recherches.

Nick : *Je retire mon objection, mais je maintiens mes réserves. Je n'aime pas beaucoup Harold.*

Ralph Brentner a demandé si Stu ou Glen pouvait rédiger la proposition de Stu sur les opérations de recherches pour qu'elle puisse figurer dans l'ordre du jour qu'il compte imprimer ce soir au lycée. Stu a répondu qu'il ne demandait pas mieux.

Larry Underwood a alors proposé de lever la séance. Ralph l'a appuyé. La proposition a été adoptée à l'unanimité.

Frances Goldsmith, secrétaire

Le lendemain soir, presque tout le monde assista à l'assemblée et, pour la première fois, Larry Underwood, qui n'était arrivé dans la Zone que depuis une semaine, prit vraiment conscience de l'importance de la communauté. C'était une chose de voir les gens circuler dans les rues, généralement seuls ou deux par deux, et une autre de les voir tous rassemblés en un seul endroit – l'auditorium Chautauqua. La salle était pleine à craquer. Pas un fauteuil de libre. Certains durent même s'asseoir dans les allées ou rester debout au fond. Une foule étrangement silencieuse. Peu de conversations, toutes à voix basse. Pour la première fois depuis qu'il était arrivé à Boulder, il avait plu toute la journée, une petite bruine qui semblait suspendue dans l'air, une sorte de brouillard qui vous mouillait à peine, et même dans une salle où près de six cents personnes s'étaient réunies, on pouvait entendre la pluie tambouriner doucement sur le toit. Mais ce qu'on entendait surtout, c'était un bruit constant de pages tournées, tandis que les gens lisaient les feuillets ronéotypés que l'on avait empilés sur deux tables de jeu à l'entrée.

ZONE LIBRE DE BOULDER
Ordre du jour de l'Assemblée générale
18 août 1990

1. Lecture et ratification de la Constitution des États-Unis d'Amérique.

2. Lecture et ratification de la Déclaration des droits du citoyen.

3. Présentation des candidatures et élection de sept représentants qui formeront le conseil de direction.

4. Attribution d'un droit de veto à Abigaël Freemantle sur toutes les décisions des représentants de la Zone libre.

5. Constitution d'un comité des inhumations composé d'au moins vingt personnes dans un premier temps, dont le mandat sera de donner une sépulture décente aux personnes mortes de la supergrippe à Boulder.

6. Constitution d'un comité de l'énergie électrique composé d'au moins soixante personnes dans un premier temps pour rétablir l'électricité avant la mauvaise saison.

7. Constitution d'un comité des recherches d'au moins quinze personnes dont le mandat sera de retrouver Abigaël Freemantle, si possible.

Larry s'aperçut qu'il avait déjà fait un avion de papier avec son ordre du jour. Il est vrai qu'il le connaissait presque mot à mot. Les séances du comité spécial lui avaient paru plutôt amusantes, une sorte de jeu – des enfants qui jouent aux députés devant des verres de Coca, qui grignotent le gâteau préparé par Frannie, qui parlent et qui parlent encore. Même cette histoire d'envoyer des espions de l'autre côté des montagnes, en plein cœur du territoire de l'homme noir, lui avait semblé un jeu, en partie parce qu'il ne pouvait pas s'imaginer dans cette situation. Il fallait être complètement cinglé pour se foutre dans un pareil merdier. Mais dans leur petit salon, à la lumière de la lampe Coleman, tout cela leur avait paru parfaitement normal, ou presque. Et si le juge, si Dayna Jurgens, si Tom Cullen se faisait prendre, pas tellement plus d'importance que de perdre une tour ou une reine dans une partie d'échecs. C'est du moins l'impression qu'il avait eue jusque-là.

Mais maintenant, assis au milieu de la salle, entouré de Lucy et de Leo (il n'avait pas vu Nadine de toute la journée, et Leo ne semblait pas non plus savoir où elle était ; « sortie » avait-il répondu distraitement), la vérité s'imposait à ses yeux, violente et brutale, comme un coup de bélier. Cinq cent quatre-vingts personnes étaient là. Et la plupart d'entre elles ne se doutaient pas le moins du monde que Larry Underwood n'était pas un brave type, que la première personne dont Larry Underwood avait essayé de s'occuper après l'épidémie était morte d'une overdose.

Il avait les mains moites. Nerveux, il allait faire un autre avion, mais il s'arrêta. Lucy lui prit la main, la serra, lui sourit. Il voulut lui répondre, mais ne parvint qu'à esquisser ce qui lui parut être plutôt une grimace. Et, dans son cœur, il entendit la voix de sa mère : *Il te manque quelque chose, Larry.*

La petite phrase le fit paniquer. Y avait-il encore moyen de s'en sortir, ou les choses étaient-elles déjà allées trop loin ? Il ne voulait pas de cette responsabilité. Dans le secret d'un salon, il avait déjà fait une proposition qui risquait d'envoyer le juge Farris à la mort. S'il n'était pas élu maintenant, les autres devraient revoter avant d'envoyer le juge chez l'homme noir. Bien sûr. Et ils décideraient d'envoyer quelqu'un d'autre. Quand Laurie Constable présentera ma candidature, je me lèverai et je dirai que je préfère m'abstenir. Personne ne peut me forcer. Personne. Est-ce que j'ai vraiment envie de toutes ces emmerdes ?

Wayne Stukey, sur cette plage, il y avait si longtemps : *Ça grince chez toi, comme quand tu bouffes le papier avec ton chocolat.*

– Tu vas t'en tirer, tu vas voir, lui dit tout doucement Lucy.

Larry sursauta.

– Quoi ?

– J'ai dit que tu allais t'en tirer. Pas vrai, Leo ?

– Oh oui, répondit l'enfant en hochant énergiquement la tête.

Les yeux de Leo ne cessaient de faire le tour de la salle, comme s'il n'arrivait pas encore à comprendre que tant de gens puissent être réunis en un même endroit.

Tu ne comprends rien, connasse, pensa Larry. Tu me tiens la main, et tu ne comprends pas que je risque de prendre une mauvaise décision, que je risque de vous faire tuer tous les deux. J'ai déjà fait tout ce qu'il fallait pour tuer le juge Farris et le pauvre vieux appuie ma candidature. Je me suis foutu dans un beau merdier. Un petit bruit s'échappa de sa gorge.

– Tu disais quelque chose ? demanda Lucy.

– Non.

Stu s'avançait maintenant sur la scène, en pull-over rouge et en jeans. On le voyait très bien dans la lumière aveuglante des projecteurs alimentés par une génératrice Honda que Brad Kitchner et ses camarades de la centrale électrique avaient installée. Des applaudissements s'élevèrent quelque part au milieu de la salle, Larry ne sut jamais très bien où. Mais, cynique comme d'habitude, il eut toujours la conviction que le coup avait été arrangé par Glen Bateman, spécialiste attitré des arts et techniques de la manipulation des foules. Ça n'avait d'ailleurs pas tellement d'importance. Et les premiers bravos solitaires grandirent bientôt en un tonnerre d'applaudissements. Sur la scène, Stu s'arrêta, très étonné. Cris et hurlements dans la foule.

Puis tout le monde se mit debout et les applaudissements grondèrent comme une averse torrentielle. *Bravo ! Bravo !* Stu leva les bras, mais la foule en délire ne voulait plus s'arrêter ; au contraire, le bruit redoubla d'intensité. Larry lança un coup d'œil à Lucy et vit qu'elle applaudissait de toutes ses forces, les yeux rivés sur Stu, un grand sourire sur les lèvres. Elle pleurait. De l'autre côté, Leo applaudissait lui aussi, si fort que Larry se dit qu'il allait se casser les poignets s'il continuait beaucoup plus longtemps. Ivre de joie, Leo avait reperdu le vocabulaire qu'il avait eu tant de mal à retrouver, comme il arrive qu'on oublie une langue étrangère. Frénétique, Leo ululait à pleins poumons.

Brad et Ralph avaient également branché un ampli sur la génératrice. Stu souffla dans le micro :

– Mesdames et messieurs...

Mais les applaudissements continuaient.

– Mesdames et messieurs, si vous voulez bien vous asseoir...

Non, ils ne voulaient pas s'asseoir. Les applaudissements crépitaient dans un bruit assourdissant et Larry se rendit compte qu'il avait mal aux mains. C'est alors qu'il vit qu'il applaudissait d'aussi bon cœur que les autres.

– Mesdames et messieurs...

Les applaudissements résonnaient toujours dans la salle. Une famille d'hirondelles qui avait élu domicile dans cette salle, si tranquille depuis l'épidémie, se mit à voler en tous sens, bien résolue à trouver au plus vite un abri plus tranquille.

Nous sommes en train de nous applaudir, pensa Larry, de nous applaudir d'être vivants, d'être ensemble. Peut-être saluons-nous la renaissance d'une société, je ne sais pas. Salut, Boulder. Enfin ! Content d'être ici, content d'être vivant.

– Mesdames et messieurs, si vous voulez bien vous asseoir, s'il vous plaît...

Peu à peu, les applaudissements commencèrent à s'éteindre. Et l'on put entendre des femmes – et quelques hommes aussi – renifler bruyamment. Coups de trompette dans des mouchoirs. Murmures de conversations. Et puis, comme dans un bruissement de feuilles, les gens s'assirent.

– Je suis heureux de vous voir tous ici, dit Stu. Et je suis très heureux d'être parmi vous.

Un sifflement aigu sortit des haut-parleurs.

– Saloperie ! grommela Stu.

Et le micro amplifia fidèlement ce qu'il venait de dire. Des rires fusèrent un peu partout et Stu devint tout rouge,

– Apparemment, plus ça change, plus c'est pareil, reprit-il, et les applaudissements repartirent de plus belle. Pour ceux d'entre vous qui ne me connaissent pas, je m'appelle Stuart Redman et je viens d'un petit bled du Texas, Arnette.

Il s'éclaircit la gorge et les haut-parleurs recommencèrent à siffler. Stu fit un pas en arrière pour s'écarter du micro.

– Comme vous voyez, je suis plutôt nerveux. Alors, je vais vous demander d'être patients...

– T'en fais pas, Stu ! hurla Harry Dunbarton.

Des rires encore. On se croirait chez les scouts, pensa Larry. Bientôt, on va se mettre à chanter des cantiques. Si mère Abigaël était là, je suis sûr qu'on aurait déjà commencé.

– La dernière fois qu'autant de gens me regardaient, c'est quand l'équipe de football de notre lycée est arrivée jusqu'aux éliminatoires. Mais il y avait vingt et un types à côté de moi, plus quelques jolies filles en minijupes.

Rires.

Lucy prit Larry par le cou et s'approcha de son oreille :

– De quoi est-ce qu'il a peur ? On dirait qu'il a fait ça toute sa vie !

Larry hocha la tête.

– Mais si vous êtes patients, je vais finir par y arriver.

Applaudissements.

Cette foule applaudirait le discours de démission de Nixon et lui demanderait un bis au piano, songea Larry.

– Pour commencer, je voudrais vous parler du comité spécial et vous dire pourquoi je suis ici. Nous sommes sept. Nous nous sommes réunis pour préparer cette assemblée, parce que nous pensions qu'il fallait organiser un peu les choses. Nous avons pas mal de travail à faire aujourd'hui, mais je voudrais vous présenter les membres du comité. Et j'espère que vous avez gardé des applaudissements en réserve, parce que ce sont eux qui ont préparé cette assemblée et l'ordre du jour que vous avez maintenant sous les yeux. Tout d'abord, mademoiselle

Frances Goldsmith. Tu veux bien te lever, Frannie ? Montre-nous de quoi tu as l'air quand tu as une robe.

Fran se leva. Elle portait une jolie robe vert pomme et un modeste rang de perles qui aurait bien coûté deux mille dollars autrefois. Vigoureux applaudissements, accompagnés de quelques sifflets admiratifs.

Fran se rassit, rouge jusqu'aux oreilles, et Stu reprit avant que les applaudissements ne s'éteignent tout à fait :

– Monsieur Glen Bateman, de Woodsville, dans le New Hampshire.

Glen se leva et la foule l'applaudit. Les bras levés, il fit le signe de la victoire et ce fut un rugissement d'approbation dans la foule.

Après Ralph Brentner, Richard Ellis et Susan Stern, ce fut le tour de Larry. Sentant que Lucy lui souriait, Larry se laissa porter par la vague chaude des applaudissements qui grandissaient autour de lui. Autrefois, pensa-t-il, dans un autre monde, du temps des concerts, on aurait réservé ces applaudissements pour la fin, pour une petite chose de rien du tout qui s'appelait *Baby, tu peux l'aimer ton mec ?* Cette fois-ci, c'était beaucoup mieux. Il ne resta debout qu'une seconde, mais une seconde qui lui parut durer une éternité. Et il sut qu'il accepterait qu'on présente sa candidature.

Ce fut finalement le tour de Nick à qui la foule réserva une vibrante ovation.

– Ce n'est pas à l'ordre du jour, reprit Stu, mais je me demande si nous ne pourrions pas chanter l'hymne national. Je suppose que vous vous souvenez de l'air et des paroles.

Un bruit de pieds tandis que la foule se mettait debout. Puis un silence. Chacun attendait qu'un autre commence. Finalement, une douce voix de femme monta dans la salle, bientôt rejointe par celles des autres. C'était la voix de Frannie, mais un instant Larry crut qu'une autre voix l'accompagnait, la sienne, et qu'il ne se trouvait pas à Boulder, mais dans le Vermont, que c'était le 4 juillet, deux cent quatorzième anniversaire de la fondation de la république, et que Rita était morte dans la tente derrière lui, la bouche pleine de vomi vert, un flacon de comprimés dans sa main déjà raide.

Il frissonna et sentit tout à coup qu'on l'observait, qu'il était observé par quelque chose capable de voir à des kilomètres et des kilomètres de distance. Quelque chose d'horrible, de sombre, d'étranger. Un moment, il eut envie de s'enfuir, de courir pour ne plus jamais s'arrêter. Non, ce n'était pas un jeu. C'était infiniment sérieux. Un jeu de mort. Peut-être pis.

Lucy chantait en lui serrant la main, pleurait. Et d'autres pleuraient aussi ce qu'ils avaient perdu, le rêve américain qui s'était envolé, pare-chocs chromés, injection électronique, et d'un seul coup l'image de Rita morte dans la tente s'effaça, remplacée par le souvenir de lui et de sa mère au Yankee Stadium – c'était le 29 septembre, les Yankees talonnaient les Red Sox, tout était encore possible. Vingt-cinq mille spectateurs debout dans le stade, les joueurs sur le terrain, casquette sur le cœur, papillons de nuit qui s'écrasaient sur les énormes projecteurs dans la nuit pourpre, New York tout autour d'eux, grouillante, ville de nuit et de lumière.

Larry se mit à chanter. Et quand tout fut fini, quand les applaudissements s'éteignirent une fois de plus, il pleurait doucement. Rita n'était plus là. Alice Underwood n'était plus là. New York n'était plus là. *L'Amérique* n'était plus là. Même s'ils parvenaient à battre Randall Flagg, le monde ne serait jamais plus celui des ruelles obscures et des rêves éclatants de lumière.

Transpirant à grosses gouttes sous la chaleur des projecteurs, Stu passa aux deux premiers points de l'ordre du jour : lecture et ratification de la Constitution et de la Déclaration des droits du citoyen. L'hymne national l'avait profondément ému, mais il n'était pas seul. La moitié du public était en larmes, peut-être plus.

Personne ne demanda que lecture soit faite des deux documents, ce que quelqu'un aurait parfaitement pu exiger – et Stu se sentit soulagé, car la lecture n'était pas son fort. Les citoyens de la Zone libre adoptèrent donc sans autre forme de procès la section « lecture » des deux premiers points. Puis Glen Bateman proposa d'adopter les deux documents qui deviendraient les textes fondamentaux de la Zone libre.

– Proposition appuyée ! lança une voix au fond de la salle.

– La proposition est appuyée, dit Stu. Quels sont ceux qui sont pour ?

Tous les bras se levèrent. Kojak qui dormait aux pieds de Glen ouvrit les yeux, les referma, puis reposa la tête sur ses pattes. Un moment plus tard, il regarda encore autour de lui quand la foule repartit dans un tonnerre d'applaudissements. Ils aiment voter, pensa Stu. Ils ont l'impression de reprendre leurs affaires en main. Ils en avaient besoin. Nous en avions tous besoin.

Ces préliminaires terminés, Stu sentit la tension le gagner. C'est maintenant, songea-t-il, que nous allons savoir s'il y a des surprises.

– Le troisième point de notre ordre du jour...

Il dut s'éclaicir la gorge une nouvelle fois. Les haut-parleurs sifflèrent de plus belle, ce qui rendit Stu encore plus nerveux. Fran, très calme, lui faisait signe de continuer.

– Ce point de l'ordre du jour se lit comme suit : présentation des candidatures et élection des sept représentants de la Zone libre, ce qui veut dire...

– Monsieur le président ? Monsieur le président !

Stu consultait ses notes. Il leva les yeux et il eut peur, comme s'il savait déjà ce qui allait se passer. C'était Harold Lauder. Harold en costume, cravaté, soigneusement coiffé, debout en plein milieu de l'allée centrale. Glen leur avait bien dit que l'opposition risquait de se regrouper autour de Harold. Mais si vite ? Peut-être pas. Il eut l'idée de ne pas accorder la parole à Harold. Mais Nick et Glen l'avaient bien mis en garde. En aucun cas, il ne fallait donner l'impression que l'assemblée était truquée. Harold avait-il vraiment tourné la page ? Avait-il changé ? On n'allait plus tarder à le savoir.

– La parole est à Harold Lauder.

Les têtes se tournèrent. Tout le monde voulait voir Harold.

– Je propose que tous les membres du comité spécial soient élus en bloc comme membres du comité permanent. S'ils acceptent, naturellement.

Et Harold se rassit.

Il y eut un moment de silence. Puis les applaudissements grondèrent, remplirent la salle, et des douzaines de voix s'élevèrent pour appuyer la proposition. Très décontracté, Harold souriait et remerciait les gens qui venaient lui donner des tapes amicales dans le dos.

Stu dut plusieurs fois rappeler l'assemblée à l'ordre.

Il avait préparé son coup, pensa-t-il. Les gens vont nous élire, mais c'est de Harold dont ils se souviendront. Il est allé droit au but. Personne n'y avait pensé. Même pas Glen. Presque un coup de génie. Mais pourquoi se sentait-il mal à l'aise ? La jalousie peut-être ? Les bonnes résolutions qu'il avait prises à propos de Harold, l'avant-veille seulement, s'étaient-elles déjà envolées ?

– Nous sommes saisis d'une proposition, hurla-t-il dans le micro, sans s'inquiéter du sifflement des haut-parleurs. Nous sommes saisis d'une proposition ! On nous propose que les membres du comité spécial soient tous élus membres du comité permanent de la Zone libre. La proposition a été appuyée. Avant d'ouvrir le débat et de passer au vote, je voudrais demander si les membres du comité ont des objections, ou si quelqu'un souhaite se désister.

Silence dans la salle.

– Très bien. Quelqu'un veut-il prendre la parole sur la proposition ?

– Je ne crois pas que nous ayons besoin d'un débat, Stu, dit Dick Ellis. C'est une très bonne idée. Passons au vote.

Son intervention fut saluée par des applaudissements et Stu décida d'aller de l'avant. Charlie Impening agitait la main pour demander la parole, mais Stu fit semblant de ne pas le voir – bon exemple de perception sélective, comme aurait dit Glen Bateman.

– Ceux qui sont en faveur de la proposition de Harold Lauder, veuillez lever la main.

Des centaines de mains se levèrent.

– Contre ?

Personne ne se manifesta, même pas Charlie Impening. Pas une seule voix contre. Si bien que Stu passa au point suivant de l'ordre du jour, légèrement étourdi, comme si quelqu'un – à savoir Harold Lauder – s'était faufilé derrière lui pour lui donner un bon coup sur le crâne avec une grosse masse de caoutchouc.

– On fait un bout à pied ? demanda Fran. Je suis crevée.

– Si tu veux, répondit Stu en descendant de sa bicyclette. Ça va, Fran ? Le bébé te fait mal ?

– Non, je suis simplement fatiguée. Il est quand même très tard, une heure moins le quart. Tu n'avais pas remarqué ?

– Oui, il est tard.

Et ils repartirent en poussant leurs bicyclettes. L'assemblée avait pris fin une heure plus tôt. Le débat avait surtout porté sur les recherches qu'il fallait faire pour retrouver mère Abigaël. Les autres points avaient été adoptés pratiquement sans discussion, mais le juge Farris avait cependant donné une information extrêmement intéressante qui expliquait pourquoi les cadavres étaient relativement peu nombreux à Boulder. Selon les quatre derniers numéros de *Camera*, le quotidien de Boulder, une rumeur insensée avait circulé dans la ville : selon cette rumeur, la super-grippe venait du centre de contrôle de la pollution atmosphérique de Boulder. Les porte-parole du centre – ceux qui étaient encore valides – avaient aussitôt démenti la nouvelle et invité ceux qui n'étaient pas convaincus à visiter le centre où ils ne trouveraient rien de plus dangereux que des appareils pour mesurer la pollution et suivre les mouvements des masses atmosphériques. Malgré tout, la rumeur avait persisté, sans doute alimentée par l'hystérie qui régnait durant cette terrible journée de la fin du mois de juin. Le centre avait été saboté, une bombe ou un incendie, et la majeure partie de la population de Boulder avait pris la fuite.

La création du comité des inhumations et du comité de l'énergie électrique avait été approuvée sous réserve d'un amendement présenté par Harold Lauder – qui semblait s'être très bien préparé pour l'assemblée – stipulant que, chaque fois que la population de la Zone libre augmenterait de cent personnes, deux nouveaux membres seraient ajoutés à chaque comité.

La création du comité des recherches avait, elle aussi, été adoptée sans opposition, mais on avait très longuement parlé de la disparition de mère Abigaël. Avant l'assemblée, Glen avait conseillé à Stu de ne pas limiter le débat sur ce point, sauf nécessité absolue. La disparition de la vieille dame les inquiétait tous, particulièrement le fait que leur chef spirituel ait cru qu'elle avait commis une sorte de péché. Mieux valait les laisser exprimer leur inquiétude.

Au verso de son message, la vieille femme avait griffonné deux références bibliques : Proverbes 11 : 1-3 et Proverbes 21 : 28-31. Le juge Farris avait consulté les textes avec la minutie d'un avocat qui prépare sa plaidoirie et, au début du débat, il s'était levé pour lire les deux citations de sa voix fêlée et apocalyptique de vieil homme. Il commença par la citation du onzième chapitre des Proverbes : *La balance fausse est en horreur à Yahvé, mais le poids juste lui est agréable. Si l'orgueil vint, viendra aussi l'ignominie ; mais la sagesse est avec les humbles. La perfection des hommes droits les guide, mais les détours des perfides les ruinent.* La citation du vingt et unième chapitre était de la même veine : *Le témoin menteur périra, mais l'homme qui écoute pourra parler toujours. Le méchant prend un air effronté, mais l'homme droit ordonne ses voies. Il n'y a ni sagesse, ni prudence, ni conseil en face de Yahvé. On équipe le cheval pour le jour du combat, mais de Yahvé dépend la victoire.*

Le débat qui avait suivi la déclamation du juge (déclamation, c'était bien le mot juste) avait porté sur de multiples sujets – certains plutôt comiques. Quelqu'un avait fait observer d'une voix lugubre que, si l'on additionnait les numéros des chapitres, on obtenait trente et un, soit le nombre des chapitres de l'Apocalypse. Le juge Farris s'était levé une nouvelle fois pour préciser que l'Apocalypse ne comptait que vingt-deux chapitres, du moins dans sa version de la Bible, et qu'en tout état de cause vingt et un plus onze faisaient trente-deux, et non trente et un. L'aspirant numérologue grogna un peu, mais ne répondit pas.

Un autre déclara qu'il avait vu des lumières dans le ciel la nuit qui avait précédé la disparition de mère Abigaël, et que le prophète Isaïe avait confirmé l'existence des soucoupes volantes... Ça vous en bouche un coin, non ? Le juge Farris s'était relevé, cette fois pour préciser que l'éminent orateur confondait Isaïe et Ézéchiel, que le prophète n'avait jamais parlé de soucoupes volantes, mais d'une « roue dans une roue », et que, d'autre part, il était d'avis que les seules soucoupes volantes dont l'existence eût été démontrée jusqu'à présent étaient les soucoupes que l'on voyait parfois voler lors des scènes de ménage.

Le reste du débat avait été en grande partie une resucée des rêves d'autrefois, qui d'ailleurs avaient apparemment complètement cessé. Les uns après les autres, les gens s'étaient levés pour dire que mère Abigaël n'était pas coupable de ce péché d'orgueil dont elle s'accusait. Ils parlaient de sa gentillesse, du don qu'elle avait de vous mettre à l'aise avec un simple mot, une simple phrase. Ralph Brentner, qui paraissait impressionné par cette foule et n'avait pratiquement rien dit jusque-là, se leva et fit pendant près de cinq minutes l'éloge de la vieille dame, concluant qu'il n'avait jamais rencontré une femme aussi bonne depuis que sa mère était morte. Et, lorsqu'il s'était rassis, il était au bord des larmes.

Tout ce débat avait fait à Stu l'impression d'une sorte de veillée funèbre. Dans leurs cœurs, il était clair que les gens avaient déjà pratiquement accepté sa disparition. Si elle revenait maintenant, Abby Freemantle serait accueillie à bras ouverts, elle serait écoutée... mais elle constaterait aussi, pensait Stu, que la place qu'elle occupait avait subtilement évolué. S'il y avait un jour une épreuve de force entre elle et le comité de la Zone libre, sa victoire ne serait plus décidée d'avance, avec ou sans veto. Elle était partie, et la communauté avait continué à exister. La communauté n'allait pas oublier cela, comme elle avait déjà à moitié oublié les rêves qui un jour l'avaient rassemblée.

La réunion terminée, une trentaine de personnes étaient allées s'asseoir sur la pelouse, derrière la salle ; il ne pleuvait plus, les nuages s'effilochaient peu à peu et la soirée était agréablement fraîche. Stu et Frannie s'étaient assis avec Larry, Lucy, Leo et Harold.

– Tu as failli nous faire renvoyer au vestiaire, dit Larry à Harold. Je t'avais bien dit que c'était un as, non ? ajouta-t-il en donnant un coup de coude à Frannie.

Harold se contenta de sourire et de hausser modestement les épaules.

– Quelques petites idées, c'est tout. Mais c'est vous qui avez réamorcé la pompe, à vous sept. Vous deviez au moins avoir le privilège de voir la fin du commencement.

Et maintenant, un quart d'heure après cette conversation, encore à dix bonnes minutes de leur appartement, Stu reposait sa question :

– Tu es sûre que tu te sens bien ?

– Mais oui. Les jambes un peu fatiguées, c'est tout.
– Tu devrais faire attention, Frances.
– Ne m'appelle pas comme ça, tu sais que je n'aime pas ça.
– Excuse-moi. Je ne recommencerai plus, Frances.
– Les hommes sont tous des cons.
– J'essaye pourtant, je t'assure que j'essaye, Frances, je t'assure.
Elle lui tira la langue qui fit une petite pointe fort intéressante, mais il comprit que le cœur n'y était pas et il laissa tomber. Elle avait l'air pâle, nerveuse, contraste frappant avec la Frannie qui avait chanté l'hymne national avec tant de cœur quelques heures plus tôt.
– Un petit peu de cafard ?
Elle secoua la tête, mais il vit qu'elle avait les larmes aux yeux.
– Qu'est-ce qui se passe ? Dis-moi.
– Rien du tout. Absolument rien du tout. Tout va bien. C'est fini, et je viens de le comprendre, c'est tout. Moins de six cents personnes qui se mettent à chanter l'hymne national. Et j'ai compris d'un seul coup. Plus de hot-dogs, plus de stands à frites. La grande roue ne va pas tourner sur Coney Island ce soir. Personne ne va se saouler à mort dans les bars de Seattle. Quelqu'un a finalement trouvé le moyen de nettoyer les drogués du centre de Boston et les putains de Time Square. C'était horrible avant, mais je pense que le remède est encore pire que le mal. Tu comprends ?
– Oui, je crois.
– Dans mon journal, il y a une petite section que j'appelle *Choses dont je veux me souvenir*. Pour que le bébé sache... toutes les choses qu'il ne connaîtra jamais. Et ça me donne un peu le cafard d'y penser. J'aurais dû l'appeler *Choses qui n'existent plus*.
Elle laissa échapper un petit sanglot, s'arrêta pour couvrir sa bouche de sa main, essaya de ne pas pleurer.
– Tout le monde a senti la même chose, dit Stu en la prenant par la taille. Je suis sûr que bien des gens

vont s'endormir en pleurant ce soir. Tu peux me croire.

– Je ne vois pas comment je peux avoir du chagrin pour un pays tout entier, dit-elle en sanglotant de plus en plus fort, mais j'ai l'impression que c'est possible quand même. Ces... ces petites choses n'arrêtent pas de me trotter dans la tête. Les vendeurs de voitures d'occasion. Frank Sinatra. La plage d'Old Orchard en juillet, pleine de monde, des Québécois surtout. Cet imbécile de présentateur à la télé – je crois qu'il s'appelait Randy. Toutes ces fois... Ô mon Dieu.

Il lui donnait de petites tapes dans le dos, se souvenant d'un jour où sa tante Betty s'était mise à pleurer à chaudes larmes à propos d'un pain qui n'avait pas voulu lever – elle attendait son petit cousin Laddie à l'époque, elle en était à son septième mois à peu près – et Stu se souvenait qu'elle s'était essuyé les yeux avec le coin d'un torchon, qu'elle lui avait dit de ne pas s'en faire, que pratiquement toutes les femmes enceintes sont bonnes à mettre à l'asile, parce que leurs glandes ne savent plus trop ce qu'elles fabriquent.

– Ça va, ça va mieux. On repart, dit Frannie au bout d'un moment.

– Frannie, je t'aime.

Et ils repartirent à pied, en poussant leurs bicyclettes.

– Est-ce que tu te souviens d'une chose en particulier ? D'une chose plus importante que les autres ? demanda-t-elle.

– Si je te disais...

Il s'arrêta en poussant un petit rire.

– Vas-y, Stuart.

– C'est complètement idiot.

– Dis-moi.

– Je ne sais pas si j'en ai vraiment envie. Tu vas aller chercher deux costauds avec une camisole de force.

– Dis-moi !

Elle avait vu Stu sous bien des angles, mais cet embarras était tout à fait nouveau pour elle.

– Je n'en ai jamais parlé à personne, dit-il, mais j'y pense depuis quelques semaines. Il m'est arrivé quelque chose, en 1982. À l'époque, je travaillais à la station-service de Bill Hapscomb. Il me donnait du boulot quand il pouvait, parce que je travaillais dans une usine de calculatrices électroniques, mais pas souvent. Travail à temps partiel, de onze heures du soir jusqu'à la fermeture, c'est-à-dire à peu près trois heures du matin. Il n'y avait plus beaucoup de clients une fois que les gens qui travaillaient de huit à onze à la Dixie Paper étaient rentrés chez eux... Il y avait des tas de nuits où pas une seule voiture s'arrêtait entre minuit et trois heures. Alors, j'étais là, en train de lire un livre ou une revue. Et, plus d'une fois, j'étais à moitié endormi. Tu comprends ?

– Oui.

Elle pouvait se l'imaginer, l'homme qui était devenu le sien, quand le moment était venu, quand les événements l'avaient décidé. Cet homme aux larges épaules endormi dans une chaise de plastique de chez Woolco, un livre ouvert sur les genoux. Elle le voyait dormir dans une île de lumière blanche, une île entourée de toutes parts par la grande mer de la nuit du Texas. Elle aimait se l'imaginer ainsi, comme elle aimait le voir dans toutes les images qu'elle se faisait de lui.

– Eh bien, un soir, il était à peu près deux heures et quart, j'étais assis, les pieds posés sur le bureau de Hap, et je lisais un roman de cow-boys, un roman de Louis L'Amour, ou peut-être de Elmore Leonard. Arrive une grosse Pontiac, un vieux modèle, toutes vitres baissées, une cassette qui jouait à fond la gomme, du Hank Williams. Je me souviens de la chanson – *Movin' On*. Le type, ni jeune ni vieux, tout seul dans sa bagnole. Plutôt belle gueule, mais il me faisait un peu peur quand même – je veux dire, il donnait l'impression de pouvoir faire des trucs vraiment un peu bizarres sans trop se poser de questions. Cheveux foncés, bouclés. Une bouteille de vin coincée entre ses jambes. Il y avait aussi des dés en styrofoam qui pendaient du rétroviseur. Il m'a dit : *Super !* Je lui ai répondu : *Pas de problème,* mais je suis resté à le regarder au moins une bonne minute. J'avais l'impression de le connaître. Et j'essayais de savoir qui c'était.

Ils étaient arrivés devant leur appartement. Ils s'arrêtèrent. Frannie regardait Stu avec beaucoup d'attention.

– Alors, je lui ai dit : *Est-ce que je vous connais ? Vous n'êtes pas de Corbett ou de Maxim ?* En réalité, je ne pensais pas qu'il était du coin. Alors, il me répond : *Non, mais je suis passé par Corbett une fois, avec ma famille, quand j'étais petit. On dirait que je suis passé presque partout en Amérique quand j'étais petit. Mon père était dans l'armée de l'air.* Je fais le tour de la voiture et je commence à faire le plein. Mais la tête du type me disait vraiment quelque chose. Et, tout d'un coup, j'ai compris. Et j'ai bien failli pisser dans mon froc, parce que l'homme qui était au volant de la Pontiac, en principe il était mort.

– Mais c'était qui, Stuart ? *Qui ?*

– Attends, Frannie. Laisse-moi raconter à ma manière. De toute façon, c'est une histoire complètement dingue. Je reviens à côté du type et je lui dis : *Ça fera six dollars et trente cents.* Il me donne deux billets de cinq dollars en me disant de garder la monnaie. Moi, je me jette à l'eau : *Je crois que je vous reconnais maintenant.* Et le type me dit : *Peut-être bien,* avec un de ces sourires bizarres, un sourire qui m'a mis vraiment mal à l'aise. Pendant tout ce temps-là, Hank Williams continuait à beugler sa chanson. *Si vous êtes celui que je crois, vous devriez être mort.* Il me répond : *Vous n'allez quand même pas croire tout ce qu'on écrit dans les journaux, non ?* Je lui dis : *Vous ressemblez pas mal à Hank Williams, je me trompe pas, hein ?* C'est tout ce que j'ai pu trouver. Parce que j'ai bien vu que, si je disais rien, il allait simplement remonter sa vitre et foutre le camp... et je voulais qu'il s'en aille, mais en même temps je voulais pas. Pas encore. Pas avant d'être sûr. Dans ce temps-là, je ne savais pas qu'on n'est jamais très sûr de certaines choses, même si on a bien envie de l'être.

Frannie l'écoutait, très étonnée.

– Alors, le type me dit : *Hank Williams, c'est vraiment un des meilleurs. J'aime beaucoup sa musique. Je vais à New Orleans, je vais conduire toute la nuit, dormir toute la journée de demain, et puis faire de la musique toute la nuit. C'est pareil à New Orleans ?* Moi, je n'ai pas compris : *Pareil à quoi ?* Il me répond : *Vous savez bien.* Moi je lui dis : *Bon, tout ça c'est le sud, mais il y a bien plus d'arbres par là-bas.* Ça l'a fait rire. *Je vous reverrai peut-être,* qu'il m'a dit. Moi, je n'avais pas envie de le revoir. Parce qu'il avait les yeux d'un homme qui a essayé de regarder dans le noir trop longtemps, un homme qui a peut-être commencé à voir ce qu'il y a dans tout ce noir. Et je crois que, si je vois un jour ce Flagg, ses yeux seront peut-être un peu pareils.

Stu secoua la tête. Ils traversèrent la rue et posèrent leurs bicyclettes contre le mur de leur immeuble.

– J'ai souvent repensé à cette histoire. Je me suis dit que je devrais acheter ses disques, mais en même temps je n'en voulais pas. Sa voix... il chante bien, mais il me donne froid dans le dos.

– Stuart, de quoi est-ce que tu es en train de parler ?

– Tu te souviens d'un groupe de rock qui s'appelait The Doors ? Le type qui s'est arrêté cette nuit-là pour faire le plein à Arnette, c'était Jim Morrisson, j'en suis sûr.

Elle ouvrit la bouche toute grande.

– Mais il est mort ! Il est mort en France ! Il...

Elle s'arrêta. N'y avait-il pas eu quelque chose de bizarre dans la mort de Morrisson ? Quelque chose dont on ne voulait pas parler ?

– Ah bon ? dit Stu. Je me demande. Peut-être, après tout. Et le type que j'ai vu était sans doute quelqu'un qui lui ressemblait, mais...

– Tu crois vraiment ça ?

Ils étaient assis sur les marches de leur immeuble, épaule contre épaule, comme deux petits enfants attendant que leur maman les appelle pour le dîner.

– Oui. Oui, je le crois. Et jusqu'à cet été, j'ai toujours cru que c'était la chose la plus étrange qu'il m'arriverait jamais. Ce que je pouvais me tromper !

– Tu n'en as jamais parlé à personne ? Tu as vu Jim Morrisson des années après sa mort, en tout cas selon les journaux, et tu n'en as jamais parlé à personne ? Le bon Dieu t'a donné un triple cadenas au lieu d'une bouche quand Il t'a envoyé dans ce bas monde.

Stu sourit.

– Les années ont passé, comme on dit dans les livres, et chaque fois que je pensais à cette nuit-là – ça m'arrivait de temps en temps – j'étais de plus en plus sûr que ce n'était pas lui finalement. Simplement quelqu'un qui lui ressemblait un peu. J'en étais pratiquement sûr. Mais, depuis quelques semaines, je me pose des questions. Et je pense de plus en plus que c'était bien lui. Peut-être même qu'il est toujours vivant. Ça serait vraiment incroyable, non ?

– S'il est vivant, il n'est pas ici.

– Non. Je ne pense pas qu'il viendrait ici. J'ai vu ses yeux, tu sais.

– Tu parles d'une histoire, dit-elle en posant la main sur son bras.

– Oui. Et il y a probablement vingt millions de personnes dans ce pays qui pourraient en raconter une pareille... à propos d'Elvis Presley, de Howard Hughes.

– Plus maintenant.

– Non, c'est vrai, plus maintenant. Harold a drôlement bien joué ce soir, tu ne trouves pas ?

– J'ai l'impression que tu veux changer de sujet.

– J'ai l'impression que tu as raison.

– Oui, il a drôlement bien joué.

Il sourit. Frannie avait un peu froncé les sourcils.

– Tu n'as pas trop aimé son numéro, j'ai l'impression.

– Non, mais je ne vais pas t'en parler. Tu es dans le camp de Harold maintenant.

– Tu n'es pas juste, Fran. Moi non plus, je n'ai pas trop aimé. Nous avions tout préparé... tout prévu... au moins, c'est ce que nous pensions... et voilà Harold qui arrive. *Couac* par-ci et *couac* par-là. Et voilà qu'il nous dit : *Ce n'est pas plutôt ça que vous vouliez dire ?* Et nous, on lui répond : *Mais oui, merci, Harold, c'était exactement ça.* Élire tous les membres en bloc, comment ça se fait qu'on n'y ait pas pensé ? C'était très habile. Nous n'en avions même pas parlé.

– Nous ne savions pas au juste comment les autres réagiraient. Je croyais, surtout après le départ de mère Abigaël, qu'ils seraient plutôt sombres, peut-être même méchants. Avec cet Impening qui leur dit n'importe quoi, comme un oiseau de mort...

– Je me demande s'il la ferme de temps en temps celui-là.

– Mais ça ne s'est pas du tout passé comme ça. Ils étaient... absolument ravis d'être ensemble. C'est ce que tu as senti ?

– Absolument.

– J'ai l'impression que Harold n'en savait rien lui non plus. Il a simplement saisi l'occasion au vol.

– Je ne sais vraiment pas quoi penser de lui, dit Stu. Ce soir-là, quand nous sommes rentrés sans avoir trouvé mère Abigaël, je me sentais vraiment mal pour lui. Quand Ralph et Glen sont arrivés, il avait l'air en piteux état, comme s'il allait tomber dans les pommes. Mais tout à l'heure, sur la pelouse, quand tout le monde venait le féliciter, il se gonflait comme une grenouille. Et j'ai eu l'impression qu'il souriait extérieurement, mais qu'à l'intérieur il se disait : *Alors, vous voyez ce qu'il vaut votre comité, bande de crétins !* Pour moi, c'est un mystère.

Fran allongea les jambes et regarda ses pieds.

– À moi de changer de sujet. Regarde mes pieds, tu trouves qu'ils ont quelque chose de drôle ?

Stu les regarda attentivement.

– Non... à part que tu as mis ces drôles de

godasses que tu as trouvées dans le magasin, au coin de la rue. Et, naturellement, tu as des pieds énormes.

Elle lui donna une petite gifle.

– Ce sont des Earth Shoes, très confortables. Tu saurais ça si tu lisais des revues. Et ma pointure est tout à fait raisonnable, si tu veux savoir.

– Très bien, mais alors pourquoi tu me parles de tes pieds ? Il est tard. On devrait rentrer.

Stu s'était déjà relevé.

– Je ne sais pas trop, mais Harold regardait constamment mes pieds. Après l'assemblée, quand on s'est assis sur la pelouse pour parler. Je me demande bien ce que Harold peut leur trouver à mes pieds.

Larry et Lucy rentrèrent seuls chez eux, la main dans la main. Un peu plus tôt, Leo les avait quittés pour aller retrouver maman Nadine.

– Tu parles d'une réunion, dit Lucy en arrivant devant la porte. Je n'aurais jamais cru...

Les mots s'étranglèrent dans sa gorge. Une silhouette noire se dépliait dans l'ombre devant eux. Larry sentit son estomac se nouer. *C'est lui, il vient me chercher... je vais voir son visage.*

Puis il se demanda comment une pareille idée avait pu lui traverser l'esprit, car c'était tout simplement Nadine Cross. Elle était vêtue d'une robe bleu-gris. Ses cheveux dénoués flottaient sur ses épaules et son dos, des cheveux noirs veinés d'un blanc très pur.

À côté d'elle, Lucy a toujours l'air d'une vieille bagnole déglinguée, ne put-il s'empêcher de penser. Mais il le regretta aussitôt. Toujours le même, ce vieux Larry... Ce vieux Larry ? Autant dire ce vieil Adam.

– Nadine, fit Lucy d'une voix tremblante, une main sur le cœur. Tu m'as fait une de ces peurs ! J'ai cru... non, je ne sais pas ce que j'ai cru.

Nadine ignora Lucy.

– Je peux te parler ? demanda-t-elle à Larry.

– Maintenant ?

Il lança un coup d'œil à Lucy, ou crut le faire... car plus tard il ne put se souvenir d'avoir vu Lucy en cet instant précis. Comme si elle avait été éclipsée par une étoile noire.

– Maintenant. Il faut absolument.

– Demain matin, nous...

– Maintenant, Larry. Ou jamais.

Il regarda encore une fois Lucy. Et cette fois il la vit, il découvrit la résignation sur son visage quand elle le regarda, puis Nadine, puis lui encore. Il vit qu'elle avait mal.

– J'arrive tout de suite, Lucy.

– Non, je ne te crois pas.

Des larmes brillaient au coin de ses yeux.

– Dans dix minutes.

– Dix minutes... ou dix ans, dit Lucy. Elle est venue te chercher. Tu as apporté ton collier et ta muselière, Nadine ?

Lucy Swann n'existait pas pour Nadine. Ses yeux étaient fixés sur Larry, des yeux noirs, très grands. Pour Larry, ce serait toujours les yeux les plus étranges, les plus beaux qu'il eût jamais vus, des yeux qui revenaient vous hanter, calmes et profonds, quand vous aviez mal, quand vous ne saviez plus où vous en étiez, quand vous étiez fou de chagrin.

– Je reviens tout de suite, Lucy, dit-il d'une voix mécanique.

– Elle...

– Rentre sans moi.

– Je crois que je n'ai pas le choix. Elle est venue. J'ai perdu.

Elle monta quatre à quatre l'escalier, trébucha sur la dernière marche, reprit son équilibre, ouvrit la porte, la claqua derrière elle. Et, lorsqu'ils s'éloignèrent, ils n'entendirent pas ses sanglots.

Nadine et Larry s'arrêtèrent, se regardèrent un moment. C'est comme ça que ça arrive, pensa-t-il. Quand deux regards se croisent à travers une pièce, et que les deux ne l'oublient plus jamais. Quand on voit son sosie au milieu d'une foule, à l'autre bout d'un quai de métro. Quand on entend un rire dans la rue, un rire qui pourrait être celui de la première fille avec qui on a fait l'amour...

Mais il avait un curieux goût amer dans la bouche.

– Faisons le tour du pâté de maisons, proposa Nadine d'une voix très basse. Tu veux bien ?

– Je devrais rentrer. Tu tombes vraiment à un mauvais moment.

– S'il te plaît... juste le tour du pâté de maisons. Si tu veux, je vais te supplier à genoux. C'est ce que tu veux ? Voilà. Tu vois ?

Horrifié, il la vit se mettre à genoux et sa jupe remonta un peu, découvrant ses cuisses nues. Et il eut l'étrange certitude que le reste aussi était nu. Pourquoi ? Il n'en savait rien. Elle le regardait, et ses yeux lui donnaient le vertige. Un sentiment enivrant de la voir ainsi prosternée devant lui, sa bouche à la hauteur de son...

– Lève-toi ! dit-il brutalement.

Il lui prit les mains et la força à se remettre debout, essayant de ne pas voir que la jupe remontait encore un peu plus haut ; ses cuisses étaient d'un blanc laiteux, pas le blanc de la mort, mais un blanc vigoureux, sain, appétissant.

– Viens !

Et ils partirent en direction de l'ouest, vers les lugubres montagnes dont les silhouettes triangulaires masquaient les étoiles qui avaient percé dans le ciel après la pluie. Chaque fois qu'il marchait vers ces montagnes la nuit, il se sentait mal à l'aise, mais aussi aventureux, intrépide. Et maintenant, Nadine à son côté, sa main posée légèrement sur le creux de son coude, l'impression était encore plus forte. Trois ou quatre jours plus tôt, il avait rêvé de ces montagnes ; il avait rêvé que d'étranges créatures y vivaient, hideuses, les yeux vert vif, têtes énormes de crétins hydrocéphales, doigts crochus, mains fortes comme des serres. Des mains d'étrangleurs. Trolls débiles gardant les cols des montagnes. Qui attendaient *son* heure. L'heure de l'homme noir.

Une douce brise parcourut la rue, soulevant les

feuilles mortes. Ils passèrent devant le supermarché King Sooper's. Quelques caddies étaient restés au milieu de l'immense parking, comme des sentinelles de mort. Et il pensa au tunnel Lincoln. Aux trolls du tunnel Lincoln. Ceux-là étaient morts, ce qui ne voulait pas dire que tous les trolls du Nouveau Monde l'étaient.

– C'est dur, murmura Nadine. Elle rend les choses plus difficiles, parce qu'elle a raison. J'ai envie de toi. Mais j'ai peur qu'il ne soit trop tard. Je veux rester ici.

– Nadine...

– *Non !* dit-elle d'une voix rauque. Laisse-moi finir. *Je veux rester ici,* tu ne comprends pas ? Et si nous sommes ensemble, j'y arriverai. Tu es ma dernière chance. Joe est parti.

Sa voix s'était cassée.

– Mais non ! Nous l'avons laissé chez toi en passant. Il n'est pas là ?

– Non. Celui qui dort dans son lit s'appelle Leo Rockway.

– Mais qu'est-ce que...

– Écoute. Écoute-moi. Tu peux *écouter* ? Tant que j'ai eu Joe, tout allait bien. Je pouvais... être assez forte. Mais il n'a plus besoin de moi. Et j'ai besoin qu'on ait besoin de moi.

– Mais si, il a besoin de toi !

– Bien sûr qu'il a besoin de moi.

Larry avait peur. Il comprenait qu'elle ne parlait plus de Leo. Mais alors, de *qui* parlait-elle ?

– Il a besoin de moi, reprit Nadine. C'est de ça que j'ai peur. C'est pour ça que je suis venue te voir.

Elle s'avança vers lui, le regarda en levant le menton. Il sentit son odeur secrète, si douce. Et il la désira. Mais une partie de lui-même voulait revenir à Lucy. Cette partie de lui-même dont il avait besoin s'il voulait rester ici à Boulder. S'il couchait avec Nadine, s'il laissait tout tomber, autant s'en aller tous les deux en cachette, ce soir même. Et tout serait fini. Le vieux Larry aurait gagné.

– Je dois rentrer. Je suis désolé. Il faudra que tu t'en tires toute seule, Nadine.

Que tu t'en tires toute seule – n'avait-il pas bien des fois prononcé ces mots sous une forme ou une autre, toute sa vie ? Pourquoi fallait-il qu'il les retrouve maintenant qu'il savait avoir raison, pourquoi fallait-il qu'ils viennent le torturer, le faire douter de lui-même ?

– Fais-moi l'amour, dit-elle en le prenant par le cou.

Elle se colla contre lui et il sentit à la chaleur de son corps qu'il avait eu raison tout à l'heure. Elle n'avait rien sous sa robe. Nue comme un ver, pensa-t-il. Et l'idée l'excita.

– Je te sens, murmurait-elle en se frottant contre lui, de gauche à droite, de haut en bas. Fais-moi l'amour, et ce sera fini. Je serai sauvée. Je serai sauvée.

Il prit ses mains, et plus tard il ne put comprendre comment il avait été capable de le faire alors qu'il aurait pu connaître sa chaleur en trois mouvements rapides, en une poussée brutale, comme elle le voulait, mais il lui prit les mains et la repoussa avec une telle force qu'elle faillit tomber. La femme poussa un gémissement.

– Larry, si tu savais...

– Je ne sais pas. Pourquoi n'essayes-tu pas de m'expliquer au lieu de... de me violer ?

– Te violer ! lança-t-elle avec un rire strident. C'est trop drôle ! Moi ! te violer ! Oh, Larry !

– Ce que tu veux, tu aurais pu l'avoir. Tu aurais pu l'avoir la semaine dernière, ou la semaine d'avant. La semaine d'avant, je te l'ai proposé. Je voulais te le donner.

– C'était trop tôt, murmura-t-elle.

– Et maintenant, c'est trop tard ! répondit-il sans pouvoir maîtriser sa colère.

Il tremblait de tous ses membres, fou de désir. Pas facile d'être aimable dans ces conditions.

– Très bien. Au revoir, Larry.

Elle s'en allait. Et, en cet instant, elle était plus

que Nadine qui s'en allait à tout jamais. Elle était l'hygiéniste dentaire. Elle était Yvonne, la fille avec qui il partageait un appartement à Los Angeles – elle avait décidé de l'emmerder et il avait tout simplement enfilé ses chaussures à semelles de caoutchouc, lui laissant le loyer sur les bras. Elle était Rita Blakemoor.

Pire que tout, elle était sa mère.

– Nadine ?

Elle ne se retourna pas, forme noire qu'il ne put distinguer des autres formes noires que lorsqu'elle traversa la rue. Puis elle disparut, se confondant avec l'ombre des montagnes. Il l'appela encore une fois. Elle ne répondit pas. Il y avait quelque chose de terrifiant dans la manière dont elle l'avait quitté, dans la manière dont elle s'était fondue dans ce sinistre décor noir.

Les poings serrés, le front moite de sueur malgré la fraîcheur de la nuit, Larry était debout devant l'entrée du supermarché King Sooper's. Ses fantômes l'avaient retrouvé et il savait enfin le prix qu'il faut payer quand on est un sale type : ne jamais voir clair dans ses motivations, ne jamais savoir que faire mal, ne jamais pouvoir se débarrasser de ce goût amer dans la bouche, le goût du doute et...

Il leva la tête brusquement. Ses yeux s'ouvrirent très grands, comme s'ils voulaient sortir de leurs orbites. Le vent soufflait plus fort, hurlait quelque part dans une entrée déserte, et plus loin, beaucoup plus loin, il crut entendre des talons de bottes sonner dans la nuit, des talons usés quelque part dans les montagnes, des talons qui venaient vers lui, portés par le vent glacé de la nuit.

Des talons usés qui s'enfonçaient méthodiquement dans la tombe de l'Occident.

Lucy l'entendit rentrer et son cœur se mit à battre furieusement. Non, il revenait sans doute simplement chercher ses affaires, mais les battements affolés de son cœur lui disaient : *Il m'a choisie... il m'a choisie...*

Folle d'espoir, elle attendait pourtant, allongée sur son lit, raide comme une planche, les yeux au plafond. Elle n'avait fait que lui dire la vérité quand elle lui avait expliqué que le seul défaut des femmes comme elle et son amie Joline, c'était d'avoir trop besoin d'aimer. Mais elle avait toujours été fidèle. Elle ne truquait pas. Elle n'avait pas trompé son mari, elle n'avait jamais trompé Larry. Et si avant de les connaître elle n'avait pas été précisément une enfant de Marie... le passé était le passé. On ne pouvait plus rien y faire. Peut-être les dieux pouvaient-ils revenir sur le passé, mais pas les hommes ni les femmes, ce qui était probablement tout aussi bien. Car autrement, les gens mourraient sans doute en essayant encore de récrire leur adolescence.

Et lorsqu'on sait qu'on ne peut rien faire pour changer le passé, peut-être peut-on pardonner.

Des larmes roulaient doucement sur ses joues. La porte s'ouvrit, et elle le vit, une simple silhouette.

– Lucy ? Tu dors ?

– Non.

– Je peux allumer ?

– Si tu veux.

Elle entendit le gaz siffler, puis la flamme apparut, mince et fragile. Larry était pâle.

– Je veux te dire quelque chose.

– Non, ne dis rien. Couche-toi, c'est tout.

– Il faut que je te parle. J'ai...

Il posa sa main sur son front, puis se passa les doigts dans les cheveux.

– Larry ? dit Lucy en se redressant. Ça va ?

Et il se mit à parler comme s'il ne l'avait pas entendue, sans la regarder.

– Je t'aime. Si tu veux de moi, je suis à toi. Mais je ne sais pas si je te donne grand-chose. Je ne serai jamais vraiment le type qu'il te faut, Lucy.

– Je n'ai pas peur. Viens te coucher.

Il se coucha. Ils firent l'amour. Et, quand ils

eurent terminé, elle lui dit qu'elle l'aimait, que c'était vrai, sûr et certain. Elle eut l'impression que c'était ce qu'il voulait, ce qu'il avait besoin d'entendre. Mais sans doute Larry ne dormit-il pas très longtemps. Une fois, elle se réveilla en pleine nuit (ou rêva qu'elle s'était réveillée) et elle crut le voir devant la fenêtre, la tête penchée comme s'il écoutait, et les ombres en jouant sur son visage lui donnaient l'aspect d'un masque hagard. Mais, à la lumière du jour, elle se dit qu'elle avait sûrement rêvé, à la lumière du jour, il semblait être redevenu lui-même.

Ce n'est que trois jours plus tard qu'ils apprirent de Ralph Brentner que Nadine s'était installée chez Harold Lauder. En apprenant la nouvelle, Larry sembla se crisper un peu, mais Lucy ne put s'empêcher de se sentir soulagée. Tout était arrangé.

Après avoir quitté Larry, elle ne fit que repasser chez elle. Elle entra dans le salon, alluma la lampe, la leva devant elle, se dirigea vers l'arrière de la maison. Elle s'arrêta un instant pour regarder dans la chambre de l'enfant. Elle voulait voir si ce qu'elle avait dit à Larry était vrai. Oui, elle avait dit la vérité.

Leo, en slip, était entortillé dans ses draps et ses couvertures. Les coupures et les égratignures s'étaient estompées, avaient même presque toutes disparu. Et sa peau, si bronzée quand il courait presque nu dans la nature, était redevenue beaucoup plus claire. Mais il y avait autre chose. Quelque chose dans son expression avait changé – elle pouvait le voir, même si l'enfant dormait. Son expression avide et sauvage avait disparu. Il n'était plus Joe. Ce n'était plus qu'un petit garçon qui dormait après une longue journée.

Elle se souvint de cette nuit où elle dormait presque lorsqu'elle s'était rendu compte qu'il n'était plus à côté d'elle. C'était à North Bervick, dans le Maine – à l'autre bout du continent. Elle l'avait suivi jusqu'à cette maison où Larry dormait sous la véranda. Joe brandissait son couteau. Rien entre lui et

Larry, sinon un fragile grillage. Et elle l'avait persuadé de repartir avec elle.

Un éclair de haine la traversa comme une gerbe d'étincelles jaillissant entre silex et acier. La lampe Coleman tremblait dans sa main, faisant follement danser les ombres autour d'elle. Elle aurait dû le laisser faire ! Elle aurait même dû lui ouvrir la porte, le laisser entrer sous la véranda pour qu'il puisse frapper, déchirer, couper, taillader, éventrer, détruire. Elle aurait dû...

Le garçon se retourna et se racla la gorge, comme s'il se réveillait. Puis ses mains se levèrent et frappèrent dans le vide, comme pour chasser l'ombre d'un rêve. Nadine recula, les tempes battantes. Il y avait encore quelque chose d'étrange dans ce garçon, et elle n'aimait pas la manière dont il venait de bouger, comme s'il avait lu dans ses pensées.

Elle devait s'en aller maintenant. Elle devait faire vite.

Elle entra dans sa chambre. Un tapis. Un petit lit étroit de vieille fille. C'était tout. Pas même un cadre au mur. Une pièce totalement nue, sans aucune personnalité. Elle ouvrit la penderie et écarta les vêtements. Elle était à genoux maintenant, en sueur. Elle sortit une boîte de couleurs vives dont le couvercle était décoré d'une photo représentant des adultes en train de rire, en train de jouer. Un jeu vieux d'au moins trois mille ans.

Elle avait trouvé sa planchette oui-ja dans un bazar, mais elle n'osait pas s'en servir chez elle, pas quand le garçon était là. En fait, elle n'avait pas encore osé l'utiliser... pas jusqu'à maintenant. Quelque chose l'avait poussée à entrer dans ce magasin et, lorsqu'elle avait vu la planchette dans sa jolie petite boîte, elle s'était sentie écartelée, entraînée dans un terrible combat – la sorte de combat que les psychologues appellent aversion/compulsion. Elle avait abondamment transpiré, comme elle transpirait maintenant, partagée entre deux désirs : sortir à toute vitesse de ce magasin sans regarder derrière elle, s'emparer de la boîte, de cette si jolie boîte, pour la rapporter chez elle. Et c'est cela précisément qui lui avait fait si peur, car elle n'avait pas eu l'impression d'obéir alors à sa propre volonté.

Finalement, elle avait pris la boîte.

C'était il y avait quatre jours. Et, chaque soir, la compulsion était devenue de plus en plus forte, jusqu'à cette nuit où, à moitié rendue folle par des peurs qu'elle ne comprenait pas, elle était allée chercher Larry dans sa jupe bleu-gris, sans rien dessous. Elle était allée le voir pour mettre un terme à cette peur. Et, tandis qu'elle attendait devant la porte qu'ils rentrent de l'assemblée, elle avait eu la certitude de faire finalement ce qu'il fallait faire. Elle avait senti cette chose, une sorte de légère ivresse, qu'elle n'avait plus vraiment éprouvée depuis ce jour où elle avait couru dans l'herbe humide de rosée, poursuivie par ce garçon. Mais, cette fois-ci, le garçon allait la rattraper. Elle le laisserait la rattraper. Et ce serait la fin.

Mais lorsqu'il l'avait rattrapée, il n'avait pas voulu d'elle.

Debout, serrant la boîte contre sa poitrine, Nadine éteignit la lampe. Il s'était moqué d'elle. Il l'avait dédaignée. Et une femme dédaignée n'est pas loin de frayer avec le démon... ou avec son homme de main.

Elle s'arrêta, le temps de prendre une grosse torche électrique sur la petite table de l'entrée. Au fond de la maison, l'enfant poussa un cri dans son sommeil. Nadine se figea un instant. Elle crut que ses cheveux se dressaient sur sa tête. Puis elle sortit.

La Vespa dont elle s'était servie quelques jours plus tôt pour se rendre chez Harold Lauder était rangée contre le trottoir. Pourquoi était-elle allée là-bas ? Elle n'avait pas échangé plus de dix mots avec Harold depuis son arrivée à Boulder. Pourtant, ne sachant que faire de la planchette, terrorisée par les rêves qui ne la quittaient pas alors que tous les autres avaient cessé de rêver, elle avait cru devoir en parler à Harold. Mais elle avait eu peur de cette impulsion, se souvint-elle en tournant la clé de contact de la Vespa. Comme de cette idée soudaine de prendre la planchette (*amusez-vous, étonnez vos amis avec la planchette oui-ja !* disait la boîte). Comme si cette idée lui était imposée de l'extérieur. Son idée, peut-être. Mais quand elle avait cédé, quand elle était finalement allée chez Harold, il n'était pas là. La maison était fermée à clé, la seule à Boulder, et les stores étaient baissés. Amère déception. S'il avait été là, il l'aurait fait entrer, puis aurait refermé la porte à double tour derrière elle. Ils se seraient assis dans le salon, auraient parlé, auraient fait l'amour peut-être, auraient fait ensemble des choses innommables, et personne ne l'aurait jamais su.

La maison de Harold était un lieu secret.

– Qu'est-ce qui m'arrive ? murmura-t-elle dans la nuit.

Mais la nuit ne lui répondit pas. Elle fit démarrer la Vespa et le *pout-pout* du moteur lui sembla profaner la nuit. Elle embraya et partit en direction de l'ouest.

Le vent frais de la nuit lui fit du bien. Chasse toutes ces toiles d'araignée, vent de la nuit. Quand tu n'as plus aucun choix possible, que fais-tu ? Tu choisis d'accepter. Tu choisis le destin qu'on t'a préparé. Tu laisses Larry avec sa stupide petite poule au pantalon trop serré, cette idiote qui n'a jamais rien lu d'autre que des revues de cinéma. Tu les laisses derrière toi. Et tu risques... ce qu'il faut risquer.

Ta vie.

La route se déroulait devant elle, éclairée par le petit phare de la Vespa. Elle dut passer en seconde quand la route commença à monter vers la montagne noire. Laisse-les avec leurs assemblées. Ils ne pensent qu'à remettre en marche une malheureuse centrale électrique. Ton amant pense au *monde*.

Le moteur de la Vespa peinait. Une peur à la fois horrible et douce s'emparait d'elle. Et les vibrations de la selle commencèrent à l'échauffer *(dis donc, mais tu es en chaleur, ma vieille, pensa-t-elle avec une gaieté acide, vilaine, vilaine, VILAINE).* Sur sa droite, un ravin à pic. Rien là-bas, sinon la mort. Et là-haut ? Eh bien, elle allait voir. Trop tard pour rebrousser chemin, et à cette pensée, elle se sentit paradoxalement et délicieusement libre.

Une heure plus tard, elle était arrivée au cirque Sunrise – le cirque du soleil levant – mais le soleil n'allait pas se lever avant trois ou quatre heures. Le cirque était tout près du sommet du mont Flagstaff et presque tous les habitants de la Zone libre étaient venus le visiter. Quand le ciel était clair, c'est-à-dire la plupart du temps à Boulder – au moins pendant l'été – on pouvait voir Boulder et l'autoroute 25 qui filait vers Denver, au sud, puis se perdait dans le brouillard en direction du Nouveau-Mexique, trois cents kilomètres plus loin. À l'est, le plateau qui s'étendait vers le Nebraska. Plus près, Boulder Canyon, une déchirure béante aux parois tapissées de pins qui courait à travers les collines. Autrefois, les planeurs s'élevaient comme des oiseaux au-dessus du cirque Sunrise, portés par les courants ascendants.

Mais Nadine ne voyait que ce qu'éclairait sa torche électrique à six piles qu'elle avait posée sur une table de pique-nique, en bordure de la route : un grand bloc de papier à dessin et, perchée dessus sur ses trois pattes, comme une araignée, la planchette triangulaire. Comme l'aiguillon d'une araignée, du ventre de la planchette sortait un crayon qui effleurait le bloc.

Nadine était fiévreuse, partagée entre l'euphorie et la terreur. En montant jusqu'ici avec sa petite Vespa qui n'était vraiment pas faite pour l'escalade, elle avait ressenti la même chose que Harold à Nederland. Elle l'avait senti, *lui*. Mais alors que Harold avait analysé cette sensation d'une façon précise et technique, comme un bout de fer attiré par un aimant, une *attraction*, Nadine le percevait comme une sorte de phénomène mystique, le passage d'une frontière. Comme si ces montagnes, dont elle n'était encore que sur les premiers contreforts, étaient un no man's land entre deux zones d'influence – Flagg à l'ouest, la vieille femme à l'est. Ici, les deux flux magiques se confondaient, se mêlaient, produisant une concoction qui n'appartenait ni à Dieu ni à Satan, une concoction totalement païenne. Elle eut l'impression de se trouver dans un endroit hanté.

Et la planchette...

Elle avait jeté la boîte aux couleurs vives, MADE IN TAÏWAN, que le vent ne tarderait pas à emporter. La planchette n'était qu'une petite plaque d'aggloméré, mal découpée. Mais quelle importance ? Elle ne s'en servirait qu'une seule fois – elle *n'oserait* s'en servir qu'une seule fois – et même un mauvais outil peut faire ce qu'il est censé faire : fracturer une porte, fermer une fenêtre, écrire un Nom.

Les mots imprimés sur la boîte lui trottaient dans la tête : *Étonnez vos amis !*

Mais quelle était cette chanson que Larry chantait parfois à tue-tête sur sa moto ? *Allô, standardiste ? La ligne est dérangée. Je voudrais parler à...*

Parler à qui ? C'était justement la question.

Elle se souvint du temps où elle avait joué à la planchette, à l'université. Deux ans plus tôt... Mais elle avait l'impression que c'était hier. Elle était montée au troisième étage de la résidence des étudiantes pour voir une certaine Rachel Timms. La chambre était pleine de jeunes filles, sept ou huit, peut-être plus, qui riaient aux éclats. Nadine s'était dit qu'elles avaient sans doute fumé ou sniffé quelque chose.

– Arrêtez ! disait Rachel, morte de rire. Comment voulez-vous que les esprits nous parlent si vous gigotez comme des guenons ?

L'idée d'être devenues des guenons leur avait paru délicieusement drôle, et les fous rires étaient repartis de plus belle. La planchette était posée comme elle l'était maintenant, araignée triangulaire perchée sur ses trois pattes, crayon effleurant une feuille de papier. Et, pendant que les autres riaient, Nadine avait pris une liasse de grandes feuilles de papier à dessin, puis avait parcouru ces « messages venus du plan astral » captés par la planchette.

Tommy dit que tu t'es encore lavé le machin avec un truc aux fraises.

Maman dit qu'elle va bien.

Chunga ! Chunga !

John dit que tu pèteras beaucoup moins si tu manges moins de fayots à la cafétéria !

Et d'autres encore, tout aussi bêtes.

Les rires s'étaient suffisamment calmés pour qu'elles puissent recommencer. Trois étudiantes étaient assises sur le lit. Chacune posa le bout des doigts sur un des côtés de la planchette. Tout d'abord, il ne se passa rien. Puis la planchette frissonna.

– Tu la fais bouger, Sandy !

– Non!

– *Chhhut !*

La planchette frissonna de nouveau et les jeunes filles se turent. Elle bougea, s'arrêta, repartit. Elle venait d'écrire la lettre P.

– P... comme dans pute, dit celle qui s'appelait Sandy.

– On dirait que tu connais ça...

Fou rire général.

– Chhhut !

La planchette bougeait plus rapidement, traçant les lettres E, R et E.

– Père chéri, ta petite fille est là, dit une certaine Patty en riant nerveusement. C'est certainement mon père, il est mort d'une crise cardiaque quand j'avais trois ans.

– La planchette continue, dit Sandy.

D, I, écrivait laborieusement la planchette.

– Qu'est-ce qui se passe ? murmura Nadine à l'oreille d'une grande fille au profil chevalin qu'elle connaissait de vue.

La jument aux grandes dents contemplait la scène, les mains dans les poches, l'air manifestement dégoûté.

– Des idiotes qui jouent avec quelque chose

qu'elles ne connaissent pas, répondit-elle. Voilà ce qui se passe.

– PÈRE DIT QUE PATTY, lut Sandy. C'est ton petit papa, pas de doute possible, Pats.

Éclats de rire.

La jument portait des lunettes. Elle sortit les mains des poches de sa salopette et s'en servit pour retirer ses besicles, puis les essuyer méticuleusement.

– C'est une planchette oui-ja, un instrument dont se servent les médiums. Les kinesthéologues...

– Les quoi ?

– Les savants qui étudient le mouvement et l'interaction des muscles et des nerfs.

– Ah bon.

– Ils prétendent que la planchette réagit en fait à de petits mouvements des muscles, probablement guidés par le subconscient. Naturellement, les médiums prétendent que la planchette obéit aux esprits...

Des rires hystériques fusaient du groupe rassemblé autour de la planchette. Nadine jeta un coup d'œil par-dessus l'épaule de la jument et lut le message : PÈRE DIT QUE PATTY DEVRAIT ARRÊTER.

– ... d'aller si souvent aux toilettes, proposa une des spectatrices, pour le plus grand plaisir de ses camarades.

– Mais elles jouent avec le feu, ces imbéciles, reprit la jument avec une moue dédaigneuse. Elles sont idiotes. Les médiums et les hommes de science sont d'accord pour dire que l'écriture automatique peut être très dangereuse.

– Tu crois que les esprits ne sont pas de bonne humeur ce soir ? demanda Nadine.

– Les esprits ne sont peut-être jamais de bonne humeur, répondit la jument en lui lançant un regard sévère. Ou vous risquez de recevoir un message de votre subconscient que vous n'êtes absolument pas prête à assimiler. La littérature spécialisée parle de très nombreux cas d'expériences d'écriture automatique qui ont totalement dégénéré. Les gens sont devenus fous.

– Oh, c'est peut-être aller un peu loin, ce n'est qu'un jeu.

– Les jeux sont parfois terriblement sérieux.

Un énorme éclat de rire collectif mit un point final à l'exposé de la jument avant que Nadine ait eu le temps de répondre. Patty était tombée du lit et se roulait par terre en se tenant le ventre, morte de rire. Le message était complet maintenant : PÈRE DIT QUE PATTY DEVRAIT ARRÊTER DE JOUER AUX CONCOURS DE CIGARES AVEC LEONARD KATZ.

– C'est toi qui la faisais bouger ! dit Patty à Sandy en se rasseyant.

– Non, je le jure !

– C'était ton père... Ton père qui te parlait de l'au delà ? dit une autre fille en imitant – très bien, jugea Nadine – la voix de Boris Karloff. Surtout, n'oublie pas qu'il te regarde la prochaine fois que tu enlèveras ta culotte dans la Dodge de Leonard.

Une nouvelle explosion de rires salua cette fine plaisanterie. Nadine s'approcha et prit Rachel par le bras. Elle voulait simplement lui demander à quelle date devait être remis le prochain T.P., puis s'en aller.

– Nadine ! s'exclama Rachel, les yeux pétillants, les joues empourprées. Assieds-toi. On va voir si les esprits ont envie de te parler !

– Non, je voulais simplement savoir quand le T.P...

– On s'en fiche du T.P. ! Ça, c'est *important*, Nadine ! Une expérience unique ! Il faut que tu essayes. Allez, assieds-toi à côté de moi. Janey, tu prends l'autre côté.

Janey s'assit en face de Nadine et, cédant aux supplications de Rachel Timms, Nadine se retrouva avec huit doigts posés légèrement sur la planchette. Sans savoir pourquoi, elle regarda derrière elle la fille qui ressemblait à une jument. L'autre secoua la tête énergiquement et la lumière des tubes au néon du plafond se refléta dans les verres de ses lunettes, transformant ses deux yeux en une paire de gros éclairs blancs.

Elle avait eu peur alors, se souvenait-elle en regardant cette autre planchette à la lumière de sa torche à six piles, mais elle s'était souvenue de ce qu'elle avait dit à la jument – que ce n'était qu'un *jeu*. Que pouvait-il bien arriver de terrible au milieu d'une bande de jeunes filles en plein délire ? Difficile d'imaginer une atmosphère plus négative pour évoquer les esprits, hostiles ou pas.

– Taisez-vous maintenant, dit Rachel. Esprit, as-tu un message pour notre sœur, camarade, collègue et néanmoins amie, Nadine Cross ?

La planchette ne bougea pas. Nadine se sentait un peu embarrassée.

– *Picoti, picota, tourne la queue et puis s'en va,* chantonna la fille qui avait imité Boris Karloff tout à l'heure, mais cette fois avec une voix fluette de toute petite fille. Les esprits vont parler !

Fou rire général.

– Chhhut !

Nadine se dit alors que, si les deux autres ne se décidaient pas bientôt à faire bouger la planchette pour écrire n'importe quelle idiotie, elle allait le faire elle-même – lui faire écrire quelque chose de clair et net, très court, BOU ! par exemple, pour pouvoir s'en aller ensuite.

Au moment où elle allait se décider, la planchette donna un coup très net sous ses doigts. Le crayon laissa une marque noire en diagonale sur la page blanche.

– Hé ! Il ne faut pas secouer, messieurs les esprits, dit Rachel d'une voix mal assurée. C'est toi qui as fait ça, Nadine ?

– Non.

– Janey ?

– Non, franchement.

La planchette donna un autre coup, si fort qu'elles faillirent la lâcher, et fila jusqu'à l'angle supérieur gauche de la feuille.

– Ouch ! dit Nadine. Vous avez senti...

Elles avaient toutes senti, même si ni Rachel ni Jane Fargood, dite Janey, ne voulurent lui en reparler plus tard. D'ailleurs, elle ne s'était jamais plus sentie la bienvenue dans la chambre de ces deux filles depuis cette soirée. Comme si toutes les deux avaient eu peur de la fréquenter de trop près après cette expérience.

Soudain, la planchette avait commencé à frémir sous leurs doigts, comme lorsqu'on effleure le pare-chocs d'une voiture qui tourne au ralenti. Une vibration très régulière, inquiétante. En aucun cas un mouvement qui puisse être provoqué par une personne sans qu'elle en ait parfaitement conscience.

Les jeunes filles étaient devenues très silencieuses. Leurs visages avaient pris une expression particulière, celle que l'on voit sur les visages de tous ceux qui ont assisté à une séance de spiritisme où il s'est véritablement passé quelque chose – quand la table commence à bouger, quand une main invisible frappe contre le mur, quand le médium se met à souffler par les narines la fumée grisâtre du téléplasme. Une expression d'*attente,* comme si l'on voulait que cette chose s'arrête, comme si l'on voulait qu'elle continue. Une expression d'excitation distraite, craintive... et, lorsqu'il prend cette expression, le visage humain ressemble beaucoup au crâne qui n'est jamais qu'à quelques millimètres sous la peau.

– Arrêtez ! hurla tout à coup la jument. Arrêtez tout de suite, ou vous allez le regretter !

Et Jayne Fargood avait hurlé d'une voix terrifiée :

– Je ne peux plus retirer les doigts !

Au même instant, Nadine s'était rendu compte que ses doigts étaient collés sur la planchette. Elle avait beau tirer de toutes ses forces, ils refusaient de bouger.

– Ça suffit, la plaisanterie est finie, dit Rachel d'une voix blanche. Qui...

Et, tout à coup, la planchette s'était mise à écrire.

Elle se déplaçait avec une rapidité fulgurante, entraînant leurs doigts dans sa course, entraînant leurs bras dans une danse qui aurait été drôle si elle n'avait pas été parfaitement involontaire. Nadine pensa plus tard qu'elle avait eu l'impression de se trouver aux prises avec une machine de conditionnement physique. Auparavant, sur les autres messages, l'écriture était très penchée, très lente – comme si les mots avaient été écrits par un enfant de sept ans. Mais maintenant, c'était une écriture déliée, puissante... en grosses majuscules qui s'étalaient sur toute la page. Il y avait dans cette écriture quelque chose d'implacable, de méchant.

NADINE, NADINE, NADINE, écrivait follement la planchette. COMME J'AIME NADINE MON AMOUR MA NADINE MA REINE SI TU SI TU SI TU RESTES PURE POUR MOI SI TU RESTES PROPRE POUR MOI SI TU SI TU MEURS POUR MOI TU ES

La planchette bascula, vira de bord et recommença à écrire, plus bas.

TU ES MORTE AVEC LES AUTRES TU ES DANS LE LIVRE DES MORTS AVEC LE RESTE DES AUTRES NADINE EST MORTE AVEC EUX NADINE POURRIT AVEC EUX À MOINS À MOINS

La planchette s'arrêta. Vibra. Nadine pensa, espéra – oh comme elle l'espérait – que c'était fini. Puis elle recommença à courir plus bas. Jane poussa un hurlement. Les autres étaient pâles, effrayées, épouvantées.

LE MONDE LE MONDE BIENTÔT LE MONDE MOURRA ET NOUS NOUS NOUS NADINE MOI MOI MOI NOUS NOUS NOUS SOMMES NOUS SOMMES NOUS

Et les lettres parurent *hurler* à travers la page :

NOUS SOMMES DANS LA MAISON DES MORTS NADINE

Le dernier mot courut en travers de la page en lettres de trois centimètres de haut, puis la planchette tournoya sur elle-même, quitta la feuille de papier, laissant derrière elle une longue trace noire de plombagine, avant de tomber par terre et de se casser en deux.

Il y eut alors un instant de silence incrédule, puis Jane Fargood éclata en sanglots hystériques. La surveillante était enfin montée voir ce qui se passait, Nadine s'en souvenait maintenant, et elle allait appeler l'infirmerie pour qu'on s'occupe de Jane quand la jeune fille avait finalement réussi à se ressaisir un peu.

Tout ce temps, Rachel Timms était restée assise sur son lit, calme et pâle. Quand la surveillante et la plupart des autres jeunes filles (y compris la jument qui pensait sans aucun doutc qu'on n'est jamais prophétesse dans son pays) furent reparties, elle avait demandé à Nadine d'une voix creuse, étrange :

– Qui était-ce, Nadine ?

– Je n'en sais rien.

Effectivement, elle n'en avait pas la moindre idée. Pas à cette époque.

– Tu n'as pas reconnu l'écriture ?

– Non.

– Bon... Tu ferais sans doute mieux d'essayer de... d'oublier tout ça... et de retourner dans ta chambre.

– Mais c'est toi qui m'as demandé de rester ! Comment pouvais-je savoir que quelque chose allait... j'ai voulu te faire plaisir... Tu m'entends ?

Rachel avait eu le bon esprit de devenir toute rouge et même de s'excuser. Mais Nadine ne l'avait pratiquement plus fréquentée par la suite. Pourtant, Rachel Timms avait été l'une des rares étudiantes dont Nadine s'était vraiment sentie très proche pendant ses trois premiers trimestres à l'université.

Depuis, elle n'avait jamais retouché à une de ces araignées triangulaires découpées dans une plaque d'aggloméré.

Mais les temps... les temps avaient changé, n'est-ce pas ?

Oui, en vérité.

Le cœur battant, Nadine s'assit sur le banc et posa légèrement les doigts sur deux des trois côtés de la planchette. Presque immédiatement, elle la sentit commencer à bouger, comme une voiture dont le moteur tourne au ralenti. Mais qui était au volant ? Qui était-il *réellement* ? Qui allait monter dans cette voiture, claquer la portière, poser ses mains brûlées par le soleil sur le volant ? À qui appartenaient ces pieds lourds et brutaux, dans leurs vieilles bottes poussiéreuses de cow-boy, ces pieds qui allaient écraser l'accélérateur et l'emporter... mais où, où donc ?

Chauffeur, où allons-nous ?

Perdue, désespérée, Nadine était assise toute droite sur son banc, au sommet du mont Flagstaff, dans la noire tranchée du matin, les yeux grands ouverts, sentant plus que jamais qu'elle était au bord de la frontière. Elle regardait vers l'est, mais elle sentait sa présence venir de derrière, l'écraser de tout son poids, l'attirer vers le fond comme des blocs de ciment attachés aux pieds d'un cadavre : la présence de Flagg, une présence sombre qui arrivait sur elle en vagues régulières, inexorables.

Quelque part, l'homme noir errait dans la nuit et elle prononça deux mots, comme une incantation à tous les mauvais esprits qui ont jamais été, comme une incantation, comme une invitation :

– Dis-moi.

Et, sous les doigts de Nadine, la planchette se mit à écrire.

FIN DU DEUXIÈME VOLUME

POLAR

Cette collection présente tous les genres du roman criminel : le policier classique avec des auteurs tels que Ellery Queen, Boileau-Narcejac, le roman noir avec Raymond Chandler, Ed McBain et les œuvres de suspense illustrées par Stephon King ou Tony Kenrick. C'est un panaroma complet du roman criminel qui est ainsi proposé aux lecteurs de J'ai lu.

BOILEAU-NARCEJAC	**Les victimes** 1429/**2**
	Maldonne 1598/**2**
BLOCH R. & NORTON A.	**L'héritage du Dr Jekyll** 3329/**4** Inédit (Novembre 92)
BROWN Fredric	**La nuit du Jabberwock** 625/**3**
CHANDLER Raymond	**Playback** 2370/**3**
COGAN Mick	**Black Rain** 2661/**3** Inédit
CONSTANTINE K.C.	**L'homme qui aimait se regarder** 3073/**4**
DePALMA Brian	**Pulsions** 1198/**3**
GALLAGHER Stephen	**Du fond des eaux** 3050/**6** Inédit
GARBO Norman	**L'Apôtre** 2921/**7**
GARDNER Erle Stanley	Perry Mason :
	- L'avocat du diable 2073/**3**
	- La danseuse à l'éventail 1688/**3**
	- La jeune fille boudeuse 1459/**3**
	- Le canari boiteux 1632/**3**
GARTON Ray	**Piège pour femmes** 3223/**5** Inédit
GRADY James	**Steeltown** 3164/**6** Inédit
HUTIN Patrick	**Amants de guerre** 3310/**9**
KENRICK Tony	**Shanghaï surprise** 2106/**3**
	Les néons de Hong-kong 2706/**5** Inédit
KING Stephen	**Running Man** 2694/**3**
	Chantier 2974/**6**
	Marche ou crève 3203/**5**
LASAYGUES Frédéric	**Back to la zone** 3241/**3** Inédit
LEPAGE Frédéric	**La fin du 7e jour** 2562/**5**
McBAIN Ed	**Le chat botté** 2891/**4** Inédit
MAXIM John R.	**Les tueurs Bannerman** 3273/**8**
NAHA Ed	**Dead-Bang** 2635/**3** Inédit
	Robocop 2 2931/**3** Inédit
NICOLAS Philippe	**Le printemps d'Alex Zadkine** 3096/**5**
PARKER Jefferson	**Pacific Tempo** 3261/**6** Inédit
PEARSON Ridley	**Le sang de l'albatros** 2782/**5** Inédit
	Courants meurtriers 2939/**6** Inédit
PÉRISSET Maurice	**Le banc des yeuves** 2666/**3**
QUEEN Ellery	**La ville maudite** 1445/**3**
	Et le huitième jour 1560/**3**
	La Décade prodigieuse 1646/**3**
	Face à face 2779/**3**
	Le cas de l'inspecteur Queen 3023/**3**
	La mort à cheval 3130/**3**
	Le mystère de la rapière 3184/**3**
	Le mystère du soulier blanc 3349/**4** (Décembre 92)

SADOUL Jacques	**L'Héritage Greenwood** 1529/**3**
	L'inconnue de Las Vegas 1753/**3**
	Trois morts au soleil 2323/**3**
	Le mort et l'astrologue 2797/**3**
	Doctor Jazz 3008/**3**
	Yerba Buena 3292/**4** Inédit
SCHALLINGHER Sophie	**L'amour venin** 3148/**5**
SPILLANE Mickey	**En quatrième vitesse** 1798/**3**
TORRES Edwin	**Contre-enquête** 2933/**3** Inédit
WILTSE David	**Le cinquième ange** 2876/**4**

Science-fiction

Depuis 1970, cette collection est leader du genre en France. Tous les grands de la S-F sont présents : Asimov, Van Vogt, Clarke, Dick, Vance, Simak mais également de jeunes auteurs qui seront les écrivains de premier plan de demain : Tim Powers, David Brin...
Elle publie aujourd'hui des titres Fantasy, genre en plein redéploiement aux Etats-Unis.

ANDERSON Poul	**La patrouille du temps** 1409/**3**
ASIMOV Isaac	**Les cavernes d'acier** 404/**4**
	Les robots 453/**3**
	Face aux feux du soleil 468/**3**
	Un défilé de robots 542/**3**
	Les robots de l'aube 1602/**3** & 1603/**3** Inédit
	Le voyage fantastique 1635/**3**
	Les robots et l'empire 1996/**4** & 1997/**4** Inédit
	Espace vital 2055/**3**
	Asimov parallèle 2277/**4** Inédit
	Le robot qui rêvait 2388/**6** Inédit
	La cité des robots 2573/**6** Inédit
	Cyborg (La cité des robots 2) 2875/**6**
	Refuge (La cité des robots 3) 2975/**6**
	Le renégat (Robots et extra-terrestres) 3094/**6** Inédit
	L'intrus (Robots et extra-terrestres) 3185/**6** Inédit
	Humanité (Robots et extra-terrestres) 3290/**6** Inédit
BALLARD J.G.	**La forêt de cristal** 2652/**3**
	Le monde englouti 2667/**3**
	La plage ultime 2859/**3**
	La région du désastre 2953/**3** Inédit
BLAYLOCK James	**Homunculus** 3052/**4** Inédit

Achevé d'imprimer en Europe (France)
par Brodard et Taupin à la Flèche (Sarthe)
le 15 septembre 1992. 1294G-5
Dépôt légal sept. 1992. ISBN 2-277-23312-9

Éditions J'ai lu
27, rue Cassette, 75006 Paris
Diffusion France et étranger : Flammarion

BRIN David	**Marée stellaire** 1981/**5** Inédit
	Le facteur 2261/**5** Inédit
BROOKS Terry	**Le glaive de Shannara** 3331/**8** Inédit (Novembre 92)
CANAL Richard	**Swap-Swap** 2836/**3** Inédit
CARD Orson Scott	**Abyss** 2657/**4** Inédit
CARROLL Jonathan	**Le pays du fou rire** 2450/**4** Inédit
CHERRYH C.J.	**Chasseurs de monde** 1280/**4**
	Les adieux du soleil 1354/**3**
	Les Seigneurs de l'hydre 1420/**4**
	Chanur 1475/**4**
	L'Opéra de l'espace 1563/**3**
	L'épopée de Chanur 2104/**3**
	La vengeance de Chanur 2289/**4** Inédit
	Le retour de Chanur 2609/**7** Inédit
	Les légions de l'enfer 2814/**5** Inédit
	Cyteen 2935/**6** & 2936/**6** Inédit
	Volte-face 3144/**5**
	Forteresse des étoiles 3330/**7** (Novembre 92)
CLARKE Arthur C.	**2001 : l'odyssée de l'espace** 349/**2**
	2010 : odyssée deux 1721/**3**
	2061 : odyssée trois 3075/**3**
	Les enfants d'Icare 799/**3**
	Avant l'Eden 830/**3**
	L'étoile 966/**3**
	Rendez vous avec Rama 1047/**7**
	Rama II 3204/**7** Inédit
	Les fontaines du Paradis 1304/**3**
	Les chants de la terre lointaine 2262/**4**
	Base Vénus :
	- **Point de rupture** 2668/**4** Inédit
	- **Maelström** 2679/**4** Inédit
	- **Cache-cache** 3006/**4** Inédit
	- **Méduse** 3224/**4** Inédit
	- **La lune de diamant** 3350/**4** Inédit (Décembre 92)
CURVAL Philippe	**Le ressac de l'espace** 595/**3**
	La face cachée du désir 3024/**3**
DANIELS Les	**Le vampire de la Sainte Inquisition** 3352/**4** Inédit (Déc. 92)
DE HAVEN Tom	**D'un monde l'autre** 3186/**5** Inédit
	Le Mage de l'Apocalypse 3308/**5** Inédit
DICK Philip K.	**Dr Bloodmoney** 563/**4**
	Les clans de la lune alphane 879/**3**
	L'homme doré 1291/**3**
	Le dieu venu du Centaure 1379/**3**
	Blade Runner 1768/**3**
DICKSON Gordon R.	**Le dragon et le georges** 3208/**4** Inédit
FARMER Philip José	**Les amants étrangers** 537/**3**
	L'univers à l'envers 581/**2**
	Des rapports étranges 712/**3**
	La nuit de la lumière 885/**3**
	Le soleil obscur 1257/**4**
FERGUSSON Bruce	**L'ombre de ses ailes** 3226/**5** Inédit